여러분의 ~~~~~~~~~는
해커스경찰~~ 특별 혜택!

FREE 경찰학 **특강**

해커스경찰(police.Hackers.com) 접속 후 로그인 ▶ 상단의 [무료강좌 → 경찰 무료강의] 클릭하여 이용

해커스경찰 온라인 단과강의 **20% 할인쿠폰**

E3FA6AEE9A46FB4A

해커스경찰(police.Hackers.com) 접속 후 로그인 ▶ 상단의 [내강의실] 클릭 ▶
[쿠폰/포인트] 클릭 ▶ 쿠폰번호 입력 후 이용

* 등록 후 7일간 사용 가능(ID당 1회에 한해 등록 가능)

합격예측 **온라인 모의고사 응시권 + 해설강의 수강권**

FFBC24A28BDB28C2

해커스경찰(police.Hackers.com) 접속 후 로그인 ▶ 상단의 [내강의실] 클릭 ▶
[쿠폰/포인트] 클릭 ▶ 쿠폰번호 입력 후 이용

* ID당 1회에 한해 등록 가능

쿠폰 이용 관련 문의 **1588-4055**

단기 합격을 위한
해커스경찰 커리큘럼

입문

탄탄한 기본기와 핵심 개념 완성!

누구나 이해하기 쉬운 개념 설명과 풍부한 예시로 부담없이 쌩기초 다지기

 TIP 베이스가 있다면 **기본 단계**부터!

▼

기본+심화

필수 개념 학습으로 이론 완성!

반드시 알아야 할 기본 개념과 문제풀이 전략을 학습하고
심화 개념 학습으로 고득점을 위한 응용력 다지기

▼

기출+예상 문제풀이

문제풀이로 집중 학습하고 실력 업그레이드!

기출문제의 유형과 출제 의도를 이해하고 최신 출제 경향을 반영한
예상문제를 풀어보며 본인의 취약영역을 파악 및 보완하기

▼

동형문제풀이

동형모의고사로 실전력 강화!

실제 시험과 같은 형태의 실전모의고사를 풀어보며 실전감각 극대화

▼

최종 마무리

시험 직전 실전 시뮬레이션!

각 과목별 시험에 출제되는 내용들을 최종 점검하며 실전 완성

PASS

**단계별 교재 확인 및
수강신청은 여기서!**

police.Hackers.com

* 커리큘럼 및 세부 일정은 상이할 수 있으며,
자세한 사항은 해커스경찰 사이트에서 확인하세요.

해커스경찰
서정표
경찰학

기본서 | 2권 각론

서정표

약력

국립경찰대학교 행정학과(학사)
고려대학교 경영대학원 Finance MBA(경영학 석사)
제49회 사법시험 합격
사법연수원 수료, 한국변호사
현 | 경북지방경찰청, 독도경비대장
　　울산지방경찰청, 동부경찰서
　　법무법인(유) 율촌, 기업법무/공공법무
　　IT기업 법무총괄
현 | 해커스 경찰학원 경찰학(순경) 강의

저서

서정표 경찰학 기본서, 해커스경찰
서정표 경찰학 기출문제집, 해커스경찰
서정표 REAL 경찰헌법 기본서, 연승북스

경찰학, 바로 나의 이야기

세상에서 가장 재미있는 이야기 … ?

세상에서 가장 재미있는 이야기가 뭘까요? 허약한 소년이 기이한 인연으로 힘을 얻어 일진들을 쳐부수는 이야기? 잘못된 선택의 순간으로 회귀하여 과거의 잘못을 바로잡으며 승승장구하는 이야기? 폐허가 된 세상에서 힘겹게 생존해 나가는 이야기? 모두들 요즘 인기있는 재미있는 이야기들이지만, 이러한 모든 이야기를 압도하는 가장 재미있는 이야기가 있습니다.

상상해 봅시다. 나는 지금 학교 화장실 안 좌변기에 앉아서 일을 보고 있습니다. 그런데 밖에서 손을 씻던 누군가 내 이름을 언급하며 "철수 걔 있잖아, 요즘 무슨 일 있나?"라는 말을 듣는 순간, 한 마디도 놓치지 않기 위한 청각과 집중력은 평소보다 10배쯤 상승하고, 잊지 않기 위한 기억력도 비슷하게 상승할 것입니다. 네, 세상에서 가장 재미있는 이야기는, 지금 현실에서 일어나고 있는 바로 나의 이야기입니다.

지금 경찰학 수험교재의 머리말을 지금 읽고 계신 여러분! 여러분들에게는 바로 이 경찰학 수험서가 가까운 미래에 펼쳐질 여러분들의 이야기입니다. 경찰관이 되어서 어떤 일을 어떻게 할지, 내가 일하게 될 경찰조직은 어떤 곳인지? 경찰관으로서 해도 되는 것과 안 되는 것은 어떤 것들인지? 등등, 경찰이 되려고 하는 여러분들께는 비록 수험서라 할지라도 경찰학은 재미가 있을 수밖에 없는, 바로 여러분들의 이야기입니다.

그래서 이 책은?

제가 과거에 사법시험 준비를 할 때도 마찬가지였지만, 그로부터 많은 시간이 지난 지금도 대부분의 수험서는 단순히 '시험에 이런 것들이 나온다.'는 내용을 책에 모아놓은 것들이 대부분인 것으로 보이고, 저는 그 점이 매우 안타까웠습니다.

그래서 이 책은, 제가 과거 경찰과 변호사로 경험했던 실제 우리 주변에서 일어나고 있는 현실적인 일들, 그리고 우리 사회를 떠들썩하게 했던 중요한 사건들, 나아가 주변의 경찰 동료들로부터 전달받은 간접적인 경험들과 각종 통계수치 등을, 수험서로서의 본질을 잃지 않는 범위 내에서 최대한 녹여내고자 하였습니다.

이를 통해 여러분들은, '내가 경찰하려고 이런 것까지 알아야 되나?'라는 마음이 아닌, '내 주변에서 일어나고 있는 이런 일들을 경찰관으로서 제대로 처리하려면 이 정도는 당연히 알아야겠네!'라는 마음으로 흥미롭게 경찰학을 공부할 수 있게 될 것이라고 확신합니다. 또한 현실적인 지면의 한계로 책에 모든 내용을 담지는 못하였지만, 경찰공무원 시험 전문 해커스경찰(police.Hackers.com)에서 학원강의나 인터넷동영상강의를 통해 지면에서 풀어내지 못한 부분을 채워드릴 것이라 약속드립니다.

또한 이 책은 …

제가 과거 사법시험을 준비할 때 '이런 책이 있었으면 공부하기 편하겠다.'라는 수험생 시절의 마음과, 경찰근무를 하면서 사법시험(1차)에 합격했던 다음과 같은 저만의 노하우를 담았습니다.

1. 어떤 시험이든 기출이야 말로 소위 말하는 '족보'로써 그 중요성을 절실히 알고 있기에, 최근 10년 이상의 기출을 실무(승진)시험까지 모두 분석하여 교재에 표시하였습니다. 이를 통해 자연스럽게 빈출되는 중요부분과 그렇지 않은 부분을 한눈에 알 수 있도록 하였습니다.

2. 기본서에서 설명하고 있는 내용이 실제 시험에서 어떤 식으로 변형되고 어떤 함정을 파는지 바로 알 수 있도록, 해당 내용의 바로 아래에 관련 기출지문을 다양하게 수록하였습니다.

3. 공부를 하면서 뜻을 쉽게 파악하기 힘든 용어 등이 나오는 경우 다시 찾아보는 시간과 수고를 덜어드리기 위해, 해당 내용의 바로 옆 날개에 생소한 용어 설명을 곁들였습니다.

4. 또한 공부를 하다 보면 '비슷한 내용을 봤던 것 같은데?' 혹은 '이 내용은 다른 부분과도 관련이 있는 것 같은데?'라는 생각이 들 때가 있습니다. 수험생의 입장에서 이러한 부분들 역시 해당 내용의 바로 옆 날개에 유사내용 또는 유관내용을 정리하여 소개하였습니다.

5. 수험공부를 비교적 장기간 한 분들 중, 대화해 보면 분명히 내용은 이해하고 있는 듯 한데 점수로 잘 표현이 되지 않는 분들이 상당히 있습니다. 제 경험에 비추어 보면, 이러한 특징을 가진 분들은 소위 '요약의 함정'에 빠져있는 분들일 가능성이 높습니다. 출제위원들도 출제오류를 최소화하기 위해서는 법령의 지문을 거의 그대로 낼 수밖에 없는데, 과도하게 축약된 요약서나 표 위주의 정리자료로 공부를 하면 내용은 알고있지만 점수로 현출시키기 어렵습니다. 이에 저는 법령의 경우 최대한 원래 법령지문을 그대로 소개하면서도, 난해한 법조문은 '쉽게 읽기!' 코너를 통해 초심자들의 접근도 어렵지 않도록 하였습니다.

수험의 제1원칙: Occam's Razor(오캄의 면도날)

저에게 있어 오캄의 면도날이란, "해봤자 해결되지 않는 고민, 해봤자 내가 어찌할 수 없는 고민은 과감히 쓰레기통에 던져버리라."라는 단순화 원칙입니다. 다르게 표현하면 "내가 내 손으로 해결할 수 있는 문제만을 고민한다."라는 것이 되겠네요. 수험생활은 아메바처럼 단순해져야 하고, 따라서 쓸데없는 생각과 고민은 과감히 쳐내야 합니다.

기존의 경찰학개론이 경찰학으로 바뀌면서 신경향 문제는 어떻고 작년에 비해 올해는 어느 파트에서 출제비중이 높았으며, 경찰행정법 부분은 비중을 어느정도 두는게 맞는지 …, 이런 문제는 여러분들이 고민할 문제가 아닙니다. 극단적으로 외국 경찰(비교경찰) 파트에서 40문제가 전부 신경향으로 나와도 수험생인 우리는 할 말도 없고 할 수 있는 것도 없습니다. 수험생인 우리가 해야 할 것은 단 하나, 바로 나의 이야기인 경찰학이 재미있다고 느끼기만 하면, 여기에 하나 덧붙이자면 경찰이라는 직업에 사명감과 애정을 가져주시기만 하면 됩니다.

수험생에게 쓸데없는 고민은 강사인 제가 하겠습니다. 이 책과 경찰공무원 시험 전문 해커스경찰(police.Hackers.com)에서 학원강의 · 인터넷동영상강의에서 이루어질 강의를 통해, 여러분들이 경찰학을 재미있게 공부하실 수 있도록, 경찰이라는 직업에 사명감과 애정을 느끼실 수 있도록 하겠습니다.

그리고 이 책이 수험생 여러분들과 만날 수 있도록 묵묵히 도움을 주신 해커스 경찰편집팀 관계자분들께도 진심으로 감사의 마음을 전합니다.

감사합니다.

2024년 7월
서정표

목차

각론

제4편 분야별 경찰활동

2025 해커스경찰
서정표 경찰학 기본서

제4편

분야별 경찰활동

제1장 / 생활안전경찰

주제 1 생활안전경찰 개설

01 의의 및 성격

1. 의의

생활안전경찰은 경찰활동의 대상이 되는 범죄나 위험을 미리 방지하여 평온한 시민생활의 안전을 확보하기 위한 활동을 수행하는 경찰을 말한다.

2. 성격

┃ 비교개념
- **사법경찰**: 범죄수사 · 피의자 체포 등을 목적으로 하는, 즉 형사사법작용을 하는 경찰
- **협의의 행정경찰**: 다른 행정작용과 결합하여 특별한 사회적 이익의 보호를 목적으로 하면서, 그 부수작용으로서 사회공공의 안녕과 질서를 유지하기 위한 경찰
- **진압경찰**: 이미 위험이 실현되어 진행 중인 장해를 제거하거나 이미 발생한 범죄를 수사하는 경찰

- **행정경찰**: 생활안전경찰은 공공의 안녕 또는 질서에 대한 위험방지작용을 하는 경찰인 행정경찰로서 성격을 가지며, 그중에서도 **강학상 보안경찰**의 성격을 갖는다.
  ↔ 사법경찰 《주의》 행정경찰의 성격이 강하다는 것이지, 사법경찰의 성격이 전혀 없는 것은 아니다.
- **예방경찰**: 생활안전경찰은 경찰상 위해발생을 사전에 방지하는 **예방경찰**로서의 성격을 갖는다. ↔ 진압경찰

3. 특성

대상의 전반성	광범성이라고도 하며, 생활안전경찰, 특히 지역경찰이 담당하는 임무의 범위는 경찰업무 전반에 걸친 것이므로 매우 광범위할 뿐 아니라 그 대상도 복잡 · 다양하다.
주민과의 접촉성	생활안전경찰은 주민의 일상생활의 안녕과 질서를 보호함을 주임무로 하고 있어 다른 경찰분야에 비해 주민과 가장 밀접하게 접촉하고 있다.
대상의 유동성	사회환경과 국민의식의 변화에 상응한 지도 · 단속이 필요하므로 대상 분야가 일정하지 않고 유동성이 있다.
업무의 긴박성 (즉효성)	생활안전경찰은 사건의 초동조치 대응 빈도가 가장 높으며 현장에서의 초동조치는 매우 긴박하고 즉시 효력을 발휘하는 성격이 강하다.
관계법령의 다양성 · 전문성	생활안전경찰이 관장하는 법령은 종류가 다양하고 그 내용도 전문적 · 기술적인 것이 많다.
적극적 자세의 필요성	관계법령의 목적을 충분히 이해하고 적극적인 자세로 임무에 임하지 않으면 각종 사범이 사회의 이면에 방치되는 경우가 발생한다.
관계기관과의 연락 · 협조의 필요성	다른 행정기관과의 관계가 특히 많은 분야이므로 이들 관계기관과의 연락 · 협조가 원활히 이루어지도록 노력하여야 한다.

02 업무분장

1. 경찰청 – 생활안전교통국

대통령령 **경찰청과 그 소속기관 직제 제11조** ① 생활안전교통국에 국장 1명을 둔다.
② 국장은 치안감 또는 경무관으로 보한다.
③ 국장은 다음 사항을 분장한다. [2022 채용2차]

자치경찰 관련	1. 자치경찰제도 관련 기획 및 조정 2. 자치경찰제도 관련 법령 사무 총괄 3. 자치경찰제도 관련 예산의 편성·조정 및 결산에 관한 사항 4. 자치경찰제도 관련 시·도 및 시·도자치경찰위원회와의 협력에 관한 사항
사회적 약자 관련 (여성·청소년·아동 등)	5. 소년비행 방지에 관한 업무 6. 소년 대상 범죄의 예방에 관한 업무 7. 아동학대의 예방 및 피해자 보호에 관한 업무 8. 가출인 및 실종아동등과 관련된 업무 9. 실종아동등 찾기를 위한 신고체계 운영 10. 여성 대상 범죄와 관련된 주요 정책의 총괄 수립·조정 11. 여성 대상 범죄 유관기관과의 협력 업무 12. 성폭력 및 가정폭력 예방 및 피해자 보호에 관한 업무 13. 스토킹·성매매 예방 및 피해자 보호에 관한 업무
범죄피해자 관련	14. 경찰 수사 과정에서의 범죄피해자 보호 및 지원에 관한 업무
교통관련	15. 도로교통에 관련되는 종합기획 및 심사분석 16. 도로교통에 관련되는 법령의 정비 및 행정제도의 연구 17. 교통경찰공무원에 대한 교육 및 지도 18. 교통안전시설의 관리 19. 자동차운전면허의 관리 20. 도로교통사고의 예방을 위한 홍보·지도 및 단속 21. 고속도로순찰대의 운영 및 지도

▌경찰청 직제개편(2023. 10.)
- 2023.10.13. 경찰의 치안역량을 강화하면서 경찰청을 범죄예방과 대응 중심 조직으로 재편하기 위해 '경찰청과 그 소속기관 직제'가 아래와 같이 개정되었다.
- **범죄예방대응국** 신설
- 생활안전국 및 교통국을 통합하여 **생활안전교통국**으로 개편
- 공공안녕정보국을 **치안정보국**으로 개편
- 외사국을 **국제협력관**으로 개편

▌현재 경찰청 조직(1본부 8국)
- 경찰청 산하국(5국)
  - 미래치안정책국
  - 범죄예방대응국
  - 생활안전교통국
  - 경비국
  - 치안정보국
  - 국가수사본부
- 국가수사본부 산하국(3국)
  - 수사국
  - 형사국
  - 안보수사국

2. 경찰청 범죄예방대응국

대통령령 **경찰청과 그 소속기관 직제 제10조의3 【범죄예방대응국】** ① 범죄예방대응국에 국장 1명을 두고, 국장 밑에 「행정기관의 조직과 정원에 관한 통칙」 제12조에 따른 보좌기관 중 실장·국장을 보좌하는 보좌기관(이하 "정책관등"이라 한다) 1명을 둔다.
② 국장은 치안감 또는 경무관으로 보하고, 정책관등 1명은 경무관으로 보한다.
③ 국장은 다음 사항을 분장한다.

범죄예방 관련	1. 범죄예방에 관한 기획·조정·연구 등 예방적 경찰활동 총괄 2. 범죄예방진단 및 범죄예방순찰에 관한 기획·운영
민간경비 관련	3. 경비업에 관한 연구·지도
생활질서 관련	4. 풍속 및 성매매(아동·청소년 대상 성매매는 제외한다) 사범에 대한 지도·단속 5. 총포·도검·화약류 등의 지도·단속 6. 즉결심판청구업무의 지도 7. 각종 안전사고의 예방에 관한 사항
지역경찰 관련	8. 지구대·파출소 운영체계의 기획 및 관리 9. 지구대·파출소의 외근활동 기획 및 운영 10. 지구대·파출소의 근무자에 대한 교육 11. 112신고제도의 기획·운영 및 112치안종합상황실의 운영 총괄 12. 치안 상황의 접수·상황판단, 전파 및 초동조치 등에 관한 사항 13. 치안상황실 운영에 관한 사항

▌아동·청소년 대상 성매매
- 경찰청 형사국장의 분장사항이다(성폭력범죄, **아동·청소년 대상 성매매**, 가정폭력, 아동학대, 학교폭력 및 실종사건에 관한 수사 지휘·감독 및 아동·청소년 대상 성매매 단속)

주제 2 지역경찰업무

01 지역경찰업무 개설

1. 지역경찰업무

▌지역사회 경찰활동(CP)

1. 경찰이 지역사회 공동체의 모든 분야와 협력하여 범죄발생을 예방하고 범죄로부터 피해를 줄이는 것을 목표로 하는 활동을 말하는 것
2. 구성요소는 다음과 같다.
   - 지역중심적 경찰활동(COP)
   - 전략지향적 경찰활동(SOP)
   - 이웃지향적 경찰활동(NOP)
   - 문제지향적 경찰활동(POP)
3. POP는 조사 ➡ 분석 ➡ 대응 ➡ 평가로 이루어지는 SARA모델을 제시한다.

- **지역경찰업무**란 지구대·파출소 등 지역경찰관서에 소속된 경찰공무원 등이 관할지역의 실태를 파악하여 그에 따른 경찰활동을 하고 지역주민 생활의 안전과 평온을 확보하는 등의 제반 경찰업무를 말한다.
- 이를 위해 지역경찰은 24시간 관할지역의 경계체제를 유지하고, 관련 업무 전반에 대한 초동조치를 담당하는 등 해당 지역의 치안을 책임지는 경찰활동을 수행하고 지역주민에 대한 적극적인 봉사와 원활한 보호가 이루어질 수 있도록 한다.

☑ KEY POINT ┃ 지역경찰과 전담경찰 비교

구분	지역경찰(외근경찰)	전담경찰(수사·교통 등)
담당임무	경찰업무 전반에 걸쳐 초기단계 담당 ➡ 전반성	특정업무에 대하여 초기부터 종결 시가지 처리 ➡ 특정성
활동거점	지구대·파출소·치안센터 등이 활동거점	경찰서 관할구역 내 특정업무 처리
근무방법	시간과 장소, 사건의 유무와 관계없이 항상 경계근무	피의자조사·첩보수집 등 특정업무를 수행
대민관계	주민과의 접촉성이 강함	주민과의 접촉성이 상대적으로 약함
임무기준	지역을 기준으로 구분된 임무를 수행	담당업무의 성질을 기준으로 구분된 임무를 수행
업무추구	업무의 넓이를 추구	업무의 깊이를 추구(전문적·종국적)

2. 지역경찰의 기능

- 지역경찰은 일반 국민들에게 경찰에 대한 일반적인 이미지를 형성하게 한다.
- 지역경찰에 대한 주민의 신뢰는 경찰 전체에 대한 신뢰로 이어진다.
- 주민 지향적 경찰활동을 통해 지역사회의 근본문제를 개선하고 지역주민과 효과적 협력치안을 달성한다.

02 지역경찰의 주요 활동

1. 현장방범활동

(1) 경찰방문

경찰관이 관할구역 내의 각 가정, 상가 및 기타시설 등을 방문하여 청소년선도, 소년소녀가장 및 독거노인·장애인 등 사회적 약자 보호활동 및 안전사고방지 등의 지도·상담·홍보 등을 행하며 민원사항을 청취하고, 필요시 주민의 협조를 받아 방범진단을 하는 등 예방경찰활동을 말한다.

(2) 방범진단

범죄예방 및 안전사고방지를 위하여 관내 주택, 고층빌딩, 금융기관 등 현금다액취급업소 및 상가·여성운영업소 등에 대하여 방범시설 및 안전설비의 설치상황, 자위방범역량 등을 점검하여 미비점을 보완하도록 지도하거나 경찰력 운용상의 문제점을 보완하는 활동을 말한다.

💡 경찰방문과 방범진단은 지금은 일몰제로 폐지된 '경찰방문 및 방범진단 규칙(경찰청훈령)'에 근거하던 것으로, 해당 훈령 자체는 폐지되었으나 '지역경찰의 조직 및 운영에 관한 규칙'상 순찰업무의 내용으로 여전히 규정되어 있다.

2. 112신고 대응활동

(1) 의의

- 112신고 대응활동이란 범죄나 각종 사건·사고에 대한 112신고를 접수하고 처리하는 일련의 활동을 말한다.
- 국민들에게 112는 범죄와 각종 사건·사고에 대한 대표전화로 인식되어 있으며, 접수사건에 대한 긴급성과 중요성에 따라 출동체계를 차별화하는 고도화 작업이 2010년대 이후부터 경찰청 주도로 이루어지고 있다.

💡 112 신고체계 발전현황

1. 1세대 – 전화교환수 세대(1957~1986년)
2. 2세대 – C3개념과 IDS시스템 도입 세대(1987~2011년)
3. 3세대 – 위치추적 시스템(LBS) 도입 세대(2012~2018년)
4. 3.5세대 – Risk Management의 시대(2019~2023년)
5. 4세대 – 차세대 112시스템(2023년 이후)
   - 빅데이터와 AI기술 접목
   - 위치측정 정밀화
   - KICS시스템 등 통합연계

(2) 112치안종합상황실과 112요원

1) 112치안종합상황실

> 예규 112치안종합상황실 운영 및 신고처리 규칙 제4조 【112치안종합상황실의 운영】
> 112신고를 포함한 각종 상황에 효율적이고 효과적인 대응을 위해 각 시·도경찰청 및 경찰서에 112치안종합상황실을 설치하여 24시간 운영한다.
>
> 예규 112치안종합상황실 운영 및 신고처리 규칙 제5조 【기능】112치안종합상황실은 다음 각 호의 업무를 수행한다.
> 1. 112신고의 접수와 지령
> 2. 각종 치안상황의 신속·정확한 파악·전파 및 초동조치 지휘
> 3. 112신고 및 치안상황에 대한 기록유지
> 4. 112신고 관련 각종 통계의 작성·분석 및 보고

2) 112요원

> 예규 112치안종합상황실 운영 및 신고처리 규칙 제6조 【근무자 선발 원칙 및 근무기간】 ① 시·도경찰청장 및 경찰서장은 112요원을 배치할 때에는 관할구역 내 지리감각, 언어 능력 및 상황 대처능력이 뛰어난 경찰공무원을 선발·배치하여야 한다.
> ② 112요원의 근무기간은 2년 이상으로 한다.

③ 시·도경찰청장 및 경찰서장은 보임·전출입 등 인사 시 112요원의 장기근무를 유도하기 위해 노력하여야 한다.

(3) 112신고의 처리절차

접수(치안종합상황실) ➡ 분류(112요원) ➡ 지령(112요원) ➡ 출동·보고·조치(출동요소) ➡ 신고처리 종결(112요원) ➡ 자료의 보존

1) 신고접수

> **예규** 112치안종합상황실 운영 및 신고처리 규칙 제8조【신고의 접수】 ① 112신고는 현장출동이 필요한 지역의 관할과 관계없이 신고를 받은 112종합상황실에서 접수한다.
> ② 국민이 112신고 이외 경찰관서별 일반전화 또는 직접 방문 등으로 경찰관의 현장출동을 필요로 하는 사건의 신고를 한 경우 해당 신고를 받은 자가 접수한다. 이 때 접수한 자는 112시스템에 신고내용을 입력하여야 한다.
> [2022 채용2차]
> ③ 112신고자가 그 처리 결과를 통보받고자 희망하는 경우에는 신고처리 종료 후 그 결과를 통보하여야 한다.

2) 신고분류

- CODE 0 예시: 범인이 방금 버스정류장에서 칼로 찌른 후 OO사거리 쪽으로 걸어가고 있다.
- CODE 1 예시: 피해자가 비명을 지른 후 끊긴 신고, 모르는 사람이 현관문을 열려고 한다.
- CODE 2 예시: 호프집에서 손님들이 시비가 붙어 서로 언쟁 중인데 곧 크게 싸울 것 같다.
- CODE 3 예시: 영업이 끝났는데 손님이 깨워도 일어나지 않는다. 집에 와보니 도둑이 들었는지 집이 난리다.
- CODE 4 예시: 긴급성이 없는 민원·상담신고

> **예규** 112치안종합상황실 운영 및 신고처리 규칙 제9조【112신고의 분류】 ① 112요원은 초기 신고내용을 최대한 합리적으로 판단하여 112신고를 분류하여 업무 처리를 한다.
> ② 접수자는 신고내용을 토대로 사건의 긴급성과 출동필요성에 따라 다음 각 호와 같이 112신고의 대응코드를 분류한다.
> 1. code 0 신고: code 1 신고 중 이동성 범죄, 강력범죄 현행범인 등 실시간 전파가 필요한 경우
> 2. code 1 신고: 생명·신체에 대한 위험 발생이 임박, 진행 중, 직후인 경우 또는 현행범인인 경우
> 3. code 2 신고: 생명·신체에 대한 잠재적 위험이 있는 경우 또는 범죄예방 등을 위해 필요한 경우
> 4. code 3 신고: 즉각적인 현장조치는 불필요하나 수사, 전문상담 등이 필요한 경우
> 5. code 4 신고: 긴급성이 없는 민원·상담 신고
> ③ 접수자는 불완전 신고로 인해 정확한 신고내용을 파악하기 힘든 경우라도 신속한 처리를 위해 우선 임의의 코드로 분류하여 하달 할 수 있다. [2024 승진]
> ④ 시·도경찰청, 경찰서 지령자 및 현장 출동 경찰관은 접수자가 제2항 부터 제4항과 같이 코드를 분류한 경우라도 추가 사실을 확인하여 코드를 변경할 수 있다. [2023 승진(실무종합)]
> [2024 승진] 접수자는 신고내용을 토대로 강력범죄 현행범인 등 실시간 전파가 필요한 경우에는 112신고의 대응코드 중 code 1 신고로 분류한다. (×)
> [2023 승진(실무종합)] 경찰 출동요소에 의한 현장조치 필요성이 없는 경우는 112신고의 분류 중 code 4 신고로 분류한다. (○)

3) 지령

112치안종합상황실 운영 및 신고처리 규칙 제10조【지령】 ① 112요원은 접수한 신고 내용이 code 0 신고부터 code 3 신고의 유형에 해당하는 경우에는 <u>1개 이상의 출동요소에 출동장소, 신고내용, 신고유형 등을 고지하고 처리하도록 지령하여야 한다.</u>

② 112요원은 접수한 신고의 내용이 code 4 신고의 유형에 해당하는 경우에는 출동요소에 지령하지 않고 자체 종결하거나, 소관기관이나 담당 부서에 신고내용을 통보하여 처리하도록 조치하여야 한다. [2023 승진(실무종합)]

[2024 승진] 112요원은 접수한 신고의 내용이 code 3 신고의 유형에 해당하는 경우에는 출동요소에 지령하지 않고 자체 종결하거나, 소관기관이나 담당 부서에 신고내용을 통보하여 처리하도록 조치해야 한다. (×)

┃ 출동요소

112순찰차, 형사기동대차, 교통순찰차, 고속도로순찰차, 지구대·파출소의 근무자 및 인접 경찰관서의 근무자 등

4) 현장출동, 보고 및 조치

112치안종합상황실 운영 및 신고처리 규칙 제14조【현장출동】 ① 제10조 제1항의 지령을 받은 출동요소는 신고유형에 따라 다음 각 호의 기준에 따라 현장에 출동하여야 한다.

1. code 0 신고, code 1 신고: code 2 신고, code 3 신고의 처리 및 다른 업무에 우선하여 최우선 출동

2. code 2 신고: code 0 신고, code 1 신고의 처리 및 다른 중요한 업무에 지장을 초래하지 않는 범위 내에서 출동

3. code 3 신고: 당일 근무시간 내에 출동

② 제1항 제1호에 따른 출동을 하는 출동요소는 소관업무나 관할 등을 이유로 출동을 거부하거나 지연 출동하여서는 아니된다.

③ 모든 출동요소는 사건 장소와의 거리, 사건의 유형 등을 고려하여 신고 대응에 가장 적합한 상태에 있다고 판단될 경우 별도의 출동 지령이 없더라도 스스로 출동의사를 밝히고 출동하는 등 112신고에 적극적으로 대응하여야 한다.

112치안종합상황실 운영 및 신고처리 규칙 제15조【현장보고】 ① 112신고의 처리와 관련하여 출동요소는 다음의 기준에 따라 현장상황을 112종합상황실로 보고하여야 한다.

1. **최초보고**: 출동요소가 112신고 현장에 도착한 즉시 도착 사실과 함께 간략한 현장의 상황을 보고

2. **수시보고**: 현장 상황에 변화가 발생하거나 현장조치에 지원이 필요한 경우 수시로 보고

3. **종결보고**: 현장 초동조치가 종결된 경우 확인된 사건의 진상, 사건의 처리 내용 및 결과 등을 상세히 보고

② 제1항에도 불구하고 현장 상황이 급박하여 신속한 현장 조치가 필요한 경우 우선 조치 후 보고할 수 있다.

[2023 승진(실무종합)] 112신고의 처리와 관련하여 출동요소는 현장 상황이 급박하여 신속한 현장 조치가 필요한 경우 우선 조치 후 보고할 수 있다. (○)

112치안종합상황실 운영 및 신고처리 규칙 제16조【현장조치】 ① 출동요소가 112신고를 현장조치할 때에는 다음 각 호의 사항을 준수하여야 한다.

1. 신고사건은 내용에 따라 「경찰관 직무집행법」 등 관련 법령 및 규정에 따라 엄정하게 처리

2. 돌발상황에 대비하여 철저한 현장 경계

3. 다수의 경찰공무원이 필요하다고 판단되는 경우 112종합상황실에 지원요청 또는 인접 출동요소에 직접 지원요청

4. 구급차 · 소방차 등의 지원이 필요한 사안은 즉시 직접 또는 112종합상황실에 유 · 무선 보고하여 해당기관에 통보

② 출동요소는 제1항 제3호에 따른 112종합상황실의 지원지시 또는 다른 출동요소의 지원요청을 받은 경우 특별한 사유가 없는 한 신속히 현장으로 출동하여야 하며, 긴급한 경우 지원요청이 없더라도 현장조치중인 출동요소를 지원하여야 한다.

5) 신고처리의 종결

> **예규** 112치안종합상황실 운영 및 신고처리 규칙 제18조 【112신고처리의 종결】 112요원은 다음 각 호의 경우 112신고처리를 종결할 수 있다. 다만, 타 부서의 계속적 조치가 필요한 경우 해당부서에 사건을 인계한 이후 종결하여야 한다.
> 1. 사건이 해결된 경우
> 2. 신고자가 신고를 취소한 경우. 다만, 신고자와 취소자가 동일인인지 여부 및 취소의 사유 등을 파악하여 신고취소의 진의 여부를 확인하여야 한다.
> 3. 추가적 수사의 필요 등으로 사건 해결에 장시간이 소요되어 해당 부서로 인계하여 처리하는 것이 효과적인 경우
> 4. 허위 · 오인으로 인한 신고 또는 경찰 소관이 아닌 내용의 사건으로 확인된 경우
> 5. 현장에 출동하였으나 사건 내용을 확인할 수 없으며, 사건이 실제 발생하였다는 사실도 확인되지 않는 경우
> 6. 그 밖에 상황관리관, 112종합상황실(팀)장이 초동조치가 종결된 것으로 판단하는 경우
>
> [2023 승진(실무종합)] 112요원은 사건이 해결된 경우라면 타 부서의 계속적 조치가 필요하더라도 별도의 인계없이 112신고처리를 종결할 수 있다. (×)

6) 신고자료의 보존

> **예규** 112치안종합상황실 운영 및 신고처리 규칙 제24조 【자료보존기간】 ① 112종합상황실 자료의 보존기간은 다음 각 호의 기준에 따른다.
> 1. 112신고 접수처리 입력자료는 1년간 보존
> 2. 112신고 접수 및 무선지령내용 녹음자료는 24시간 녹음하고 3개월간 보존
> [2022 채용 2차]
> 3. 그 밖에 문서 및 일지는「공공기관의 기록물 관리에 관한 법률」에서 정하는 바에 따라 보존
>
> ② 시 · 도경찰청장 또는 경찰서장은 문서 및 녹음자료의 보존기간을 연장할 특별한 사유가 있는 경우에는 제1항에도 불구하고 보존기간을 연장하여 특별관리할 수 있다.
>
> [2024 승진] 112신고접수 및 무선지령내용 녹음자료는 24시간 녹음하고 2개월간 보존한다. (×)

3. 순찰활동(Patrol)

(1) 의의

- 순찰이란 경찰관이 지구대 또는 파출소를 거점으로 관내의 일정한 지역을 순회 시찰하는 외근활동을 말한다.

- 경찰관은 순찰 중 지역주민의 어려움 적극해결 등 주민 서비스 생활화, 지역의 특성에 따른 범죄 취약장소에 대한 대책강구, 위험요소를 살펴 사전 사고예방 철저 등 업무를 수행한다.

(2) 순찰의 기능과 중요성

구분	헤일(C. D. Hale)	워커(S. Walker)
순찰의 기능	• 범죄예방 및 범인검거 • 법집행 • 대민서비스 제공 • 질서유지 • 교통지도단속	• 범죄의 억제 • 공공안전감의 증진 • 대민서비스 제공
순찰의 중요성	"모든 경찰활동의 목적이 순찰을 통하여 달성된다."	"순찰은 경찰활동의 핵심이다." "경찰관은 짧은 순간만 목격되어도, 잠재적인 범죄자에게는 경찰이 도처에 있다는 생각을 갖게 한다."

⊕ 심화 순찰 관련 각종 실험

1 캔자스시 예방순찰실험(1972~1973년)
- 순찰의 효율성에 대한 최소한의 과학적 기준을 갖춘 최초의 실험으로 평가된다.
- 차량순찰수준을 증가시켜도 범죄는 감소하지 않았고, 일상적인 순찰을 생략해도 범죄는 증가하지 않았으며, 순찰수준의 차이는 범죄발생과 시민의 심리적 안전감에 유의미한 효과를 주지 못한다는 결론을 얻었다. ➡ 순찰의 증가가 범죄를 감소시키지 못했다!
- 이 실험은 순찰활동의 증가는 범죄를 감소시킬 것이라는 막연한 전통적 견해에 대하여 경종을 울린 실험으로 평가된다. ➡ 문제지향적 경찰활동(POP ; Problem Oriented Policing)에 대한 논의 단초가 되었다.

2 뉴왁(Newark)시의 도보순찰실험(1973년)
- 정복경찰관의 높은 가시성을 통해 범죄예방과 법집행, 시민과 경찰간 신뢰회복과 시민과 상인들의 공공관계를 개선하는데 기여할 수 있다는 가설을 세웠다.
- 실험결과 도보순찰이 범죄율을 감소시키지는 않는 것으로 드러났다.
- 다만, 시민들의 안전감을 향상시키고 경찰과 시민 사이에 좋은 관계를 형성하는데 긍정적 영향을 미쳤으며, 공공질서의 수준도 향상시켰다고 보았다.

[2020 지능범죄] 뉴왁시 도보순찰실험과 플린트 도보순찰프로그램 모두에서 도보순찰이 주민의 심리적 안전감은 물론 실제 범죄율 감소에도 긍정적인 영향을 미치는 것으로 밝혀졌다. (×)
[2021 채용1차] 뉴왁(Newark)시 도보순찰실험은 도보순찰을 강화하여도 해당 순찰구역의 범죄율을 낮추지는 못하였으나, 도보순찰을 할 때 시민이 경찰서비스에 더 높은 만족감을 드러냈음을 확인하였다. (○)

3 플린트(Flint)시의 순찰실험(1979~1981년)
- 플린트 도보순찰 실험기간 중 실험지역 외 지역의 전체적인 범죄건수는 증가하였으나, 도보순찰이 실시된 대부분의 실험지역에서 범죄율이 감소한 것으로 확인되었고, 주민들의 안전감 향상에도 도움을 주는 것으로 나타났다.
- 이 실험은 도보순찰 경찰관들이 청소년범죄와 반달리즘을 처리하는 데 있어서 더 효과적이었다고 보고한다.

(3) 순찰의 종류

1) 순찰노선에 따른 구분

■ 맥그리거(McGregor)의 X-Y이론
- **X이론**: 인간은 본래 게으르고 수동적이다. 경영자는 엄격한 감독, 상세한 명령으로 통제를 강화하고 권위적으로 관리해야 한다.
- **Y이론**: 인간은 본래 자율적이고 능동적이다. 경영자는 자율적 · 창의적 · 민주적으로 관리해야 한다.

구분	내용
정선순찰	• 관할구역 전반에 걸쳐 미리 설정한 노선을 규칙적으로 순찰하는 방법 ➡ X이론 기반 • 장점: 순찰노선이 일정하고 경찰관활동이 규칙적이기 때문에 순찰 중인 현재의 지점이 대개 추정되고 다음의 순찰시간의 추측이 가능하므로 근무 · 감독 면에서는 편리 • 단점: 범인이 경찰관의 순찰활동을 예측하여 이용할 수 있음
난선순찰	• 순찰노선을 사전에 정해 놓지 않고 순찰경찰관 임의로 순찰 당시의 여러가지 사정을 고려하여 순찰지역이나 노선을 선정, 불규칙적으로 순찰하는 방법 ➡ Y이론 기반 • 장점: 정선순찰의 단점인 시간적 · 지리적 예측가능성을 방지할 수 있고, 자율적인 근무형태가 정착된다면 범죄예방 측면에서 효과적 • 단점: 근무 · 감독 불편
요점순찰	• 관할구역 내에 치안수요 및 경찰대상의 분포 등 지역실태를 고려하여 설정한 주요지점(요점)에서 다른 요점에 이르기까지 일정한 노선 없이 적절한 통로를 자율적으로 순찰(난선순찰)하는 방법 • 정선순찰과 난선순찰의 절충
구역순찰	파출소 관할지역을 범죄나 사고의 발생상황, 인구의 분포, 기타 범죄유발요인 등을 분석하여 3~5개의 소구역으로 나누고 외근경찰관 개인별로 담당구역을 지정한 뒤 지정된 소구역에 대하여 요점순찰을 하는 순찰방식

[2015 실무 2] 요점순찰은 지정된 요점과 요점 사이에서는 정선순찰방식에 따라 순찰하는 방법이다. (×)

2) 기동성에 따른 구분

구분	장점	단점
도보순찰	• 사고발생시 신속히 대처 • 순찰노선 부근의 상세한 정황 관찰 가능 • 야간 등 청력을 필요로 하는 경우 유리 • 특별한 경비 불필요(비용최소화)	• 순찰자의 피로로 순찰노선의 단축과 순찰횟수 감소 야기 • 기동성의 부족과 장비휴대의 한계
자동차 순찰	• 높은 가시적 방범효과 • 기동성에 의한 신속한 사건 · 사고 처리 • 다양한 장비의 적재 가능	• 좁은 골목길 주행 불가능 • 정황관찰의 범위 제한 • 많은 경비 소요
싸이카 순찰	• 좁은 골목길 순찰 용이 • 가시효과 높음	• 안정성 미흡 • 은밀한 순행 불가능

| 자전거
순찰 | • 도보순찰보다 피로가 적고, 넓
은 범위의 순찰 가능
• 정황관찰과 시민과의 접촉 비
교적 용이
• 경제적이고 특별한 기술이 필
요 없음 | • 싸이카나 자동차에 비해 기동
성 저하
• 장비적재의 한계 |

🔍 **참고 주민밀착형 탄력순찰제 시행**

• 경찰청은 주민의 체감안전도를 높이고 주민의 실질적 불안감 해소를 위해 2017년부터 주민이 원하는 시간·장소를 순찰하는 '주민밀착형 탄력순찰'을 시행하고 있다.
• 시범운영 후 2017년 10월부터 전국적으로 시행되고 있으며, 분기별로 1회씩 집중신고기간을 운영하면서 온라인 순찰요청 사이트(순찰신문고, http://patrol.police.go.kr)를 통해 주민의견을 수렴하고 있다.
• 2020년 기준 주민들의 순찰요청장소 총 15,180,006건 중 약 67.1%의 순찰이행률을 기록하였다.

---

03 지역경찰의 조직 및 운영에 관한 규칙

1. 총설

예규 **지역경찰의 조직 및 운영에 관한 규칙 제1조【목적】** 이 규칙은 효율적인 지역 치안활동 수행을 위해 지역경찰의 조직 및 운영 등에 관하여 필요한 사항을 규정함을 목적으로 한다.

예규 **지역경찰의 조직 및 운영에 관한 규칙 제2조【정의】** 이 규칙에서 사용하는 용어의 정의는 다음과 같다.
1. **"지역경찰관서"**란 「경찰법」 제17조 및 「경찰청과 그 소속기관 직제」 제44조에 규정된 지구대 및 파출소를 말한다.
2. **"지역경찰"**이란 지역경찰관서 소속 경찰공무원을 말한다.
3. **"지역경찰업무 담당부서"**란 지역경찰관서 및 지역경찰과 관련된 사무를 처리하는 경찰청, 지방경찰청, 경찰서 소속의 모든 부서를 말한다.
4. **"일근근무"**란 「국가공무원 복무규정」 제9조 제1항에 규정된 근무형태를 말한다.
5. **"상시·교대근무"**란 「경찰기관 상시근무 공무원의 근무시간 등에 관한 규칙」 제2조에 규정된 "상시근무"와 "교대근무"를 포괄하는 형태의 근무를 말한다.
[2017 경간] [2020 경간] [2023 승진(실무종합)] "지역경찰관서"란 「국가경찰과 자치경찰의 조직 및 운영에 관한 법률」 제17조 및 「경찰청과 그 소속기관 직제」 제44조에 규정된 지구대, 파출소 및 치안센터를 말한다. (×)

예규 **지역경찰의 조직 및 운영에 관한 규칙 제3조【적용범위】** 이 규칙은 지역경찰관서와 지역경찰 및 지역경찰업무 담당부서에 적용한다.

┃**일근근무**
공무원의 1주간 근무시간은 점심시간을 제외하고 40시간으로 하며, 토요일은 휴무함을 원칙으로 하는 근무형태

┃**상시근무**
일상적으로 24시간 계속하여 대응·처리해야 하는 업무를 수행하거나 긴급하고 중대한 치안상황에 대비하기 위하여 야간, 토요일 및 공휴일에 관계없이 상시적으로 업무를 수행하는 근무형태

┃**교대근무**
근무조를 나누어 일정한 계획에 의한 반복주기에 따라 교대로 업무를 수행하는 근무형태

2. 지역경찰의 조직과 구성

(1) 지역경찰관서

1) 설치와 지휘·감독

> **예규** 지역경찰의 조직 및 운영에 관한 규칙 제4조【설치 및 폐지】① 시·도경찰청장은 인구, 면적, 행정구역, 교통·지리적 여건, 각종 사건사고 발생 등을 고려하여 경찰서의 관할구역을 나누어 지역경찰관서를 설치한다. [2018 실무 2] [2022 채용1차]
> ② 지역경찰관서의 명칭은 "○○경찰서 ○○지구대(파출소)"로 한다.
> [2014 채용2차] [2017 경간] [2020 경간] 경찰서장은 인구, 면적, 교통·지리적 여건 등을 고려하여 경찰서의 관할구역을 나누어 지역경찰관서를 설치한다. (×)
>
> **예규** 지역경찰의 조직 및 운영에 관한 규칙 제9조【지휘 및 감독】지역경찰관서에 대한 지휘 및 감독은 다음 각호에 따른다.
> 1. **경찰서장**: 지역경찰관서의 운영에 관하여 **총괄 지휘·감독**
> 2. **경찰서 각 과장 등 부서장**: 각 부서의 소관업무와 관련된 지역경찰의 업무에 관하여 **경찰서장을 보좌 ➡ 지휘·감독 ×!**
> 3. **지역경찰관서장**: 지역경찰관서의 시설·장비·예산 및 소속 지역경찰의 근무에 관한 **제반사항을 지휘·감독**
> 4. **순찰팀장**: 근무시간 중 소속 지역경찰을 지휘·감독

2) 지역경찰관서장

> **예규** 지역경찰의 조직 및 운영에 관한 규칙 제5조【지역경찰관서장】① 지역경찰관서의 사무를 통할하고 소속 지역경찰을 지휘·감독하기 위해 지역경찰관서에 지구대장 및 파출소장(이하 "지역경찰관서장"이라 한다.)을 둔다.
> ② 삭제
> ③ 지역경찰관서장은 다음 각 호의 직무를 수행한다. [2020 실무 2]
> 1. 관내 치안상황의 분석 및 대책 수립 [2022 채용1차]
> 2. 지역경찰관서의 시설·예산·장비의 관리
> 3. 소속 지역경찰의 근무와 관련된 제반사항에 대한 지휘 및 감독 [2022 채용1차]
> 4. 경찰 중요 시책의 홍보 및 협력치안 활동 [2020 경간]
> [2017 실무 2] 지역경찰관서의 시설·예산·장비의 관리는 순찰팀장의 직무범위에 포함된다. (×)

3) 하부조직

> **예규** 지역경찰의 조직 및 운영에 관한 규칙 제6조【하부조직】① 지역경찰관서에는 관리팀과 상시·교대근무로 운영하는 복수의 순찰팀을 둔다.
> ② 순찰팀의 수는 지역 치안수요 및 인력여건 등을 고려하여 시·도경찰청장이 결정한다.
> ③ 관리팀 및 순찰팀의 인원은 지역 치안수요 및 인력여건 등을 고려하여 경찰서장이 결정한다. [2018 채용2차]
> [2017 경간] [2018 채용2차 유사] [2018 실무 2 유사] [2020 경간 유사] 지역 치안수요 및 인력여건 등을 고려하여 관리팀 및 순찰팀의 인원은 시·도경찰청장이 결정하고, 순찰팀의 수는 경찰서장이 결정한다. (×)
>
> **예규** 지역경찰의 조직 및 운영에 관한 규칙 제7조【관리팀】관리팀은 문서의 접수 및 처리, 시설 및 장비의 관리, 예산의 집행 등 지역경찰관서의 행정업무를 담당한다.

- 즉, 4개조 2교대(통칭 4교대, 주야휴비), 3개조 2교대(통칭 3교대, 주주야야비야비)로 할지 시·도경찰청장이 정한다는 것이다.
- 이는 일선 지역경찰의 생활에 결정적인 영향을 미치는 중요사항이니만큼 시·도경찰청장이 정한다고 이해하면 된다.

예규 **지역경찰의 조직 및 운영에 관한 규칙 제8조 【순찰팀】** ① 순찰팀은 범죄예방 순찰, 각종 사건사고에 대한 초동조치 등 현장 치안활동을 담당하며, 팀장은 **경감** 또는 **경위**로 보한다. ➡ = 파출소장 / + 1 = 지구대장

② 순찰팀장은 다음 각호의 직무를 수행한다. [2017 실무 2] [2020 실무 2]

1. 근무교대시 주요 취급사항 및 장비 등의 인수인계 확인

2. 관리팀원 및 순찰팀원에 대한 일일근무 지정 및 지휘·감독 [2018 채용2차] [2022 채용1차]

3. 관내 중요 사건 발생시 현장 지휘 [2017 경간] [2020 경간] [2022 채용1차]

4. 지역경찰관서장 부재시 업무 대행

5. 순찰팀원의 업무역량 향상을 위한 교육

③ 순찰팀장을 보좌하고 순찰팀장 부재시 업무를 대행하기 위해 순찰팀별로 부팀장을 둘 수 있다.

[2020 승진(경감)] 「지역경찰의 조직 및 운영에 관한 규칙」상 관리팀원 및 순찰팀원에 대한 일일근무 지정 및 지휘·감독은 지역경찰관서장의 업무이다. (×)

(2) 치안센터

1) 설치, 소속·관할 및 운영

예규 **지역경찰의 조직 및 운영에 관한 규칙 제10조 【설치 및 폐지】** ① 시·도경찰청 장은 지역치안을 효율적으로 수행하기 위하여 **지역경찰관서장** 소속하에 치 안센터를 설치할 수 있다. [2018 실무 2]

② 치안센터의 명칭은 "○○지구대(파출소) ○○치안센터"로 한다.

예규 **지역경찰의 조직 및 운영에 관한 규칙 제11조 【소속 및 관할】** ① 치안센터는 **지역경찰관서장**의 소속 하에 두며, 치안센터의 인원, 장비, 예산 등은 지역경 찰관서에서 통합 관리한다.

② 치안센터의 관할구역은 소속 지역경찰관서 관할구역의 일부로 한다.

③ 치안센터 관할구역의 크기는 설치목적, 배치 인원 및 장비, 교통·지리적 요건 등을 고려하여 경찰서장이 정한다.

예규 **지역경찰의 조직 및 운영에 관한 규칙 제12조 【운영시간】** ① 치안센터는 24시 간 상시 운영을 원칙으로 한다.

② 경찰서장은 지역 치안여건 및 인원여건을 고려, 운영시간을 탄력적으로 조 정할 수 있다.

예규 **지역경찰의 조직 및 운영에 관한 규칙 제13조 【근무자의 배치】** ① 치안센터 운영시간에는 치안센터 관할구역에 근무자를 배치함을 원칙으로 한다.

② 경찰서장은 치안센터의 종류 및 지리적 여건 등을 고려하여 필요한 경우 치안센터에 전담근무자를 배치할 수 있다.

2) 치안센터장

예규 **지역경찰의 조직 및 운영에 관한 규칙 제14조 【치안센터장】** ① 경찰서장은 치 안센터에 전담근무자를 배치하는 경우 전담근무자 중 1명을 치안센터장으로 지정할 수 있으며, 치안센터장의 임무는 다음 각 호와 같다.

1. 경찰 민원 접수 및 처리

2. 관할지역 내 주민 여론 수렴 및 보고

3. 타기관 협조 등 협력방범활동

4. 기타 치안센터 운영과 관련된 문제점 및 개선대책 수립 및 보고
② 치안센터장은 제20조에 따른 복장 외에 별도 1의 표시장을 패용한다.
③ 치안센터장은 민원인의 편의를 위해 별도 2의 확인용 인장을 제작하여 사용할 수 있다.

3) 치안센터의 종류

예규 지역경찰의 조직 및 운영에 관한 규칙 제15조【치안센터의 종류】① 치안센터는 설치목적에 따라 검문소형과 출장소형으로 구분한다.
② 출장소형 치안센터는 지리적 여건·치안수요 등을 고려하여 필요한 경우 직주일체형으로 운영할 수 있다.

예규 지역경찰의 조직 및 운영에 관한 규칙 제16조【검문소형 치안센터】① 검문소형 치안센터는 적의 침투 예상로 또는 주요 간선도로의 취약요소 등에 교통통제 요소 등을 고려하여 설치한다. 다만, 지방경찰청 및 경찰서 관할의 경계에는 인접 관서장과 협의하여 단일 치안센터를 설치하는 것을 원칙으로 한다.

예규 지역경찰의 조직 및 운영에 관한 규칙 제17조【출장소형 치안센터】① 출장소형 치안센터는 지역 치안활동의 효율성 및 주민 편의 등을 고려하여 필요한 지역에 설치한다.
③ 경찰서장은 도서, 접적지역 등 지리적 여건상 필요한 경우에는 출장소형 치안센터에 검문소형 치안센터의 임무를 병행토록 할 수 있다.

예규 지역경찰의 조직 및 운영에 관한 규칙 제18조【직주일체형 치안센터】① 직주일체형 치안센터는 출장소형 치안센터 중 근무자가 치안센터 내에서 거주하면서 근무하는 형태의 치안센터를 말한다.
② 직주일체형 치안센터에는 배우자와 함께 거주함을 원칙으로 하며, 배우자는 근무자 부재시 방문 민원 접수·처리 등 보조 역할을 수행한다.
③ 직주일체형 치안센터에 배치된 근무자는 근무 종료 후에도 관할구역 내에 위치하며 지역경찰관서와 연락체계를 유지하여야 한다. 다만, 휴무일은 제외한다.
④ 삭제
[2022 채용1차] 직주일체형 치안센터에 배치된 근무자는 근무 종료 후(휴무일 포함)에도 관할구역 내에 위치하며 지역경찰관서와 연락체계를 유지하여야 한다. (×)

예규 지역경찰의 조직 및 운영에 관한 규칙 제19조【직주일체형 치안센터 근무자의 특례】① 경찰서장은 직주일체형 치안센터에서 거주하는 근무자의 배우자에게 조력사례금을 지급하여야 하며, 지급 기준 및 금액은 경찰청장이 정한다.
② 직주일체형 치안센터 근무자의 근무기간은 1년 이상으로 하며, 임기를 마친 경찰관은 희망부서로 배치하고, 차기 경비부서의 차출순서에서 1회 면제한다.

• 직주일체형 치안센터는 경찰운영 효율화 관점에서 치안수요가 낮은 지역의 파출소를 전환하는 방법으로 2012년도에 적극 추진된 바 있다(경찰청, 7인 이하 파출소 직주일체형 전환 적극시행 지시).
• 다만, 치안공백을 우려한 지역주민들의 반발사례가 많아 실제 활성화되지는 못하였다.

3. 지역경찰의 근무

(1) 근무의 종류

예규 지역경찰의 조직 및 운영에 관한 규칙 제22조【근무의 종류】지역경찰의 근무는 행정근무, 상황근무, 순찰근무, 경계근무, 대기근무, 기타근무로 구분한다. ➜ 행·상·순·경·대·기 [2014 채용2차] [2018 채용2차]

예규 **지역경찰의 조직 및 운영에 관한 규칙 제23조【행정근무】** 행정근무를 지정받은 지역경찰은 지역경찰관서 내에서 다음 각 호의 업무를 수행한다. [2018 경간]

1. 문서의 접수 및 처리
2. 시설·장비의 관리 및 예산의 집행
3. 각종 현황, 통계, 자료, 부책 관리
4. 기타 행정업무 및 지역경찰관서장이 지시한 업무

[2020 경간] 행정근무를 지정받은 지역경찰은 각종 현황·통계·부책 관리 및 중요 사건·사고발생시 보고·전파업무를 수행한다. (×)

💡 **행정근무**
- 군대 행정병 유사
- (행정)서류작업 위주

예규 **지역경찰의 조직 및 운영에 관한 규칙 제24조【상황근무】** ① 상황근무를 지정받은 지역경찰은 지역경찰관서 및 치안센터 내에서 다음 각 호의 업무를 수행한다. [2018 경간]

1. 시설 및 장비의 작동여부 확인 [2012 승진(경감)]
2. 방문민원 및 각종 신고사건의 접수 및 처리 [2012 승진(경감)] [2022 채용1차] [2022 승진(실무종합)]
3. 요보호자 또는 피의자에 대한 보호·감시 [2022 승진(실무종합)]
4. 중요 사건·사고 발생시 보고 및 전파
5. 기타 필요한 문서의 작성

[2023 승진(실무종합)] 상황근무를 지정받은 지역경찰은 문서의 접수 및 처리와 중요 사건·사고 발생 시 보고·전파 업무를 수행한다. (×)

💡 **상황근무**
- 군대 작전병·정보병 유사
- 상황이나 현황 파악 위주

예규 **지역경찰의 조직 및 운영에 관한 규칙 제25조【순찰근무】** ① 순찰근무는 그 수단에 따라 112 순찰, 방범오토바이 순찰, 자전거 순찰 및 도보 순찰 등으로 구분한다.
② 112 순찰근무 및 야간 순찰근무는 반드시 2인 이상 합동으로 지정하여야 한다.
③ 순찰근무를 지정받은 지역경찰은 지정된 근무구역에서 다음 각 호의 업무를 수행한다. [2019 승진(경감)]

1. 주민여론 및 범죄첩보 수집
2. 각종 사건사고 발생시 초동조치 및 보고, 전파
3. 범죄 예방 및 위험발생 방지 활동
4. 경찰사범의 단속 및 검거
5. 경찰방문 및 방범진단
6. 통행인 및 차량에 대한 검문검색 등

④ 순찰근무를 할 때에는 다음 각호의 사항에 유의하여야 한다.

1. 문제의식을 가지고 면밀하게 관찰
2. 주민에 대한 정중하고 친절한 예우
3. 돌발 상황에 대한 대비 및 경계 철저
4. 지속적인 치안상황 확인 및 신속 대응

[2021 채용1차] 「지역경찰의 조직 및 운영에 관한 규칙」상 순찰근무를 지정받은 지역경찰은 지정된 근무구역에서 경찰사범의 단속 및 검거, 경찰방문 및 방범진단, 시설 및 장비의 작동 여부 확인, 각종 현황·통계·자료·부책 관리와 같은 업무를 수행한다. (×)

💡 **순찰근무**
- 군대 수색병 유사
- 현장업무 위주

예규 **지역경찰의 조직 및 운영에 관한 규칙 제26조【경계근무】** ① 경계근무는 반드시 2인 이상 합동으로 지정하여야 한다. [2012 승진(경감)] [2014 채용2차]
② 경계근무를 지정받은 지역경찰은 지정된 장소에서 다음 각 호의 업무를 수행한다.

1. 범법자 등을 단속·검거하기 위한 통행인 및 차량, 선박 등에 대한 검문검색 및 후속조치
2. 비상 및 작전사태 등 발생시 차량, 선박 등의 통행 통제

[2020 승진(경감)] 「지역경찰의 조직 및 운영에 관한 규칙」상 비상 및 작전사태 등 발생시 차량, 선박 등의 통행 통제는 순찰근무에 해당한다. (×)

💡 **경계근무**
군대 경계병 유사

┃ 대기

신고사건 출동 등 치안상황에 대응하기 위하여 일정시간 지정된 장소에서 근무태세를 갖추고 있는 형태의 근무를 말한다.

> **예규** **지역경찰의 조직 및 운영에 관한 규칙 제27조【대기근무】** ① 대기근무는 「경찰기관 상시근무 공무원의 근무시간 등에 관한 규칙」 제2조 제6호의 "대기"를 뜻한다.
> ② 대기근무의 장소는 지역경찰관서 및 치안센터 내로 한다. 단, 식사시간을 대기근무로 지정한 경우에는 식사 장소를 대기 근무 장소로 지정할 수 있다.
> ③ 대기근무를 지정받은 지역경찰은 지정된 장소에서 휴식을 취하되, 무전기를 청취하며 10분 이내 출동이 가능한 상태를 유지하여야 한다. [2023 승진(실무종합)]

> **예규** **지역경찰의 조직 및 운영에 관한 규칙 제28조【기타근무】** ① 기타근무는 치안상황에 효과적으로 대응하기 위하여 지역경찰 관리자가 지정하는 근무로써 제23조부터 제27조까지 규정한 근무에 해당하지 않는 형태의 근무를 말한다.
> ② 기타근무의 근무내용 및 방법 등은 지역경찰관리자가 정한다.
> [2012 승진(경감)] 대기근무란 치안상황에 효과적으로 대응하기 위하여 지역경찰 관리자가 근무 내용 및 방법을 정하여 지정하는 근무로써 행정근무·상황근무·순찰근무·경계근무에 해당하지 않는 형태의 근무를 말한다. (×)

(2) 근무의 방법

┃ 근무장

평상시 기준, 근무모·근무복·단화·가슴표장·계급장·넥타이 등 차림새를 말한다.

┃ 경찰장구

수갑·포승·호송용포승·경찰봉·호신용경봉·전자충격기·방패 및 전자방패 ➜ 전·방·수·포·봉

┃ 무기

권총·소총·기관총(기관단총을 포함한다. 이하 같다)·산탄총·유탄발사기·박격포·3인치포·함포·크레모아·수류탄·폭약류 및 도검 ➜ (가스발사총 제외) 총·(물포 제외) 포·도

> **예규** **지역경찰의 조직 및 운영에 관한 규칙 제20조【복장 및 휴대장비】** ① 지역경찰은 근무 중 「경찰복제에 관한 규칙」 제15조 제1항에 규정된 근무장을 착용하는 것을 원칙으로 한다.
> ② 지역경찰은 근무 중 근무수행에 필요한 경찰봉, 수갑 등 경찰장구, 무기 및 무전기 등을 휴대하여야 한다.
> ③ 지역경찰관서장 및 순찰팀장(이하 "지역경찰관리자"라 한다)은 필요한 경우 지역경찰의 복장 및 휴대장비를 조정할 수 있다.

> **예규** **지역경찰의 조직 및 운영에 관한 규칙 제21조【근무형태 및 시간】** ① 지역경찰관서장은 일근근무를 원칙(➜ 주 40시간, 토요일 휴무)으로 한다. 다만, 경찰서장은 필요하다고 인정되는 경우에는 지역경찰관서장의 근무시간을 조정하거나, 시간외·휴일 근무 등을 명할 수 있다.
> ② 관리팀은 일근근무를 원칙으로 한다. 다만, 지역경찰관서장은 필요하다고 인정되는 경우에는 근무시간을 조정하거나, 시간외·휴일 근무 등을 명할 수 있다. [2014 채용2차]
> ③ 순찰팀장 및 순찰팀원은 상시·교대근무를 원칙으로 하며, 근무교대 시간 및 휴게시간, 휴무횟수 등 구체적인 사항은 「국가공무원 복무규정」 및 「경찰기관 상시근무 공무원의 근무시간 등에 관한 규칙」이 규정한 범위 안에서 시·도경찰청장이 정한다. [2014 채용2차]
> ④ 치안센터 전담근무자의 근무형태 및 근무시간은 치안센터의 종류 및 운영시간 등을 고려하여 제1항부터 제3항까지의 규정을 준용하여 경찰서장이 정한다.
> ⑤ 전투경찰순경의 근무형태 및 시간은 지역 치안여건 등을 고려하여 「전투경찰순경 등 관리규칙」에 규정한 범위 내에서 지역경찰관서장이 정한다.
> [2021 채용1차] 「지역경찰의 조직 및 운영에 관한 규칙」상 순찰팀장은 일근근무를 원칙으로 하며, 휴게시간, 휴무횟수 등 구체적인 사항은 「국가공무원 복무규정」 및 「경찰기관 상시근무 공무원의 근무시간 등에 관한 규칙」이 규정한 범위 안에서 지역경찰관서장이 정한다. (×)

> **예규** **지역경찰의 조직 및 운영에 관한 규칙 제29조【일일근무 지정】** ① 지역경찰관서장은 지역경찰관서 및 치안센터의 설치목적, 근무인원, 치안수요, 기타 업무량 등을 고려하여 근무의 종류 및 실시 기준을 정한다.
> ② 순찰팀장은 제1항에 따라 지역경찰관서장이 정한 기준을 준수하여 당해 근무시간 내 관리팀원 및 순찰팀원의 개인별 근무 종류, 근무 장소, 중점 근무사항 등을 별지 제1호 서식의 근무일지(갑지)에 구체적으로 지정하여야 한다.

③ 순찰팀장은 관리팀원에게 행정근무를 지정하고, 순찰팀원에게 상황 또는 순찰근무 지정하는 것을 원칙으로 하되, 필요한 경우에는 다른 근무를 지정하거나 병행하여 수행하도록 지정할 수 있다. [2023 승진(실무종합)]

④ 순찰근무의 근무종류 및 근무구역은 지역 치안이 효율적으로 수행될 수 있도록 다음 각 호의 사항을 고려하여 지정하여야 한다. [2018 경간]

1. 시간대별·장소별 치안수요
2. 각종 사건사고 발생
3. 순찰 인원 및 가용 장비
4. 관할 면적 및 교통·지리적 여건

⑤ 치안센터 전담근무자는 제1항에 따라 지역경찰관서장이 정한 기준을 준수하여 별지 제2호 서식의 근무일지에 자율적으로 근무지정을 하고 근무를 수행한다.

⑥ 지역경찰관리자는 신고출동태세 유지 등을 위해 필요한 경우에는 휴게 및 식사시간도 대기 근무로 지정할 수 있다.

[2022 승진(실무종합)] 지역경찰관리자는 신고출동태세 유지 등을 위해 필요한 경우에는 휴게 및 식사시간도 기타 근무로 지정할 수 있다. (×)

예규 지역경찰의 조직 및 운영에 관한 규칙 제30조【근무내용의 변경】관리팀원 및 순찰팀원이 물품구입, 등서 등 기타 사유로 지정된 근무종류 및 근무구역 등을 변경하고자 할 때에는 순찰팀장에게 보고하여야 한다.

예규 지역경찰의 조직 및 운영에 관한 규칙 제31조【지역경찰의 동원】① 시·도경찰청장 또는 경찰서장은 다음 각호에 정한 사유에 해당하는 경우로서 특히 필요하다고 인정되는 때에 한하여 지역경찰의 기본근무에 지장을 초래하지 않는 범위 내에서 지역경찰을 다른 근무에 동원할 수 있다.

1. 다중범죄 진압, 대간첩작전 기타의 비상사태
2. 경호경비 또는 각종 집회 및 행사의 경비
3. 중요범인의 체포를 위한 긴급배치
4. 화재, 폭발물, 풍수설해 등 중요사고의 발생
5. 기타 다수 경찰관의 동원을 필요로 하는 행사 또는 업무

② 지역경찰 동원은 근무자 동원을 원칙으로 하되, 불가피한 경우에 한하여 비번자, 휴무자 순으로 동원할 수 있다.

③ 시·도경찰청장 또는 경찰서장은 휴무자를 동원한 때에는 「경찰기관 상시근무 공무원의 근무시간 등에 관한 규칙」제5조가 정하는 바에 따라 초과근무수당을 지급하거나 추가 휴무를 부여하여야 한다.

┃ 비번과 휴무
- **비번**: 당번이 아니라는 의미로, 통상 야간근무에 따라 09시 퇴근 후 쉬는 것 즉 09시부터 24시까지 쉬는 형태를 말한다.
- **휴무**: 하루 24시간을 온전히 쉬는 형태를 말한다(Day-off).

4. 지역경찰의 시설과 장비

예규 지역경찰의 조직 및 운영에 관한 규칙 제33조【시설 관리】① 경찰서장은 근무자가 신고출동 등으로 지역경찰관서 또는 치안센터를 비울 경우에 대비하여, 출입구 근처에 근무자와 통신할 수 있는 통신장치를 설치하여야 한다.

② 경찰서장은 필요한 경우에는 지역경찰관서 또는 치안센터에 자체 방호시설을 설치할 수 있다.

③ 지역경찰관서장은 지역경찰의 근무 및 주민 편의를 위해 청사 및 시설을 수시로 점검, 보완하여야 한다.

경찰장비관리규칙상 차량 구분
- **전용**: 경찰청장 및 경찰위원회 상임위원용 차량
- **지휘용**: 치안현장 점검·지휘 등 상시 지휘체제 유지를 위해 경찰기관장 및 경찰부대의 장이 운용하는 차량
- **업무용**: 각 경찰부서의 인력 및 물자 수송 등 통상적인 경찰 업무와 경찰위원회 업무에 공통으로 사용할 수 있는 일반적인 차량
- **순찰용**: 112순찰·교통·고속도로 및 형사순찰차량 등 기동순찰 목적으로 별도 제작하여 운용 중인 차량
- **특수용**: 경비·작전·피의자호송·과학수사·구급·식당·위생·견인 등 차량

예규 지역경찰의 조직 및 운영에 관한 규칙 제34조【112 순찰차】① 112 순찰 근무자는 차량의 적정관리를 위해 운행사항 등을 별지 제3호 서식의 112 순찰일지에 매일 기록하여야 한다.
② 112 순찰차에는 신속한 현장조치 등을 위해 필요한 장비를 탑재해야 하며 경찰서장은 지역 실정에 맞게 탑재장비의 종류 및 수량 등을 정해야 한다.

예규 지역경찰의 조직 및 운영에 관한 규칙 제35조【통신망의 구축 및 점검】① 경찰서장은 경찰서, 지역경찰관서, 치안센터 간 상호 원활한 유·무선 통신망을 구축해야 한다.
② 경찰서장은 제1항에 따라 구축된 통신장비를 수시로 점검하여 통신두절을 방지하여야 한다.

5. 지역경찰 인사관리 및 문서관리

예규 지역경찰의 조직 및 운영에 관한 규칙 제37조【정원관리】① 경찰서장은 지역경찰관서의 관할면적, 치안수요 등을 고려하여 지역경찰관서에 적정한 인원을 배치하여야 한다.
② 경찰서장은 지역경찰의 정원을 다른 부서에 우선하여 충원하여야 한다.
③ 시·도경찰청장은 소속 지방경찰청의 지역경찰 정원 충원 현황을 연 2회 이상 점검하고 현원이 정원에 미달할 경우, 지역경찰 정원충원 대책을 수립, 시행하여야 한다. [2018 경간]

예규 지역경찰의 조직 및 운영에 관한 규칙 제42조【근무일지의 기록·보관】① 지역경찰은 근무 중 주요사항을 별지 제2호 서식의 근무일지(을지)에 기재하여야 한다.
② 삭제
③ 근무일지는 **3년간** 보관한다. [2017 실무 2]

6. 교육 및 평가

예규 지역경찰의 조직 및 운영에 관한 규칙 제39조【교육】① 시·도경찰청장 및 경찰서장은 지역경찰의 올바른 직무수행 및 자질 향상을 위해 필요한 교육을 실시하여야 한다.
② 교육시간, 방법, 내용 등 지역경찰 교육과 관련된 세부적인 기준은 경찰청장이 따로 정한다.
[2018 경간] 시·도경찰청장 및 경찰서장은 지역경찰의 올바른 직무수행 및 자질 향상을 위해 필요한 교육을 실시하여야 하며 교육시간, 방법, 내용 등 지역경찰교육과 관련된 세부적인 기준은 시·도경찰청장이 따로 정한다. (×)

예규 지역경찰의 조직 및 운영에 관한 규칙 제40조【지도방문】시·도경찰청장 및 경찰서장은 소속 지역경찰의 업무 지도 및 현장 의견 수렴, 사기관리 등을 위해 지도방문 계획을 수립·시행하여야 한다.

예규 지역경찰의 조직 및 운영에 관한 규칙 제41조【실적평가와 포상】경찰청장, 시·도경찰청장 및 경찰서장은 지역경찰의 사기 진작 및 지역경찰활동의 활성화를 위하여 근무실적에 대한 공정한 평가를 실시하고 우수 경찰공무원을 포상하여야 한다.

주제 3 생활질서업무

01 생활질서업무 개설

• 생활질서업무란 사회공공의 안녕과 질서를 유지하기 위하여 경찰이 풍속사범을 비롯한 제 사범을 단속하는 활동을 말한다.
• 생활질서업무는 생활안전경찰의 중요한 역할인 범죄예방적 환경의 조성과 법규준수 문화를 정착시키기 위하여 필요한 활동인 바, 여기에는 풍속사범의 단속, 기초질서 위반사범의 단속과 총포·도검·화약류 단속 등이 있다.

02 풍속사범

1. 개설

풍속사범이란 선량한 풍속을 해하는 불법행위자를 말하며, 구체적으로는 성풍속을 해하는 성매매·음란행위자와 근로의욕을 저해하는 사행행위자(도박) 등을 말한다.

2. 풍속영업의 규제에 관한 법률

(1) 목적

> 풍속영업의 규제에 관한 법률 제1조【목적】이 법은 풍속영업을 하는 장소에서 선량한 풍속을 해치거나 청소년의 건전한 성장을 저해하는 행위 등을 규제하여 미풍양속을 보존하고 청소년을 유해한 환경으로부터 보호함을 목적으로 한다.

(2) 풍속영업의 범위 ➡ 청소년 출입·고용금지업소와 거의 유사! + 이·숙·목

> 풍속영업의 규제에 관한 법률 제2조【풍속영업의 범위】이 법에서 "풍속영업"이란 다음 각 호의 어느 하나에 해당하는 영업을 말한다.
> 1. 「게임산업진흥에 관한 법률」 제2조 제6호에 따른 게임제공업 및 같은 법 제2조 제8호에 따른 복합유통게임제공업
> 2. 「영화 및 비디오물의 진흥에 관한 법률」 제2조 제16호 가목에 따른 비디오물감상실업
> 3. 「음악산업진흥에 관한 법률」 제2조 제13호에 따른 노래연습장업
> 4. 「공중위생관리법」 제2조 제1항 제2호부터 제4호까지의 규정에 따른 숙박업, 목욕장업, 이용업 중 대통령령으로 정하는 것
> 5. 「식품위생법」 제36조 제1항 제3호에 따른 식품접객업 중 대통령령으로 정하는 것 ➡ 단란주점영업, 유흥주점영업
> 6. 「체육시설의 설치·이용에 관한 법률」 제10조 제1항 제2호에 따른 무도학원업 및 무도장업
> 7. 그 밖에 선량한 풍속을 해치거나 청소년의 건전한 성장을 저해할 우려가 있는 영업으로 대통령령으로 정하는 것 ➡ 청소년 출입·고용금지업소에서의 영업

[2020 실무 2] 「식품위생법」상 일반음식점, 단란주점, 유흥주점은 풍속영업에 해당한다. (×)
[2017 경간] '공중위생관리법'에 따른 미용업은 '풍속영업의 규제에 관한 법률'에서 규정하는 풍속영업에 해당한다. (×)

• 2019년 기준, 경찰이 관리 중인 풍속업소(유흥·단란·숙박업·이용업·비디오감상실·노래연습장·게임제공업·무도학원·무도장)은 총 148,685개소이며, 위반행위 단속은 20,186건이 이루어졌다.
• 위반사유별로는 성매매 관련이 5,225건으로 가장 높은 비중을 차지하였다.
• 최근에는 단속의 공정성·투명성 등 확보를 위해 지자체·소방당국·교육청·여성 NGO 등으로 구성된 민간합동 단속반을 편성하여 운영하고 있다.

▌청소년 출입·고용금지업소
• 노래연습장업
• 무도학원업 및 무도장업
• 비디오물감상실업·제한관람가비디오물소극장업 및 복합영상물제공업
• 사행행위영업
• 단란주점영업 및 유흥주점영업
• 일반게임제공업 및 복합유통게임제공업
➡ 노·무·비·사·단·게

▌청소년 고용금지업소
• 이용업
• 숙박업
• 비디오물소극장업
• 목욕장업
• 만화대여업
• PC방
• 유해화학물질영업
• 휴게음식점 중 티켓다방 형태
• 일반음식점 중 주로 주류조리
➡ 이·숙·소·목·만·P·유·휴·일

⚖ 요지판례 I

식품위생법 시행령에서 단란주점영업을 "주로 주류를 조리·판매하는 영업으로서 손님이 노래를 부르는 행위가 허용되는 영업"으로 규정하고 있으므로, 주로 주류를 조리·판매하는 영업이라고 하더라도 손님으로 하여금 노래를 부르게 하는 것이 가능하지 않은 형태의 영업은 위 시행령 소정의 단란주점영업에 해당한다고 볼 수 없다(대판 2008.9.11, 2008도2160). ➡ 일반음식점 허가를 받은 사람이 주로 주류를 조리·판매하는 형태의 주점영업을 하였더라도, 손님이 노래를 부를 수 있는 여건이 갖추어지지 않은 이상 구 식품위생법상 단란주점영업에 해당하지 않는다고 한 사례 [2020 경간]

(3) 풍속영업자와 풍속영업종사자의 준수사항

🔍 쉽게 읽기!

§3: 풍속영업자와 풍속영업종사자는 /
풍속영업소에서 / 다음과 같은 행위 금지
• 성매매알선
• 음란행위
• 음란물
• 사행행위

> **풍속영업의 규제에 관한 법률 제3조【준수 사항】** 풍속영업을 하는 자(허가나 인가를 받지 아니하거나 등록이나 신고를 하지 아니하고 풍속영업을 하는 자를 포함한다. 이하 "풍속영업자"라 한다) 및 대통령령으로 정하는 종사자는 풍속영업을 하는 장소(이하 "풍속영업소"라 한다)에서 다음 각 호의 행위를 하여서는 아니 된다.
>
> 1. 「성매매알선 등 행위의 처벌에 관한 법률」 제2조 제1항 제2호에 따른 성매매알선등행위
> 2. 음란행위를 하게 하거나 이를 알선 또는 제공하는 행위
> 3. 음란한 문서·도화·영화·음반·비디오물, 그 밖의 음란한 물건에 대한 다음 각 목의 행위
>   가. 반포·판매·대여하거나 이를 하게 하는 행위
>   나. 관람·열람하게 하는 행위
>   다. 반포·판매·대여·관람·열람의 목적으로 진열하거나 보관하는 행위
> 4. 도박이나 그 밖의 사행행위를 하게 하는 행위
>
> [2020 실무 2] '풍속영업을 영위하는 자'는 풍속영업의 범위에 해당되는 영업으로 허가나 신고, 등록의 절차를 마친 경우를 말한다. (×)
> [2020 실무 2] 풍속영업소 내에서 음란한 물건을 대여하는 것만으로 처벌되지 않는다. (×)
>
> **대통령령** **풍속영업의 규제에 관한 법률 시행령 제3조【풍속영업종사자의 범위】** 법 제3조 각 호 외의 부분, 제6조 제1항 및 제9조 제1항에서 "대통령령으로 정하는 종사자"란 명칭에 관계없이 영업자를 대리하거나 영업자의 지시를 받아 상시 또는 일시적으로 영업행위를 하는 대리인, 사용인, 그 밖의 종업원(무도학원업의 경우 강사·강사보조원을 포함한다)을 말한다.

⚖ 요지판례 I

<위반이 아니라고 본 사례>

■ 풍속영업의 규제에 관한 법률 제3조 소정의 '풍속영업을 영위하는 자'는 식품위생법 등 개별법률에서 정한 영업허가나 신고, 등록의 유무를 묻지 아니하고, 같은 법 제2조에서 정하는 풍속영업의 범위에 속하는 영업을 실제로 하는 자이므로, 그 풍속영업자가 지켜야 할 준수사항도 실제로 하고 있는 영업형태에 따라 정하여지는 것이지, 그 자가 받은 영업허가 등에 의하여 정하여지는 것은 아니므로, 유흥주점영업허가를 받았다고 하더라도 실제로는 노래연습장 영업을 하고 있다면 유흥주점영업에 따른 영업자 준수사항을 지켜야 할 의무가 있다고 할 수 없다(대판 1997.9.30, 97도1873). [2012 채용1차]

- 유흥주점 여종업원들이 웃옷을 벗고 브래지어만 착용하거나 치마를 허벅지가 다드러나도록 걷어 올리고 가슴이 보일 정도로 어깨끈을 밑으로 내린 채 손님을 접대한 사안에서, 위 종업원들의 행위와 노출 정도가 형사법상 규제의 대상으로 삼을만큼 사회적으로 유해한 영향을 끼칠 위험성이 있다고 평가할 수 있을 정도로 노골적인 방법에 의하여 성적 부위를 노출하거나 성적 행위를 표현한 것이라고 단정하기에 부족하므로, 이는 풍속영업의 규제에 관한 법률 제3조 제2호에 정한 '음란행위'에 해당하지 아니한다(대판 2009.2.26, 2006도3119). [2012 채용1차]
- 풍속영업자가 자신이 운영하는 여관에서 친구들과 일시 오락 정도에 불과한 도박을 한 경우, 형법상 도박죄는 성립하지 아니하고 풍속영업의 규제에 관한 법률 위반죄의 구성요건에는 해당하나 사회상규에 위배되지 않는 행위로서 위법성이 조각된다(대판 2004.4.9, 2003도6351). [2012 채용1차]

〈위반으로 본 사례〉

- 모텔에 동영상 파일 재생장치인 디빅 플레이어(DivX Player)를 설치하고 투숙객에게 그 비밀번호를 가르쳐 주어 저장된 음란 동영상을 관람하게 한 사안에서, 이는 풍속영업의 규제에 관한 법률 제3조 제3호가 금지하고 있는 음란한 비디오물을 풍속영업소에서 관람하게 한 행위에 해당한다(대판 2008.8.21, 2008도3975). [2020 경간]
- 풍속영업소인 숙박업소에서 음란한 외국의 위성방송프로그램을 수신하여 투숙객 등으로 하여금 시청하게 하는 행위는, 풍속영업의 규제에 관한 법률 제3조 제3호에 규정된 '음란한 물건'을 관람하게 하는 행위에 해당한다(대판 2010.7.15, 2009도4545). [2020 경간]
  [2012 채용1차] 숙박업소에서 위성방송수신기를 이용하여 수신한 외국의 음란한 위성방송프로그램에 대해 일정한 잠금장치를 설치하여 관람을 원하는 성인만을 상대로 방송을 시청하게 한 경우, 그 시청 대상자가 관람을 원하는 성인에 한정되므로, 풍속영업의 규제에 관한 법률위반으로 처벌할 수 없다. (×)

(4) 허가관청의 경찰에 대한 통보

> 풍속영업의 규제에 관한 법률 제4조【풍속영업의 통보】① 다른 법률에 따라 풍속영업의 허가를 한 자(인가를 하거나 등록·신고를 접수한 자를 포함한다. 이하 "허가관청"이라 한다)는 풍속영업소의 소재지를 관할하는 경찰서장(이하 "경찰서장"이라 한다)에게 다음 각 호의 사항을 알려야 한다.
> 1. 풍속영업자의 성명 및 주소(법인인 경우에는 대표자의 성명과 주소를 포함한다)
> 2. 풍속영업소의 명칭 및 주소
> 3. 풍속영업의 종류
> ② 허가관청은 풍속영업자가 휴업·폐업하거나 그 영업내용이 변경된 경우와 그 밖에 대통령령으로 정하는 사유(➡ 허가취소 또는 폐쇄명령, 영업정지, 시설개수명령)가 발생한 경우에는 경찰서장에게 그 사실을 알려야 한다.

(5) 경찰의 허가관청 등에 대한 통보·출입

> 풍속영업의 규제에 관한 법률 제6조【위반사항의 통보 등】① 경찰서장은 풍속영업자나 대통령령으로 정하는 종사자가 제3조(➡ 풍속영업자와 풍속영업종사자의 준수사항)를 위반하면 그 사실을 허가관청에 알리고 과세에 필요한 자료를 국세청장에게 통보하여야 한다.
> ② 제1항에 따른 통보를 받은 허가관청은 그 내용에 따라 허가취소·영업정지·시설개수 명령 등 필요한 행정처분을 한 후 그 결과를 경찰서장에게 알려야 한다.

③ 경찰청장 및 지방자치단체의 장은 제2항에 따른 행정처분을 받은 풍속영업소에 관한 정보를 공유하기 위하여 정보공유시스템을 구축·운영하여야 한다.

풍속영업의 규제에 관한 법률 제9조【출입】 ① 경찰서장은 특별히 필요한 경우 경찰공무원에게 풍속영업소에 출입하여 풍속영업자와 대통령령으로 정하는 종사자가 제3조의 준수 사항을 지키고 있는지를 검사하게 할 수 있다.
② 제1항에 따라 풍속영업소에 출입하여 검사하는 경찰공무원은 그 권한을 표시하는 증표를 지니고 이를 관계인에게 내보여야 한다.

▌ 경찰관 직무집행법 및 동법 시행령에 따른 증표
불심검문·위험 방지를 위한 출입시 경찰관이 제시해야 하는 증표는 '**경찰공무원의 공무원증**'이다. 은 대륙법계에서 유래한 것이다.

03 사행행위

1. 개설

▌ 허용되는 도박·사행행위
사행행위규제법령에 따른 사행행위와 개별법에서 시행을 허용하는 복권, 체육진흥투표권, 경마, 경륜·경정, 내국인전용 카지노(강원랜드) 등이 있다.

- 도박은 사회의 건전한 근로의식을 저하시키고, 개인적으로는 재물의 손실을 초래하기도 하며, 지나치게 몰입하는 경우에는 도박중독이라는 병리적 문제를 야기하기도 한다.
- 이에 우리나라를 비롯한 대다수의 국가들은 도박에 대하여 어떠한 방식으로든 규제를 가하고 있다.
- 다만, 인간의 사행심은 인간에게 내재된 본능 중 하나로서 현실적으로 완전한 근절은 어려움이 있을 뿐만 아니라, 여가기회 제공이나 세수 증대 등 긍정적인 측면도 없지 않으므로 일정한 범위에서는 허용할 필요성도 있다.

2. 사행행위 등 규제 및 처벌 특례법

💡 이하 '사행행위 등 규제 및 처벌 특례법'은 '**사행행위규제법**'으로 약칭한다.

(1) 목적 및 정의

사행행위규제법 제1조【목적】 이 법은 건전한 국민생활을 해치는 지나친 사행심의 유발을 방지하고 선량한 풍속을 유지하기 위하여 사행행위 관련 영업에 대한 지도와 규제에 관한 사항, 사행행위 관련 영업 외에 투전기나 사행성 유기기구로 사행행위를 하는 자 등에 대한 처벌의 특례에 관한 사항을 규정함을 목적으로 한다.

사행행위규제법 제2조【정의】 ① 이 법에서 사용하는 용어의 뜻은 다음과 같다.
1. "**사행행위**"란 여러 사람으로부터 재물이나 재산상의 이익(이하 "재물등"이라 한다)을 모아 우연적 방법으로 득실을 결정하여 재산상의 이익이나 손실을 주는 행위를 말한다.
2. "**사행행위영업**"이란 다음 각 목의 어느 하나에 해당하는 영업을 말한다.
   가. **복권발행업**: 특정한 표찰(컴퓨터프로그램 등 정보처리능력을 가진 장치에 의한 전자적 형태를 포함한다)을 이용하여 여러 사람으로부터 재물등을 모아 추첨 등의 방법으로 당첨자에게 재산상의 이익을 주고 다른 참가자에게 손실을 주는 행위를 하는 영업
   나. **현상업**: 특정한 설문 또는 예측에 대하여 그 답을 제시하거나 예측이 적중하면 이익을 준다는 조건으로 응모자로부터 재물등을 모아 그 정답자나 적중자의 전부 또는 일부에게 재산상의 이익을 주고 다른 참가자에게 손실을 주는 행위를 하는 영업 예 스포츠토토

다. **그 밖의 사행행위업**: 가목 및 나목 외에 영리를 목적으로 회전판돌리기, 추첨, 경품 등 사행심을 유발할 우려가 있는 기구 또는 방법 등을 이용하는 영업으로서 대통령령으로 정하는 영업

> **대통령령** **사행행위규제법 시행령 제1조의2【기타 사행행위업】**「사행행위 등 규제 및 처벌 특례법」(이하 "법"이라 한다) 제2조 제1항 제2호 다목에서 "대통령령으로 정하는 영업"이란 다음 각 호의 영업을 말한다.
> 1. **회전판돌리기업**: 참가자에게 금품을 걸게 한 후 그림이나 숫자등의 기호가 표시된 회전판이 돌고 있는 상태에서 화살등을 쏘거나 던지게 하여 회전판이 정지되었을 때 그 화살등이 명중시킨 기호에 따라 당첨금을 교부하는 행위를 하는 영업
> 2. **추첨업**: 참가자에게 번호를 기입한 증표를 제공하고 지정일시에 추첨등으로 당첨자를 선정하여 일정한 지급기준에 따라 당첨금을 교부하는 행위를 하는 영업
> 3. **경품업**: 참가자에게 등수를 기입한 증표를 제공하여 당해 증표에 표시된 등수 및 당첨금의 지급기준에 따라 당첨금을 교부하는 행위를 하는 영업

3. **"사행기구 제조업"**이란 사행행위영업에 이용되는 기계, 기판, 용구 또는 컴퓨터프로그램(이하 "사행기구"라 한다)을 제작·개조하거나 수리하는 영업을 말한다.
4. **"사행기구 판매업"**이란 사행기구를 판매하거나 수입하는 영업을 말한다.
5. **"투전기"**란 동전·지폐 또는 그 대용품을 넣으면 우연의 결과에 따라 재물등이 배출되어 이용자에게 재산상 이익이나 손실을 주는 기기를 말한다.
6. **"사행성 유기기구"**란 제5호의 투전기 외에 기계식 구슬치기 기구와 사행성 전자식 유기기구 등 사행심을 유발할 우려가 있는 기계·기구 등을 말한다.

[2016 지능범죄] 특정한 표찰(컴퓨터프로그램 등 정보처리능력을 가진 장치에 의한 전자적 형태를 포함한다)을 이용하여 여러 사람으로부터 재물등을 모아 추첨 등의 방법으로 당첨자에게 재산상의 이익을 주고 다른 참가자에게 손실을 주는 행위를 하는 영업은 추첨업에 대한 설명이다. (×)

(2) 영업의 허가

1) 사행행위업에 대한 영업허가

> **사행행위규제법 제3조【시설기준】** 사행행위영업을 하는 자는 영업의 종류별로 행정안전부령으로 정하는 시설 및 사행기구를 갖추고 유지·관리하여야 한다.
>
> **사행행위규제법 제4조【허가 등】** ① 사행행위영업을 하려는 자는 제3조에 따른 시설 등을 갖추어 행정안전부령으로 정하는 바에 따라 시·도경찰청장의 허가를 받아야 한다. 다만, 그 영업의 대상 범위가 둘 이상의 특별시·광역시·도 또는 특별자치도에 걸치는 경우에는 경찰청장의 허가를 받아야 한다.
> ② 제1항에 따른 허가를 받은 자가 대통령령으로 정하는 중요 사항을 변경하려면 행정안전부령으로 정하는 바에 따라 경찰청장이나 시·도경찰청장의 허가를 받아야 한다.
> ③ 국가기관이나 지방자치단체가 사행행위영업을 하려면 경찰청장의 승인을 받아야 한다.

2) 사행기구 제조·판매업에 대한 영업허가

> **사행행위규제법 제13조【사행기구 제조업의 허가 등】** ① 사행기구 제조업을 하려는 자는 행정안전부령으로 정하는 시설·설비 및 인력 등을 갖추어 행정안전부령으로 정하는 바에 따라 경찰청장의 허가를 받아야 한다.
> ② 사행기구 판매업을 하려는 자는 행정안전부령으로 정하는 바에 따라 경찰청장의 허가를 받아야 한다.
> ③ 제1항에 따른 사행기구 제조업의 허가를 받은 자(이하 "사행기구 제조업자"라 한다)와 제2항에 따른 사행기구 판매업의 허가를 받은 자(이하 "사행기구 판매업자"라 한다)가 대통령령으로 정하는 중요 사항을 변경하려면 행정안전부령으로 정하는 바에 따라 경찰청장의 허가를 받아야 한다.

04 기초질서위반

1. 개설

■ **통고처분과 범칙금**
• **통고처분**: 정식형사재판의 전단계로서 행정청이 상대방의 동의를 조건으로 벌금 또는 과료에 상당하는 금액의 납부 등을 통고하는 준사법적 행위 ➔ 징역 ×, 자유형 ×
• **범칙금**: 위 통고처분에서 말하는 벌금 또는 과료에 상당하는 금액

• 기초질서위반사범이란 경범죄처벌법이나 도로교통법에 규정된 경미한 범죄나 질서위반행위를 저지른 자로서 그 제재수단이 범칙금 부과로 되어있는 행위를 의미한다.
• 기초질서위반사범에 대한 단속은 비록 이들의 행위가 경미한 것이라 하더라도 이들에 대한 단속을 통하여 이후 발생할 수 있는 더 큰 범죄를 예방하기 위함에 있고, 이는 '깨진 유리창 이론' 및 이 이론에 기초한 '무관용 정책'과 연관이 깊다.

2. 경범죄 처벌법

■ **형법 제151조【범인은닉과 친족간의 특례】**
① 벌금 이상의 형에 해당하는 죄를 범한 자를 은닉 또는 도피하게 한 자는 3년 이하의 징역 또는 500만원 이하의 벌금에 처한다.

> ☑ **KEY POINT** | 경범죄 처벌법의 특징 ➔ 은·미·교·감·면(○·×·○·×·○)
>
> 1 **범인은닉죄가 성립할 수도 있다!**
> 경범죄 처벌법은 벌금형도 규정되어 있으므로 경범죄 처벌범 위반자를 은닉·도피하게 한 경우 형법상 범인은닉죄가 성립할 수도 있다.
>
> 2 **미수범 처벌규정이 없다!**
>
> 3 **교사·방조의 처벌규정은 있다!**
>
> 4 **감경규정이 없다!**
>
> 5 **면제규정은 있다!**
>
> 6 **형사실체법이면서 절차법적 성격도 함께 가지고 있다.** [2020 실무 3]
> 경범죄로 처벌되는 내용이 어떤 행위인지 정하는 실체법의 성격도 있지만, 통고처분 등 그 처벌절차에 관한 내용도 함께 규정하고 있다.
>
> 7 **형법에 대한 특별법이 아니다!** [2018 실무 2]
> 형법에 우선 적용되는 특별법이 아닌 일반법이고, 형법을 보충하는 보충적 성격을 갖는다.
> [2021 채용1차] 경범죄를 짓도록 시키거나 도와준 사람은 죄를 지은 사람에 준하여 벌하며, 경범죄의 미수범도 처벌한다. (×)
> [2012 실무 2] 「경범죄 처벌법」은 형법의 보충법·특별법적 성격을 갖는다. (×)
> [2020 실무 3] 「경범죄 처벌법」은 「형법」의 보충법이고, 특정한 신분·사물·행위·지역에 제한이 없이 일반적으로 적용된다는 점에서 일반법이다. (○)

(1) 총칙

> **경범죄 처벌법 제1조【목적】** 이 법은 경범죄의 종류 및 처벌에 필요한 사항을 정함으로써 국민의 자유와 권리를 보호하고 사회공공의 질서유지에 이바지함을 목적으로 한다.
>
> **경범죄 처벌법 제2조【남용금지】** 이 법을 적용할 때에는 국민의 권리를 부당하게 침해하지 아니하도록 세심한 주의를 기울여야 하며, 본래의 목적에서 벗어나 다른 목적을 위하여 이 법을 적용하여서는 아니 된다.

(2) 경범죄의 종류 ➡ 60만원 / 20만원 / 10만원

1) 60만원 이하의 벌금 · 구류 · 과료 ➡ 주취소란 · 거짓신고(주 · 거)

> **경범죄 처벌법 제3조【경범죄의 종류】** ③ 다음 각 호의 어느 하나에 해당하는 사람은 60만원 이하의 벌금, 구류 또는 과료의 형으로 처벌한다. ➡ 범칙행위 ×
> 1. **(관공서에서의 주취소란)** 술에 취한 채로 관공서에서 몹시 거친 말과 행동으로 주정하거나 시끄럽게 한 사람 [2023 승진(실무종합)] [2014 채용2차]
> 2. **(거짓신고)** 있지 아니한 범죄나 재해 사실을 공무원에게 거짓으로 신고한 사람 [2017 실무 2]
>
> [2013 채용1차] '술에 취한 채로 관공서에서 몹시 거친 말과 행동으로 주정하거나 시끄럽게 한 사람'은 경범죄 처벌법상 가장 법정형이 무거운 행위에 해당한다. (○)
> [2016 지능범죄] 있지 아니한 범죄나 재해 사실을 공무원에게 거짓으로 신고한 사람은 20만원 이하 벌금, 구류 또는 과료의 형으로 처벌한다. (×)
> [2015 실무 2] [2016 경간] 거짓신고는 재해 사실에 대하여 공무원에게 거짓으로 신고한 경우에도 성립한다. (○)

비교≫
- 음주소란 · 인근소란: 10만원
- 거짓 인적사항 사용: 10만원
- 거짓 광고: 20만원

2) 20만원 이하의 벌금 · 구류 · 과료 ➡ 암표 · 광고 · 부당게재 · 업무방해(암 · 광 · 부 · 업)

> **경범죄 처벌법 제3조【경범죄의 종류】** ② 다음 각 호의 어느 하나에 해당하는 사람은 20만원 이하의 벌금, 구류 또는 과료의 형으로 처벌한다. ➡ 범칙행위 ○
> [2016 채용2차] [2018 경채]
> 1. **(출판물의 부당게재 등)** 올바르지 아니한 이익을 얻을 목적으로 다른 사람 또는 단체의 사업이나 사사로운 일에 관하여 신문, 잡지, 그 밖의 출판물에 어떤 사항을 싣거나 싣지 아니할 것을 약속하고 돈이나 물건을 받은 사람 [2017 실무 2] [2023 채용1차]
> 2. **(거짓 광고)** 여러 사람에게 물품을 팔거나 나누어 주거나 일을 해주면서 다른 사람을 속이거나 잘못 알게 할 만한 사실을 들어 광고한 사람 [2014 승진(경감)] [2016 경간] [2022 경간] [2022 승진(실무종합)] [2023 채용1차]
> 3. **(업무방해)** 못된 장난 등으로 다른 사람, 단체 또는 공무수행 중인 자의 업무를 방해한 사람 [2016 지능범죄] [2018 실무 2] [2023 채용1차]
> 4. **(암표매매)** 흥행장, 경기장, 역, 나루터, 정류장, 그 밖에 정하여진 요금을 받고 입장시키거나 승차 또는 승선시키는 곳에서 웃돈을 받고 입장권 · 승차권 또는 승선권을 다른 사람에게 되판 사람 [2013 채용1차] [2017 실무 2] [2023 채용1차]

비교≫
광고물 무단부착: 10만원

3) 10만원 이하의 벌금 · 구류 · 과료

> **경범죄 처벌법 제3조【경범죄의 종류】** ① 다음 각 호의 어느 하나에 해당하는 사람은 10만원 이하의 벌금, 구류 또는 과료의 형으로 처벌한다. ➡ 범칙행위 ○
> 1. **(빈집 등에의 침입)** 다른 사람이 살지 아니하고 관리하지 아니하는 집 또는 그 울타리 · 건조물 · 배 · 자동차 안에 정당한 이유 없이 들어간 사람

2. **(흉기의 은닉휴대)** 칼·쇠몽둥이·쇠톱 등 사람의 생명 또는 신체에 중대한 위해를 끼치거나 집이나 그 밖의 건조물에 침입하는 데에 사용될 수 있는 연장이나 기구를 정당한 이유 없이 숨겨서 지니고 다니는 사람 [2015 실무 2] [2021 채용1차]

3. **(폭행 등 예비)** 다른 사람의 신체에 위해를 끼칠 것을 공모하여 예비행위를 한 사람이 있는 경우 그 공모를 한 사람 [2016 지능범죄] [2022 승진(실무종합)]

4. 삭제 <2013.5.22.>

5. **(시체 현장변경 등)** 사산아를 감추거나 정당한 이유 없이 변사체 또는 사산아가 있는 현장을 바꾸어 놓은 사람

6. **(도움이 필요한 사람 등의 신고불이행)** 자기가 관리하고 있는 곳에 도움을 받아야 할 노인, 어린이, 장애인, 다친 사람 또는 병든 사람이 있거나 시체 또는 사산아가 있는 것을 알면서 이를 관계 공무원에게 지체 없이 신고하지 아니한 사람

7. **(관명사칭 등)** 국내외의 공직, 계급, 훈장, 학위 또는 그 밖에 법령에 따라 정하여진 명칭이나 칭호 등을 거짓으로 꾸며 대거나 자격이 없으면서 법령에 따라 정하여진 제복, 훈장, 기장 또는 기념장, 그 밖의 표장 또는 이와 비슷한 것을 사용한 사람

8. **(물품강매·호객행위)** 요청하지 아니한 물품을 억지로 사라고 한 사람, 요청하지 아니한 일을 해주거나 재주 등을 부리고 그 대가로 돈을 달라고 한 사람 또는 여러 사람이 모이거나 다니는 곳에서 영업을 목적으로 떠들썩하게 손님을 부른 사람

9. **(광고물 무단부착 등)** 다른 사람 또는 단체의 집이나 그 밖의 인공구조물과 자동차 등에 함부로 광고물 등을 붙이거나 내걸거나 끼우거나 글씨 또는 그림을 쓰거나 그리거나 새기는 행위 등을 한 사람 또는 다른 사람이나 단체의 간판, 그 밖의 표시물 또는 인공구조물을 함부로 옮기거나 더럽히거나 훼손한 사람 또는 공공장소에서 광고물 등을 함부로 뿌린 사람 [2021 채용1차]

10. **(마시는 물 사용방해)** 사람이 마시는 물을 더럽히거나 사용하는 것을 방해한 사람 [2016 지능범죄]

11. **(쓰레기 등 투기)** 담배꽁초, 껌, 휴지, 쓰레기, 죽은 짐승, 그 밖의 더러운 물건이나 못쓰게 된 물건을 함부로 아무 곳에나 버린 사람

12. **(노상방뇨 등)** 길, 공원, 그 밖에 여러 사람이 모이거나 다니는 곳에서 함부로 침을 뱉거나 대소변을 보거나 또는 그렇게 하도록 시키거나 개 등 짐승을 끌고 와서 대변을 보게 하고 이를 치우지 아니한 사람

13. **(의식방해)** 공공기관이나 그 밖의 단체 또는 개인이 하는 행사나 의식을 못된 장난 등으로 방해하거나 행사나 의식을 하는 자 또는 그 밖에 관계 있는 사람이 말려도 듣지 아니하고 행사나 의식을 방해할 우려가 뚜렷한 물건을 가지고 행사장 등에 들어간 사람

14. **(단체가입 강요)** 싫다고 하는데도 되풀이하여 단체 가입을 억지로 강요한 사람

15. **(자연훼손)** 공원·명승지·유원지나 그 밖의 녹지구역 등에서 풀·꽃·나무·돌 등을 함부로 꺾거나 캔 사람 또는 바위·나무 등에 글씨를 새기거나 하여 자연을 훼손한 사람

16. **(타인의 가축·기계 등 무단조작)** 다른 사람 또는 단체의 소나 말, 그 밖의 짐승 또는 매어 놓은 배·뗏목 등을 함부로 풀어 놓거나 자동차 등의 기계를 조작한 사람

17. **(물길의 흐름 방해)** 개천·도랑이나 그 밖의 물길의 흐름에 방해될 행위를 한 사람

18. **(구걸행위 등)** 다른 사람에게 구걸하도록 시켜 올바르지 아니한 이익을 얻은 사람 또는 공공장소에서 구걸을 하여 다른 사람의 통행을 방해하거나 귀찮게 한 사람

19. **(불안감조성)** 정당한 이유 없이 길을 막거나 시비를 걸거나 주위에 모여들거나 뒤따르거나 몹시 거칠게 겁을 주는 말이나 행동으로 다른 사람을 불안하게 하거나 귀찮고 불쾌하게 한 사람 또는 여러 사람이 이용하거나 다니는 도로·공원 등 공공장소에서 고의로 험악한 문신(文身)을 드러내어 다른 사람에게 혐오감을 준 사람

20. **(음주소란 등)** 공회당·극장·음식점 등 여러 사람이 모이거나 다니는 곳 또는 여러 사람이 타는 기차·자동차·배 등에서 몹시 거친 말이나 행동으로 주위를 시끄럽게 하거나 술에 취하여 이유 없이 다른 사람에게 주정한 사람 [2013 채용1차] [2022 승진(실무종합)] [2023 승진(실무종합)]

21. **(인근소란 등)** 악기·라디오·텔레비전·전축·종·확성기·전동기 등의 소리를 지나치게 크게 내거나 큰소리로 떠들거나 노래를 불러 이웃을 시끄럽게 한 사람

22. **(위험한 불씨 사용)** 충분한 주의를 하지 아니하고 건조물, 수풀, 그 밖에 불붙기 쉬운 물건 가까이에서 불을 피우거나 휘발유 또는 그 밖에 불이 옮아붙기 쉬운 물건 가까이에서 불씨를 사용한 사람

23. **(물건 던지기 등 위험행위)** 다른 사람의 신체나 다른 사람 또는 단체의 물건에 해를 끼칠 우려가 있는 곳에 충분한 주의를 하지 아니하고 물건을 던지거나 붓거나 또는 쏜 사람

24. **(인공구조물 등의 관리소홀)** 무너지거나 넘어지거나 떨어질 우려가 있는 인공구조물이나 그 밖의 물건에 대하여 관계 공무원으로부터 고칠 것을 요구받고도 필요한 조치를 게을리하여 여러 사람을 위험에 빠트릴 우려가 있게 한 사람

25. **(위험한 동물의 관리 소홀)** 사람이나 가축에 해를 끼치는 버릇이 있는 개나 그 밖의 동물을 함부로 풀어놓거나 제대로 살피지 아니하여 나다니게 한 사람

26. **(동물 등에 의한 행패 등)** 소나 말을 놀라게 하여 달아나게 하거나 개나 그 밖의 동물을 시켜 사람이나 가축에게 달려들게 한 사람

27. **(무단소등)** 여러 사람이 다니거나 모이는 곳에 켜 놓은 등불이나 다른 사람 또는 단체가 표시를 하기 위하여 켜 놓은 등불을 함부로 끈 사람

28. **(공중통로 안전관리소홀)** 여러 사람이 다니는 곳에서 위험한 사고가 발생하는 것을 막을 의무가 있으면서도 등불을 켜 놓지 아니하거나 그 밖의 예방조치를 게을리한 사람

29. **(공무원 원조불응)** 눈·비·바람·해일·지진 등으로 인한 재해, 화재·교통사고·범죄, 그 밖의 급작스러운 사고가 발생하였을 때에 현장에 있으면서도 정당한 이유 없이 관계 공무원 또는 이를 돕는 사람의 현장출입에 관한 지시에 따르지 아니하거나 공무원이 도움을 요청하여도 도움을 주지 아니한 사람

30. **(거짓 인적사항 사용)** 성명, 주민등록번호, 등록기준지, 주소, 직업 등을 거짓으로 꾸며대고 배나 비행기를 타거나 인적사항을 물을 권한이 있는 공무원이 적법한 절차를 거쳐 묻는 경우 정당한 이유 없이 다른 사람의 인적사항을 자기의 것으로 거짓으로 꾸며댄 사람 [2023 승진(실무종합)]

31. **(미신요법)** 근거 없이 신기하고 용한 약방문인 것처럼 내세우거나 그 밖의 미신적인 방법으로 병을 진찰·치료·예방한다고 하여 사람들의 마음을 홀리게 한 사람

32. **(야간통행제한 위반)** 전시·사변·천재지변, 그 밖에 사회에 위험이 생길 우려가 있을 경우에 경찰청장이나 해양경찰청장이 정하는 야간통행제한을 위반한 사람

33. **(과다노출)** 공개된 장소에서 공공연하게 성기·엉덩이 등 신체의 주요한 부위를 노출하여 다른 사람에게 부끄러운 느낌이나 불쾌감을 준 사람

34. **(지문채취 불응)** 범죄 피의자로 입건된 사람의 신원을 지문조사 외의 다른 방법으로는 확인할 수 없어 경찰공무원이나 검사가 지문을 채취하려고 할 때에 정당한 이유 없이 이를 거부한 사람 [2013 채용1차] [2015 실무 2]

35. **(자릿세 징수 등)** 여러 사람이 모이거나 쓸 수 있도록 개방된 시설 또는 장소에서 좌석이나 주차할 자리를 잡아 주기로 하거나 잡아주면서, 돈을 받거나 요구하거나 돈을 받으려고 다른 사람을 귀찮게 따라다니는 사람

36. **(행렬방해)** 공공장소에서 승차·승선, 입장·매표 등을 위한 행렬에 끼어들거나 떠밀거나 하여 그 행렬의 질서를 어지럽힌 사람 [2021 채용1차]

37. **(무단 출입)** 출입이 금지된 구역이나 시설 또는 장소에 정당한 이유 없이 들어간 사람 [2015 실무 2]

38. **(총포 등 조작장난)** 여러 사람이 모이거나 다니는 곳에서 충분한 주의를 하지 아니하고 총포, 화약류, 그 밖에 폭발의 우려가 있는 물건을 다루거나 이를 가지고 장난한 사람

39. **(무임승차 및 무전취식)** 영업용 차 또는 배 등을 타거나 다른 사람이 파는 음식을 먹고 정당한 이유 없이 제 값을 치르지 아니한 사람

40. **(장난전화 등)** 정당한 이유 없이 다른 사람에게 전화·문자메시지·편지·전자우편·전자문서 등을 여러 차례 되풀이하여 괴롭힌 사람 [2021 채용1차]

41. **(지속적 괴롭힘)** 상대방의 명시적 의사에 반하여 지속적으로 접근을 시도하여 면회 또는 교제를 요구하거나 지켜보기, 따라다니기, 잠복하여 기다리기 등의 행위를 반복하여 하는 사람 [2014 승진(경감)] [2016 경간] [2017 실무 2] [2023 승진(실무종합)]

[2015 실무 2] 경범죄 처벌법상 흉기의 은닉휴대는 정당한 이유가 있더라도 흉기를 숨겨서 지니고 다니면 성립한다. (×)
[2020 지능범죄] 이 법 제3조의 행렬방해에 해당하는 자는 20만원 이하의 벌금, 구류 또는 과료의 형으로 처벌한다. (×)

⚖ 요지판례 Ⅰ

경범죄 처벌법 제3조 제1항 제19호는 "정당한 이유 없이 길을 막거나 시비를 걸거나 주위에 모여들거나 뒤따르거나 또는 몹시 거칠게 겁을 주는 말 또는 행동으로 다른 사람을 불안하게 하거나 귀찮고 불쾌하게 한 사람"을 벌하도록 규정하고 있는바, 정당한 이유 없이 다른 사람의 뒤를 따르는 등의 행위가 위 조항의 처벌대상이 되려면 단순히 뒤를 따르는 등의 행위를 하였다는 것만으로는 부족하고 그러한 행위로 인하여 상대방이 불안감이나 귀찮고 불쾌한 감정을 느끼거나 객관적으로 보아 그러한 감정을 느끼게 할 정도의 것이어야 한다(대판 1999.8.24, 선고 99도2034). ➡ 피고인들이 버스정류장 등지에서 소매치기를 할 생각으로 은밀히 성명불상자들의 뒤를 따라다녔다 하더라도 성명불상자들이 이를 의식하지 못한 이상 불안감이나 귀찮고 불쾌한 감정을 느꼈다고 볼 수 없어 경범죄 처벌법 제3조 제1항 제19호에 해당하지 않는다고 한 사례 [2018 채용3차]

[2014 채용2차] 버스정류장 등지에서 소매치기할 생각으로 은밀히 성명 불상자들의 뒤를 따라다닌 경우 「경범죄 처벌법」상 '불안감 조성성'에 해당한다. (×)

(3) 경범죄에 대한 처벌

> **경범죄 처벌법 제4조 【교사·방조】** 제3조의 죄를 짓도록 시키거나 도와준 사람은 죄를 지은 사람에 준하여 벌한다. ➡ 교사·방조 처벌규정은 있다! [2016 채용2차] [2020 채용2차]
>
> **경범죄 처벌법 제5조 【형의 면제와 병과】** 제3조에 따라 사람을 벌할 때에는 그 사정과 형편을 헤아려서 그 형을 면제하거나 구류와 과료를 함께 과할 수 있다. ➡ 감경규정은 없고, 면제규정은 있다. [2014 채용2차] [2020 실무 3] [2023 승진(실무종합)]

(4) 경범죄 처벌의 특례 ➡ "범칙자는 범칙금을 내는 통고처분으로 끝내겠다."

1) 범칙행위·범칙자·범칙금의 의미

- 제1호·제2호·제3호(상습·구류·피해자): 즉결심판으로 처리된다.
- 제4호(18세 미만): 훈방으로 처리된다.

> **경범죄 처벌법 제6조 【정의】** ① 이 장에서 "**범칙행위**"란 제3조 제1항 각 호 및 제2항 각 호의 어느 하나에 해당하는 위반행위(➡ 10만원 ○, 20만원 ○, 60만원 ×)를 말하며, 그 구체적인 범위는 대통령령으로 정한다.
>
> ② 이 장에서 "**범칙자**"란 범칙행위를 한 사람으로서 다음 각 호의 어느 하나에 해당하지 아니하는 사람을 말한다. [2014 채용2차] [2020 채용2차]
>
> 1. 범칙행위를 **상습적**으로 하는 사람 [2023 승진(실무종합)]
> 2. 죄를 지은 동기나 수단 및 결과를 헤아려 볼 때 **구류처분을 하는 것이 적절**하다고 인정되는 사람 [2020 실무 3]
> 3. **피해자가 있는** 행위를 한 사람
> 4. **18세 미만인** 사람 [2022 승진(실무종합)]
>
> ③ 이 장에서 "**범칙금**"이란 범칙자가 제7조에 따른 **통고처분**에 따라 국고 또는 제주특별자치도의 금고에 납부하여야 할 금전을 말한다.
>
> [2020 채용2차] 범칙행위란 「경범죄 처벌법」 제3조 제1항 각 호부터 제3항 각 호까지의 어느 하나에 해당하는 위반행위이다. (×)
> [2018 경간] 범칙자란 범칙행위를 상습적으로 하는 사람, 피해자가 있는 행위를 한 사람, 죄를 지은 동기나 수단 및 결과를 헤아려볼 때 구류처분을 하는 것이 적절하다고 인정되는 사람을 말한다. (×)
> [2018 실무 2] '범칙자'란 범칙행위를 한 사람으로서 '통고처분서 받기를 거부한 사람', '주거 또는 신원이 확실하지 아니한 사람', '그 밖에 통고처분하기가 매우 어려운 사람' 중 어느 하나에 해당하지 아니하는 사람을 말한다. (×)

2) 통고처분

> **경범죄 처벌법 제7조【통고처분】** ① 경찰서장, 해양경찰서장, 제주특별자치도지사 또는 철도특별사법경찰대장은 **범칙자로 인정되는 사람**에 대하여 그 이유를 명백히 나타낸 서면으로 범칙금을 부과하고 이를 납부할 것을 통고할 수 있다. 다만, 다음 각 호의 어느 하나에 해당하는 사람에게는 통고하지 아니한다. [2021 채용1차]
> 1. 통고처분서 받기를 **거부한** 사람
> 2. **주거 또는 신원이 확실하지 아니한** 사람 [2018 경간]
> 3. 그 밖에 통고처분을 하기가 매우 어려운 사람
> ② 제1항에 따라 통고할 범칙금의 액수는 범칙행위의 종류에 따라 대통령령으로 정한다.
> ③ 제주특별자치도지사, 철도특별사법경찰대장은 제1항에 따라 통고처분을 한 경우에는 관할 경찰서장에게 그 사실을 통보하여야 한다.
> [2022 경간] 해양경찰서장을 제외한 경찰서장, 제주특별자치도지사 또는 철도특별사법경찰대장은 범칙자로 인정되는 사람에 대하여 그 이유를 명백히 나타낸 서면으로 범칙금을 부과하고 이를 납부할 것을 통고할 수 있다. (×)
> [2020 실무 3] 거짓광고, 거짓신고에 대해서 통고처분을 할 수 있다. (×)

3) 범칙금의 납부

> **경범죄 처벌법 제8조【범칙금의 납부】** ① 제7조에 따라 통고처분서를 받은 사람은 통고처분서를 받은 날부터 **10일 이내**에 경찰청장·해양경찰청장 또는 철도특별사법경찰대장이 지정한 은행, 그 지점이나 대리점, 우체국 또는 제주특별자치도지사가 지정하는 금융기관이나 그 지점에 범칙금을 납부하여야 한다. 다만, 천재지변이나 그 밖의 부득이한 사유로 말미암아 그 기간 내에 범칙금을 납부할 수 없을 때에는 그 부득이한 사유가 없어지게 된 날부터 **5일 이내**에 납부하여야 한다. [2016 채용2차] [2018 채용3차] [2018 경채] [2018 경간] [2020 지능범죄]
> ② 제1항에 따른 납부기간에 범칙금을 납부하지 아니한 사람은 납부기간의 마지막 날의 다음 날부터 **20일 이내**에 통고받은 범칙금에 그 금액의 100분의 20을 더한 금액을 납부하여야 한다. [2021 채용1차]
> ③ 제1항 또는 제2항에 따라 범칙금을 납부한 사람은 그 범칙행위에 대하여 다시 처벌받지 아니한다. [2018 실무 2]

🔍 참고 범칙금 납부통고서

범칙금 납부통고서(경범죄)

통고서번호:　　　-3-

(1차)납부기한	2024 년 4 월 11 일	금액	50,000 원
(2차)납부기한	2024 년 5 월 2 일	가산금액	10,000 원
적용 법조문	「경범죄 처벌법」 제3조 제1항 제8호	범칙내용	물품강매

범칙자	성명	홍길동	직업	무직	주민등록번호	81****-*******
	주소	서울 동작구 노량진동 **-**			전화	010-****-****

범칙행위	일시	2024년 3 월 29 일　 17시 35분
	장소	서울 동작구 노량진로 151, 노량진역 역사 앞 마당

위 내용 이 사실임을 확인하고 서명합니다. (범칙자) 홍길동 (서명)

「경범죄 처벌법」 제7조 및 같은 법 시행령 제3조 제1항에 따라 위와 같이 범칙금의 납부를 통고하오니 기한 내에 납부하시기 바랍니다. 만일 기한 내에 범칙금을 납부하지 않으면 즉결심판에 회부됨을 알려 드립니다.

2024 년 4 월 1 일

서울동작경찰서장 직인

▌ 통고처분권자의 범위
- 경찰서장, 해양경찰서장
- 제주도지사
- 철도특사경대장 ➡ 즉결심판청구권자에서는 제외되어 있음 주의(경찰서장에게 통보하여 경찰서장이 처리)

1. **1차 납부기한까지 범칙금을 납부하지 않았을 때**에는 그 기한이 만료되는 날의 다음 날부터 **2차 납부기한까지는 범칙금의 100분의 20의 금액을 더하여 납부해야 합니다.**

   예 위 1차 납부기간 만료일의 다음 날인 4월 12일부터 20일 이내, 즉 5월 2일까지는 범칙금 50,000원 + 가산금액 10,000원, 즉 60,000원 납부

2. **2차 납부기한이 지났을 때**에는 「경범죄 처벌법」 제9조 제1항 및 같은 법 시행령 제6조 제2항에 따라 **통고받은 범칙금에 그 금액의 100분의 50을 더한 금액**(「경범죄 처벌법」 제3조 제1항 관련 행위는 최대 10만원, 「경범죄 처벌법」 제3조 제2항 관련 행위는 최대 20만원)을 납부하시면 즉결심판을 받지 않아도 됩니다.

   예 2차 납부기한 만료일인 5월 2일 이후에는, 즉결심판이 청구되기 전까지는 75,000원(범칙금 50,000원 및 여기에 50% 가산한 금액)을 내면 동작경찰서장이 즉결심판청구 취소

3. 범칙금 납부통고서를 잃어버렸을 때에는 가까운 경찰서(생활질서계), 해양경찰서(안전관리계) · 파출소 또는 출장소, 자치경찰대, 철도특별사법경찰대 · 센터 · 출장소에 가서 재발급받으시기 바랍니다.

4. 범칙금 영수증은 반드시 보관하시기 바랍니다.

4) 불이행자에 대한 처리

경범죄 처벌법 제9조【통고처분 불이행자 등의 처리】 ① 경찰서장, 해양경찰서장 및 제주특별자치도지사는 다음 각 호의 어느 하나에 해당하는 사람에 대하여는 지체 없이 즉결심판을 청구하여야 한다. 다만, 즉결심판이 청구되기 전까지 통고받은 범칙금에 그 금액의 100분의 50을 더한 금액을 납부한 사람에 대하여는 그러하지 아니하다.

1. 제7조 제1항 각 호의 어느 하나에 해당하는 사람 ➜ 거부 · 주거신원불명 · 어려움

2. 제8조 제2항에 따른 납부기간에 범칙금을 납부하지 아니한 사람 ➜ 2차 납부기간 미준수

② 제1항 제2호에 따라 즉결심판이 청구된 피고인이 통고받은 범칙금에 그 금액의 100분의 50을 더한 금액을 납부하고 그 증명서류를 즉결심판 선고 전까지 제출하였을 때에는 경찰서장, 해양경찰서장 및 제주특별자치도지사는 그 피고인에 대한 즉결심판 청구를 취소하여야 한다.

③ 제1항 단서 또는 제2항에 따라 범칙금을 납부한 사람은 그 범칙행위에 대하여 다시 처벌받지 아니한다. [2018 채용3차] [2018 경채] [2020 지능범죄]

④ 철도특별사법경찰대장은 제1항 각 호의 어느 하나에 해당하는 사람이 있는 경우에는 즉시 관할 경찰서장 또는 해양경찰서장에게 그 사실을 통보하고 관련 서류를 넘겨야 한다. 이 경우 통보를 받은 경찰서장 또는 해양경찰서장은 제1항부터 제3항까지의 규정에 따라 이를 처리하여야 한다.

[2018 경간] 경찰서장은 통고처분서 받기를 거부한 사람에 대하여 지체 없이 즉결심판을 청구하여야 한다. (○)
[2018 채용3차] [2022 경간] 범칙금 납부 기한 내 범칙금을 납부하지 않아 즉결심판이 청구된 피고인이 통고받은 범칙금에 그 금액의 100분의 50을 더한 금액을 납부하고 그 증명서류를 즉결심판 선고 전까지 제출하였을 때에는 경찰청장, 해양경찰청장, 제주특별자치도지사는 그 피고인에 대한 즉결심판 청구를 취소할 수 있다. (×)

☑ KEY POINT | 경범죄 처벌법 위반자에 대한 처리 정리

1 관련 규정(형사소송법, 즉결심판에 관한 절차법)

> **즉결심판에 관한 절차법 제2조【즉결심판의 대상】** 지방법원, 지원 또는 시·군법원의 판사(이하 "판사"라 한다)는 즉결심판절차에 의하여 피고인에게 20만원 이하의 벌금, 구류 또는 과료에 처할 수 있다.
>
> **형사소송법 제214조【경미사건과 현행범인의 체포】** 다액 50만원 이하의 벌금, 구류 또는 과료에 해당하는 죄의 현행범인에 대하여는 범인의 주거가 분명하지 아니한 때에 한하여 제212조 (➡ 현행범 체포) 내지 제213조(➡ 체포된 현행범 인도)의 규정을 적용한다.

2 경범죄 처벌법 위반자에 대한 처리

구분	현행범 체포	통고처분 가능 여부	즉결심판
제3조 제1항 위반자 (10만원)	• 원칙적 × • 주거불명시 ○	• 범칙자 ○ • 통고처분 가능	• 다음의 경우는 범칙자에서 제외되므로, 통고처분은 불가하나 즉결심판으로 처리 가능 - **상습**적 범칙 - 동기·수단·결과 고려, **구류적절** - **피해자 有**
제3조 제2항 위반자 (20만원)	• 원칙적 × • 주거불명시 ○	• 범칙자 ○ • 통고처분 가능	
제3조 제3항 위반자 (60만원)	주거불명 무관 ○	• 범칙자 × • 통고처분 불가능	• 애초에 범칙자가 아니므로 통고처분 불가 • 즉결심판의 '20만원 이하'는 **선고형 기준**이므로 즉결심판의 대상이 될 수도 있다!

[2016 채용2차] 주거가 확인된 경우라면 어떠한 경우라도 「경범죄 처벌법」을 위반한 사람을 체포할 수 없다. (×)
[2014 승진(경감)] [2014 경채 유사] 있지 아니한 범죄나 재해 사실을 공무원에게 거짓으로 신고한 사람에 대해서는 주거가 분명한 경우 현행범 체포가 불가능하므로, 즉결심판청구나 통고처분을 해야 한다. (×)
[2018 승진(경위)] [2020 승진(경감)] 경범죄 처벌법상 거짓신고는 해당 경범죄를 범한 자의 주거가 분명한 경우라도 현행범인 체포가 가능하다. (○)
[2022 승진(실무종합)] '관공서에서의 주취소란'과 '거짓신고'의 법정형으로 볼 때, 두 경범죄의 경우에는 「형사소송법」 제214조 (경미사건과 현행범인의 체포)에 해당되지 않아 범인의 주거가 분명하더라도 현행범인 체포가 가능하다. (○)

3 필요적 즉결심판

① 통고처분서 받기를 거부하거나, ② 주거·신원이 불확실하거나, ③ 그 밖에 통고처분하기 매우 어려운 사람, 그리고 ④ 2차 납부기한 내 범칙금 납부하지 않은 사람에 대해서는 경찰서장이 지체없이 즉결심판을 청구하여야 한다(경범죄 처벌법 제9조 제1항).

05 총포·도검

1. 개설

- 총포·화약류는 특성상 살상력·파괴력이 크고 오·남용시 공공안전에 큰 위해를 가져올 수 있어 그 안전관리의 중요성이 강조된다.
- 경찰은 기본적으로 모든 공기총 등 총포류를 경찰관서에 보관하고, 수렵이나 유해조수구제(사살) 등 필요시에만 출고하여 사용할 수 있도록 하는 안전관리대책을 수립·시행하고 있으며, '불법무기 자진신고·집중단속'을 정기적으로 시행하고 있다.

이하 '총포 · 도검 · 화약류 등의 안전관리에 관한 법률'은 **총포화약법**으로 약칭한다.

▮ 경찰관 직무집행법상 '무기'
사람의 생명이나 신체에 위해를 끼칠 수 있도록 제작된 권총 · 소총 · 도검 등을 말한다.

▮ 위해성 경찰장비의 사용기준 등에 관한 규정상 '무기'
권총 · 소총 · 기관총(기관단총을 포함한다. 이하 같다) · 산탄총 · 유탄발사기 · 박격포 · 3인치포 · 함포 · 크레모아 · 수류탄 · 폭약류 및 도검 → (가스발사총 제외) **총** · (물포 제외) **포 · 도**

2. 총포 · 도검 · 화약류 등의 안전관리에 관한 법률

(1) 목적 및 정의

총포화약법 제1조 【목적】 이 법은 총포 · 도검 · 화약류 · 분사기 · 전자충격기 · 석궁의 제조 · 판매 · 임대 · 운반 · 소지 · 사용과 그 밖에 안전관리에 관한 사항을 정하여 총포 · 도검 · 화약류 · 분사기 · 전자충격기 · 석궁으로 인한 위험과 재해를 미리 방지함으로써 공공의 안전을 유지하는 데 이바지함을 목적으로 한다.
[2020 실무 2] 「총포 · 도검 · 화약류 등의 안전관리에 관한 법률」은 총포, 도검, 석궁, 분사기, 전자충격기, 화약류, 유해화학물질이 규율대상이다. (×)

총포화약법 제2조 【정의】 ① 이 법에서 **"총포"**란 권총, 소총, 기관총, 포, 엽총, 금속성 탄알이나 가스 등을 쏠 수 있는 장약총포, 공기총(가스를 이용하는 것을 포함한다. 이하 같다) 및 총포신 · 기관부 등 그 부품(이하 "부품"이라 한다)으로서 대통령령으로 정하는 것을 말한다. [2018 채용1차] [2020 실무 2]

> **대통령령** **총포화약법 시행령 제3조 【총포】** ① 「총포 · 도검 · 화약류 등의 안전관리에 관한 법률」(이하 "법"이라 한다) 제2조 제1항에 따른 총포는 다음 각 호의 총과 포 및 총포의 부품을 말한다.
>
> | 총 | • 권총(기관권총 포함), 소총, 기관총
• 엽총(산탄총, 강선총, 공기총, 가스총)
• 사격총(산탄총, 강선총, 공기총, 가스총)
• 어획총 · 마취총 · 도살총 · 산업용총 · 구난 구명총
• 가스발사총
• 폭발물분쇄총
• 기타 뇌관의 원리를 이용한 장약총 |
> |---|---|
> | 포 | 소구경포 · 중구경포 · 대구경포 · 박격포 · 포경포 |
> | 부품 | 총포신 및 기관부 · 산탄탄알 및 연지탄 · 소음기 및 조준경 |

② 이 법에서 **"도검"**이란 칼날의 길이가 15센티미터 이상인 칼 · 검 · 창 · 치도 · 비수 등으로서 성질상 흉기로 쓰이는 것과 칼날의 길이가 15센티미터 미만이라 할지라도 흉기로 사용될 위험성이 뚜렷한 것 중에서 대통령령으로 정하는 것을 말한다. [2012 경간]

> **대통령령** **총포화약법 시행령 제4조 【도검】** ① 법 제2조 제2항의 규정에 의한 도검의 종류는 다음 각호와 같다.
> 8. 재크나이프(칼날의 길이가 6센티미터이상의 것에 한한다) [2012 경간]
> 9. 비출나이프(칼날의 길이가 5.5센티미터이상이고, 45도이상 자동으로 펴지는 장치가 있는 것에 한한다) [2012 경간]
> 10. 그밖의 6센티미터이상의 칼날이 있는 것으로서 흉기로 사용될 위험성이 뚜렷이 있는 도검

③ 이 법에서 **"화약류"**란 다음 각 호의 화약, 폭약 및 화공품(火工品: 화약 및 폭약을 써서 만든 공작물을 말한다. 이하 같다)을 말한다.
④ 이 법에서 **"분사기"**란 사람의 활동을 일시적으로 곤란하게 하는 최루 또는 질식 등을 유발하는 작용제를 분사할 수 있는 기기로서 대통령령으로 정하는 것을 말한다.
⑤ 이 법에서 **"전자충격기"**란 사람의 활동을 일시적으로 곤란하게 하거나 인명에 위해를 주는 전류를 방류할 수 있는 기기로서 대통령령으로 정하는 것을 말한다.
⑥ 이 법에서 **"석궁"**이란 활과 총의 원리를 이용하여 화살 등의 물체를 발사하여 인명에 위해를 줄 수 있는 것으로서 대통령령으로 정하는 것을 말한다.

▮ 위해성 경찰장비의 사용기준 등에 관한 규정상 '분사기 · 최루탄'
근접분사기 · 가스분사기 · 가스발사총(고무탄 발사겸용을 포함한다. 이하 같다) 및 최루탄(그 발사장치를 포함한다)

▮ 위해성 경찰장비의 사용기준 등에 관한 규정상 '경찰장구'
수갑 · 포승 · 호송용포승 · 경찰봉 · 호신용경봉 · 전자충격기 · 방패 및 전자방패 → 전 · 방 · 수 · 포 · 봉

▮ 위해성 경찰장비의 사용기준 등에 관한 규정상 '기타장비'
가스차 · 살수차 · 특수진압차 · 물포 · 석궁 · 다목적발사기 및 도주차량차단장비 → 차량 관련+석 · 다 · 물

(2) 총포업 관련 허가

1) 제조업의 허가

> **총포화약법 제4조【제조업의 허가】**① 총포·화약류의 제조업(총포의 개조·수리업과 화약류의 변형·가공업을 포함한다. 이하 같다)을 하려는 자는 제조소마다 행정안전부령으로 정하는 바에 따라 경찰청장의 허가를 받아야 한다. 제조소의 위치·구조·시설 또는 설비를 변경하거나 제조하는 총포·화약류의 종류 또는 제조방법을 변경하려는 경우에도 또한 같다.
>
> ② 도검·분사기·전자충격기·석궁의 제조업을 하려는 자는 제조소마다 행정안전부령으로 정하는 바에 따라 제조소의 소재지를 관할하는 시·도경찰청장의 허가를 받아야 한다. 제조소의 위치·구조·시설 또는 설비를 변경하거나 제조하는 도검·분사기·전자충격기·석궁의 종류 또는 제조방법을 변경하려는 경우에도 또한 같다
>
> **총포화약법 제5조【제조업자의 결격사유】** 다음 각 호의 어느 하나에 해당하는 자는 총포·도검·화약류·분사기·전자충격기·석궁 제조업의 허가를 받을 수 없다.
>
> 1. 금고 이상의 실형을 선고받고 그 집행이 끝나거나 집행을 받지 아니하기로 확정된 후 3년이 지나지 아니한 자
> 2. 금고 이상의 형의 집행유예를 선고받고 그 유예기간이 끝난 날부터 1년이 지나지 아니한 자
> 3. 심신상실자, 마약·대마·향정신성의약품 또는 알코올 중독자, 그 밖에 이에 준하는 정신장애인
> 4. 20세 미만인 자
> 5. 피성년후견인 및 피한정후견인
> 6. 파산선고를 받고 복권되지 아니한 자
> 7. 제45조 제1항에 따라 허가가 취소(이 조 제4호부터 제6호까지의 어느 하나에 해당하여 허가가 취소된 경우는 제외한다)된 후 3년이 지나지 아니한 자
> 8. 임원 중에 제1호부터 제7호까지의 어느 하나에 해당하는 자가 있는 법인 또는 단체
>
> [2018 채용1차] 자격정지 이상의 형을 선고받고 그 집행이 끝나거나 집행을 받지 아니하기로 확정된 후 3년이 지나지 아니한 자는 총포·도검·화약류·분사기·전자충격기·석궁 제조업의 허가를 받을 수 없다. (×)

2) 판매업의 허가

> **총포화약법 제6조【판매업의 허가】**① 총포·도검·화약류·분사기·전자충격기·석궁의 판매업을 하려는 자는 판매소마다 행정안전부령으로 정하는 바에 따라 판매소의 소재지를 관할하는 시·도경찰청장의 허가를 받아야 한다. 판매소의 위치·구조·시설 또는 설비를 변경하거나 판매하는 총포·도검·화약류·분사기·전자충격기·석궁의 종류를 변경하려는 경우에도 또한 같다.

3) 예술소품용 총포 등 임대업의 허가

> **총포화약법 제6조의2 【예술소품용 총포 등의 임대업 허가 등】** ① 영화 · 연극 등을 위한 예술소품용으로 사용되는 총포 · 도검 · 분사기 · 전자충격기 · 석궁의 임대업을 하려는 자는 임대업소마다 행정안전부령으로 정하는 바에 따라 임대업소의 소재지를 관할하는 시 · 도경찰청장의 허가를 받아야 한다. 임대업소의 위치 · 구조 · 시설 또는 설비를 변경하거나 임대하는 총포 · 도검 · 분사기 · 전자충격기 · 석궁의 종류를 변경하려는 때에도 또한 같다.

4) 수출입의 허가

> **총포화약법 제9조 【수출입의 허가 등】** ① 총포 · 화약류를 수출 또는 수입하려는 자는 행정안전부령으로 정하는 바에 따라 수출 또는 수입하려는 때마다 관련 증명서류 등을 경찰청장에게 제출하고 경찰청장의 허가를 받아야 한다. 이 경우 경찰청장은 수출 허가를 하기 전에 수입국이 수입 허가 등을 하였는지 여부 및 경유국이 동의하였는지 여부 등을 확인하여야 한다.
> ② 도검 · 분사기 · 전자충격기 · 석궁을 수출 또는 수입하려는 자는 행정안전부령으로 정하는 바에 따라 수출 또는 수입하려는 때마다 주된 사업장의 소재지를 관할하는 시 · 도경찰청장의 허가를 받아야 한다.

☑ KEY POINT ｜ 총포업 관련 허가 정리

구분	허가대상	허가단위	허가주체
제조업	총포 · 화약류	각 제조소별	경찰청장
	도검 · 분사기 · 전자충격기 · 석궁	각 제조소별	관할 시 · 도경찰청장
판매업	총포 · 도검 · 화약류 · 분사기 · 전자충격기 · 석궁	각 판매소별	관할 시 · 도경찰청장
예술소품용 임대업	예술소품용 총포 · 도검 · 분사기 · 전자충격기 · 석궁	각 임대업소별	관할 시 · 도경찰청장
수출입	총포 · 화약류	각 수출입시마다	경찰청장
	도검 · 분사기 · 전자충격기 · 석궁	각 수출입시마다	관할 시 · 도경찰청장

---

(3) 총포 등의 소지 허가 및 결격사유
소지허가 및 보관

> **총포화약법 제12조 【총포 · 도검 · 화약류 · 분사기 · 전자충격기 · 석궁의 소지허가】** ① 제10조 각 호의 어느 하나에 해당하지 아니하는 자가 총포 · 도검 · 화약류 · 분사기 · 전자충격기 · 석궁을 소지하려는 경우에는 행정안전부령으로 정하는 바에 따라 다음 각 호의 구분에 따라 허가를 받아야 한다. 다만, 제1호 및 제2호의 총포 소지허가를 받으려는 경우에는 신청인의 정신질환 또는 성격장애 등을 확인할 수 있도록 행정안전부령으로 정하는 서류를 허가관청에 제출하여야 한다.
> 1. 총포(제2호에서 정하는 것은 제외한다): 주소지를 관할하는 시 · 도경찰청장
> 2. 총포 중 엽총 · 가스발사총 · 공기총 · 마취총 · 도살총 · 산업용총 · 구난구명총 또는 그 부품: 주소지를 관할하는 경찰서장 [2012 실무 2]
> 3. 도검 · 화약류 · 분사기 · 전자충격기 및 석궁: 주소지를 관할하는 경찰서장 [2012 경간] [2020 실무 2]
> [2012 경간] 총포 중 엽총, 가스발사총, 어획총, 공기총, 마취총, 산업용총, 구난구명총, 도살총의 소지허가는 경찰서장이 한다. (×)

• 권총, 소총, 기관총, 포, 장약총포 및 어획총 등 소지허가는 주소지 관할 시 · 도경찰청장 허가사항(제1호)
• 뭔가 전쟁에서 쓸법한 총 빼고는 다 관할 경찰서장 허가!

> **총포화약법 제13조【총포 · 도검 · 화약류 · 분사기 · 전자충격기 · 석궁 소지자의 결격사유 등】**
> ① 다음 각 호의 어느 하나에 해당하는 자는 총포 · 도검 · 화약류 · 분사기 · 전자충격기 · 석궁의 소지허가를 받을 수 없다.
> 1. 20세 미만인 자. 다만, 대한체육회장이나 특별시 · 광역시 · 특별자치시 · 도 또는 특별자치도의 체육회장이 추천한 선수 또는 후보자가 사격경기용 총을 소지하려는 경우는 제외한다. [2012 경간]
> 2. 심신상실자, 마약 · 대마 · 향정신성의약품 또는 알코올 중독자, 정신질환자 또는 뇌전증 환자로서 대통령령으로 정하는 사람
> 3. 금고 이상의 실형을 선고받고 그 집행이 끝나거나(집행이 끝난 것으로 보는 경우를 포함한다) 면제된 날부터 5년이 지나지 아니한 자
> 4. 이 법을 위반하여 벌금형을 선고받고 5년이 지나지 아니한 자 [2018 실무 2]
> 5. 「특정강력범죄의 처벌에 관한 특례법」 제2조 제1항 각 호의 어느 하나에 해당하는 특정강력범죄를 범하여 벌금형의 선고 또는 징역 이상의 형의 집행유예를 선고받고 그 유예기간이 끝난 날부터 5년이 지나지 아니한 자
> 6. 이 법을 위반하여 금고 이상의 형의 집행유예를 선고받고 그 유예기간이 끝난 날부터 3년이 지나지 아니한 자 [2018 실무 2]
> ...
> [2017 실무 2] 총포화약법을 위반하여 벌금형을 선고받고 3년이 지나지 아니한 자는 소지허가를 받을 수 없다. (×)

(4) 발견 · 습득자의 신고의무

> **총포화약법 제23조【발견 · 습득의 신고 등】** 누구든지 유실 · 매몰 또는 정당하게 관리되고 있지 아니하는 총포 · 도검 · 화약류 · 분사기 · 전자충격기 · 석궁이라고 인정되는 물건을 발견하거나 습득하였을 때에는 24시간 이내에 가까운 경찰관서에 신고하여야 하며, 경찰공무원(의무경찰을 포함한다)의 지시 없이 이를 만지거나 옮기거나 두들기거나 해체하여서는 아니 된다. [2018 채용1차]

(5) 화약류의 사용 · 운반허가

> **총포화약법 제18조【화약류의 사용】** ① 화약류를 발파하거나 연소시키려는 자는 행정안전부령으로 정하는 바에 따라 화약류의 **사용장소를 관할하는 경찰서장**의 화약류 사용허가를 받아야 한다. 다만, 「광업법」에 따라 광물을 채굴하는 자와 그 밖에 대통령령으로 정하는 자는 그러하지 아니하다.
> [2018 실무 2] 화약류를 발파하거나 연소시키려는 자는 행정안전부령으로 정하는 바에 따라 화약류의 사용장소를 관할하는 시 · 도경찰청장의 화약류 사용허가를 받아야 한다. (×)
>
> **총포화약법 제26조【화약류의 운반】** ① 화약류를 운반하려는 사람은 행정안전부령으로 정하는 바에 따라 **발송지를 관할하는 경찰서장**에게 신고하여야 한다. 다만, 대통령령으로 정하는 수량 이하의 화약류를 운반하는 경우에는 그러하지 아니하다. [2018 채용1차]

(6) 감독

> **총포화약법 제43조 【완성검사】** 제조업자, 판매업자 또는 화약류저장소설치자는 그 허가를 받은 날부터 1년 이내에 그 시설 또는 설비에 대하여 허가관청의 검사를 받아야 하며, 그 검사에 합격한 후가 아니면 업무를 시작하거나 시설 또는 설비를 사용할 수 없다. 다만, 허가관청은 부득이한 사유가 있는 경우에는 1년을 초과하지 아니하는 범위에서 그 기간을 연장할 수 있다.
>
> [2018 실무 2] 총포 등의 제조업자는 허가를 받은 날부터 3년 이내에 그 시설 또는 설비에 대하여 허가관청의 검사를 받아야 한다. 다만, 허가관청은 부득이한 사유가 있는 경우에는 2년을 초과하지 아니하는 범위에서 그 기간을 연장할 수 있다. (×)

> **🔍 참고 경찰의 총기류 등 관리 실제(2019년 기준)**
>
> **1 불법무기 자진신고 · 집중단속의 확대**
> - 연 2회 불법무기 자진신고 및 집중단속을 하고 있다(매년 4 · 9월 자진신고 / 5 · 10월 집중단속).
> - 특히 2019년에는 한국전쟁 참전시 소지하였던 권총 등 무허가 총기 587정을 수거하고, 실탄 27,742발 등 화약류 31,088점을 수거하기도 하였다.
>
> **2 수렵총기의 안전관리**
> - 2019.11.~2020.2.까지 충북 3개 지역(보은 · 영동 · 옥천), 전북 4개 지역(남원 · 임실 · 장수 · 진안), 전남 2개 지역(보성 · 순천)에서 수렵장을 운영하고, 수렵기간 중 총기악용 및 오발사고 예방을 위해 수렵인 대상 안전교육을 시행하였다.
> - 경찰의 철저한 총기관리로 2016~2019년 수렵기간 중 총기 사망사고는 0건이었으며(부상 15건), 고의에 의한 사고는 2017년 1건 외에는 발생하지 않았다.

06 유실물

1. 개설

- 유실물이란 점유자의 뜻에 의하지 아니하고 어떤 우연한 사정으로 점유를 이탈한 물건 중 도품(盜品)이 아닌 물건을 말한다. → 자기도 모르는 사이에 잃어버린 물건, 분실물. 따라서 의도적으로 버린 물건이나 도둑맞은 물건은 유실물이 아니다. [2018 경간]
- 유실물을 본래 주인에게 찾아주는 업무 역시 민생과 관련된 것으로서 생활안전경찰의 영역으로 보고 있으며, 경찰청은 LOST 112 경찰청 유실물 통합포털(https://www.lost112.go.kr)을 통해 전국의 경찰관서 뿐 아니라 개별적으로 운영 중인 전국의 유실물 운영기관의 유실물정보를 통합하여 대국민 편익증진에 앞장서고 있다.

▌준유실물(유실물법 제12조)
- **준유실물**이란 ① 착오로 점유한 물건, ② 타인이 놓고 간 물건, ③ 일실한 가축을 말한다.
- 민법 제253조가 적용되어 공고 후 6개월간 소유자가 나타나지 않으면 습득자가 소유권을 취득한다.
- 준유실물 중 **착오로 점유한 물건**의 경우에는 보관비 등 비용청구와 **보상금 청구(5~20%)가 불가능**하다. [2018 실무 2] [2020 실무 2]

2. 유실물법

(1) 유실물의 습득

1) 습득자의 제출 · 반환의무

▌유실물법 적용대상
- 유실물법은 유실물 · 습득물 · 준유실물을 규율한다. [2020 실무 2]
- 유실 · 유기동물은 유실물법이 아닌 동물보호법이 적용된다.

> **유실물법 제1조 【습득물의 조치】** ① 타인이 유실한 물건을 습득한 자는 이를 신속하게 유실자 또는 소유자, 그 밖에 물건회복의 청구권을 가진 자에게 반환하거나 경찰서(지구대 · 파출소 등 소속 경찰관서를 포함한다. 이하 같다) 또는 제주특별자치도의 자치경찰단 사무소(이하 "자치경찰단"이라 한다)에 제출하여야 한다. 다만, 법률에 따라 소유 또는 소지가 금지되거나 범행에 사용되었다고 인정되는 물건은 신속하게 경찰서 또는 자치경찰단에 제출하여야 한다.

② 물건을 경찰서에 제출한 경우에는 경찰서장이, 자치경찰단에 제출한 경우에는 제주특별자치도지사가 물건을 반환받을 자에게 반환하여야 한다. 이 경우에 반환을 받을 자의 성명이나 주거를 알 수 없을 때에는 대통령령으로 정하는 바에 따라 공고하여야 한다.

[2016 경간] 습득물, 유실물, 준유실물, 유기동물은 「유실물법」의 규정에 따라 처리된다. (×)

유실물법 제10조【선박, 차량, 건축물 등에서의 습득】 ① 관리자가 있는 선박, 차량, 건축물, 그 밖에 일반인의 통행을 금지한 구내에서 타인의 물건을 습득한 자는 그 물건을 **관리자에게 인계**하여야 한다. **예** A가 선박에서 주운 카메라는 선장에게 인계

② 제1항의 경우에는 선박, 차량, 건축물 등의 점유자를 습득자로 한다. 자기가 관리하는 장소에서 타인의 물건을 습득한 경우에도 또한 같다. **예** 선장이 법률상 습득자

③ 이 조의 경우에 보상금은 제2항의 점유자와 실제로 물건을 습득한 자가 반씩 나누어야 한다. **예** 보상금은 선장과 A가 반씩 나눔

④ 「민법」 제253조에 따라 소유권을 취득하는 경우에는 제2항에 따른 습득자와 제1항에 따른 사실상의 습득자는 반씩 나누어 그 소유권을 취득한다. 이 경우 습득물은 제2항에 따른 습득자에게 인도한다. **예** 6개월간 소유자 나타나지 않으면, 카메라는 선장에게 인도하고 A는 나머지 반에 대한 소유권 취득

[2020 실무 2] 관리자가 있는 선박에서 물건을 습득한 자는 보상금 청구권이 없다. (×)

유실물법 제11조【장물의 습득】 ① 범죄자가 놓고 간 것으로 인정되는 물건을 습득한 자는 신속히 그 물건을 **경찰서에 제출**하여야 한다. [2018 경간]

② 제1항의 물건에 관하여는 법률에서 정하는 바에 따라 몰수할 것을 제외하고는 이 법 및 「민법」 제253조를 준용한다. 다만, 공소권이 소멸되는 날부터 6개월간 환부받는 자가 없을 때에만 습득자가 그 소유권을 취득한다.

③ 범죄수사상 필요할 때에는 경찰서장은 공소권이 소멸되는 날까지 공고를 하지 아니할 수 있다.

④ 경찰서장은 제1항에 따라 제출된 습득물이 장물이 아니라고 판단되는 상당한 이유가 있고, 재산적 가치가 없거나 타인이 버린 것이 분명하다고 인정될 때에는 이를 습득자에게 반환할 수 있다.

┃ **민법 제253조【유실물의 소유권취득】**
유실물은 법률에 정한 바에 의하여 공고한 후 6개월 내에 그 소유자가 권리를 주장하지 아니하면 습득자가 그 소유권을 취득한다. [2016 경간]

2) 습득자의 권리포기·상실

유실물법 제7조【습득자의 권리 포기】 습득자는 미리 **신고**하여 습득물에 관한 모든 권리를 포기하고 의무를 지지 아니할 수 있다. [2015 실무 2] [2018 실무 2]

유실물법 제9조【습득자의 권리 상실】 습득물이나 그 밖에 이 법의 규정을 준용하는 물건을 횡령함으로써 처벌을 받은 자 및 습득일부터 **7일** 이내에 제1조 제1항(➡ 유실자·소유자 등 반환, 경찰서 제출) 또는 제11조 제1항(➡ 장물에 대한 경찰서 제출)의 절차를 밟지 아니한 자는 제3조의 비용과 제4조의 보상금을 받을 권리 및 습득물의 소유권을 취득할 권리를 상실한다. [2018 경간]

[2018 실무 2] 타인이 유실한 물건을 습득한 자가 습득일부터 10일 이내에 습득물을 유실자 또는 소유자 등에게 반환하거나 경찰서에 제출하지 않은 경우 보상금을 받을 권리를 상실한다. (×)
[2015 실무 2] 습득 후 7일 이내에 신고하지 않은 자는 보상금을 받을 수 없다. (○)

- 개별 습득물에 대한 공고는 **경찰서장**이 한다.
- 인터넷을 통한 유실물 정보제공은 **경찰청장**이 한다.
- 즉, Lost112 사이트 운영주체는 경찰청장, 그 사이트에 글을 게시하는 자는 경찰서장이라고 이해하면 된다.

(2) 경찰서장의 습득공고

> **유실물법 제1조 【습득물의 조치】** ② 물건을 경찰서에 제출한 경우에는 경찰서장이, 자치경찰단에 제출한 경우에는 제주특별자치도지사가 물건을 반환받을 자에게 반환하여야 한다. 이 경우에 반환을 받을 자의 성명이나 주거를 알 수 없을 때에는 대통령령으로 정하는 바에 따라 공고하여야 한다. ➡ 공고주체(**경찰서장 · 제주특별자치도지사**)는 시행령 제3조 제1항에 명시되어 있다.
>
> **유실물법 제16조 【인터넷을 통한 유실물 정보 제공】** 경찰청장은 경찰서장 및 자치경찰단장이 관리하고 있는 유실물에 관한 정보를 인터넷 홈페이지 등을 통하여 국민에게 제공하여야 한다.

(3) 유실물의 보관과 매각

> **유실물법 제2조 【보관방법】** ① 경찰서장 또는 자치경찰단을 설치한 제주특별자치도지사는 보관한 물건이 멸실되거나 훼손될 우려가 있을 때 또는 보관에 과다한 비용이나 불편이 수반될 때에는 대통령령으로 정하는 방법으로 이를 매각할 수 있다. [2018 실무 2]
> ② 매각에 드는 비용은 매각대금에서 충당한다.
> ③ 매각 비용을 공제한 매각대금의 남은 금액은 습득물로 간주하여 보관한다.
> [2020 실무 2] 경찰서장은 보관한 물건이 보관 중 경제적 가치가 떨어질 때 매각할 수 있다. (×)
>
> **유실물법 제3조 【비용 부담】** 습득물의 보관비, 공고비, 그 밖에 필요한 비용은 물건을 반환받는 자나 물건의 소유권을 취득하여 이를 인도받는 자가 부담하되, 「민법」 제321조부터 제328조까지의 규정을 적용한다.
>
> **유실물법 제5조 【매각한 물건의 가액】** 제2조에 따라 매각한 물건의 가액은 매각대금을 그 물건의 가액으로 한다.

(4) 유실물에 대한 소유권 취득 · 상실

> **유실물법 제14조 【수취하지 아니한 물건의 소유권 상실】** 이 법 및 「민법」 제253조, 제254조에 따라 물건의 소유권을 취득한 자가 그 취득한 날부터 3개월 이내에 물건을 경찰서 또는 자치경찰단으로부터 받아가지 아니할 때에는 그 소유권을 상실한다. [2018 경간]
>
> **유실물법 제15조 【수취인이 없는 물건의 귀속】** 이 법의 규정에 따라 경찰서 또는 자치경찰단이 보관한 물건으로서 교부받을 자가 없는 경우에는 그 소유권은 국고 또는 제주특별자치도의 금고에 귀속한다.

(5) 유실물 반환에 따른 보상

> **유실물법 제4조 【보상금】** 물건을 반환받는 자는 물건가액의 100분의 5 이상 100분의 20 이하의 범위에서 보상금을 습득자에게 지급하여야 한다. 다만, 국가 · 지방자치단체와 그 밖에 대통령령으로 정하는 공공기관은 보상금을 청구할 수 없다.
> [2015 채용2차]
> [2016 경간] 물건의 반환을 받는 자는 물건 가액의 5/100 내지 30/100의 범위 내에서 보상금을 습득자에게 지급하여야 한다. (×)
> [2015 실무 2] [2016 경간] 국가 또는 지방자치단체와 그 밖에 대통령령으로 정하는 공공기관도 보상금을 청구할 수 있다. (×)
>
> **유실물법 제6조 【비용 및 보상금의 청구기한】** 제3조의 비용과 제4조의 보상금은 물건을 반환한 후 1개월이 지나면 청구할 수 없다.

주제 4 │ 여성 · 청소년 보호업무

01 소년경찰활동

1. 개설

- 소년경찰은 방범경찰의 한 분야로 반사회성이 있는 소년을 발견·조사하여 선도하고 유해한 환경을 정화하여 소년들이 올바르게 자라나 사회활동을 영위할 수 있도록 지도·보호하는 경찰활동을 말한다.
- 소년경찰활동은 소년범죄의 구성요건을 밝혀내는 것 보다는 소년의 심리·생리 등 특성을 깊이 이해하고 선도를 행하는 데 초점이 맞추어 져야하며, 사회의 건전한 구성원으로 자랄 수 있는 가능성을 가진 아이들이 그러한 기회조차 가지지 못하도록 해서는 안된다.

2. 소년의 분류

청소년 기본법 제3조【정의】 이 법에서 사용하는 용어의 뜻은 다음과 같다.
1. "**청소년**"이란 9세 이상 24세 이하인 사람을 말한다. 다만, 다른 법률에서 청소년에 대한 적용을 다르게 할 필요가 있는 경우에는 따로 정할 수 있다.

소년법 제2조【소년 및 보호자】 이 법에서 "**소년**"이란 19세 미만인 자를 말하며, "**보호자**" 란 법률상 감호교육을 할 의무가 있는 자 또는 현재 감호하는 자를 말한다. [2018 경간]

소년법 제4조【보호의 대상과 송치 및 통고】 ① 다음 각 호의 어느 하나에 해당하는 소년은 소년부의 보호사건으로 심리한다. [2018 경간]
1. 죄를 범한 소년 ➡ 범죄소년
2. 형벌 법령에 저촉되는 행위를 한 10세 이상 14세 미만인 소년 ➡ 촉법소년
3. 다음 각 목에 해당하는 사유가 있고 그의 성격이나 환경에 비추어 앞으로 형벌 법령에 저촉되는 행위를 할 우려가 있는 10세 이상인 소년 ➡ 우범소년
   가. 집단적으로 몰려다니며 주위 사람들에게 불안감을 조성하는 성벽이 있는 것
   나. 정당한 이유 없이 가출하는 것
   다. 술을 마시고 소란을 피우거나 유해환경에 접하는 성벽이 있는 것

학교 밖 청소년 지원에 관한 법률 제2조【정의】 이 법에서 사용하는 용어의 뜻은 다음과 같다.
1. "**청소년**"이란 「청소년 기본법」 제3조 제1호 본문에 해당하는 사람을 말한다.
2. "**학교 밖 청소년**"이란 다음 각 목의 어느 하나에 해당하는 청소년을 말한다.
   가. 「초·중등교육법」 제2조의 초등학교·중학교 또는 이와 동일한 과정을 교육하는 학교에 입학한 후 3개월 이상 결석하거나 같은 법 제14조 제1항에 따라 취학의무를 유예한 청소년
   나. 「초·중등교육법」 제2조의 고등학교 또는 이와 동일한 과정을 교육하는 학교에서 같은 법 제18조에 따른 제적·퇴학처분을 받거나 자퇴한 청소년
   다. 「초·중등교육법」 제2조의 고등학교 또는 이와 동일한 과정을 교육하는 학교에 진학하지 아니한 청소년

《주의》
소년업무규칙은 2022년 2월 28일 유효
기간 만료로 실효되었고, 후속 예규는
마련되지 않은 상태이다(2023년 6월
기준).

예규 **소년업무규칙 제2조【정의】** 이 규칙에서 사용하는 용어의 정의는 다음과 같다.

1. **"소년"**이란 「소년법」(이하 "법"이라 한다) 제2조에 해당하는 사람을 말한다.
2. **"범죄소년"**이란 법 제4조 제1항 제1호에 해당하는 사람을 말한다.
3. **"촉법소년"**이란 법 제4조 제1항 제2호에 해당하는 사람을 말한다.
4. **"우범소년"**이란 법 제4조 제1항 제3호에 해당하는 사람을 말한다.
5. **"비행소년"**이란 법 제4조 제1항 제1호부터 제3호까지의 사람 중 어느 하나에 해당하는 사람을 말한다.
6. **"보호자"**란 법 제2조에 따라 법률상 감호교육을 할 의무가 있는 사람 또는 현재 감호하는 사람을 말한다.
7. **"죄질이 경미한 범죄소년"**이란 「즉결심판에 관한 절차법」 제2조의 즉결심판의 대상에 해당하는 범죄소년을 말한다.
8. **"학교 밖 청소년"**이란 「학교 밖 청소년 지원에 관한 법률」 제2조 제2호에 해당하는 사람을 말한다.

[2020 실무 2] 소년은 범죄소년, 촉법소년, 우범소년으로 분류되고, 이를 통틀어 불량소년이라고 한다. (×)

☑ KEY POINT | 소년의 분류 정리

1 범죄 · 촉법 · 우범소년 개요

구분	10세 이상~14세 미만	14세 이상~19세 미만
범죄 ○	촉법소년	범죄소년
범죄 ×	우범소년	

2 선도대상 소년

구분		내용
비행소년	촉법소년	10세 이상 14세 미만의 자로서 형벌법령에 저촉된 행위를 한 자
	범죄소년	14세 이상 19세 미만의 자로서 죄를 범한 자
	우범소년	10세 이상 19세 미만의 자로서, 다음과 같은 사유에 해당하고 범죄우려 있는 자 • 집단적 불안감 조성성벽 • 가출 • 음주소란 · 유해환경 친한 성벽
죄질이 경미한 범죄소년		즉결심판의 대상에 해당하는 **범죄소년** → 즉결심판대상: '선고형'기준 20만원 이하의 벌금 · 구류 · 과료
학교 밖 청소년		• 초중학교 · 중학교 3개월 이상 결석, 취학유예 • 고등학교 제적 · 퇴학 · 자퇴 • 고등학교 미진학

[2020 실무 2] 촉법소년에게는 형벌과 보호처분을 선택적으로 부과할 수 있다. (×)

3. 소년사건의 처리절차

(1) 소년사건의 접수와 송치

1) 경찰의 송치: 경찰 ➡ 소년부 or 검사

> **소년법 제4조 【보호의 대상과 송치 및 통고】** ② 제1항 제2호(➡ 촉법소년) 및 제3호(➡ 우범소년)에 해당하는 소년이 있을 때에는 경찰서장은 직접 관할 소년부에 송치하여야 한다.
> [2018 경간] 촉법소년 및 우범소년에 해당하는 때에는 경찰서장은 직접 관할 검찰청에 송치하여야 한다. (×)
>
> **예규** **소년업무규칙 제21조 【비행소년 사건 송치】** ① 경찰관은 범죄소년 사건을 입건하여 수사한 결과 혐의가 인정되는 경우에는 관할지방검찰청 검사장 또는 지청장에게 송치하여야 한다.
> ② 경찰서장은 촉법소년과 우범소년에 대해서는 소년보호사건으로 하여 관할 소년부에 송치하여야 한다.

2) 검사의 송치: 검사 ➡ 소년부 / 소년부는 검사 재송치 ○ / 검사는 소년부 재송치 ×

> **소년법 제49조 【검사의 송치】** ① 검사는 소년에 대한 피의사건을 수사한 결과 보호처분에 해당하는 사유가 있다고 인정한 경우에는 사건을 관할 소년부에 송치하여야 한다.
> ② 소년부는 제1항에 따라 송치된 사건을 조사 또는 심리한 결과 그 동기와 죄질이 금고 이상의 형사처분을 할 필요가 있다고 인정할 때에는 결정으로써 해당 검찰청 검사에게 송치할 수 있다.
> ③ 제2항에 따라 송치한 사건은 다시 소년부에 송치할 수 없다.

3) 소년부의 송치 · 이송: 소년부 ➡ 관할 소년부 or 검사 or 송치한 법원

> **소년법 제6조 【이송】** ① 보호사건을 송치받은 소년부는 보호의 적정을 기하기 위하여 필요하다고 인정하면 결정으로써 사건을 다른 관할 소년부에 이송할 수 있다.
> ② 소년부는 사건이 그 관할에 속하지 아니한다고 인정하면 결정으로써 그 사건을 관할 소년부에 이송하여야 한다. [2018 경간]
>
> **소년법 제7조 【형사처분 등을 위한 관할 검찰청으로의 송치】** ① 소년부는 조사 또는 심리한 결과 금고 이상의 형에 해당하는 범죄 사실이 발견된 경우 그 동기와 죄질이 형사처분을 할 필요가 있다고 인정하면 결정으로써 사건을 관할 지방법원에 대응한 검찰청 검사에게 송치하여야 한다.

(2) 소년부의 보호사건 관할 · 조사 · 심리

> **소년법 제3조 【관할 및 직능】** ① 소년 보호사건의 관할은 소년의 행위지, 거주지 또는 현재지로 한다.
> ② 소년 보호사건은 가정법원소년부 또는 지방법원소년부(이하 "소년부"라 한다)에 속한다.
> ③ 소년 보호사건의 심리와 처분 결정은 소년부 단독판사가 한다.
> [2020 실무 2] 소년 보호사건의 심리와 처분 결정은 소년부 단독판사 또는 합의부가 한다. (×)

| 소년부
- 가정법원이나 지방법원에 설치된, 소년사건을 심리하는 '부'를 말한다.
- "안돼, 안 바꿔줘, 바꿀 생각 없어 빨리 돌아가."로 유명한 천종호 판사가 소년부 단독판사이다.

💡 즉, 이 경우에는 검사에게 되돌려 보내 일반적인 형사절차로 진행하게 되는 것이다.

| 보호처분
- 형사사건이 아닌 소년보호사건에서 소년부 판사가 하는 결정으로서, 다음과 같은 처분이 있다.
  1. 보호자 등 감호위탁
  2. 수강명령
  3. 사회봉사명령
  4. 단기보호관찰
  5. 장기보호관찰
  6. 소년보호시설 감호위탁
  7. 병원 · 의료재활소년원 등 위탁
  8. 1개월 이내 소년원 송치
  9. 단기 소년원 송치
  10. 장기 소년원 송치

💡 보호처분의 실제
- **제1호**: 보호자란 부모나 동거하는 고용주 등을 말한다. 소년이 원래 환경으로 돌아가는 것이지만 부모의 주의를 환기시키는 의미가 있다.
- **제4호·제5호**: 소년이 사는 지역 관할의 비행소년 전문가인 '보호관찰관(법무부 소속 공무원)'의 지도·감독·원호를 받도록 하는 것이다.
- **제6호**: 소년이 시설 내 수용되나, 소년원과 같은 공적 시설이 아니라 사적 민영시설이라는 점에 차이가 있다. 예 서울특별시 영등포구에 있는 마자렐로 센터
- **제7호**: 소년이 정신질환이나 약물남용 등 사유가 있는 경우 치료와 요양을 할 수 있도록 하는 것이다.
- **제8호·제9호·제10호**: 보호처분 중 가장 강력한 처분이다. 소년원은 전국에 10개가 있는데, 대외적으로는 학교 명칭을 사용한다. 예 경기도 의왕시 고봉중·고등학교

💡 소년법상 소년은 '19세 미만인 자'를 말한다.

┃ **형법 제70조【노역장 유치】**
① 벌금이나 과료를 선고할 때에는 이를 납입하지 아니하는 경우의 노역장 유치기간을 정하여 동시에 선고하여야 한다.

┃ **형법 제57조【판결선고전 구금일수의 통산】**
① 판결선고전의 구금일수는 그 전부를 유기징역, 유기금고, 벌금이나 과료에 관한 유치 또는 구류에 산입한다.

소년법 제24조【심리의 방식】 ① 심리는 친절하고 온화하게 하여야 한다.
② 심리는 공개하지 아니한다. 다만, 소년부 판사는 적당하다고 인정하는 자에게 참석을 허가할 수 있다.

(3) 소년형사사건의 특례

소년법 제55조【구속영장의 제한】 ① 소년에 대한 구속영장은 부득이한 경우가 아니면 발부하지 못한다. ➜ 즉, 발부될 수도 있다.
② 소년을 구속하는 경우에는 특별한 사정이 없으면 다른 피의자나 피고인과 분리하여 수용하여야 한다.

소년법 제57조【심리의 분리】 소년에 대한 형사사건의 심리는 다른 피의사건과 관련된 경우에도 심리에 지장이 없으면 그 절차를 분리하여야 한다.

소년법 제58조【심리의 방침】 ① 소년에 대한 형사사건의 심리는 친절하고 온화하게 하여야 한다.
② 제1항의 심리에는 소년의 심신상태, 품행, 경력, 가정상황, 그 밖의 환경 등에 대하여 정확한 사실을 밝힐 수 있도록 특별히 유의하여야 한다.

소년법 제59조【사형 및 무기형의 완화】 죄를 범할 당시 18세 미만인 소년에 대하여 사형 또는 무기형으로 처할 경우에는 15년의 유기징역으로 한다. [2015 경간]

소년법 제60조【부정기형】 ① 소년이 법정형으로 장기 2년 이상의 유기형에 해당하는 죄를 범한 경우에는 그 형의 범위에서 장기와 단기를 정하여 선고한다. 다만, 장기는 10년, 단기는 5년을 초과하지 못한다. 예 피고인 A를 단기 1년, 장기 2년의 징역형에 처한다.
② 소년의 특성에 비추어 상당하다고 인정되는 때에는 그 형을 감경할 수 있다.
➜ 소년감경
③ 형의 집행유예나 선고유예를 선고할 때에는 제1항을 적용하지 아니한다.
④ 소년에 대한 부정기형을 집행하는 기관의 장은 형의 단기가 지난 소년범의 행형 성적이 양호하고 교정의 목적을 달성하였다고 인정되는 경우에는 관할 검찰청 검사의 지휘에 따라 그 형의 집행을 종료시킬 수 있다.

소년법 제62조【환형처분의 금지】 18세 미만인 소년에게는 「형법」 제70조에 따른 유치선고를 하지 못한다. 다만, 판결선고 전 구속되었거나 제18조 제1항 제3호의 조치(➜ 임시조치로서 소년분류심사원에 위탁되어 있던 경우)가 있었을 때에는 그 구속 또는 위탁의 기간에 해당하는 기간은 노역장에 유치된 것으로 보아 「형법」 제57조를 적용할 수 있다.

소년법 제63조【징역·금고의 집행】 징역 또는 금고를 선고받은 소년에 대하여는 특별히 설치된 교도소 또는 일반 교도소 안에 특별히 분리된 장소에서 그 형을 집행한다. 다만, 소년이 형의 집행 중에 23세가 되면 일반 교도소에서 집행할 수 있다. [2015 경간] [2018 경간]

소년법 제65조【가석방】 징역 또는 금고를 선고받은 소년에 대하여는 다음 각 호의 기간이 지나면 가석방을 허가할 수 있다.
1. 무기형의 경우에는 5년
2. 15년 유기형의 경우에는 3년
3. 부정기형의 경우에는 단기의 3분의 1

요지판례 |

■ 소년법상의 보호처분을 받은 사실도 상습성인정의 자료가 될 수 있고 소년법 제32조 제6항의 규정은 소년법상의 보호처분을 상습성 인정의 자료로 하는 것까지 제한하는 취지라고는 해석할 수 없다(대판 1986.7.8, 86도963). [2020 실무 2]

4. 학교폭력예방 및 대책에 관한 법률

🔍 참고 학교전담경찰관제도

• 2011년 대구 중학생 투신사건 계기로 2012년 6월, '학교폭력 근절 범정부 대책'이 세워졌고, 그 일환으로 도입 · 시행된 제도이다.
• 2012년 시행 당시 193명에 불과했던 학교전담경찰관은 2020년 기준 1,128명으로 증원, 경찰관 1인당 12개 학교를 담당하고 있다.
• 학교전담경찰관은 주기적으로 담당 학교를 방문하여 학생 · 교사 면담을 실시하고, 접수된 학교폭력 사건에 대해 면담 · 교육 · 수사팀 연계 등 맞춤형 조치를 취하며, 교내 폭력서클 현황 파악 및 해체 · 사후 모니터링과 재결성 방지 등 업무를 수행한다.

| 2011년 대구 중학생 투신 사건
• 대구 덕원중학교 2학년 재학 중인 K군이, 동급생들의 집단 괴롭힘으로 2011년 12월 극단적 선택을 한 사건이다.
• 언론에 공개된 K군의 유서에서 밝혀진 가해자들의 행위는 국민적 공분을 일으켰으며, 학교폭력의 심각성을 환기시켜 경찰청이 학교폭력 대응정책 전환을 가져온 사건이다.

💡 이하 '학교폭력예방 및 대책에 관한 법률'은 '학교폭력예방법'으로 약칭한다.

(1) 목적 및 정의

학교폭력예방법 제1조【목적】 이 법은 학교폭력의 예방과 대책에 필요한 사항을 규정함으로써 피해학생의 보호, 가해학생의 선도 · 교육 및 피해학생과 가해학생 간의 분쟁조정을 통하여 학생의 인권을 보호하고 학생을 건전한 사회구성원으로 육성함을 목적으로 한다.

학교폭력예방법 제2조【정의】 이 법에서 사용하는 용어의 정의는 다음 각 호와 같다.
1. "**학교폭력**"이란 학교 내외에서 학생을 대상으로 발생한 상해, 폭행, 감금, 협박, 약취 · 유인, 명예훼손 · 모욕, 공갈, 강요 · 강제적인 심부름 및 성폭력, 따돌림, 사이버폭력 등에 의하여 신체 · 정신 또는 재산상의 피해를 수반하는 행위를 말한다.
   [2017 실무 2] 「학교폭력예방 및 대책에 관한 법률」상 절도는 학교폭력 정의에 포함되지 않는다. (O)
1의2. "**따돌림**"이란 학교 내외에서 **2명 이상의 학생들**이 특정인이나 특정집단의 학생들을 대상으로 지속적이거나 반복적으로 신체적 또는 심리적 공격을 가하여 상대방이 고통을 느끼도록 하는 모든 행위를 말한다.
1의3. "**사이버폭력**"이란 정보통신망…을 이용하여 학생을 대상으로 발생한 따돌림과 그 밖에 신체·정신 또는 재산상의 피해를 수반하는 행위를 말한다.
3. "**가해학생**"이란 가해자 중에서 학교폭력을 행사하거나 그 행위에 가담한 학생을 말한다.
4. "**피해학생**"이란 학교폭력으로 인하여 피해를 입은 학생을 말한다.

(3) 가해학생에 대한 조치

학교폭력예방법 제17조【가해학생에 대한 조치】 ① 심의위원회는 피해학생의 보호와 가해학생의 선도 · 교육을 위하여 가해학생에 대하여 다음 각 호의 어느 하나에 해당하는 조치(수 개의 조치를 동시에 부과하는 경우를 포함한다)를 할 것을 교육장에게 요청하여야 하며, 각 조치별 적용 기준은 대통령령으로 정한다. 다만, 퇴학처분은 의무교육과정에 있는 가해학생에 대하여는 적용하지 아니한다.

| 의무교육
• **헌법**: 초등교육과 법률이 정하는 교육
• **교육기본법**: 6년의 초등교육과 3년의 중등교육

1. 피해학생에 대한 **서면사과**
2. 피해학생 및 신고·고발 학생에 대한 접촉, 협박 및 보복행위(정보통신망을 이용한 행위를 포함한다)의 금지
3. 학교에서의 봉사
4. 사회봉사
5. 학내외 전문가, 교육감이 정한 기관에 의한 특별 교육이수 또는 심리치료
6. 출석정지
7. 학급교체
8. 전학
9. 퇴학처분

[2017 승진(경위)] 「학교폭력예방 및 대책에 관한 법률」상 '피해학생에 대한 구두사과'도 가해학생에 대한 조치로 규정되어 있다. (×)

02 청소년보호활동

1. 개설

- 정보통신 산업의 발달로 인터넷을 통해 폭력·음란성 매체물이 많아지고, 신·변종 풍속업소 등 유해업소가 증가하는 등 <u>청소년의 탈선을 조장하는</u> 유해환경은 지속적으로 증가하고 있는 상황이다.
- 이에 경찰은 '청소년 보호법'이 규정하는 각종 유해요인을 단속·제거하는 등 청소년이 올바른 인격체로 성장할 수 있도록 하는 경찰활동을 하고 있다.

🔍 **참고** 아동·청소년의 나이기준

법률	용어	기준
아동복지법	아동	18세 미만
게임산업진흥에 관한 법률	청소년	18세 미만, 고등학교에 재학 중인 학생을 포함
소년법	소년	19세 미만
청소년 보호법	청소년	19세 미만, 19세가 되는 해의 1월 1일을 맞이한 사람은 제외
아동·청소년의 성보호에 관한 법률	아동·청소년	19세 미만
청소년 기본법	청소년	9세 이상 24세 이하

[2017 실무 2] 청소년의 상한연령이 가장 높은 법률은 청소년 기본법이다. (○)

2. 청소년 보호법

(1) 목적 및 정의

청소년 보호법 제1조【목적】이 법은 청소년에게 유해한 매체물과 약물 등이 청소년에게 유통되는 것과 청소년이 유해한 업소에 출입하는 것 등을 규제하고 청소년을 유해한 환경으로부터 보호·구제함으로써 청소년이 건전한 인격체로 성장할 수 있도록 함을 목적으로 한다.

청소년 보호법 제2조【정의】이 법에서 사용하는 용어의 뜻은 다음과 같다.

1. **"청소년"**이란 **만 19세 미만**인 사람을 말한다. 다만, 만 19세가 되는 해의 1월 1일을 맞이한 사람은 제외한다.
3. **"청소년유해매체물"**이란 다음 각 목의 어느 하나에 해당하는 것을 말한다.
    가. … 청소년보호위원회가 청소년에게 유해한 것으로 결정하거나 확인하여 **여성가족부장관이 고시한 매체물**
    나. … 각 심의기관이 청소년에게 유해한 것으로 심의하거나 확인하여 **여성가족부장관이 고시한 매체물**

    청소년유해매체물(방송물)고시 [여성가족부고시 제2021-48호]

2021-8 263	브레이킹 베드 1	1	브라이언 크랜스톤, 안나 건, 아론 폴, 딘 노리스	FASHION N	2021-07-16	방송통신 심의위원회	2021-29-청-1-268	2021-11-18	선정성, 폭력성	2021-12-06

4. **"청소년유해약물등"**이란 청소년에게 유해한 것으로 인정되는 다음 가목의 약물(이하 **"청소년유해약물"**이라 한다)과 청소년에게 유해한 것으로 인정되는 다음 나목의 물건(이하 **"청소년유해물건"**이라 한다)을 말한다.
    가. **청소년유해약물**
        1) 「주세법」에 따른 **주류** / 2) 「담배사업법」에 따른 **담배** / 3) 「마약류 관리에 관한 법률」에 따른 **마약류** / 4) 「화학물질관리법」에 따른 **환각물질**
    나. **청소년유해물건**
        1) 청소년에게 음란한 행위를 조장하는 성기구 등 … 예 요철식 특수콘돔(GAT-101) 등
        2) 청소년에게 음란성·포악성·잔인성·사행성 등을 조장하는 완구류 등 … 예 전자담배 기기장치류
        3) 청소년유해약물과 유사한 형태의 제품 … 예 초산에틸이 함유된 유기졸이나 겔상의 부는 풍선류
5. **"청소년유해업소"**란 청소년의 출입과 고용이 청소년에게 유해한 것으로 인정되는 다음 가목의 업소(이하 **"청소년 출입·고용금지업소"**라 한다)와 청소년의 출입은 가능하나 고용이 청소년에게 유해한 것으로 인정되는 다음 나목의 업소(이하 **"청소년고용금지업소"**라 한다)를 말한다. 이 경우 업소의 구분은 그 업소가 영업을 할 때 다른 법령에 따라 요구되는 허가·인가·등록·신고 등의 여부와 관계없이 **실제로 이루어지고 있는 영업행위를 기준**으로 한다. [2019 채용2차]

💡 **만 나이**
- 일상생활에서는 세는 나이(태어날때부터 1세)를 사용하지만, 법적 나이는 법률에 따라 명시되어 있지 않아도 만 나이를 사용한다.
- 만 나이는 태어난 날을 기준으로 매 생일을 맞이할 때마다 1년씩 늘어난다.
예 2023.4.1. 기준일
① 2004.4.2.생: 만 18세
② 2004.4.1.생: 만 19세
③ 2004.3.31.생: 만 19세
단, 위 ①의 경우에도 만 19세가 되는 2023년의 1월 1일은 지났으므로 기준일에 청소년 보호법상 청소년은 아니게 된다.

구분	항목
청소년 출입 · 고용 금지업소 (출입 · 고용 ×) ➡ 노 · 무 · 비 · 사 · 단 · 게 · 장	• 노래연습장업 • 무도학원업 및 무도장업 • 비디오물감상실업 · 제한관람가비디오물소극장업 및 복합영상물 제공업 • 사행행위영업 • 단란주점영업 및 유흥주점영업 • 일반게임제공업 및 복합유통게임제공업 • 전기통신설비를 갖추고 불특정한 사람들 사이의 음성대화 또는 화 상대화를 매개하는 것을 주된 목적으로 하는 영업. 다만, 「전기통신 사업법」 등 다른 법률에 따라 통신을 매개하는 영업은 제외한다. 예 성인PC방 [여성가족부고시 제2013-52호] • 불특정한 사람 사이의 신체적인 접촉 또는 은밀한 부분의 노출 등 성적 행위가 이루어지거나 이와 유사한 행위가 이루어질 우려가 있는 서비스를 제공하는 영업으로서 청소년보호위원회가 결정하고 여성가족부장관이 고시한 것 예 키스방, 대딸방, 전립선마사지, 유리 방 [여성가족부고시 제2013-52호] • 청소년유해매체물 및 청소년유해약물등을 제작 · 생산 · 유통하는 영업 등 청소년의 출입과 고용이 청소년에게 유해하다고 인정되는 영업으로서 대통령령으로 정하는 기준에 따라 청소년보호위원회가 결정하고 여성가족부장관이 고시한 것 • 「한국마사회법」 제6조 제2항에 따른 장외발매소 예 일명 장외경마장 • 「경륜 · 경정법」 제9조 제2항에 따른 장외매장 예 일명 장외경륜장
청소년 고용금지업소 (출입 ○, 고용 ×) ➡ 이 · 숙 · 소 · 목 · 만 · P · 유 · 휴 · 일	• 이용업(취업이 금지되지 아니한 남자 청소년을 고용하는 경우는 제외) • 숙박업(휴양콘도미니엄 등 제외) • 비디오물소극장업 • 목욕장업 중 안마실을 설치하여 영업을 하거나 개별실로 구획하여 하는 영업 • 회비 등을 받거나 유료로 만화를 빌려 주는 만화대여업 • 청소년게임제공업 및 인터넷컴퓨터게임시설제공업 예 PC방 • 유해화학물질 영업(예외 있음) • 휴게음식점영업으로서 주로 차 종류를 조리 · 판매하는 영업 중 종 업원에게 영업장을 벗어나 차 종류 등을 배달 · 판매하게 하면서 소요 시간에 따라 대가를 받게 하거나 이를 조장 또는 묵인하는 형태로 운영되는 영업 예 티켓다방 • 일반음식점영업 중 음식류의 조리 · 판매보다는 주로 주류의 조 리 · 판매를 목적으로 하는 소주방 · 호프 · 카페 등의 형태로 운영 되는 영업 • 청소년유해매체물 및 청소년유해약물등을 제작 · 생산 · 유통하는 영업 등 청소년의 고용이 청소년에게 유해하다고 인정되는 영업으 로서 대통령령으로 정하는 기준에 따라 청소년보호위원회가 결정 하고 여성가족부장관이 고시한 것

[2019 채용2차] 청소년은 일반음식점영업 중 주로 주류의 조리 · 판매를 목적으로 한 소주방 · 호프 · 카페는 출입할 수 없다. (×)

⚖️ 요지판례 Ⅰ

■ 음식류를 조리·판매하면서 식사와 함께 부수적으로 음주행위가 허용되는 영업을 하겠다면서 식품위생법상의 일반음식점 영업허가를 받은 업소라고 하더라도 실제로는 음식류의 조리·판매보다는 주로 주류를 조리·판매하는 영업행위가 이루어지고 있는 경우에는 청소년 보호법상의 청소년 고용금지업소에 해당하며, 나아가 일반음식점의 실제의 영업형태 중에서는 주간에는 주로 음식류를 조리·판매하고 야간에는 주로 주류를 조리·판매하는 형태도 있을 수 있는데, 이러한 경우 음식류의 조리·판매보다는 주로 주류를 조리·판매하는 야간의 영업형태에 있어서의 그 업소는 위 청소년 보호법의 입법취지에 비추어 볼 때 청소년 보호법상의 청소년 고용금지업소에 해당한다(대판 2004.2.12, 2003도628).
[2012 승진(경감)] [2020 실무 2] 주간에는 주로 음식류를, 야간에는 주로 주류를 조리·판매하는 형태의 영업행위를 한 경우, 야간 영업형태의 청소년보호를 위한 분리의 필요성으로 인하여 주·야의 영업형태를 불문하고 청소년 보호법상의 청소년 고용금지업소에 해당한다. (×)

■ 청소년이 이른바 '티켓걸'로서 노래연습장 또는 유흥주점에서 손님들의 흥을 돋우어 주고 시간당 보수를 받은 사안에서 업소주인이 청소년을 시간제 접대부로 고용한 것으로 보고 업소주인을 청소년 보호법위반죄로 처단한 것은 정당하다(대판 2005.7.29, 2005도3801). ➡ 청소년 보호법상 '고용'에는 시간제로 보수를 받고 근무하는 경우도 포함된다. [2020 경간]

(2) 금지행위

1) 일반적 금지행위 – 청소년유해행위

> **청소년 보호법 제30조【청소년유해행위의 금지】** 누구든지 청소년에게 다음 각 호의 어느 하나에 해당하는 행위를 하여서는 아니 된다.
> 1. 영리를 목적으로 청소년으로 하여금 신체적인 접촉 또는 은밀한 부분의 노출 등 성적 접대행위를 하게 하거나 이러한 행위를 알선·매개하는 행위
> 2. 영리를 목적으로 청소년으로 하여금 손님과 함께 술을 마시거나 노래 또는 춤 등으로 손님의 유흥을 돋우는 접객행위를 하게 하거나 이러한 행위를 알선·매개하는 행위
> 3. 영리나 흥행을 목적으로 청소년에게 음란한 행위를 하게 하는 행위
> 4. 영리나 흥행을 목적으로 청소년의 장애나 기형 등의 모습을 일반인들에게 관람시키는 행위
> 5. 청소년에게 구걸을 시키거나 청소년을 이용하여 구걸하는 행위
> 6. 청소년을 학대하는 행위
> 7. 영리를 목적으로 청소년으로 하여금 거리에서 손님을 유인하는 행위를 하게 하는 행위
> 8. 청소년을 남녀 혼숙하게 하는 등 풍기를 문란하게 하는 영업행위를 하거나 이를 목적으로 장소를 제공하는 행위
> 9. 주로 차 종류를 조리·판매하는 업소에서 청소년으로 하여금 영업장을 벗어나 차 종류를 배달하는 행위를 하게 하거나 이를 조장하거나 묵인하는 행위

2) 청소년유해매체물에 대한 제한

> 청소년 보호법 제16조【판매 금지 등】① 청소년유해매체물로서 대통령령으로 정하는 매체물을 판매 · 대여 · 배포하거나 시청 · 관람 · 이용하도록 제공하려는 자는 그 상대방의 나이 및 본인 여부를 확인하여야 하고, 청소년에게 판매 · 대여 · 배포하거나 시청 · 관람 · 이용하도록 제공하여서는 아니 된다.

3) 청소년유해약물등에 대한 제한

> 청소년 보호법 제28조【청소년유해약물등의 판매 · 대여 등의 금지】① 누구든지 청소년을 대상으로 청소년유해약물등을 판매 · 대여 · 배포(자동기계장치 · 무인판매장치 · 통신장치를 통하여 판매 · 대여 · 배포하는 경우를 포함한다)하거나 무상으로 제공하여서는 아니 된다. 다만, 교육 · 실험 또는 치료를 위한 경우로서 대통령령으로 정하는 경우는 예외로 한다.
> ④ 청소년유해약물등을 판매 · 대여 · 배포하고자 하는 자는 그 상대방의 나이 및 본인 여부를 확인하여야 한다.
> ⑤ 다음 각 호의 어느 하나에 해당하는 자가 청소년유해약물 중 주류나 담배(이하 "주류등"이라 한다)를 판매 · 대여 · 배포하는 경우 그 업소(자동기계장치 · 무인판매장치를 포함한다)에 청소년을 대상으로 주류등의 판매 · 대여 · 배포를 금지하는 내용을 표시하여야 한다. 다만, 청소년 출입 · 고용금지업소는 제외한다.
> 1. 「주류 면허 등에 관한 법률」에 따른 주류소매업의 영업자
> 2. 「담배사업법」에 따른 담배소매업의 영업자
> 3. 그 밖에 대통령령으로 정하는 업소의 영업자

예 **19세 미만 청소년에게**
🚫🚭 **술 · 담배 판매금지**

⚖ 요지판례 |

- 청소년 보호법상 '청소년에게 주류를 판매하는 행위'란 청소년에게 주류를 유상으로 제공하는 행위를 말하고, 청소년에게 주류를 제공하였다고 하려면 청소년이 실제 주류를 마시거나 마실 수 있는 상태에 이르러야 한다(대판 2008.7.24, 2008도3211).
  → 유흥주점 운영자가 업소에 들어온 미성년자의 신분을 의심하여 주문받은 술을 들고 룸에 들어가 신분증의 제시를 요구하고 밖으로 데리고 나온 사안에서, 미성년자가 실제 주류를 마시거나 마실 수 있는 상태에 이르지 않았으므로 술값의 선불지급 여부 등과 무관하게 주류판매에 관한 청소년 보호법 위반죄가 성립하지 않는다고 한 사례
  [2020 실무 2] 유흥주점 운영자가 업소에 들어온 미성년자의 신분을 의심하여 주문받은 술을 들고 룸에 들어가 신분증의 제시를 요구하고 밖으로 데리고 나온 경우 청소년 보호법 위반죄가 성립한다. (×)
- 청소년 보호법의 입법취지 등에 비추어 볼 때, 19세 미만의 청소년에게 술을 판매함에 있어서 가사 그의 민법상 법정대리인의 동의를 받았다고 하더라도 그러한 사정만으로 위 행위가 정당화될 수는 없다(대판 2000.2.25, 99두10520). [2012 승진(경감)] [2020 경간]

4) 청소년 고용금지 · 출입제한

> 청소년 보호법 제29조【청소년 고용 금지 및 출입 제한 등】① 청소년유해업소의 업주는 청소년을 고용하여서는 아니 된다. 청소년유해업소의 업주가 종업원을 고용하려면 미리 나이를 확인하여야 한다.

② 청소년 출입·고용금지업소의 업주와 종사자는 출입자의 나이를 확인하여 청소년이 그 업소에 출입하지 못하게 하여야 한다.

⑤ 제2항에도 불구하고 청소년이 친권자등을 동반할 때에는 대통령령으로 정하는 바에 따라 출입하게 할 수 있다. 다만, 「식품위생법」에 따른 식품접객업 중 대통령령으로 정하는 업소(➡ 단란주점·유흥주점)의 경우에는 출입할 수 없다.

⑥ 청소년유해업소의 업주와 종사자는 그 업소에 대통령령으로 정하는 바에 따라 청소년의 출입과 고용을 제한하는 내용을 표시하여야 한다.

예 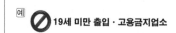 19세 미만 출입·고용금지업소

⚖ 요지판례 ㅣ

■ 청소년출입금지업소의 업주 및 종사자가 부담하는 출입자 연령확인의무의 내용에 비추어 볼 때, 업주 및 종사자가 이러한 연령확인의무에 위배하여 연령확인을 위한 아무런 조치를 취하지 아니함으로써 청소년이 당해 업소에 출입한 것이라면, 특별한 사정이 없는 한 업주 및 종사자에게 최소한 위 법률 조항 위반으로 인한 **청소년 보호법 위반죄의 미필적 고의는 인정된다**(대판 2007.11.16, 2007도7770). [2012 승진(경감)]

■ 청소년유해업소인 단란주점의 업주가 청소년들을 고용하여 영업을 한 이상 그 중 일부가 대기실에서 대기중이었을 뿐 실제 접객행위를 한 바 없다 하더라도 청소년 보호법상 금지되는 행위로 이익을 취득한 것으로 볼 수 있어 이에 대한 과징금 부과는 정당하다(대판 2002.7.12, 2002두219). [2020 실무 2]

■ 청소년 보호법 이성혼숙을 금지하는 입법 취지가 청소년을 각종 유해행위로부터 보호함으로써 청소년이 건전한 인격체로 성장할 수 있도록 하기 위한 것인 점 등을 감안하면, 위 법문이 규정하는 '이성혼숙'은 남녀 중 일방이 청소년이면 족하고, 반드시 남녀 쌍방이 청소년임을 요하는 것은 아니다(대판 2003.12.26, 2003도5980).
[2020 실무 2] 청소년 보호법 제30조 제8호가 규정하는 '이성혼숙'은 남녀 모두가 청소년일 것을 요구하고 남녀 중 일방이 청소년이면 족하다고 볼 수 없다. (×)

■ **영업주가 고용한 종업원 등의 업무에 관한 범법행위에 대하여 영업주도 함께 처벌하는 청소년 보호법 규정이 책임주의에 반하여 헌법에 위반되는지 여부(적극)**
이 사건 법률조항은 영업주가 고용한 종업원 등이 그 업무와 관련하여 위반행위를 한 경우에, 그와 같은 종업원 등의 범죄행위에 대해 영업주가 비난받을 만한 행위가 있었는지 여부와는 전혀 관계없이 종업원 등의 범죄행위가 있으면 자동적으로 영업주도 처벌하도록 규정하고 있다. … 이 사건 법률조항은 아무런 비난받을 만한 행위를 한 바 없는 자에 대해서까지, 다른 사람의 범죄행위를 이유로 처벌하는 것으로서 형벌에 관한 책임주의에 반하므로 헌법에 위반된다(헌재 2009.7.30, 2008헌가10).
[2012 승진(경감)]

03 아동 · 청소년의 성보호

1. 개설

- 아동과 청소년의 정상적이고 건전한 성의식 보호와 아동과 청소년을 대상으로 한 성폭력범죄 예방은 경찰은 물론, 현대국가의 중요한 임무이다.
- 특히 2000년대 중후반에 들어 인터넷의 발달로 원조교제나 아동 · 청소년 대상 포르노의 범람 등 아동과 청소년을 대상으로 한 성범죄가 증가하고 사회문제화됨에 따라, 기존의 청소년의 성보호에 관한 법률이 2010년 1월 1일부터 '아동 · 청소년의 성보호에 관한 법률'로 개정되어 시행되고 있다.

2. 아동 · 청소년의 성보호에 관한 법률

(1) 총칙

1) 목적과 정의

> 아동 · 청소년의 성보호에 관한 법률 제1조 【목적】 이 법은 아동 · 청소년대상 성범죄의 처벌과 절차에 관한 특례를 규정하고 피해아동 · 청소년을 위한 구제 및 지원 절차를 마련하며 아동 · 청소년대상 성범죄자를 체계적으로 관리함으로써 아동 · 청소년을 성범죄로부터 보호하고 아동 · 청소년이 건강한 사회구성원으로 성장할 수 있도록 함을 목적으로 한다.
>
> 아동 · 청소년의 성보호에 관한 법률 제2조 【정의】 이 법에서 사용하는 용어의 뜻은 다음과 같다.
> 1. "아동 · 청소년"이란 19세 미만의 자를 말한다. [2018 경채]
> 4. "아동 · 청소년의 성을 사는 행위"란 아동 · 청소년, 아동 · 청소년의 성을 사는 행위를 알선한 자 또는 아동 · 청소년을 실질적으로 보호 · 감독하는 자 등에게 금품이나 그 밖의 재산상 이익, 직무 · 편의제공 등 대가를 제공하거나 약속하고 다음 각 목의 어느 하나에 해당하는 행위를 아동 · 청소년을 대상으로 하거나 아동 · 청소년으로 하여금 하게 하는 것을 말한다.
>   가. 성교 행위
>   나. 구강 · 항문 등 신체의 일부나 도구를 이용한 유사 성교 행위
>   다. 신체의 전부 또는 일부를 접촉 · 노출하는 행위로서 일반인의 성적 수치심이나 혐오감을 일으키는 행위
>   라. 자위 행위
>
> [2020 실무 2] 아동 · 청소년에게 금품을 제공하고 아동 · 청소년으로 하여금 신체의 전부 또는 일부를 접촉 · 노출하는 행위로서 일반인의 성적 수치심이나 혐오감을 일으키는 행위를 하게 하는 것은 '아동 · 청소년의 성을 사는 행위'에 해당한다. (○)
> [2020 승진(경위)] 노래와 춤 등으로 손님의 유흥을 돋구는 접객행위는 아동 · 청소년의 성을 사는 행위가 아니다. (○)

2) 법 해석 · 적용상의 주의

> 아동 · 청소년의 성보호에 관한 법률 제3조 【해석상 · 적용상의 주의】 이 법을 해석 · 적용할 때에는 아동 · 청소년의 권익을 우선적으로 고려하여야 하며, 이해관계인과 그 가족의 권리가 부당하게 침해되지 아니하도록 주의하여야 한다.

N번방 사건

- 대중에게 N번방 사건으로 널리 알려진 이 사건은 ① 닉네임 '갓갓'으로 알려진 문형욱 씨와 ② 닉네임 '박사'로 알려진 조주빈 씨, ③ 그리고 이들과 연계하여 이루어진 여러 유사사건들을 포괄하여 부르는 것이다.
- 주된 범죄유형은 피해자들을 유인하여 성착취물을 촬영하게 한 후 텔레그램이나 카카오톡 등 단체 채팅방을 통해 이를 유포한 것이다.
- 경찰은 2020년 3월 '디지털 성범죄 특별수사본부'를 구성하여 수사하였으며, 2020년 12월 수사를 종료하기까지 3,575명을 검거, 245명을 구속하였다(운영자는 511명).
- 언론에 가장 많은 주목을 받았던 조주빈 씨(박사)의 경우, 피해자 74명 중 미성년자가 16명에 달한 것으로 알려져 있으며, 이 부분과 관련하여서는 아청법상 아동 · 청소년성착취물의 제작 · 배포, 아동 · 청소년에 대한 촬영물 등을 이용한 협박 · 강요 등이 적용되었다.

3) 국가와 사회의 책무

> 아동 · 청소년의 성보호에 관한 법률 제4조 【국가와 지방자치단체의 의무】 ① 국가와 지방자치단체는 아동 · 청소년대상 성범죄를 예방하고, 아동 · 청소년을 성적 착취와 학대 행위로부터 보호하기 위하여 필요한 조사 · 연구 · 교육 및 계도와 더불어 법적 · 제도적 장치를 마련하며 필요한 재원을 조달하여야 한다.
> ② 국가는 아동 · 청소년에 대한 성적 착취와 학대 행위가 국제적 범죄임을 인식하고 범죄 정보의 공유, 범죄 조사 · 연구, 국제사법 공조, 범죄인 인도 등 국제협력을 강화하는 노력을 하여야 한다.
>
> 아동 · 청소년의 성보호에 관한 법률 제5조 【사회의 책임】 모든 국민은 아동 · 청소년이 이 법에서 정한 범죄의 피해자가 되거나 이 법에서 정한 범죄를 저지르지 아니하도록 사회 환경을 정비하고 아동 · 청소년을 보호 · 지원 · 교육하는 데에 최선을 다하여야 한다.

(2) 주요 처벌유형

1) 아동 · 청소년에 대한 강간 · 강제추행 등

> 아동 · 청소년의 성보호에 관한 법률 제7조 【아동 · 청소년에 대한 강간 · 강제추행 등】
> ① 폭행 또는 협박으로 아동 · 청소년을 강간한 사람은 무기 또는 5년 이상의 징역에 처한다.
> ② 아동 · 청소년에 대하여 폭행이나 협박으로 다음 각 호의 어느 하나에 해당하는 행위를 한 자는 5년 이상의 유기징역에 처한다.
> 1. 구강 · 항문 등 신체(성기는 제외한다)의 내부에 성기를 넣는 행위
> 2. 성기 · 항문에 손가락 등 신체(성기는 제외한다)의 일부나 도구를 넣는 행위
> ③ 아동 · 청소년에 대하여 「형법」 제298조의 죄(➡ 강제추행)를 범한 자는 2년 이상의 유기징역 또는 1천만원 이상 3천만원 이하의 벌금에 처한다.
> ④ 아동 · 청소년에 대하여 「형법」 제299조(➡ 준강간 · 준강제추행)의 죄를 범한 자는 제1항부터 제3항까지의 예에 따른다.
> ⑤ 위계 또는 위력으로써 아동 · 청소년을 간음하거나 아동 · 청소년을 추행한 자는 제1항부터 제3항까지의 예에 따른다.
> ⑥ 제1항부터 제5항까지의 미수범은 처벌한다.
>
> 아동 · 청소년의 성보호에 관한 법률 제7조의2 【예비, 음모】 제7조의 죄를 범할 목적으로 예비 또는 음모한 사람은 3년 이하의 징역에 처한다.

2) 아동 · 청소년성착취물의 제작 · 배포 등

> 아동 · 청소년의 성보호에 관한 법률 제11조 【아동 · 청소년성착취물의 제작 · 배포 등】
> ① 아동 · 청소년성착취물을 제작 · 수입 또는 수출한 자는 무기 또는 5년 이상의 징역에 처한다. [2020 승진(경위)]
> ② 영리를 목적으로 아동 · 청소년성착취물을 판매 · 대여 · 배포 · 제공하거나 이를 목적으로 소지 · 운반 · 광고 · 소개하거나 공연히 전시 또는 상영한 자는 5년 이상의 유기징역에 처한다.
> ③ 아동 · 청소년성착취물을 배포 · 제공하거나 이를 목적으로 광고 · 소개하거나 공연히 전시 또는 상영한 자는 3년 이상의 유기징역에 처한다. ➡ 영리 목적 없이 배포 등 행위를 하는 것도 당연히 처벌된다!

▌손정우 씨 범죄인 인도불허 사건
- 아동 성착취물 사이트 '웰컴 투 비디오(W2V)'를 다크웹에서 운영한 손정우 씨에 대한 미국측의 범죄인 인도청구에 대해 대한민국 고등법원이 2020.7.6. 범죄인 인도를 불허한 사건이다.
- 재판부는 "손정우의 신병을 대한민국에서 확보해 수사에 필요한 정보 · 증거를 추가 수집하고, 이를 수사과정에 적극 활용함이 필요하다."는 것을 그 이유로 들었다.

▌안산 어린이 성폭행 사건(일명 조두순 사건)
- 2008년 12월 안산의 교회건물 화장실에서 조두순이 8세 여아를 성폭행하고 신체를 훼손한 사건이다.
- 2009년 9월, 대법원에서 징역 12년과 위치추적장치부착 7년, 신상공개 5년형이 확정되었다.
- 범행 수법과 결과가 극도로 잔인하고 충격적이어서 언론의 집중조명을 받았으며, 사회적으로 아동성범죄에 대한 인식이 변화한 계기가 되었다.
- 사건 이후 아동성범죄에 대한 형량이 전반적으로 올라가는 계기가 되기도 하였다.
- 한편, 이 사건에서는 조두순에 대한 주취감경이 적용된 것도 문제가 되었는데, 2018년 형법 개정으로 기존의 필요적 감경이 임의적 감경으로 개정되었다(형법 제10조 제2항).

- 앞서 언급한 N번방 사건에서 운영자들이 유료로 성착취물을 배포한 부분(유료방)은 제2항, 무료로 배포한 부분(무료방) 부분은 제3항으로 의율된다.
- 한편, 이 사건으로 경찰에 단속된 3,575명 중 구입 · 소지자가 1,875명으로 가장 많았는데, 이들의 경우 제5항으로 의율된다.

④ 아동 · 청소년성착취물을 제작할 것이라는 정황을 알면서 아동 · 청소년을 아동 · 청소년성착취물의 제작자에게 알선한 자는 3년 이상의 유기징역에 처한다.

⑤ 아동 · 청소년성착취물을 구입하거나 아동 · 청소년성착취물임을 알면서 이를 소지 · 시청한 자는 1년 이상의 유기징역에 처한다. [2018 실무 2] [2020 실무 2]

⑥ 제1항의 미수범은 처벌한다.

⑦ 상습적으로 제1항의 죄를 범한 자는 그 죄에 대하여 정하는 형의 2분의 1까지 가중한다.

3) 아동 · 청소년 매매행위

> 아동 · 청소년의 성보호에 관한 법률 제12조【아동 · 청소년 매매행위】① 아동 · 청소년의 성을 사는 행위 또는 아동 · 청소년성착취물을 제작하는 행위의 대상이 될 것을 알면서 아동 · 청소년을 매매 또는 국외에 이송하거나 국외에 거주하는 아동 · 청소년을 국내에 이송한 자는 무기 또는 5년 이상의 징역에 처한다.

4) 아동 · 청소년의 성을 사는 행위 등

💡 영화나 드라마에서 악역을 주로 담당한 배우 S씨 · L씨가 청소년 성매수행위로 사회적 물의를 일으킨 사건이 있었다.

> 아동 · 청소년의 성보호에 관한 법률 제13조【아동 · 청소년의 성을 사는 행위 등】① 아동 · 청소년의 성을 사는 행위를 한 자는 1년 이상 10년 이하의 징역 또는 2천만원 이상 5천만원 이하의 벌금에 처한다.
>
> ② 아동 · 청소년의 성을 사기 위하여 아동 · 청소년을 유인하거나 성을 팔도록 권유한 자는 3년 이하의 징역 또는 3천만원 이하의 벌금에 처한다.
>
> ③ 16세 미만의 아동 · 청소년 및 장애 아동 · 청소년을 대상으로 제1항 또는 제2항의 죄를 범한 경우에는 그 죄에 정한 형의 2분의 1까지 가중처벌한다.
>
> 아동 · 청소년의 성보호에 관한 법률 제38조【성매매 피해아동 · 청소년에 대한 조치 등】①「성매매알선 등 행위의 처벌에 관한 법률」제21조 제1항에도 불구하고 제13조 제1항의 죄의 상대방이 된 아동 · 청소년에 대하여는 보호를 위하여 처벌하지 아니한다.

성매매의 대상이 아동 · 청소년이 아닌 경우에는 '성매매알선 등 행위의 처벌에 관한 법률'이 적용되나, 대상이 아동 · 청소년인 경우에는 '아동 · 청소년의 성보호에 관한 법률'이 적용된다.

⚖️ 요지판례 |

■ 아동 · 청소년의 성보호에 관한 법률은 성매매의 대상이 된 아동 · 청소년을 보호 · 구제하려는 데 입법 취지가 있고, 청소년성보호법에서 '아동 · 청소년의 성매매 행위'가 아닌 '아동 · 청소년의 성을 사는 행위'라는 용어를 사용한 것은 아동 · 청소년은 보호대상에 해당하고 성매매의 주체가 될 수 없다(대판 2016.2.18, 2015도15664).
➡ 성을 판매한 아동 · 청소년은 처벌되지 않는다.

■ 아동·청소년이 이미 성매매 의사를 가지고 있었던 경우에도 그러한 아동·청소년에게 금품이나 그 밖의 재산상 이익, 직무·편의제공 등 대가를 제공하거나 약속하는 등의 방법으로 성을 팔도록 권유하는 행위도 위 규정에서 말하는 '성을 팔도록 권유하는 행위'에 포함된다(대판 2011.11.10, 2011도3934). ➡ 인터넷 채팅사이트를 통하여, 이미 성매매 의사를 가지고 성매수자를 물색하고 있던 청소년 甲과 성매매장소, 대가 등에 관하여 구체적 합의에 이른 다음 약속장소 인근에 도착하여 甲에게 전화로 요구사항을 지시한 사안 [2021 승진(실무종합)]

5) 아동·청소년에 대한 강요행위 등

아동·청소년의 성보호에 관한 법률 제14조【아동·청소년에 대한 강요행위 등】① 다음 각 호의 어느 하나에 해당하는 자는 **5년 이상의 유기징역**에 처한다.
1. **폭행이나 협박**으로 아동·청소년으로 하여금 아동·청소년의 성을 사는 행위의 상대방이 되게 한 자
2. **선불금, 그 밖의 채무**를 이용하는 등의 방법으로 아동·청소년을 곤경에 빠뜨리거나 **위계 또는 위력**으로 아동·청소년으로 하여금 아동·청소년의 성을 사는 행위의 상대방이 되게 한 자
3. **업무·고용이나 그 밖의 관계로** 자신의 보호 또는 감독을 받는 것을 이용하여 아동·청소년으로 하여금 아동·청소년의 성을 사는 행위의 상대방이 되게 한 자
4. **영업으로** 아동·청소년을 아동·청소년의 성을 사는 행위의 상대방이 되도록 **유인·권유한 자**
② 제1항 제1호부터 제3호까지의 죄를 범한 자가 그 대가의 전부 또는 일부를 받거나 이를 요구 또는 약속한 때에는 **7년 이상의 유기징역**에 처한다.
③ 아동·청소년의 성을 사는 행위의 상대방이 되도록 **유인·권유**한 자는 **7년 이하의 징역** 또는 5천만원 이하의 벌금에 처한다.
④ 제1항과 제2항의 **미수범**은 **처벌**한다.

6) 아동·청소년에 대한 알선영업행위 등

아동·청소년의 성보호에 관한 법률 제15조【알선영업행위 등】① 다음 각 호의 어느 하나에 해당하는 자는 **7년 이상의 유기징역**에 처한다.
1. 아동·청소년의 성을 사는 행위의 **장소를 제공**하는 행위를 업으로 하는 자 예 아동청소년 성매수행위 장소를 제공하는 모텔 업주
2. 아동·청소년의 성을 사는 행위를 알선하거나 정보통신망(「정보통신망 이용촉진 및 정보보호 등에 관한 법률」 제2조 제1항 제1호의 정보통신망을 말한다. 이하 같다)에서 **알선정보를 제공**하는 행위를 업으로 하는 자 예 아동·청소년 성매수행위 중개사이트 운영자
3. 제1호 또는 제2호의 범죄에 사용되는 사실을 알면서 **자금·토지 또는 건물을 제공**한 자 예 아동청소년 성매수행위에 사용되는 건물의 임대인
4. 영업으로 아동·청소년의 성을 사는 행위의 장소를 제공·알선하는 업소에 아동·청소년을 고용하도록 한 자
② 다음 각 호의 어느 하나에 해당하는 자는 **7년 이하의 징역** 또는 5천만원 이하의 벌금에 처한다.

최근에는 같은 10대들 사이에서 원조교제를 강요하는 사건들도 발생하여 사회적 물의를 일으킨 바 있다 ("신상 알렸다." 보복 … 원조교제 시킨 10대, 2016.1. SBS NEWS)

1. 영업으로 아동·청소년의 성을 사는 행위를 하도록 <u>유인·권유 또는 강요</u>한 자 예 속칭 '삐끼'
2. 아동·청소년의 성을 사는 행위의 <u>장소를 제공</u>한 자 예 '업'으로 제공한 것은 아닌 경우(일시적)
3. 아동·청소년의 성을 사는 행위를 <u>알선</u>하거나 정보통신망에서 알선정보를 제공한 자 예 '업'으로 제공한 것은 아닌 경우(일시적, 예컨대 후기작성 등)
4. 영업으로 제2호 또는 제3호의 행위를 약속한 자

③ 아동·청소년의 성을 사는 행위를 하도록 유인·권유 또는 강요한 자는 5년 이하의 징역 또는 3천만원 이하의 벌금에 처한다.

[2020 실무 2] 영업으로 아동·청소년의 성을 사는 행위를 하도록 유인·권유 또는 강요한 자는 아동·청소년의 성을 사는 행위를 한 자보다 법정형이 무겁다. (×)

⚖️ 요지판례 |

■ 성을 사는 행위를 알선하는 행위를 업으로 하는 자가 성매매알선을 위한 종업원을 고용하면서 고용대상자에 대하여 아동·청소년의 보호를 위한 연령확인의무의 이행을 다하지 아니한 채 아동·청소년을 고용하였다면, 특별한 사정이 없는 한 적어도 아동·청소년의 성을 사는 행위의 알선에 관한 미필적 고의는 인정된다(대판 2014.7.10, 2014도5173). [2021 승진(실무종합)]

■ 아동·청소년의 성을 사는 행위를 알선하는 행위를 업으로 하는 사람이 알선의 대상이 아동·청소년임을 인식하면서 알선행위를 하였다면, 알선행위로 아동·청소년의 성을 사는 행위를 한 사람이 행위의 상대방이 아동·청소년임을 인식하고 있었는지는 알선행위를 한 사람의 책임에 영향을 미칠 이유가 없다(대판 2016.2.18, 2015도15664). ➡ 따라서 제15조 제1항 제2호의 위반죄가 성립하기 위해서는 알선행위를 업으로 하는 사람이 아동·청소년을 알선의 대상으로 삼아 그 성을 사는 행위를 알선한다는 것을 인식하여야 하지만, 이에 더하여 알선행위로 아동·청소년의 성을 사는 행위를 한 사람이 행위의 상대방이 아동·청소년임을 인식하여야 한다고 볼 수는 없다.

[2021 승진(실무종합)] 아동·청소년의 '성을 사는 행위'를 알선하는 행위를 업으로 하는 사람이 알선의 대상이 아동·청소년임을 인식하면서 알선행위를 하였더라도, 아동·청소년의 성을 사는 행위를 한 사람이 상대방이 아동·청소년임을 인식하지 못하였다면 아동·청소년의 성보호에 관한 법률 위반으로 처벌할 수 없다. (×)

7) 아동·청소년에 대한 성착취 목적 대화 등

■ 신설이유(2021.3.23.)
최근 발생한 텔레그램 N번방 사건과 같이 아동·청소년대상 '온라인 그루밍'의 경우 성착취물의 제작 및 유포에 따른 파급효과가 극심하고 피해의 회복이 어려우므로 이를 범죄행위로 규정하여 처벌하고자 하기 위함이다.

아동·청소년의 성보호에 관한 법률 제15조의2【아동·청소년에 대한 성착취 목적 대화 등】① 19세 이상의 사람이 성적 착취를 목적으로 정보통신망을 통하여 아동·청소년에게 다음 각 호의 어느 하나에 해당하는 행위를 한 경우에는 3년 이하의 징역 또는 3천만원 이하의 벌금에 처한다.
1. 성적 욕망이나 수치심 또는 혐오감을 유발할 수 있는 대화를 지속적 또는 반복적으로 하거나 그러한 대화에 지속적 또는 반복적으로 참여시키는 행위
2. 제2조 제4호(➡ 아동·청소년의 성을 사는 행위) 각 목의 어느 하나에 해당하는 행위를 하도록 유인·권유하는 행위
② 19세 이상의 사람이 정보통신망을 통하여 16세 미만인 아동·청소년에게 제1항 각 호의 어느 하나에 해당하는 행위를 한 경우 제1항과 동일한 형으로 처벌한다.

8) 피해자 등에 대한 강요행위

> **아동·청소년의 성보호에 관한 법률 제16조【피해자 등에 대한 강요행위】** 폭행이나 협박으로 아동·청소년대상 성범죄의 피해자 또는 「아동복지법」 제3조 제3호에 따른 보호자(➡ 친권자·후견인, 사실상 보호·감독하는 자)를 상대로 합의를 강요한 자는 7년 이하의 징역에 처한다.
>
> [2020 승진(경위)] '아동·청소년의 성을 사는 행위의 장소를 제공하는 행위를 업으로 하는 자'에 대한 처벌규정보다는 '폭행이나 협박으로 아동·청소년대상 성범죄의 피해자를 상대로 합의를 강요한 자'에 대한 처벌규정이 무겁다. (×)

💡 특히 가족간이나 친밀한 사이에서 일어난 성폭력의 경우 합의강요가 빈번하므로 이 규정의 실효성이 있다("17살 소녀를 이모부가 성추행" … "가족들 합의 강요에 더 큰 상처", 2021.12. MBC 뉴스데스크).

☑ KEY POINT │ 미수범 처벌규정 유무

미수범 처벌규정 有	미수범 처벌규정 無
아동·청소년에 대한 **강간·강제추행** 등(제7조) 《주의》 예비·음모도 처벌	• 장애인인 아동·청소년에 대한 **간음** 등(제8조) • 13세 이상 16세 미만 아동·청소년에 대한 **간음** 등(제8조의2) • 강간 등 상해·치상(제9조) • 강간 등 살인·치사(제10조)
아동·청소년성착취물의 **제작·수입·수출**(제11조 제1항) [2017 채용2차] [2018 경채] [2018 실무 2]	아동·청소년성착취물의 판매·대여·배포·제공·소지·운반·광고·소개·전시·상영·알선·구입·소지·시청(제11조 제2항~제5항)
아동·청소년 **매매행위**(제12조)	아동·청소년의 **성을 사는 행위** 등(제13조 제1항)

• 아동·청소년에 대한 **강요행위**(제14조 제1항) ➡ 다음과 같은 수단으로 아동·청소년을 성매수 상대방이 되도록 하는 것
  – 아동·청소년 폭행·협박
  – 선불금 채무 등 이용
  – 업무·고용 등 보호감독관계 이용
  – **영업으로 청소년 유인·권유**
 • 아동·청소년에 대한 강요행위를 한 자가 대가를 받거나 요구·약속(제14조 제2항)
	• 피해자 등에 대한 **합의 강요행위**(제16조)
	 • 성을 사기 위한 유인, 성을 팔도록 **권유**하는 행위 (제13조 제2항) [2017 채용2차]
	 • 성을 사는 행위의 상대방이 되도록 **유인·권유**하는 행위(제14조 제3항)
	 • **알선영업행위** 등(제15조) [2020 경간]
	  – 장소제공
	  – 정보통신망 알선정보 제공
	  – 자금·토지·건물제공
	  – **영업으로 성을 사는 행위 유인·권유** 등

–	아동·청소년에 대한 **성착취 목적 대화** 등(제15조의2)

⚔ 구분기준
• 강간·강제추행은 미수범 처벌 ○, 간음은 미수범 처벌 ✕
• 결과적 가중범 내지 결합범은 미수범 처벌 ✕
• 성착취물의 생산행위(제작·수입·수출)는 미수범 처벌 ○, 이용행위는 미수범 처벌 ✕
• 사람 자체 매매행위는 미수범 처벌 ○, 성매수행위는 미수범 처벌 ✕
• 유인·권유는 기본적으로는 미수범 처벌 ✕. 단, 유인·권유가 '영업으로', '아동·청소년을 대상'으로 이루어진 경우 미수범 처벌 ○

[2024 채용1차] 아동·청소년의 성을 사는 행위를 한 자에 대한 미수범 처벌 규정이 있다. (×)
[2012 승진(경위)] 회사원 A는 B가 아동·청소년성착취물을 제작할 것이라는 정황을 알면서 잘 알고 지내던 청소년 甲을 알선하려다 적발되어 미수에 그쳤으나 아동·청소년의 성보호에 관한 법률에 의해 처벌된다. (×)
[2020 경간] 폭행이나 협박으로 아동·청소년으로 하여금 아동·청소년의 성을 사는 행위의 상대방이 되게 한 자는 「아동·청소년의 성보호에 관한 법률」상 미수범으로 처벌된다. (○)
[2021 승진(실무종합)] 아동·청소년의 성을 사기 위하여 아동·청소년을 유인하거나 성을 팔도록 권유한 행위(동법 제13조 제2항)는 미수범 처벌규정이 없다. (○)
[2018 실무 2] 영업으로 아동·청소년을 아동·청소년의 성을 사는 행위의 상대방이 되도록 유인·권유한 자에 대한 미수범 처벌규정을 두고 있다. (○)

▌형법 제29조【미수범의 처벌】
미수범을 처벌할 죄는 각칙의 해당 죄에서 정한다.

▌친고죄·반의사불벌죄
• 과거에는 형법은 물론 아동·청소년의 성보호에 관한 법률이나 성폭력범죄의 처벌 등에 관한 특례법 등 성범죄 관련 친고죄·반의사불벌죄가 다수 존재하였다.
• 그러나 합의강요나 피해자에 대한 2차 가해 등에 대한 문제의식으로, 2012.12. 형법 개정을 필두로 모두 개정되어 현재는 친고죄 및 반의사불벌죄가 대부분 삭제되었다.

(3) 수사 · 재판상 특례

1) 피해자에 대한 배려원칙과 비밀누설금지원칙

• 2004년 밀양집단성폭력 사건 당시, 경찰이 수사과정에서 40명이 넘는 피의자들을 세워 놓고 면전에서 강간한 자와 강제추행한 자를 골라내라는 요구를 하고, "너희들이 밀양물 다 버려놓았다."라는 폭언을 하기도 하는 등 경찰이 사회적으로 큰 비난을 받은 사례가 있다.

• 2011년 고려대의대생 성폭력 사건, 2012년 나주성폭력 사건 등에서 피해자의 신상정보가 유출되어(특히 2012 나주성폭력 사건의 경우 언론에서 피해아동의 집주소와 집안 구조, 심리검사 내용, 피해아동 일기 등 개인정보가 언론에 낱낱이 보도되었고, 피해아동의 6학년 언니 학급에 수업시간 중 찾아가 인터뷰를 하기도 하였다) 수사기관이나 보호기관, 언론의 피해자에 대한 2차 가해가 심각한 사회문제로 떠오르기도 하였다.

> **아동 · 청소년의 성보호에 관한 법률 제25조 【수사 및 재판 절차에서의 배려】** ① 수사기관과 법원 및 소송관계인은 아동 · 청소년대상 성범죄를 당한 피해자의 나이, 심리 상태 또는 후유장애의 유무 등을 신중하게 고려하여 조사 및 심리 · 재판 과정에서 피해자의 인격이나 명예가 손상되거나 사적인 비밀이 침해되지 아니하도록 주의하여야 한다.
> ② 수사기관과 법원은 아동 · 청소년대상 성범죄의 피해자를 조사하거나 심리 · 재판할 때 피해자가 편안한 상태에서 진술할 수 있는 환경을 조성하여야 하며, 조사 및 심리 · 재판 횟수는 필요한 범위에서 최소한으로 하여야 한다.
>
> **아동 · 청소년의 성보호에 관한 법률 제31조 【비밀누설 금지】** ① 아동 · 청소년대상 성범죄의 수사 또는 재판을 담당하거나 이에 관여하는 공무원 또는 그 직에 있었던 사람은 피해아동 · 청소년의 주소 · 성명 · 연령 · 학교 또는 직업 · 용모 등 그 아동 · 청소년을 특정할 수 있는 인적사항이나 사진 등 또는 그 아동 · 청소년의 사생활에 관한 비밀을 공개하거나 타인에게 누설하여서는 아니 된다.
> ② 제45조 및 제46조의 기관 · 시설 또는 단체의 장이나 이를 보조하는 자 또는 그 직에 있었던 자는 직무상 알게 된 비밀을 타인에게 누설하여서는 아니 된다.
> ③ 누구든지 피해아동 · 청소년의 주소 · 성명 · 연령 · 학교 또는 직업 · 용모 등 그 아동 · 청소년을 특정하여 파악할 수 있는 인적사항이나 사진 등을 신문 등 인쇄물에 싣거나 「방송법」 제2조 제1호에 따른 방송(이하 "방송"이라 한다) 또는 정보통신망을 통하여 공개하여서는 아니 된다.
> ④ 제1항부터 제3항까지를 위반한 자는 7년 이하의 징역 또는 5천만원 이하의 벌금에 처한다. 이 경우 징역형과 벌금형은 병과할 수 있다.

2) 디지털성범죄 수사 특례 및 절차

① 위장수사의 종류 및 절차 – 신분비공개수사 · 신분위장수사

▌디지털 성범죄 위장수사
• **신분비공개수사:** 신분을 밝히지 않고 성착취물을 구매할 것처럼 범죄자에게 접근하는 수사기법으로, 상급 경찰관서 수사부서 장의 승인이 요건이다.
• **신분위장수사:** 가짜 신분증 등을 활용해 더욱 적극적으로 수사하는 기법으로, 검사에게 신청 후 법원의 허가가 요건이다.
• 국가수사본부의 최근 보도자료에 따르면 2021.9.~2022.2.까지 ① 신분비공개수사 81건으로 24명 검거(구속 3), ② 신분위장수사 9건으로 72명검거(구속 3)의 실적을 거두었다고 한다.

> **아동 · 청소년의 성보호에 관한 법률 제25조의2 【아동 · 청소년대상 디지털 성범죄의 수사 특례】** ① 사법경찰관리는 다음 각 호의 어느 하나에 해당하는 범죄(이하 "디지털 성범죄"라 한다)에 대하여 신분을 비공개하고 범죄현장(정보통신망을 포함한다) 또는 범인으로 추정되는 자들에게 접근하여 범죄행위의 증거 및 자료 등을 수집(이하 "신분비공개수사"라 한다)할 수 있다. [2022 채용2차]
> 1. 제11조(➡ 성착취물 제작 · 유포 등) 및 제15조의2(➡ 성착취목적 대화 등)의 죄
> 2. 아동 · 청소년에 대한 「성폭력범죄의 처벌 등에 관한 특례법」 제14조 제2항 및 제3항의 죄 ➡ 카메라 이용 촬영물 · 복제물 등 반포 등 + 영리목적
> ② 사법경찰관리는 디지털 성범죄를 계획 또는 실행하고 있거나 실행하였다고 의심할 만한 충분한 이유가 있고, 다른 방법으로는 그 범죄의 실행을 저지하거나 범인의 체포 또는 증거의 수집이 어려운 경우에 한정하여 수사 목적을 달성하기 위하여 부득이한 때에는 다음 각 호의 행위(이하 "신분위장수사"라 한다)를 할 수 있다.
> 1. 신분을 위장하기 위한 문서, 도화 및 전자기록 등의 작성, 변경 또는 행사
> 2. 위장 신분을 사용한 계약 · 거래

3. 아동 · 청소년성착취물 또는 「성폭력범죄의 처벌 등에 관한 특례법」 제14조 제2항의 촬영물 또는 복제물(복제물의 복제물을 포함한다)의 소지, 판매 또는 광고

③ 제1항에 따른 수사의 방법 등에 필요한 사항은 대통령령으로 정한다.

아동 · 청소년의 성보호에 관한 법률 제25조의3【아동 · 청소년대상 디지털 성범죄 수사 특례의 절차】 ① 사법경찰관리가 신분비공개수사를 진행하고자 할 때에는 사전에 상급 경찰관서 수사부서의 장의 승인을 받아야 한다. 이 경우 그 수사기간은 3개월을 초과할 수 없다.

② 제1항에 따른 승인의 절차 및 방법 등에 필요한 사항은 대통령령으로 정한다.

③ 사법경찰관리는 신분위장수사를 하려는 경우에는 검사에게 신분위장수사에 대한 허가를 신청하고, 검사는 법원에 그 허가를 청구한다.

④ 제3항의 신청은 필요한 신분위장수사의 종류 · 목적 · 대상 · 범위 · 기간 · 장소 · 방법 및 해당 신분위장수사가 제25조의2 제2항의 요건을 충족하는 사유 등의 신청사유를 기재한 서면으로 하여야 하며, 신청사유에 대한 소명자료를 첨부하여야 한다.

⑤ 법원은 제3항의 신청이 이유 있다고 인정하는 경우에는 신분위장수사를 허가하고, 이를 증명하는 서류(이하 "허가서"라 한다)를 신청인에게 발부한다.

⑥ 허가서에는 신분위장수사의 종류 · 목적 · 대상 · 범위 · 기간 · 장소 · 방법 등을 특정하여 기재하여야 한다.

⑦ 신분위장수사의 기간은 3개월을 초과할 수 없으며, 그 수사기간 중 수사의 목적이 달성되었을 경우에는 즉시 종료하여야 한다.

⑧ 제7항에도 불구하고 제25조의2 제2항의 요건이 존속하여 그 수사기간을 연장할 필요가 있는 경우에는 사법경찰관리는 소명자료를 첨부하여 3개월의 범위에서 수사기간의 연장을 검사에게 신청하고, 검사는 법원에 그 연장을 청구한다. 이 경우 신분위장수사의 총 기간은 1년을 초과할 수 없다.

[2022 채용2차] 사법경찰관리가 신분비공개수사를 진행하고자 할 때에는 사전에 상급 경찰관서 수사부서의 장의 승인을 받아야 한다. 이 경우 그 수사기간은 1개월을 초과할 수 없다. (×)

② 긴급신분위장수사

아동 · 청소년의 성보호에 관한 법률 제25조의4【아동 · 청소년대상 디지털 성범죄에 대한 긴급 신분위장수사】 ① 사법경찰관리는 제25조의2 제2항의 요건을 구비하고, 제25조의3 제3항부터 제8항까지에 따른 절차를 거칠 수 없는 긴급을 요하는 때에는 법원의 허가 없이 신분위장수사를 할 수 있다.

② 사법경찰관리는 제1항에 따른 신분위장수사 개시 후 지체 없이 검사에게 허가를 신청하여야 하고, 사법경찰관리는 48시간 이내에 법원의 허가를 받지 못한 때에는 즉시 신분위장수사를 중지하여야 한다. [2022 채용2차]

③ 제1항 및 제2항에 따른 신분위장수사 기간에 대해서는 제25조의3 제7항 및 제8항을 준용한다.

③ 위장수사에 대한 제한 및 통제

> **아동·청소년의 성보호에 관한 법률 제25조의5【아동·청소년대상 디지털 성범죄에 대한 신분비공개수사 또는 신분위장수사로 수집한 증거 및 자료 등의 사용제한】**
> 사법경찰관리가 제25조의2부터 제25조의4까지에 따라 수집한 증거 및 자료 등은 다음 각 호의 어느 하나에 해당하는 경우 외에는 사용할 수 없다.
> 1. 신분비공개수사 또는 신분위장수사의 목적이 된 디지털 성범죄나 이와 관련되는 범죄를 수사·소추하거나 그 범죄를 예방하기 위하여 사용하는 경우
> 2. 신분비공개수사 또는 신분위장수사의 목적이 된 디지털 성범죄나 이와 관련되는 범죄로 인한 징계절차에 사용하는 경우
> 3. 증거 및 자료 수집의 대상자가 제기하는 손해배상청구소송에서 사용하는 경우
> 4. 그 밖에 다른 법률의 규정에 의하여 사용하는 경우
>
> **아동·청소년의 성보호에 관한 법률 제25조의6【국가경찰위원회와 국회의 통제】**
> ① 「국가경찰과 자치경찰의 조직 및 운영에 관한 법률」 제16조 제1항에 따른 국가수사본부장(이하 "국가수사본부장"이라 한다)은 신분비공개수사가 종료된 즉시 대통령령으로 정하는 바에 따라 같은 법 제7조 제1항에 따른 국가경찰위원회에 수사 관련 자료를 보고하여야 한다.
> ② 국가수사본부장은 대통령령으로 정하는 바에 따라 국회 소관 상임위원회에 신분비공개수사 관련 자료를 반기별로 보고하여야 한다. [2022 채용2차]
>
> **아동·청소년의 성보호에 관한 법률 제25조의7【비밀준수의 의무】** ① 제25조의2부터 제25조의6까지에 따른 신분비공개수사 또는 신분위장수사에 대한 승인·집행·보고 및 각종 서류작성 등에 관여한 공무원 또는 그 직에 있었던 자는 직무상 알게 된 신분비공개수사 또는 신분위장수사에 관한 사항을 외부에 공개하거나 누설하여서는 아니 된다.
> ② 제1항의 비밀유지에 관하여 필요한 사항은 대통령령으로 정한다.

④ 수사 경찰관의 면책과 지원·교육

국가공무원법 제78조 제1항에 따른 징계사유
- 국가공무원법 및 국가공무원법에 따른 명령위반
- 직무상 의무위반·직무태만
- 직무내외 불문, 체면 또는 위신을 손상하는 행위

> **아동·청소년의 성보호에 관한 법률 제25조의8【면책】** ① 사법경찰관리가 신분비공개수사 또는 신분위장수사 중 부득이한 사유로 위법행위를 한 경우 그 행위에 고의나 중대한 과실이 없는 경우에는 벌하지 아니한다.
> ② 제1항에 따른 위법행위가 「국가공무원법」 제78조 제1항에 따른 징계사유에 해당하더라도 그 행위에 고의나 중대한 과실이 없는 경우에는 징계 요구 또는 문책 요구 등 책임을 묻지 아니한다.
> ③ 신분비공개수사 또는 신분위장수사 행위로 타인에게 손해가 발생한 경우라도 사법경찰관리는 그 행위에 고의나 중대한 과실이 없는 경우에는 그 손해에 대한 책임을 지지 아니한다.
>
> **아동·청소년의 성보호에 관한 법률 제25조의9【수사 지원 및 교육】** 상급 경찰관서 수사부서의 장은 신분비공개수사 또는 신분위장수사를 승인하거나 보고받은 경우 사법경찰관리에게 수사에 필요한 인적·물적 지원을 하고, 전문지식과 피해자 보호를 위한 수사방법 및 수사절차 등에 관한 교육을 실시하여야 한다.

3) 영상물의 촬영·보존 및 증거보전의 특례

> **아동·청소년의 성보호에 관한 법률 제26조【영상물의 촬영·보존 등】** ① 아동·청소년대상 성범죄 피해자의 진술내용과 조사과정은 비디오녹화기 등 영상물 녹화장치로 촬영·보존하여야 한다.
>
> ② 제1항에 따른 영상물 녹화는 피해자 또는 법정대리인이 이를 원하지 아니하는 의사를 표시한 때에는 촬영을 하여서는 아니 된다. 다만, 가해자가 친권자 중 일방인 경우는 그러하지 아니하다.
>
> ③ 제1항에 따른 영상물 녹화는 조사의 개시부터 종료까지의 전 과정 및 객관적 정황을 녹화하여야 하고, 녹화가 완료된 때에는 지체 없이 그 원본을 피해자 또는 변호사 앞에서 봉인하고 피해자로 하여금 기명날인 또는 서명하게 하여야 한다.
>
> ④ 검사 또는 사법경찰관은 피해자가 제1항의 녹화장소에 도착한 시각, 녹화를 시작하고 마친 시각, 그 밖에 녹화과정의 진행경과를 확인하기 위하여 필요한 사항을 조서 또는 별도의 서면에 기록한 후 수사기록에 편철하여야 한다.
>
> ⑤ 검사 또는 사법경찰관은 피해자 또는 법정대리인이 신청하는 경우에는 영상물 촬영과정에서 작성한 조서의 사본을 신청인에게 교부하거나 영상물을 재생하여 시청하게 하여야 한다. ➡ 영상물 복사본교부 ✕
>
> ⑥ 제1항부터 제4항까지의 절차에 따라 촬영한 영상물에 수록된 피해자의 진술은 공판준비기일 또는 공판기일에 피해자 또는 조사과정에 동석하였던 신뢰관계에 있는 자의 진술에 의하여 그 성립의 진정함이 인정된 때에는 증거로 할 수 있다.
>
> ⑦ 누구든지 제1항에 따라 촬영한 영상물을 수사 및 재판의 용도 외에 다른 목적으로 사용하여서는 아니 된다.

> **아동·청소년의 성보호에 관한 법률 제27조【증거보전의 특례】** ① 아동·청소년대상 성범죄의 피해자, 그 법정대리인 또는 경찰은 피해자가 공판기일에 출석하여 증언하는 것에 현저히 곤란한 사정이 있을 때에는 그 사유를 소명하여 제26조에 따라 촬영된 영상물 또는 그 밖의 다른 증거물에 대하여 해당 성범죄를 수사하는 검사에게 「형사소송법」 제184조 제1항에 따른 증거보전의 청구를 할 것을 요청할 수 있다.
>
> ② 제1항의 요청을 받은 검사는 그 요청이 상당한 이유가 있다고 인정하는 때에는 증거보전의 청구를 하여야 한다.

> 🔍 **참고** 형사소송법상 증거보전
>
> > **형사소송법 제184조【증거보전의 청구와 그 절차】** ① 검사, 피고인, 피의자 또는 변호인은 미리 증거를 보전하지 아니하면 그 증거를 사용하기 곤란한 사정이 있는 때에는 제1회 공판기일 전이라도 판사에게 압수, 수색, 검증, 증인신문 또는 감정을 청구할 수 있다.
> >
> > ② 전항의 청구를 받은 판사는 그 처분에 관하여 법원 또는 재판장과 동일한 권한이 있다.
> >
> > ③ 제1항의 청구를 함에는 서면으로 그 사유를 소명하여야 한다.
> >
> > ④ 제1항의 청구를 기각하는 결정에 대하여는 3일 이내에 항고할 수 있다.

┃ 증거보전절차

특정의 증거를 미리 조사해 두었다가 본안소송에서 사실을 인정하는 데 사용하기 위한 증거조사방법으로, 본안소송에서 정상적인 증거조사를 할 때까지 기다려서는 그 증거를 본래의 사용가치대로 사용하는 것이 곤란하게 될 염려가 있는 증거를 미리 조사하여 그 결과를 보전해 두는 것을 말한다.

4) 신뢰관계에 있는 사람의 동석

> **아동·청소년의 성보호에 관한 법률 제28조【신뢰관계에 있는 사람의 동석】** ① 법원은 아동·청소년대상 성범죄의 피해자를 증인으로 신문하는 경우에 검사, 피해자 또는 법정대리인이 신청하는 경우에는 재판에 지장을 줄 우려가 있는 등 부득이한 경우가 아니면 피해자와 신뢰관계에 있는 사람을 동석하게 하여야 한다.
> ② 제1항은 수사기관이 제1항의 피해자를 조사하는 경우에 관하여 준용한다.
> ③ 제1항 및 제2항의 경우 법원과 수사기관은 피해자와 신뢰관계에 있는 사람이 피해자에게 불리하거나 피해자가 원하지 아니하는 경우에는 동석하게 하여서는 아니 된다.

5) 변호사선임의 특례

> **아동·청소년의 성보호에 관한 법률 제30조【피해아동·청소년 등에 대한 변호사선임의 특례】** ① 아동·청소년대상 성범죄의 피해자 및 그 법정대리인은 형사절차상 입을 수 있는 피해를 방어하고 법률적 조력을 보장하기 위하여 변호사를 선임할 수 있다.
> ② 제1항에 따른 변호사에 관하여는 「성폭력범죄의 처벌 등에 관한 특례법」 제27조 제2항부터 제6항까지를 준용한다.
>
> > **🔍 참고 성폭력범죄의 처벌 등에 관한 특례법상 변호사 선임 특례**
> >
> > > **성폭력범죄의 처벌 등에 관한 특례법 제27조【성폭력범죄 피해자에 대한 변호사 선임의 특례】** ② 제1항에 따른 변호사는 검사 또는 사법경찰관의 피해자등에 대한 조사에 참여하여 의견을 진술할 수 있다. 다만, 조사 도중에는 검사 또는 사법경찰관의 승인을 받아 의견을 진술할 수 있다.
> > > ⑥ 검사는 피해자에게 변호사가 없는 경우 국선변호사를 선정하여 형사절차에서 피해자의 권익을 보호할 수 있다. 다만, 19세 미만 피해자 등에게 변호사가 없는 경우에는 국선변호사를 선정하여야 한다.

6) 친권상실청구

> **아동·청소년의 성보호에 관한 법률 제23조【친권상실청구 등】** ① 아동·청소년대상 성범죄 사건을 수사하는 검사는 그 사건의 가해자가 피해아동·청소년의 친권자나 후견인인 경우에 법원에 「민법」 제924조의 친권상실선고 또는 같은 법 제940조의 후견인 변경 결정을 청구하여야 한다. 다만, 친권상실선고 또는 후견인 변경 결정을 하여서는 아니 될 특별한 사정이 있는 경우에는 그러하지 아니하다.

(4) 처벌의 특례

1) 신고의무자의 성범죄에 대한 가중처벌

> **아동 · 청소년의 성보호에 관한 법률 제18조【신고의무자의 성범죄에 대한 가중처벌】**
> 제34조 제2항 각 호의 기관 · 시설 또는 단체(➡ 신고의무가 있는 아동청소년 교육 · 보호기관 · 단체)의 장과 그 종사자가 자기의 보호 · 감독 또는 진료를 받는 아동 · 청소년을 대상으로 성범죄를 범한 경우에는 그 죄에 정한 형의 2분의 1까지 가중처벌한다.

2) 감경규정 특례

> **아동 · 청소년의 성보호에 관한 법률 제19조【「형법」상 감경규정에 관한 특례】** 음주 또는 약물로 인한 심신장애 상태에서 아동 · 청소년대상 성폭력범죄를 범한 때에는 「형법」 제10조 제1항 · 제2항 및 제11조를 적용하지 아니할 수 있다.
> [2017 채용2차] [2018 경채 유사] 음주 또는 약물로 인한 심신장애 상태에서 아동 · 청소년대상 성폭력 범죄를 범한 때에는 「형법」 제10조 제1항 · 제2항 및 제11조(심신장애인 · 청각 및 언어장애인규정)를 적용하지 아니한다. (×)

3) 공소시효의 특례

> **아동 · 청소년의 성보호에 관한 법률 제20조【공소시효에 관한 특례】** ① 아동 · 청소년대상 성범죄의 공소시효는 「형사소송법」 제252조 제1항에도 불구하고 해당 성범죄로 피해를 당한 아동 · 청소년이 성년에 달한 날부터 진행한다.
> ② 제7조의 죄(➡ 아동 · 청소년에 대한 강간 · 강제추행 등)는 디엔에이(DNA)증거 등 그 죄를 증명할 수 있는 과학적인 증거가 있는 때에는 공소시효가 10년 연장된다. [2018 경채]
> ③ 13세 미만의 사람 및 신체적인 또는 정신적인 장애가 있는 아동 · 청소년에 대하여 다음 각 호의 죄를 범한 경우에는 제1항과 제2항에도 불구하고 「형사소송법」 제249조부터 제253조까지 및 「군사법원법」 제291조부터 제295조까지에 규정된 공소시효를 적용하지 아니한다.
> 1. 「형법」 제297조(강간), 제298조(강제추행), 제299조(준강간, 준강제추행), 제301조(강간등 상해 · 치상), 제301조의2(강간등 살인 · 치사) 또는 제305조(미성년자에 대한 간음, 추행)의 죄
> 2. 제9조 및 제10조의 죄 ➡ 강간 등 상해 · 치상, 강간 등 살인 · 치사
> 3. 「성폭력범죄의 처벌 등에 관한 특례법」 제6조 제2항, 제7조 제2항 · 제5항, 제8조, 제9조의 죄 ➡ 장애인에 대한 강제추행, 13세 미만의 미성년자에 대한 강제추행 및 위계 · 위력에 의한 간음 · 추행, 강간 등 상해 · 치상, 강간 등 살인 · 치사
> ④ 다음 각 호의 죄를 범한 경우에는 제1항과 제2항에도 불구하고 「형사소송법」 제249조부터 제253조까지 및 「군사법원법」 제291조부터 제295조까지에 규정된 공소시효를 적용하지 아니한다.
> 1. 「형법」 제301조의2(강간등 살인 · 치사)의 죄(강간등 살인에 한정한다)
> 2. 제10조 제1항(➡ 강간 등 살인) 및 제11조 제1항(➡ 성착취물을 제작 · 수입 · 수출) 의 죄
> 3. 「성폭력범죄의 처벌 등에 관한 특례법」 제9조 제1항의 죄 ➡ 강간 등 살인

▌**형법 제10조【심신장애인】**
① 심신장애로 인하여 사물을 변별할 능력이 없거나 의사를 결정할 능력이 없는 자의 행위는 벌하지 아니한다.
② 심신장애로 인하여 전항의 능력이 미약한 자의 행위는 형을 감경할 수 있다.

▌**형법 제11조【청각 및 언어 장애인】**
듣거나 말하는 데 모두 장애가 있는 사람의 행위에 대해서는 형을 감경한다.

▌**형사소송법 제252조【시효의 기산점】**
① 시효는 범죄행위의 종료한 때로부터 진행한다.

4) 형벌과 수강명령의 병과

💡 성폭력처벌법상 규정과 거의 내용이 같다(소년법상 소년 선고유예시 필요적 보호관찰, 유죄판결·약식명령시 500시간 범위에서 필요적 이수명령 병과).

> **아동·청소년의 성보호에 관한 법률 제21조【형벌과 수강명령 등의 병과】** ① 법원은 아동·청소년대상 성범죄를 범한 「소년법」 제2조의 소년에 대하여 형의 선고를 유예하는 경우에는 반드시 보호관찰을 명하여야 한다. [2017 채용2차] [2020 승진(경위)]
> ② 법원은 아동·청소년대상 성범죄를 범한 자에 대하여 유죄판결을 선고하거나 약식명령을 고지하는 경우에는 500시간의 범위에서 재범예방에 필요한 수강명령 또는 성폭력 치료프로그램의 이수명령(이하 "이수명령"이라 한다)을 병과하여야 한다. 다만, 수강명령 또는 이수명령을 부과할 수 없는 특별한 사정이 있는 경우에는 그러하지 아니하다.

(5) 주요 행정처분
1) 신상정보의 등록 및 공개

💡 현재 여성가족부에서 운영하는 성범죄자 알림e 사이트(https://www.sexoffender.go.kr)을 통해 공개대상 성범죄자의 신상이 공개되고 있으며, 2022년 4월 기준 총 3,331명의 신상이 공개되어 있다.

> **아동·청소년의 성보호에 관한 법률 제49조【등록정보의 공개】** ① 법원은 다음 각 호의 어느 하나에 해당하는 자에 대하여 판결로 제4항의 공개정보를 「성폭력범죄의 처벌 등에 관한 특례법」 제45조 제1항의 등록기간 동안 정보통신망을 이용하여 공개하도록 하는 명령(이하 "공개명령"이라 한다)을 등록대상 사건의 판결과 동시에 선고하여야 한다. 다만, 피고인이 아동·청소년인 경우, 그 밖에 신상정보를 공개하여서는 아니 될 특별한 사정이 있다고 판단하는 경우에는 그러하지 아니하다.
> 1. 아동·청소년대상 성범죄를 저지른 자
>
> **아동·청소년의 성보호에 관한 법률 제52조【공개명령의 집행】** ① 공개명령은 여성가족부장관이 정보통신망을 이용하여 집행한다.
> ② 법원은 공개명령의 판결이 확정되면 판결문 등본을 판결이 확정된 날부터 14일 이내에 법무부장관에게 송달하여야 하며, 법무부장관은 제49조 제2항에 따른 공개기간 동안 공개명령이 집행될 수 있도록 최초등록 및 변경등록 시 공개대상자, 공개기간 및 같은 조 제4항 각 호에 규정된 공개정보를 지체 없이 여성가족부장관에게 송부하여야 한다.

2) 취업제한

> **아동·청소년의 성보호에 관한 법률 제56조【아동·청소년 관련기관등에의 취업제한 등】** ① 법원은 아동·청소년대상 성범죄 또는 성인대상 성범죄(이하 "성범죄"라 한다)로 형 또는 치료감호를 선고하는 경우에는 판결(약식명령을 포함한다. 이하 같다)로 그 형 또는 치료감호의 전부 또는 일부의 집행을 종료하거나 집행이 유예·면제된 날(벌금형을 선고받은 경우에는 그 형이 확정된 날)부터 일정기간(이하 "취업제한 기간"이라 한다) 동안 다음 각 호에 따른 시설·기관 또는 사업장(이하 "아동·청소년 관련기관등"이라 한다)을 운영하거나 아동·청소년 관련기관등에 취업 또는 사실상 노무를 제공할 수 없도록 하는 명령(이하 "취업제한 명령"이라 한다)을 성범죄 사건의 판결과 동시에 선고(약식명령의 경우에는 고지)하여야 한다. 다만, 재범의 위험성이 현저히 낮은 경우, 그 밖에 취업을 제한하여서는 아니 되는 특별한 사정이 있다고 판단하는 경우에는 그러하지 아니한다.

04 실종아동등의 보호

1. 개설

- 경찰은 실종아동등 발생 예방 및 수색·수사 등을 통한 신속 발견 업무를 수행하고 있으며, 이는 「실종아동등의 보호 및 지원에 관한 법률」에 근거한다.
- 가출인 업무에 대하여는 경찰청예규인 「실종아동등 및 가출인 업무처리규칙」에 따라 수행하고 있다.

2. 실종아동등의 보호 및 지원에 관한 법률

(1) 목적 및 정의

💡 이하 '실종아동등의 보호 및 지원에 관한 법률'은 '실종아동법'으로 약칭한다.

> **실종아동법 제1조 【목적】** 이 법은 실종아동등의 발생을 예방하고 조속한 발견과 복귀를 도모하며 복귀 후의 사회 적응을 지원함으로써 실종아동등과 가정의 복지 증진에 이바지함을 목적으로 한다.
>
> **실종아동법 제2조 【정의】** 이 법에서 사용하는 용어의 정의는 다음과 같다.
> 1. "**아동등**"이란 다음 각 목의 어느 하나에 해당하는 사람을 말한다. [2012 경간] [2016 경간] [2019 승진(경감)]
>   가. 실종 당시 18세 미만인 아동
>   나. 「장애인복지법」 제2조의 장애인 중 지적장애인, 자폐성장애인 또는 정신장애인
>   다. 「치매관리법」 제2조 제2호의 치매환자
> 2. "**실종아동등**"이란 약취·유인 또는 유기되거나 사고를 당하거나 가출하거나 길을 잃는 등의 사유로 인하여 보호자로부터 이탈된 아동등을 말한다. [2017 승진(경위)] [2017 승진(경감)] [2018 실무 2]
>
>> **예규** **실종아동등 및 가출인 업무처리 규칙 제2조 【정의】** 이 규칙에서 사용하는 용어의 뜻은 다음과 같다.
>> 3. "**찾는실종아동등**"이란 보호자가 찾고 있는 실종아동등을 말한다. ➡ 보호자 파악 ○, 아동파악 ✕
>> 4. "**보호실종아동등**"이란 보호자가 확인되지 않아 경찰관이 보호하고 있는 실종아동등을 말한다. ➡ 보호자 파악 ✕, 아동파악 ○
>> 5. "**장기실종아동등**"이란 보호자로부터 신고를 접수한 지 48시간이 경과한 후에도 발견되지 않은 찾는실종아동등을 말한다. [2012 채용2차] [2012 채용3차] [2012 경간] [2014 승진(경감)] [2016 경간] [2017 채용1차] [2017 승진(경위)] [2018 채용3차] [2018 실무 2] [2022 승진(실무종합)]
>> 6. "**가출인**"이란 신고 당시 보호자로부터 이탈된 18세 이상의 사람을 말한다. [2012 채용3차] [2014 승진(경위)] [2018 채용3차]
>> [2017 실무 2] [2020 실무 2] "장기실종아동등"이란 보호자로부터 신고를 접수한지 24시간이 경과한 후에도 발견되지 않은 찾는 실종아동등을 말한다. (✕)
>> [2022 채용2차] '장기실종아동등'이라 함은 보호자로부터 이탈한지 48시간이 경과한 후에도 발견되지 않은 '찾는 실종아동등'을 말한다. (✕)
>> [2020 승진(경위)] '장기실종아동등'이란 실종된지 48시간이 경과한 후에도 발견되지 않은 찾는실종아동등을 말한다. (✕)
>> [2017 실무 2] "가출인"이란 신고 당시 보호자로부터 이탈된 18세 미만의 사람을 말한다. (✕)
>
> 3. "**보호자**"란 친권자, 후견인이나 그 밖에 다른 법률에 따라 아동등을 보호하거나 부양할 의무가 있는 사람을 말한다. 다만, 제4호의 보호시설의 장 또는 종사자는 제외한다.
> 4. "**보호시설**"이란 「사회복지사업법」 제2조 제4호에 따른 사회복지시설 및 인가·신고 등이 없이 아동등을 보호하는 시설로서 사회복지시설에 준하는 시설을 말한다. [2012 채용3차] [2018 실무 2] [2020 실무 2]

■ '실종아동등'과 '가출인' 구분
- 가출 당시 18세 미만: **실종아동등**
- 가출 당시 18세 미만이고 신고 당시에도 18세 미만: **실종아동등**
- 가출 당시 18세 미만이었으나 신고 당시 18세 이상: **가출인**

5. "**유전자검사**"란 개인 식별을 목적으로 혈액·머리카락·침 등의 검사대상물로부터 유전자를 분석하는 행위를 말한다.
6. "**유전정보**"란 유전자검사의 결과로 얻어진 정보를 말한다.
7. "**신상정보**"란 이름·나이·사진 등 특정인임을 식별하기 위한 정보를 말한다.

[2012 채용3차] [2014 승진(경위)] [2017 채용1차 유사] [2017 승진(경감) 유사] [2020 실무 2 유사] 실종신고 당시 18세 미만의 아동은 법상 "아동등"에 해당한다. (×)
[2017 실무 2] [2018 채용3차] "보호실종아동등"이란 보호자가 확인되어 경찰관이 보호하고 있는 실종아동등을 말한다. (×)
[2020 승진(경위)] '아동등'이란 약취·유인 또는 유기되거나 사고를 당하거나 길을 잃는 등의 사유로 인하여 보호자로부터 이탈된 아동등을 말한다. (×)
[2019 승진(경위)] 실종아동등의 보호 및 지원에 관한 법률상 '보호자'란 친권자, 후견인, 보호시설의 장이나 그 밖에 다른 법률에 따라 아동등을 보호 또는 부양할 의무가 있는 자를 말한다. (×)
[2017 경간] [2017 승진(경감)] "보호시설"이란 「사회복지사업법」 제2조 제4호 따른 사회복지시설만을 의미하고, 인가·신고 등이 없이 아동등을 보호하는 시설로서 사회복지시설에 준하는 시설은 보호시설에 포함되지 않는다. (×)

(2) 실종아동 등 발생예방을 위한 국가의 책무

1) 일반적 책무

> **실종아동법 제3조【국가의 책무】** ① 보건복지부장관은 실종아동등의 발생예방, 조속한 발견·복귀와 복귀 후 사회 적응을 위하여 다음 각 호의 사항을 시행하여야 한다.
> 1. 실종아동등을 위한 정책 수립 및 시행 / 4. 제8조에 따른 정보연계시스템 및 데이터베이스의 구축·운영
> ② 경찰청장은 실종아동등의 조속한 발견과 복귀를 위하여 다음 각 호의 사항을 시행하여야 한다.
> 1. 실종아동등에 대한 신고체계의 구축 및 운영
> 2. 실종아동등의 발견을 위한 수색 및 수사
> 3. 제11조에 따른 유전자검사대상물의 채취
> 4. 그 밖에 실종아동등의 발견을 위하여 필요한 사항

💡 경찰은 실종아동신고체계로서, 전국에서 발생하는 모든 실종아동등(18세 미만 아동, 치매환자, 지적·자폐성·정신장애인)의 찾는 신고와 보호신고를 **전화 182**로 일원화하여 24시간 신고접수 및 처리를 하고 있다.

2) 사전정보관리

▌**지문등정보 사전등록제**
• 보호자는 아동등이 실종되었을 때를 미리 대비하여 아동의 지문·사진·보호자 인적사항 등을 가까운 지구대나 경찰서에서 사전 등록할 수 있다.
• 지구대나 경찰서 방문을 하지 않더라도, 지문인식기능을 지원하는 휴대폰이 있는 경우 '안전 Dream App'을 통해 직접 아동의 지문등록과 사진정보를 등록해 둘 수도 있다.

> **실종아동법 제7조의2【실종아동등의 조기발견을 위한 사전신고증 발급 등】** ① 경찰청장은 실종아동등의 조속한 발견과 복귀를 위하여 아동등의 보호자가 신청하는 경우 아동등의 지문 및 얼굴 등에 관한 정보(이하 "지문등정보"라 한다)를 제8조의2에 따른 정보시스템에 등록하고 아동등의 보호자에게 사전신고증을 발급할 수 있다.
> ② 경찰청장은 제1항에 따라 지문등정보를 등록한 후 해당 신청서(서면으로 신청한 경우로 한정한다)는 지체 없이 파기하여야 한다.
> ③ 경찰청장은 제1항에 따라 등록된 지문등정보를 데이터베이스로 구축·운영할 수 있다.
> **실종아동법 제7조의3【실종아동등의 지문등정보의 등록·관리】** ① 경찰청장은 보호시설의 입소자 중 보호자가 확인되지 아니한 아동등으로부터 서면동의를 받아 아동등의 지문등정보를 등록·관리할 수 있다. 이 경우 해당 아동등이 미성년자·심신상실자 또는 심신미약인 때에는 본인 외에 법정대리인의 동의를 받아야 한다. 다만, 심신상실·심신미약 또는 의사무능력 등의 사유로 본인의 동의를 얻을 수 없는 때에는 본인의 동의를 생략할 수 있다.

예규 실종아동등 및 가출인 업무처리 규칙 제13조 【아동등 지문 등 정보의 사전등록 및 관리】 ① 경찰관서의 장은 법 제7조의2에 따라 보호자가 사전등록을 신청하는 때에는 신청서를 제출받아 실종아동 등 프로파일링시스템에 등록한 후 「개인정보 보호법」 제21조 제1항에 따라 지체없이 폐기한다.

③ 경찰관서의 장은 보호자의 신청을 받아 아동등의 지문 · 얼굴사진정보를 수집 및 인적사항 등 신청서상 기재된 개인정보를 확인하여 사전등록시스템에 입력할 수 있다. 다만, 보호자가 지문 또는 얼굴사진 정보의 수집을 거부하는 때에는 그 의사에 반하여 정보를 수집할 수 없다.

④ 경찰관서의 장은 보호실종아동등을 발견한 때에는 해당 아동등의 지문 · 얼굴사진정보를 수집 및 신체특징을 확인한 후 사전등록시스템의 데이터베이스와 비교 검색하는 등의 방법으로 신원을 확인하기 위한 조치를 하여야 한다. 다만, 해당 아동등이 지문 또는 얼굴사진 정보의 수집을 진정한 의사에 의해 명시적으로 거부할 때에는 그 의사에 반하여 정보를 수집할 수 없다.

3) 실종아동등 정보연계시스템의 구축과 운영

실종아동법 제8조 【정보연계시스템 등의 구축 · 운영】 ① 보건복지부장관은 실종아동등을 신속하게 발견하기 위하여 실종아동등의 신상정보를 작성, 취득, 저장, 송신 · 수신하는 데 이용할 수 있는 전문기관 · 경찰청 · 지방자치단체 · 보호시설 등과의 협력체계 및 정보네트워크(이하 "정보연계시스템"이라 한다)를 구축 · 운영하여야 한다.

4) 실종아동등 신고 · 발견 정보시스템의 구축과 운영

실종아동법 제8조의2 【실종아동등 신고 · 발견을 위한 정보시스템의 구축 · 운영】 ① 경찰청장은 실종아동등에 대한 신속한 신고 및 발견 체계를 갖추기 위한 정보시스템(이하 "정보시스템"이라 한다)을 구축 · 운영하여야 한다.

5) 공개수색 · 수사체계의 구축 · 운영

실종아동법 제9조의2 【공개 수색 · 수사 체계의 구축 · 운영】 ① 경찰청장은 실종아동등의 조속한 발견과 복귀를 위하여 실종아동등의 공개 수색 · 수사 체계를 구축 · 운영할 수 있다.

② 경찰청장은 제1항에 따른 공개 수색 · 수사를 위하여 필요하면 실종아동등의 보호자의 동의를 받아 다음 각 호의 조치를 요청할 수 있다. 이 경우 경찰청장은 실종아동등의 발견 및 복귀를 위하여 필요한 최소한의 정보를 제공하여야 한다.

1. 「전기통신사업법」 제2조 제8호에 따른 전기통신사업자 중 대통령령으로 정하는 주요 전기통신사업자에 대한 필요한 정보의 문자나 음성 등 송신
2. 「정보통신망 이용촉진 및 정보보호 등에 관한 법률」 제2조 제1항 제3호에 따른 정보통신서비스 제공자 중 대통령령으로 정하는 주요 정보통신서비스 제공자에 대한 필요한 정보의 인터넷 홈페이지 등 게시
3. 「방송법」 제2조 제3호에 따른 방송사업자에 대한 필요한 정보의 방송

③ 제2항에 따른 요청을 받은 전기통신사업자, 정보통신서비스 제공자 및 방송사업자는 정당한 사유가 없으면 요청에 따라야 한다.

개인정보 보호법 제21조 【개인정보의 파기】

① 개인정보처리자는 보유기간의 경과, 개인정보의 처리 목적 달성 등 그 개인정보가 불필요하게 되었을 때에는 지체 없이 그 개인정보를 파기하여야 한다. 다만, 다른 법령에 따라 보존하여야 하는 경우에는 그러하지 아니하다.

정보연계시스템은 실종아동과 관련있는 여러 유관기관들(경찰 · 아동보호 전문기관 · 지자체 · 보호시설 등)이 각자가 갖고 있는 정보를 유기적으로 연계하여 실종아동을 효율적으로 찾도록 하기 위한 시스템이다.

신고발견 정보시스템은 경찰이 실제 현장에서 실종아동을 찾기 위해 운영하는 정보시스템으로 경찰 내부 정보시스템인 실종아동 프로파일링시스템과 인터넷으로 국민 누구나 실종아동 정보를 확인할 수 있는 인터넷 안전드림으로 구성되어 있다.

유괴 · 실종경보발령시스템

유괴 · 실종 상황을 방송 · 전광판 · 인터넷 · 핸드폰 등을 통해 신속하게 전파하여 유괴 · 납치 및 실종아동을 안전하게 발견 및 구조하기 위한 시스템으로, 제주 양지승 양 실종 사건을 계기로 운영되기 시작하였다.

양지승 양 실종 사건

- 2007년 3월, 제주 서귀포시 거주 양지승 양(당시 9세)이 실종, 40일 후 과수원관리사 송영칠의 집 마당 폐가전더미에서 주검으로 발견된 사건이다.
- 경찰은 사건발생 이틀 후 양지승 양의 신원을 전면 공개, 공개수사로 전환하고 수사대책본부를 설치하여 제주지방경찰청장이 직접 사건을 챙기는 등 총력을 기울였으나 조기발견에 실패하였다.
- 추후 검거된 송영칠은 전과 23범(어린이 납치미수 전과 有)으로 양 양의 집에서 불과 120m 떨어진 곳에서 거주하였으나, 초기에 용의선상에도 오르지 않는 등 경찰의 초동수사 · 수색 부실로 비판을 받았다.

④ 제1항부터 제3항까지의 규정에 따른 공개 수색·수사 체계 및 절차 등에 관하여 필요한 사항은 대통령령으로 정한다.

[대통령령] 실종아동법 시행령 제4조의5【실종경보·유괴경보 등】① 경찰청장은 실종아동등의 공개 수색·수사를 위하여 필요한 경우 실종·유괴경보발령시스템을 구축·운영할 수 있다.

[예규] 실종아동등 및 가출인 업무처리 규칙 제23조【실종·유괴경보 체계의 구축·운영 등】① 경찰청장은 법 제9조의2 제1항에 따라 실종·유괴경보 정책 수립 및 제도 개선 등에 관한 사항을 총괄하며 다음 각 호의 업무를 수행한다.
1. 실종·유괴경보와 관련하여 협약을 체결한 기관·단체(이하 "협약기관"이라 한다)와의 협조체계 구축·운영
2. 실종·유괴경보 발령시스템 구축 및 유지 관리
   …

[예규] 실종아동등 및 가출인 업무처리 규칙 제24조【실종·유괴경보의 발령】① 시·도경찰청장은 실종아동등의 조속한 발견과 복귀를 위하여 실종·유괴경보의 발령이 필요하다고 판단되는 경우 별표1의 발령 요건·기준에 따라 실종·유괴경보를 발령할 수 있다.
② 제1항에 따라 실종경보를 발령한 시·도경찰청장은 타 시·도경찰청장의 관할 구역에도 실종경보의 발령이 필요하다고 인정하는 경우 타 시·도경찰청장에게 같은 내용의 경보발령을 요청할 수 있고, 경보발령을 요청받은 시·도경찰청장은 특별한 사유가 없는 한 지체 없이 실종경보의 발령에 협조하여야 한다.

[예규] 실종아동등 및 가출인 업무처리 규칙 제25조【실종·유괴경보 문자메시지 송출】① 경찰청장은 법 제9조의2 제2항 제1호에 따라 주요 전기통신사업자에게 실종·유괴경보 문자메시지의 송출을 요청하기 위한 시스템을 직접 구축·운영하거나 행정안전부장관과 사전 협의하여「재난 및 안전관리 기본법」제38조의2 제1항과「재난문자방송 기준 및 운영규정」제4조 제1항에 따라 구축된 재난문자방송 송출시스템을 이용할 수 있다.
② 시·도경찰청장은 제24조 제1항에 따른 실종·유괴경보를 발령함에 있어 실종·유괴경보 문자메시지의 송출이 필요하다고 판단되는 경우 별표2의 송출 기준에 따라 별표3의 송출 문안을 정하여 실종아동찾기센터로 송출을 의뢰할 수 있다. 다만, 유괴경보 문자메시지의 송출을 의뢰하는 경우에는 국가수사본부장의 사전 승인을 받아야 한다.
③ 시·도경찰청장이 실종경보 문자메시지의 송출을 의뢰함에 있어 송출 지역이 타 시·도경찰청장의 관할 구역에 속하는 경우 제24조 제2항의 규정에도 불구하고 타 시·도경찰청장이 관할 구역에 대한 실종경보 문자메시지의 송출에 협조한 것으로 간주한다.
④ 제2항에 따라 송출 의뢰를 받은 실종아동찾기센터는 제1항에 따른 송출시스템을 통하여 주요 전기통신사업자에게 실종·유괴경보 문자메시지의 송출을 요청하여야 한다. 다만, 시·도경찰청장이 의뢰한 내용에 대하여는 제2항 및 제3항에 따른 요건의 충족 여부를 확인하여야 하며, 위 요건에 대한 흠결이 있을 때에는 시·도경찰청장에게 보정을 요구할 수 있고, 그 흠결이 경미한 때에는 시·도경찰청장으로부터 그 내용을 확인하여 직권으로 보정할 수 있다.

- **실종경보 발령문자:** [서울시경찰청] 경찰은 서울 동작구 노량진역 1호선 부근에서 최종 목격된 실종자 A군(9살, 키 135cm, 몸무게 36kg 가량, 파란색 야구점퍼에 청바지 착용)을 찾고 있습니다. ☎182
- **실종경보 해제문자:** [서울시경찰청] 시민 여러분의 관심과 제보로 경찰은 오늘 실종된 A군(9살)을 안전하게 발견했습니다. 감사합니다.
- **유괴경보 발령문자:** [서울시경찰청] 경찰은 서울 동작구 노량진역 1호선 부근에서 유괴·납치된 것으로 의심되는 실종자 A군(9살, 키 135cm, 몸무게 36kg 가량, 파란색 야구점퍼에 청바지 착용)을 찾고 있습니다. ☎182
- **유괴경보 해제문자:** [서울시경찰청] 시민 여러분의 관심과 제보로 경찰은 오늘 실종된 A군(9살)을 안전하게 구조하고 용의자를 검거하였습니다. 감사합니다.

(3) 실종아동 프로파일링시스템과 인터넷 안전드림

1) 운영주체

> **예규** **실종아동등 및 가출인 업무처리 규칙 제4조【실종아동찾기센터】** ① 실종아동등의 조속한 발견 등 관련 업무를 효율적으로 수행하기 위해 경찰청에 실종아동찾기센터를 설치한다.
> ② 실종아동찾기센터는 다음 각 호의 업무를 수행한다.
> 1. 전국에서 발생하는 실종아동등의 신고접수 · 등록 · 조회 및 등록해제 등 실종아동등 발견 · 보호 · 지원을 위한 업무
> 2. 실종 · 가출 신고용 특수번호 "182"의 운영
> 3. 제25조 제1항에 따른 실종 · 유괴경보 문자메시지의 송출과 관련된 업무
> 4. 그 밖의 실종아동등과 관련하여 경찰청장이 지시하는 사항
>
> **예규** **실종아동등 및 가출인 업무처리 규칙 제6조【정보시스템의 운영】** ① 경찰청 생활안전국장은 법 제8조의2 제1항에 따른 정보시스템으로 실종아동등 프로파일링시스템 및 실종아동찾기센터 홈페이지(이하 "인터넷 안전드림"이라 한다)를 운영한다.
> ② 실종아동등 프로파일링시스템은 경찰관서 내에서만 사용할 수 있도록 제한하고, 인터넷 안전드림은 누구든 사용할 수 있도록 공개하는 등 분리하여 운영한다. 다만, 자료의 전송 등을 위해 필요한 경우 상호 연계할 수 있다.
> ③ 경찰관서의 장은 실종아동등 프로파일링시스템에 업무담당자 등 필요하다고 인정되는 사람만 접근할 수 있도록 권한을 부여하는 등의 방법으로 통제 · 관리하여야 한다.
> ④ 인터넷 안전드림은 실종아동등의 신고 또는 예방 · 홍보 등과 관련된 정보를 제공한다.

| 실종아동 프로파일링시스템
모든 실종아동등 가출인의 발생상황과 신상정보를 등록 관리하며 접수 즉시 전국 경찰관서에 수배하고 발생지 경찰서에 하달하여 탐문수색이 이루어지며 찾는 신고자료와 보호 신고자료간 비교 검색하여 발견이 가능한 업무용 시스템

| 인터넷 안전드림
인터넷으로 개설된 아동 · 여성 · 장애인 경찰지원센터로, 기존 실종아동찾기센터, 117학교 · 여성폭력 및 성매매피해자 긴급지원센터 등 관련 홈페이지를 '안전Dream'이라는 명칭으로 통합한 것이다(www.safe182.go.kr).

2) 실종아동 프로파일링시스템

① 입력대상

> **예규** **실종아동등 및 가출인 업무처리 규칙 제7조【정보시스템 입력 대상 및 정보관리】** ① 실종아동등 프로파일링시스템에 입력하는 대상은 다음 각 호와 같다.
> 1. 실종아동등
> 2. 가출인
> 3. 보호시설 입소자 중 보호자가 확인되지 않는 사람(이하 "보호시설 무연고자"라 한다) [2012 경간] [2014 승진(경감)]
> ② 경찰관서의 장은 실종아동등 또는 가출인에 대한 신고를 접수한 후 신고대상자가 다음 각 호의 어느 하나에 해당하는 경우에는 신고 내용을 실종아동등 프로파일링시스템에 입력하지 않을 수 있다. [2022 승진(실무종합)]
> 1. 채무관계 해결, 형사사건 당사자 소재 확인 등 실종아동등 및 가출인 발견 외 다른 목적으로 신고된 사람
> 2. 수사기관으로부터 지명수배 또는 지명통보된 사람
> 3. 허위로 신고된 사람
> 4. 보호자가 가출시 동행한 아동등 [2014 승진(경감)]
> 5. 그 밖에 신고 내용을 종합하였을 때 명백히 제1항에 따른 입력 대상이 아니라고 판단되는 사람

③ 실종아동등 프로파일링시스템에 등록된 자료의 보존기간은 다음 각 호와 같다. 다만, 대상자가 사망하거나 보호자가 삭제를 요구한 경우는 즉시 삭제하여야 한다.

1. 발견된 18세 미만 아동 및 가출인: 수배 해제 후로부터 5년간 보관
2. 발견된 지적·자폐성·정신장애인 등 및 치매환자: 수배 해제 후로부터 10년간 보관
3. 미발견자: 소재 발견시까지 보관 [2016 경간]
4. 보호시설 무연고자: 본인 요청시

[2016 경간] 실종아동등 프로파일링시스템에 입력하는 대상은 실종아동등, 가출인, 보호자가 확인된 보호시설 입소자, 변사자·교통사고 사상자 중 신원불상자이다. (×)
[2020 승진(경위)] 「실종아동등 및 가출인 업무처리 규칙」 제7조 제2항에 따라 보호시설 무연고자는 실종아동등 프로파일링시스템에 입력하지 않을 수 있다. (×)

예규 실종아동등 및 가출인 업무처리 규칙 제7조【정보시스템 입력 대상 및 정보관리】⑥ 실종아동등 또는 가출인에 대한 신고를 접수하거나, 실종아동등 프로파일링시스템에 신고 내용이 입력되어 있는 것을 확인한 경찰관은 보호자가 요청하는 경우에는 별지 제1호 서식의 신고접수증을 발급할 수 있다. [2015 승진(경감)]

② 등록 및 등록해제

예규 실종아동등 및 가출인 업무처리 규칙 제8조【실종아동등 프로파일링시스템 등록】① 경찰관서의 장은 제7조 제1항 각 호의 대상(➡ 실종아동등, 가출인, 보호시설 무연고자)에 대하여 별지 제2호 서식의 실종아동등 프로파일링시스템 입력자료를 시스템에 등록한다.
③ 경찰관서의 장은 다음 각 호의 어느 하나에 해당하는 경우에는 별지 제3호 서식에 따른 수정·해제자료를 작성하여 실종아동등 프로파일링시스템에 등록된 자료를 해제하여야 한다. 다만, 제6호에 해당하는 경우에는 해제 요청 사유의 진위 여부를 확인한 후 해제한다.

1. 찾는실종아동등 및 가출인의 소재를 발견한 경우
2. 보호실종아동등의 신원을 확인하거나 보호자를 확인한 경우
4. 허위 또는 오인신고인 경우
5. 지명수배 또는 지명통보 대상자임을 확인한 경우
6. 보호자가 해제를 요청한 경우 ➡ 진위 여부 확인 필요
④ 실종아동등에 대한 해제는 실종아동찾기센터에서 하며, 시·도경찰청장 및 경찰서장이 해제하려면 실종아동찾기센터로 요청하여야 한다.

③ 입력자료의 보존

예규 실종아동등 및 가출인 업무처리 규칙 제7조【정보시스템 입력 대상 및 정보관리】③ 실종아동등 프로파일링시스템에 등록된 자료의 보존기간은 다음 각 호와 같다. 다만, 대상자가 사망하거나 보호자가 삭제를 요구한 경우는 즉시 삭제하여야 한다.

1. 발견된 18세 미만 아동 및 가출인: 수배 해제 후로부터 5년간 보관
2. 발견된 지적·자폐성·정신장애인 등 및 치매환자: 수배 해제 후로부터 10년간 보관
3. 미발견자: 소재 발견시까지 보관 [2016 경간] [2022 채용2차]

4. 보호시설 무연고자: 본인 요청시

[2022 채용2차] 발견된 18세 미만 아동 및 가출인의 경우, 실종아동등 프로파일링시스템에 등록된 자료는 수배해제 후로부터 10년간 보관한다. (×)

3) 인터넷 안전드림

① 공개대상 - 실종아동등 + 보호시설 무연고자

예규 실종아동등 및 가출인 업무처리 규칙 제7조【정보시스템 입력 대상 및 정보 관리】④ 경찰관서의 장은 본인 또는 보호자의 동의를 받아 실종아동등 프로파일링시스템에서 데이터베이스로 관리하는 실종아동등 및 보호시설 무연고자 자료를 인터넷 안전드림에 공개할 수 있다. [2015 승진(경감)]
⑤ 경찰관서의 장은 다음 각 호의 어느 하나에 해당하는 때에는 지체 없이 인터넷 안전드림에 공개된 자료를 삭제하여야 한다.
1. 찾는실종아동등을 발견한 때
2. 보호실종아동등 또는 보호시설 무연고자의 보호자를 확인한 때
3. 본인 또는 보호자가 공개된 자료의 삭제를 요청하는 때
[2012 경간] 보호시설 입소자 중 무연고자는 실종아동등 프로파일링시스템의 입력대상이고, 실종아동찾기센터 홈페이지 공개대상에도 해당한다. (○)

가출인(신고당시 보호자로부터 이탈된 18세 이상 사람)은 인터넷 안전드림을 통한 공개대상에는 포함되지 않는다.

② 삭제대상

예규 실종아동등 및 가출인 업무처리 규칙 제7조【정보시스템 입력 대상 및 정보 관리】⑤ 경찰관서의 장은 다음 각 호의 어느 하나에 해당하는 때에는 지체 없이 인터넷 안전드림에 공개된 자료를 삭제하여야 한다.
1. 찾는실종아동등을 발견한 때
2. 보호실종아동등 또는 보호시설 무연고자의 보호자를 확인한 때
3. 본인 또는 보호자가 공개된 자료의 삭제를 요청하는 때
[2012 경간] 보호시설 입소자 중 무연고자는 실종아동등 프로파일링시스템의 입력대상이고, 실종아동찾기센터 홈페이지 공개대상에도 해당한다. (○)

(4) 실종아동등 발생시 대응절차

신고의무 ➡ 신고접수 ➡ 기본조치 ➡ 수색 · 수사

1) 신고의무

실종아동법 제6조【신고의무 등】 ① 다음 각 호의 어느 하나에 해당하는 사람은 그 직무를 수행하면서 실종아동등임을 알게 되었을 때에는 제3조 제2항 제1호에 따라 경찰청장이 구축하여 운영하는 신고체계(이하 "경찰신고체계"라 한다)로 지체 없이 신고하여야 한다. [2018 경간] [2019 승진(경위)]
1. 보호시설의 장 또는 그 종사자
2.「아동복지법」 제13조에 따른 아동복지전담공무원
3.「청소년 보호법」 제35조에 따른 청소년 보호 · 재활센터의 장 또는 그 종사자
4.「사회복지사업법」 제14조에 따른 사회복지전담공무원
5.「의료법」 제3조에 따른 의료기관의 장 또는 의료인 [2020 승진(경위)]
6. 업무 · 고용 등의 관계로 사실상 아동등을 보호 · 감독하는 사람

② 지방자치단체의 장이 관계 법률에 따라 아동등을 보호조치할 때에는 아동등의 신상을 기록한 신고접수서를 작성하여 경찰신고체계로 제출하여야 한다.
[2019 승진(경감)] 업무에 관계없이 아동을 보호하는 자는 신고의무자에 해당한다. (×)
[2017 경간] 직무를 수행하면서 실종아동등임을 알게 되었을 때에 경찰신고체계로 지체 없이 신고해야 하는 신고의무자로는 보호시설의 장, 사회복지전담공무원이 있고, 보호시설의 종사자는 신고의무자에 해당하지 않는다. (×)

실종아동법 제7조【미신고 보호행위의 금지】 누구든지 정당한 사유 없이 실종아동등을 경찰관서의 장에게 신고하지 아니하고 보호할 수 없다.

2) 신고접수

실종아동법 제9조【수색 또는 수사의 실시 등】 ① 경찰관서의 장은 실종아동등의 발생 신고를 접수하면 지체 없이 수색 또는 수사의 실시 여부를 결정하여야 한다. [2015 승진(경위)] [2017 경간]
[2019 승진(경감)] [2022 채용2차] 경찰관서의 장은 실종아동등의 발생신고를 접수하면 24시간 내에 수색 또는 수사의 실시 여부를 결정하여야 한다. (×)

예규 **실종아동등 및 가출인 업무처리 규칙 제10조【신고 접수】** ① 실종아동등 신고는 관할에 관계 없이 실종아동찾기센터, 각 시·도경찰청 및 경찰서에서 전화, 서면, 구술 등의 방법으로 접수하며, 신고를 접수한 경찰관은 범죄와의 관련 여부 등을 확인해야 한다.
② 경찰청 실종아동찾기센터는 실종아동등에 대한 신고를 접수하거나, 신고 접수에 대한 보고를 받은 때에는 즉시 실종아동등 프로파일링시스템에 입력, 관할 경찰관서를 지정하는 등 필요한 조치를 하여야 한다. 이 경우 관할 경찰관서는 발생지 관할 경찰관서 등 실종아동등을 신속히 발견할 수 있는 관서로 지정해야 한다.

> **예규** **실종아동등 및 가출인 업무처리 규칙 제2조【정의】** 이 규칙에서 사용하는 용어의 뜻은 다음과 같다.
> 7. "**발생지**"란 실종아동등 및 가출인이 실종·가출 전 최종적으로 목격되었거나 목격되었을 것으로 추정하여 신고자 등이 진술한 장소를 말하며, 신고자 등이 최종 목격 장소를 진술하지 못하거나, 목격되었을 것으로 추정되는 장소가 대중교통시설 등일 경우 또는 실종·가출 발생 후 1개월이 경과한 때에는 **실종아동등 및 가출인의 실종 전 최종 주거지**를 말한다. [2017 승진(경위)]
> 8. "**발견지**"란 실종아동등 또는 가출인을 발견하여 보호 중인 장소를 말하며, 발견한 장소와 보호 중인 장소가 서로 다른 경우에는 **보호 중인 장소**를 말한다. [2012 채용2차] [2014 승진(경위)] [2018 채용3차]

[2014 승진(경감)] [2015 승진(경감) 유사] 실종아동등 신고는 전화, 서면, 구술 등의 방법으로 실종아동등 주거지 관할 경찰서에서만 접수할 수 있다. (×)
[2017 채용1차] '발생지'란 실종아동등 및 가출인이 실종·가출 전 최종적으로 목격되었거나 목격되었을 것으로 추정하여 신고자 등이 진술한 장소를 말하며, 신고자 등이 최종 목격 장소를 진술하지 못하거나, 목격되었을 것으로 추정되는 장소가 대중교통시설 등일 경우 또는 실종·가출 발생 후 10일 경과한 때에는 실종아동등 및 가출인의 실종 전 최종 주거지를 말한다. (×)
[2017 승진(경위)] [2017 승진(경감)] [2020 실무 2] "발생지"란 실종아동등 또는 가출인을 발견하여 보호 중인 장소를 말하며, 발견한 장소와 보호 중인 장소가 서로 다른 경우에는 보호 중인 장소를 말한다. (×)
[2018 실무 2] '발견지'란 실종아동등 및 가출인이 실종·가출 전 최종적으로 목격되었거나 목격되었을 것으로 추정하여 신고자 등이 진술한 장소를 말한다. (×)
[2016 경간] [2017 채용1차] [2022 승진(실무종합)] 「실종아동등 및 가출인 업무처리 규칙」상 '발견지'는 실종아동등 또는 가출인을 발견하여 보호 중인 장소를 말하며, 발견한 장소와 보호 중인 장소가 서로 다른 경우에는 발견한 장소를 말한다. (×)

3) 신고에 대한 기본조치

> **예규** 실종아동등 및 가출인 업무처리 규칙 제11조【신고에 대한 조치 등】① 경찰관서의 장은 찾는실종아동등에 대한 신고를 접수한 때에는 정보시스템의 자료를 조회하는 등의 방법으로 실종아동등을 찾기 위한 조치를 취하고, 실종아동등을 발견한 경우에는 즉시 보호자에게 인계하는 등 필요한 조치를 하여야 한다.
> ② 경찰관서의 장은 보호실종아동등에 대한 신고를 접수한 때에는 제1항의 절차에 따라 보호자를 찾기 위한 조치를 취하고, 보호자가 확인된 경우에는 즉시 보호자에게 인계하는 등 필요한 조치를 하여야 한다.
> ③ 경찰관서의 장은 제2항에 따른 조치에도 불구하고 보호자를 발견하지 못한 경우에는 관할 지방자치단체의 장에게 보호실종아동등을 인계한다.
> ④ 경찰관서의 장은 정보시스템 검색, 다른 자료와의 대조, 주변인물과의 연락 등 실종아동등의 조속한 발견을 위하여 지속적인 추적을 하여야 한다.
> ⑤ 경찰관서의 장은 실종아동등에 대하여 제18조의 현장 탐문 및 수색 후 그 결과를 즉시 보호자에게 통보하여야 한다. 이후에는 실종아동등 프로파일링시스템에 등록한 날로부터 1개월까지는 15일에 1회, 1개월이 경과한 후부터는 분기별 1회 보호자에게 추적 진행사항을 통보한다. [2012 채용2차] [2015 승진(경감)] [2022 채용2차]
> ⑥ 경찰관서의 장은 찾는실종아동등을 발견하거나, 보호실종아동등의 보호자를 발견한 경우에는 실종아동등 프로파일링시스템에서 등록 해제하고, 해당 실종아동등에 대한 발견 관서와 관할 관서가 다른 경우에는 발견과 관련된 사실을 관할 경찰관서의 장에게 지체 없이 알려야 한다.
>
> [2012 경간] 경찰관서의 장은 실종아동등에 대하여 현장 탐문 및 수색 후 그 결과를 즉시 보호자에게 통보하여야 한다. 이후에는 실종아동등 프로파일링시스템에 등록한 날로부터 1개월까지는 15일에 1회, 1개월이 경과한 후부터는 ~~반기별 1회~~ 보호자에게 추적 진행사항을 통보한다. (×)

▎찾는실종아동등
보호자가 찾고 있는 실종아동등 ➡ 보호자 파악 O. 아동파악 ✕

▎보호실종아동등
보호자가 확인되지 않아 경찰관이 보호하고 있는 실종아동등 ➡ 보호자 파악 ✕. 아동파악 O

4) 수색과 수사
① 위치정보의 파악

> 실종아동법 제9조【수색 또는 수사의 실시 등】② 경찰관서의 장은 실종아동등(범죄로 인한 경우를 제외한다. 이하 이 조에서 같다)의 조속한 발견을 위하여 필요한 때에는 다음 각 호의 어느 하나에 해당하는 자에게 실종아동등의 위치 확인에 필요한 … 개인위치정보, … 인터넷주소 및 … 통신사실확인자료(이하 "개인위치정보등"이라 한다)의 제공을 요청할 수 있다. 이 경우 경찰관서의 장의 요청을 받은 자는 「통신비밀보호법」 제3조에도 불구하고 정당한 사유가 없으면 이에 따라야 한다.
> 1. 「위치정보의 보호 및 이용 등에 관한 법률」 제5조 제7항에 따른 **개인위치정보사업자** 예 삼성전자, 구글코리아, 엘지전자, 한국교통공단 등 2021.12.31. 기준 285개 업체등록
> 2. 「정보통신망 이용촉진 및 정보보호 등에 관한 법률」 제2조 제1항 제3호에 따른 **정보통신서비스 제공자** 중에서 대통령령으로 정하는 기준을 충족하는 제공자 예 **기간통신사업자**: KT, SKT, LGT / **부가통신사업자**: NAVER, Daum 등 포털사이트, 각종 게임사이트, 커뮤니티, 미니홈피 등
> 3. 「정보통신망 이용촉진 및 정보보호 등에 관한 법률」 제23조의3에 따른 **본인확인기관** 예 3대 통신사(모바일 본인확인), 3대 신용평가사(아이핀 본인확인), 신용카드사(신용카드 본인확인), 비바리퍼블리카(toss)

💡 범죄의 경우 제외?
범죄로 인한 경우는 형사소송절차에 따르기 때문이다.

▎통신비밀보호법 제3조【통신 및 대화비밀의 보호】
① 누구든지 이 법과 형사소송법 또는 군사법원법의 규정에 의하지 아니하고는 우편물의 검열·전기통신의 감청 또는 통신사실확인자료의 제공을 하거나 공개되지 아니한 타인간의 대화를 녹음 또는 청취하지 못한다.

예 제9조 제3항: 경찰관서 장이 구글코리아에 A군의 위치정보 요청시, 구글코리아는 A군의 위치정보 제공동의가 없더라도 A군의 위치정보를 수집하여 경찰관서 장에게 제공해야 한다.

4. 「개인정보 보호법」 제24조의2에 따른 주민등록번호 대체가입수단 제공기관 **예** 아이핀 운영기관

③ 제2항의 요청을 받은 자는 그 실종아동등의 동의 없이 개인위치정보등을 수집할 수 있으며, 실종아동등의 동의가 없음을 이유로 경찰관서의 장의 요청을 거부하여서는 아니 된다.

④ 경찰관서와 경찰관서에 종사하거나 종사하였던 자는 실종아동등을 찾기 위한 목적으로 제공받은 개인위치정보등을 실종아동등을 찾기 위한 목적 외의 용도로 이용하여서는 아니 되며, 목적을 달성하였을 때에는 지체 없이 파기하여야 한다. [2015 승진(경위)]

⑤ 제1항의 수색 또는 수사 등에 필요한 사항은 행정안전부령으로 정하고, 제2항에 따른 개인위치정보등의 제공을 요청하는 방법 및 절차, 제4항에 따른 파기 방법 및 절차 등에 필요한 사항은 대통령령으로 정한다.

[2017 경간 유사] [2019 승진(경위)] [2019 승진(경감)] 경찰관서의 장은 실종아동등(범죄로 인한 경우를 포함한다)의 조속한 발견을 위하여 필요한 때에는 개인위치정보사업자에게 실종아동등의 개인위치정보의 제공을 요청할 수 있다. (×)

[2015 승진(경위)] 경찰관서의 장의 개인위치정보 제공요청을 받은 위치정보사업자는 그 실종아동등의 동의 없이 개인위치정보를 수집할 수 없으며, 실종아동등의 동의가 없음을 이유로 경찰관서의 장의 요청을 거부할 수 있다. (×)

② 출입과 조사

실종아동법 제10조【출입·조사 등】 ① 경찰청장이나 지방자치단체의 장은 실종아동등의 발견을 위하여 필요하면 관계인에 대하여 필요한 보고 또는 자료제출을 명하거나 소속 공무원으로 하여금 관계 장소에 출입하여 관계인이나 아동등에 대하여 필요한 조사 또는 질문을 하게 할 수 있다.

③ 제1항에 따라 출입·조사 또는 질문을 하려는 관계공무원은 그 권한을 표시하는 증표를 지니고 이를 관계인 등에게 내보여야 한다.

예규 실종아동등 및 가출인 업무처리 규칙 제18조【현장 탐문 및 수색】① 찾는 실종아동등 및 가출인발생신고를 접수 또는 이첩 받은 발생지 관할 경찰서장은 즉시 현장출동 경찰관을 지정하여 탐문·수색하도록 하여야 한다. 다만, 경찰관서장이 판단하여 수색의 실익이 없거나 현저히 곤란한 경우에는 탐문·수색을 생략하거나 중단할 수 있다.

③ 유전정보의 이용

실종아동법 제11조【유전자검사의 실시】 ① 경찰청장은 실종아동등의 발견을 위하여 다음 각 호의 어느 하나에 해당하는 자로부터 유전자검사대상물(이하 "검사대상물"이라 한다)을 채취할 수 있다.

1. 보호시설의 입소자나 「정신건강증진 및 정신질환자 복지서비스 지원에 관한 법률」 제3조 제5호에 따른 정신의료기관의 입원환자 중 보호자가 확인되지 아니한 아동등

2. 실종아동등을 찾고자 하는 가족

3. 그 밖에 보호시설의 입소자였던 무연고아동

④ 경찰청장은 제1항에 따라 검사대상물을 채취하려면 미리 검사대상자의 서면동의를 받아야 한다. 이 경우 검사대상자가 미성년자, 심신상실자 또는 심신미약자일 때에는 본인 외에 법정대리인의 동의를 받아야 한다. 다만, 심신상실, 심신미약 또는 의사무능력 등의 사유로 본인의 동의를 받을 수 없을 때에는 본인의 동의를 생략할 수 있다.

④ 관계기관의 협조

> **실종아동법 제16조 【관계 기관의 협조】** 보건복지부장관이나 경찰청장은 실종 아동등의 조속한 발견·복귀와 복귀 후 지원을 위하여 관계 중앙행정기관의 장 또는 지방자치단체의 장에게 필요한 협조를 요청할 수 있다. 이 경우 협조요청을 받은 기관의 장은 특별한 사유가 없으면 이에 따라야 한다.

⊕ **심화** 실종수사 조정위원회

1 의의

- 실종·가출사건 접수시 경찰은 실종자 발견을 위한 수색 위주로 초동대응하되, 그 과정에서 범죄 의심점이 발견되는 경우 '실종수사 조정위원회'를 개최하여 강력 사건 전환 여부를 결정한다.
- 2017년 발생한 '어금니 아빠 사건'에서 경찰의 초동대처가 비판받으면서, 실종수사 조정위원회의 기능과 역할 강화가 함께 논의되었다(경찰청장 실종 수사체계 개선지시, 2017.10.23.).

2 관련 규정

> **예규** 실종아동등 및 가출인 업무처리 규칙 제20조 【실종수사 조정위원회】 ① 경찰서장은 실종아동등 및 가출인의 수색·추적 중 인지된 **국가경찰 수사 범죄**의 업무를 조정하기 위하여 실종수사 조정위원회를 구성하여 운영할 수 있다.
> 1. 위원회는 위원장을 경찰서장으로 하고, 위원은 여성청소년과장(미직제시 생활안전과장), 형사과장(미직제시 수사과장) 등 과장 3인 이상으로 구성한다.
> 2. 위원회는 경찰서 여성청소년과장이 회부한 국가경찰 수사 범죄 의심 사건의 범죄관련성 여부 판단 및 담당부서를 결정한다.
> ② 위원회는 경찰서 여성청소년과장의 안건 회부 후 24시간 내에 서면으로 결정하여야 한다.
> ③ 경찰서장은 위원회 결정에 따라 실종아동등 및 가출인 발견을 위해 신속히 추적 또는 수사에 착수하여야 한다.

> **예규** 실종아동등 및 가출인 업무처리 규칙 제2조 【정의】 이 규칙에서 사용하는 용어의 뜻은 다음과 같다.
> 9. "국가경찰 수사 범죄"란 「자치경찰사무와 시·도자치경찰위원회의 조직 및 운영 등에 관한 규정」 제3조 제1호부터 제5호까지 또는 제6호 나목의 범죄가 아닌 **범죄**를 말한다. ➡ 학교폭력 등 소년범죄, 가정폭력 및 아동학대범죄, 교통사고 및 교통 관련 범죄, 형법상 공연음란 등, 경범죄 및 기초질서 관련 범죄 등이 아닌 범죄 [2019 승진(경위)]

🔍 **참고** 실종아동등의 신고접수·처리현황(2019~2020년)

구분	계		18세 미만		지적장애인		치매환자	
	접수	미발견	접수	미발견	접수	미발견	접수	미발견
2019년	42,390건	33건	21,551건	9건	8,360건	21건	12,479건	3건
2020년	38,496건	161건	19,146건	105건	7,078건	47건	12,272건	9건

■ 어금니 아빠 사건(이영학 사건)
- 2017년 9월, 중학교 2학년 재학 중이던 A양에 대한 실종신고가 접수된 후, 약 일주일만에 시신으로 발견된 사건이다.
- 범인은 피해자 A양의 친구인 B양과 그의 아빠 이영학으로 밝혀졌다.
- 신고 당시 112 Code 1 지령이 하달되었음에도 여성청소년과 경찰관들과 관할 지구대 경찰관들이 실제 출동없이 출동하였다고 허위보고를 하였고, A양의 어머니가 지구대에서 B양과 직접 통화하기도 하였음에도 지구대 직원들은 단순 가출로 여기고 대수롭게 여기지 않았으며, 수사팀장의 범죄의심보고가 있었음에도 지연보고 되는 등 경찰의 초동대처가 총체적으로 부실했다는 비판을 받았다.
- 관련 경찰관들 중 중랑서 여청수사팀장 및 팀원, 지구대 순찰팀장 및 팀원 등 6명이 징계조치 되었다.
- 이영학은 1심에서 사형선고를 받았으나 2심에서 무기징역 감형 후 대법원에서 최종 확정되었다.

(5) 가출인

■ 가출인
신고 당시 보호자로부터 이탈된 18
세 이상의 사람을 말한다.

> 예규 실종아동등 및 가출인 업무처리 규칙 제15조 【신고 접수】 ① 가출인 신고는 관할
> 에 관계없이 접수하여야 하며, 신고를 접수한 경찰관은 범죄와 관련 여부를 확인
> 하여야 한다.
> ② 경찰서장은 가출인에 대한 신고를 접수한 때에는 정보시스템의 자료 조회, 신
> 고자의 진술을 청취하는 방법 등으로 가출인을 발견하기 위한 조치를 하여야 하
> 며, 가출인을 발견하지 못한 경우에는 즉시 실종아동등 프로파일링시스템에 가출
> 인에 대한 사항을 입력한다.
> ③ 경찰서장은 접수한 가출인 신고가 다른 관할인 경우 제2항의 조치 후 지체
> 없이 가출인의 발생지를 관할하는 경찰서장에게 이첩하여야 한다.

■ 실종아동등의 경우 보호자 통보
• 시스템 등록한 날부터 1개월까지:
15일에 1회
• 시스템 등록한 날부터 1개월 이후:
분기별 1회

> 예규 실종아동등 및 가출인 업무처리 규칙 제16조 【신고에 대한 조치 등】 ① 가출인 사
> 건을 관할하는 경찰서장은 정보시스템 자료의 조회, 다른 자료와의 대조, 주변인
> 물과의 연락 등 가출인을 발견하기 위해 지속적으로 추적하고, 실종아동등 프로
> 파일링시스템에 등록한 날로부터 반기별 1회 보호자에게 귀가 여부를 확인한다.
> ② 경찰서장은 가출인을 발견한 때에는 등록을 해제하고, 해당 가출인을 발견한
> 경찰서와 관할하는 경찰서가 다른 경우에는 발견 사실을 관할 경찰서장에게 지
> 체 없이 알려야 한다. [2012 채용2차]
> ④ 경찰서장은 가출인을 발견한 경우에는 가출신고가 되어 있음을 고지하고, 보
> 호자에게 통보한다. 다만, 가출인이 거부하는 때에는 보호자에게 가출인의 소재
> 를 알 수 있는 사항을 통보하여서는 아니 된다.

🔍 참고 가출인 신고접수 · 처리현황(2019~2020년)

구분	계		65세 미만		65세 이상	
	접수	미발견	접수	미발견	접수	미발견
2019년	75,432건	673건	67,757건	469건	7,675건	24건
2020년	67,612건	1,178건	60,434건	1,123건	7,178건	55건

(6) 보호시설 무연고자

■ 보호시설 무연고자
보호시설 입소자 중 보호자가 확인
되지 않는 사람을 말한다.

> 예규 실종아동등 및 가출인 업무처리 규칙 제17조 【보호시설 무연고자 등록 · 해제】 ①
> 경찰관서의 장은 관내 보호시설을 방문하였을 때에 보호시설 무연고자의 자료가
> 실종아동등 프로파일링시스템에 있는 지 확인한 후 없는 경우에는 별지 제5호
> 서식의 보호시설 무연고자 실종아동등 프로파일링시스템 입력자료를 작성하여
> 실종아동등 프로파일링시스템에 등록하고, 변경사항이 있거나, 보호자가 확인된
> 경우에는 별지 제6호 서식의 보호시설 무연고자 실종아동등 프로파일링시스템
> 수정 · 해제자료를 작성하여 변경하거나 등록을 해제한다.

05 데이트폭력·스토킹

1. 개설

- **데이트폭력**은 '연인관계라는 가해자·피해자간 관계'에 중점을 둔 개념으로, 강력 범죄로 이어질 가능성이 커 피의자는 엄중 처벌하여 경각심을 높이고, 피해자 보호에 특히 유의해야 하는 범죄이다. ➡ 가해자는 범행동기·폭력성·상습성 등을 종합 확인하여 적극 형사입건, 피해자는 맞춤형 신변보호로 보호·지원

- **스토킹**은 상대방에 대한 단순한 집착과 접근을 넘어 신체적 폭력, 성폭력, 살인 등 중범죄로 이어질 수 있으며, 피해자의 자유로운 일상생활에 큰 피해를 끼치고 두려움·불안 등 심각한 정신적 후유증을 남기는 위험한 범죄인바, 과거에는 스토킹범죄 처벌을 위한 단일법이 없어 단순 스토킹의 경우에는 경범죄처벌법상 '지속적 괴롭힘'으로, 단순 스토킹을 넘는 정도는 형법이나 개별 특별법을 적용하여 왔으나, 2021.4.20. '스토킹범죄의 처벌 등에 관한 법률'이 제정되어 스토킹범죄에 대한 일관적이고 종합적인 대응이 가능하게 되었다.

🔍 참고 데이트폭력의 실태

구분	2016년	2017년	2018년	2019년	2020년
신고	9,364건	14,136건	18,671건	19,940건	18,945건
형사입건	8,367건	10,303건	10,245건	9,858건	8,982건

- 데이트폭력 피해자는 여성이 68.4%로 대부분을 차지하나, 남성이 피해자인 경우도 11.7%를 차지한다(나머지 19.9%는 쌍방폭행).
- 유형은 폭행·상해가 70.3%로 대다수를 차지하며, 협박(10.4%)과 주거침입(8.9%)이 그 뒤를 이었고, 성폭력(0.6%)과 살인(0.2%, 미수포함)도 발생하고 있다.
- 가해자 연령의 경우 20~30대가 65.2%를 차지하고, 40~50대도 28.9%의 비율을 차지하고 있다.
- 한편, 스토킹의 경우 과거 경범죄 처벌법으로 의율된 건수는 2020년 기준 총 488건(통고처분 338건, 즉결심판 150건)이었다.

> 💡 2017년 이후 신고건수에 비해 형사입건자 숫자가 줄어들고 있는데, 이에 대해 경찰은 데이트폭력 집중신고 기간 운영 등 홍보활동으로 신고건수는 늘어난 반면, 피의자 엄정처벌 및 경각심 제고활동으로 형사입건자 수는 줄어드는 것이라 설명하고 있다.

---

2. 스토킹범죄의 처벌 등에 관한 법률

(1) 목적 및 정의

> **스토킹처벌법 제1조 【목적】** 이 법은 스토킹범죄의 처벌 및 그 절차에 관한 특례와 스토킹범죄 피해자에 대한 보호절차를 규정함으로써 피해자를 보호하고 건강한 사회질서의 확립에 이바지함을 목적으로 한다.
>
> **스토킹처벌법 제2조 【정의】** 이 법에서 사용하는 용어의 뜻은 다음과 같다.
> 1. "**스토킹행위**"란 상대방의 의사에 반하여 정당한 이유없이 다음 각 목의 어느 하나에 해당하는 행위를 하여 상대방에게 불안감 또는 공포심을 일으키는 것을 말한다.
>   - 가. 상대방 또는 그의 동거인, 가족(이하 "**상대방등**"이라 한다)에게 접근하거나 따라다니거나 진로를 막아서는 행위
>   - 나. 상대방등의 주거, 직장, 학교, 그 밖에 일상적으로 생활하는 장소(이하 "상대방등의 주거등"이라 한다) 또는 그 부근에서 기다리거나 지켜보는 행위

> 💡 이하 '스토킹범죄의 처벌 등에 관한 법률'은 '**스토킹처벌법**'으로 약칭한다.

다. 상대방등에게 우편·전화·팩스 또는 … 정보통신망(이하 "정보통신망"이라 한다)을 이용하여 물건이나 글·말·부호·음향·그림·영상·화상(이하 "물건등"이라한다)을 도달하게 하거나 정보통신망을 이용하는 프로그램 또는 전화의 기능에 의하여 글·말·부호·음향·그림·영상·화상이 상대방등에게 나타나게 하는 행위

라. 상대방등에게 직접또는 제3자를 통하여 물건등을 도달하게 하거나 주거등 또는 그 부근에 물건등을 두는 행위

마. 상대방등의 주거등또는 그 부근에 놓여져 있는 물건등을 훼손하는 행위

바. 다음의 어느 하나에 해당하는 상대방등의 정보를 정보통신망을 이용하여 제3자에게 제공하거나 배포 또는 게시하는 행위

   1) 「개인정보 보호법」 제2조 제1호의 개인정보

   2) 「위치정보의 보호 및 이용 등에 관한 법률」 제2조제2호의 개인위치정보

   3) 1) 또는 2)의 정보를 편집·합성 또는 가공한 정보(해당 정보주체를 식별할 수 있는 경우로 한정한다)

사. 정보통신망을 통하여 상대방등의 이름

2. "스토킹범죄"란 지속적 또는 반복적으로 스토킹행위를 하는 것을 말한다. [2022 채용1차]

3. "피해자"란 스토킹범죄로 직접적인 피해를 입은 사람을 말한다.

4. "피해자등"이란 피해자 및 스토킹행위의 상대방을 말한다.

(2) 피해자등에 대한 보호 – 응급조치·긴급응급조치·잠정조치

  1) 응급조치

> **스토킹처벌법 제3조【스토킹행위 신고 등에 대한 응급조치】** 사법경찰관리는 진행 중인 스토킹행위에 대하여 신고를 받은 경우 즉시 현장에 나가 다음 각 호의 조치를 하여야 한다.
> 1. 스토킹행위의 제지, 향후 스토킹행위의 중단 통보 및 스토킹행위를 지속적 또는 반복적으로 할 경우 처벌 서면경고
> 2. 스토킹행위자와 피해자등의 분리 및 범죄수사
> 3. 피해자등에 대한 긴급응급조치 및 잠정조치 요청의 절차 등 안내
> 4. 스토킹 피해 관련 상담소 또는 보호시설로의 피해자등 인도(피해자등이 동의한 경우만 해당한다)
>
> [2022 채용1차] 사법경찰관리는 진행 중인 스토킹행위에 대하여 신고를 받은 경우 즉시 현장에 나가 스토킹행위의 제지, 스토킹행위자와 피해자 분리, 유치장 또는 구치소에의 유치 등의 조치를 할 수 있다. (×)

  2) 긴급응급조치

> **스토킹처벌법 제4조【긴급응급조치】** ① 사법경찰관은 스토킹행위 신고와 관련하여 스토킹행위가 지속적 또는 반복적으로 행하여질 우려가 있고 스토킹범죄의 예방을 위하여 긴급을 요하는 경우 스토킹행위자에게 **직권으로** 또는 스토킹행위의 상대방이나 그 법정대리인 또는 스토킹행위를 신고한 사람의 **요청**에 의하여 다음 각 호에 따른 조치를 할 수 있다.
> 1. 스토킹행위의 상대방 등이나 그 주거등으로부터 100미터 이내의 접근금지
>   ➡ 즉, ① 피해자 100미터 내 접근금지(**사람기준**), ② 피해자 주거 등으로부터 100미터 내 접근금지(**장소기준**) 2가지

2. 스토킹행위의 상대방 등에 대한 「전기통신기본법」 제2조 제1호의 전기통신을 이용한 접근 금지 ⒠ 피해자에 대한 문자·전화·카톡 등 금지

② 사법경찰관은 제1항에 따른 조치(이하 "긴급응급조치"라 한다)를 하였을 때에는 즉시 스토킹행위의 요지, 긴급응급조치가 필요한 사유, 긴급응급조치의 내용 등이 포함된 긴급응급조치결정서를 작성하여야 한다.

스토킹처벌법 제5조【긴급응급조치의 승인 신청】 ① 사법경찰관은 긴급응급조치를 하였을 때에는 지체 없이 검사에게 해당 긴급응급조치에 대한 사후승인을 지방법원 판사에게 청구하여 줄 것을 신청하여야 한다.

② 제1항의 신청을 받은 검사는 긴급응급조치가 있었던 때부터 **48시간** 이내에 지방법원 판사에게 해당 긴급응급조치에 대한 사후승인을 청구한다. 이 경우 제4조 제2항에 따라 작성된 긴급응급조치결정서를 첨부하여야 한다. [2022 채용2차]

③ 지방법원 판사는 스토킹행위가 지속적 또는 반복적으로 행하여지는 것을 예방하기 위하여 필요하다고 인정하는 경우에는 제2항에 따라 청구된 긴급응급조치를 승인할 수 있다.

④ 사법경찰관은 검사가 제2항에 따라 긴급응급조치에 대한 사후승인을 청구하지 아니하거나 지방법원 판사가 제2항의 청구에 대하여 사후승인을 하지 아니한 때에는 즉시 그 긴급응급조치를 취소하여야 한다.

⑤ 긴급응급조치기간은 **1개월**을 초과할 수 없다. [2022 채용2차]

스토킹처벌법 제6조【긴급응급조치의 통지 등】 ① 사법경찰관은 긴급응급조치를 하는 경우에는 스토킹행위의 상대방 등이나 그 법정대리인에게 통지하여야 한다. ➡ 피해자 측 통지

② 사법경찰관은 긴급응급조치를 하는 경우에는 해당 긴급응급조치의 대상자(이하 "긴급응급조치대상자"라 한다)에게 조치의 내용 및 불복방법 등을 고지하여야 한다. ➡ 가해자 측 고지

스토킹처벌법 제7조【긴급응급조치의 변경 등】 ① 긴급응급조치대상자나 그 법정대리인은 긴급응급조치의 취소 또는 그 종류의 변경을 사법경찰관에게 신청할 수 있다.

② 스토킹행위의 상대방이나 그 법정대리인은 제4조 제1항 제1호의 긴급응급조치가 있은 후 스토킹행위의 상대방 등이 주거등을 옮긴 경우에는 사법경찰관에게 긴급응급조치의 변경을 신청할 수 있다.

③ 스토킹행위의 상대방이나 그 법정대리인은 긴급응급조치가 필요하지 아니한 경우에는 사법경찰관에게 해당 긴급응급조치의 취소를 신청할 수 있다.

④ 사법경찰관은 정당한 이유가 있다고 인정하는 경우에는 **직권**으로 또는 제1항부터 제3항까지의 규정에 따른 **신청**에 **의하여** 해당 긴급응급조치를 취소할 수 있고, 지방법원 판사의 승인을 받아 긴급응급조치의 종류를 **변경**할 수 있다.

⑤ 긴급응급조치(제4항에 따라 그 종류를 변경한 경우를 포함한다. 이하 이 항에서 같다)는 다음 각 호의 어느 하나에 해당하는 때에 그 효력을 상실한다.

1. 긴급응급조치에서 정한 **기간**이 지난 때

2. 법원이 긴급응급조치대상자에게 다음 각 목의 결정을 한 때(스토킹행위의 상대방과 같은 사람을 피해자로 하는 경우로 한정한다)

　가. 제4조 제1항 제1호의 긴급응급조치에 따른 스토킹행위의 상대방과 같은 사람을 피해자 또는 그의 동거인, 가족으로 하는 제9조 제1항 제2호에 따른 조치의 결정 ➡ 긴급응급조치와 잠정조치 모두 피해자 100미터 내 접근 금지인 경우(**사람기준 동일**)

나. 제4조 제1항 제1호의 긴급응급조치에 따른 주거등과 같은 장소를 피해자(스토킹행위의 상대방과 같은 사람을 피해자 또는 그의 동거인, 가족으로 하는 경우로 한정한다)의 주거등으로 하는 제9조 제1항 제2호에 따른 조치의 결정 ➜ 긴급응급조치와 잠정조치 모두 피해자 주거 등으로부터 100미터 내 접근금지인 경우(주거기준 동일)

다. 제4조 제1항 제2호의 긴급응급조치에 따른 스토킹행위의 상대방 등과 같은 사람을 피해자 또는 그의 동거인, 가족으로 하는 제9조 제1항 제3호에 따른 조치의 결정 ➜ 긴급응급조치와 잠정조치 모두 피해자에 대한 문자 등 연락금지로 동일한 경우

3) 잠정조치

스토킹처벌법 제8조 【잠정조치의 청구】 ① 검사는 스토킹범죄가 재발될 우려가 있다고 인정하면 직권 또는 사법경찰관의 신청에 따라 법원에 제9조 제1항 각 호의 조치를 청구할 수 있다. [2024 승진]
② 피해자 또는 그 법정대리인은 검사 또는 사법경찰관에게 제1항에 따른 조치의 청구 또는 그 신청을 요청하거나, 이에 관하여 의견을 진술할 수 있다.
③ 사법경찰관은 제2항에 따른 신청 요청을 받고도 제1항에 따른 신청을 하지 아니하는 경우에는 검사에게 그 사유를 보고하여야 하고, 피해자 또는 그 법정대리인에게 그 사실을 지체 없이 알려야 한다.
④ 검사는 제2항에 따른 청구 요청을 받고도 제1항에 따른 청구를 하지 아니하는 경우에는 피해자 또는 그 법정대리인에게 그 사실을 지체 없이 알려야 한다.

스토킹처벌법 제9조 【스토킹행위자에 대한 잠정조치】 ① 법원은 스토킹범죄의 원활한 조사·심리 또는 피해자 보호를 위하여 필요하다고 인정하는 경우에는 결정으로 스토킹행위자에게 다음 각 호의 어느 하나에 해당하는 조치(이하 "잠정조치"라 한다)를 할 수 있다. [2024 승진]
1. 피해자에 대한 스토킹범죄 중단에 관한 서면 경고
2. 피해자 또는 그의 동거인, 가족으로 그 주거등으로부터 100미터 이내의 접근 금지 ➜ 3 + 3 + 3개월
3. 피해자 또는 그의 동거인, 가족으로 대한 「전기통신기본법」 제2조 제1호의 전기통신을 이용한 접근 금지 ➜ 3 + 3 + 3개월
3의2. 「전자장치 부착 등에 관한 법률」 제2조 제4호의 위치추적 전자장치(이하 "전자장치"라 한다)의 부착 ➜ 3 + 3 + 3개월
4. 국가경찰관서의 유치장 또는 구치소에의 유치 ➜ 1개월
② 제1항 각 호의 잠정조치는 병과할 수 있다.
③ 법원은 잠정조치를 결정한 경우에는 검사와 피해자 및 그 법정대리인에게 통지하여야 한다.
④ 법원은 제1항 제4호에 따른 잠정조치를 한 경우에는 스토킹행위자에게 변호인을 선임할 수 있다는 것과 제12조에 따라 항고할 수 있다는 것을 고지하고, 다음 각 호의 구분에 따른 사람에게 해당 잠정조치를 한 사실을 통지하여야 한다.
1. 스토킹행위자에게 변호인이 있는 경우: 변호인
2. 스토킹행위자에게 변호인이 없는 경우: 법정대리인 또는 스토킹행위자가 지정하는 사람

⑦ 제1항 제2호·제3호 및 제3호의2에 따른 잠정조치기간은 **3개월**, 같은 항 제4호에 따른 잠정조치기간은 **1개월**을 초과할 수 없다. 다만, 법원은 피해자의 보호를 위하여 그 기간을 연장할 필요가 있다고 인정하는 경우에는 결정으로 제3호의2에 따른 잠정조치에 대하여 두 차례에 한정하여 각 2개월의 범위에서 연장할 수 있다.

[2024 승진] [2022 채용2차] 법원은 스토킹범죄의 원활한 조사·심리 또는 피해자 보호를 위하여 잠정조치가 필요하다고 인정하는 경우에는 결정으로 스토킹행위자를 경찰관서의 유치장 또는 구치소에 1개월을 초과하지 않는 범위에서 유치할 수 있다. 다만 법원은 피해자의 보호를 위하여 그 기간을 연장할 필요가 있다고 인정하는 경우에는 결정으로 2개월의 범위에서 연장할 수 있다. (×)

스토킹처벌법 제10조【잠정조치의 집행 등】 ① 법원은 잠정조치 결정을 한 경우에는 **법원공무원, 사법경찰관리 또는 구치소 소속 교정직공무원 또는 보호관찰관**으로 하여금 집행하게 할 수 있다.

② 제1항에 따라 잠정조치 결정을 집행하는 사람은 스토킹행위자에게 잠정조치의 내용, 불복방법 등을 고지하여야 한다.

③ 피해자 또는 그의 동거인, 가족, 그 법정대리인은 제9조 제1항 제2호의 잠정조치 결정이 있은 후 피해자 또는 그의 동거인, 가족이 주거등을 옮긴 경우에는 법원에 잠정조치 결정의 변경을 신청할 수 있다.

스토킹처벌법 제11조【잠정조치의 변경 등】 ① 스토킹행위자나 그 법정대리인은 잠정조치 결정의 **취소** 또는 그 종류의 **변경**을 법원에 신청할 수 있다.

② 검사는 수사 또는 공판과정에서 잠정조치가 계속 필요하다고 인정하는 경우에는 법원에 해당 잠정조치기간의 연장 또는 그 종류의 변경을 청구할 수 있고, 잠정조치가 필요하지 아니하다고 인정하는 경우에는 법원에 해당 잠정조치의 취소를 청구할 수 있다.

③ 법원은 정당한 이유가 있다고 인정하는 경우에는 직권 또는 제1항의 신청이나 제2항의 청구에 의하여 결정으로 해당 잠정조치의 취소, 기간의 연장 또는 그 종류의 변경을 할 수 있다.

④ 잠정조치 결정(제3항에 따라 잠정조치기간을 연장하거나 그 종류를 변경하는 결정을 포함한다. 이하 제12조 및 제14조에서 같다)은 스토킹행위자에 대해 검사가 불기소처분을 한 때 또는 사법경찰관이 불송치결정을 한 때에 그 효력을 상실한다.

☑ KEY POINT | 응급조치·긴급응급조치·잠정조치 비교

구분	응급조치	긴급응급조치	잠정조치
주체	사법경찰관리(현장)	사법경찰관	법원
내용	• 제지, 중단통보, 처벌경고 • 분리 및 범죄수사 • 긴급응급·잠정조치 안내 • 보호시설 등 인도	• 100미터 내 접근금지 • 전기통신이용 접근금지	• 서면경고 • 100미터 내 접근금지 • 전기통신이용 접근금지 • 위치추적 전자장치 부착 • 유치장·구치소 유치
절차	–	• 긴급응급조치결정서 작성 • 사후승인 필요(사법경찰관 ➡ 검사 ➡ 지방법원 판사)	법원의 결정
기간	–	1개월	• 접근금지·전자장치 부착: 3개월(2회 연장가능, 총 9개월) • 유치장 등 유치: 1개월

▌**사법경찰관·리(형사소송법 제197조)**
• **사법경찰관**: 경무관, 총경, 경정, 경감, 경위
• **사법경찰리**: 경사, 경장, 순경

4) 피해자에 대한 전담조사제

> **스토킹처벌법 제17조【스토킹범죄의 피해자에 대한 전담조사제】** ① 검찰총장은 각 지방검찰청 검사장에게 스토킹범죄 전담 검사를 지정하도록 하여 특별한 사정이 없으면 스토킹범죄 전담 검사가 피해자를 조사하게 하여야 한다.
> ② 경찰관서의 장(국가수사본부장, 시·도경찰청장 및 경찰서장을 의미한다. 이하 같다)은 스토킹범죄 전담 사법경찰관을 지정하여 특별한 사정이 없으면 스토킹범죄 전담 사법경찰관이 피해자를 조사하게 하여야 한다.
> ③ 검찰총장 및 경찰관서의 장은 제1항의 스토킹범죄 전담 검사 및 제2항의 스토킹범죄 전담 사법경찰관에게 스토킹범죄의 수사에 필요한 전문지식과 피해자 보호를 위한 수사방법 및 수사절차 등에 관한 교육을 실시하여야 한다.

(3) 처벌

1) 스토킹범죄의 처벌

> **스토킹처벌법 제18조【스토킹범죄】** ① 스토킹범죄를 저지른 사람은 3년 이하의 징역 또는 3천만원 이하의 벌금에 처한다. [2022 채용1차]
> ② 흉기 또는 그 밖의 위험한 물건을 휴대하거나 이용하여 스토킹범죄를 저지른 사람은 5년 이하의 징역 또는 5천만원 이하의 벌금에 처한다. [2022 채용1차]
>
> **스토킹처벌법 제19조【형벌과 수강명령 등의 병과】** ① 법원은 스토킹범죄를 저지른 사람에 대하여 유죄판결(선고유예는 제외한다)을 선고하거나 약식명령을 고지하는 경우에는 200시간의 범위에서 다음 각 호의 구분에 따라 재범 예방에 필요한 수강명령(「보호관찰 등에 관한 법률」에 따른 수강명령을 말한다. 이하 같다) 또는 스토킹 치료프로그램의 이수명령(이하 "이수명령"이라 한다)을 병과할 수 있다.
> 1. **수강명령**: 형의 집행을 유예할 경우에 그 집행유예기간 내에서 병과
> 2. **이수명령**: 벌금형 또는 징역형의 실형을 선고하거나 약식명령을 고지할 경우에 병과

■ **수강명령 · 이수명령 비교**
- **아청법**: 500시간, 필요적 병과
- **성폭력처벌법**: 500시간, 필요적 병과
- **스토킹처벌법**: 200시간, 임의적 병과
- **가정폭력처벌법**: 200시간, 임의적 병과
- **아동학대처벌법**: 200시간, 임의적 병과

💡 2023. 7. 11. 개정 전에는 긴급응급조치 불이행에 대한 제재가 과태료였으나, 실효성의 제고를 위해 형사처벌로 개정되었다.

2) 긴급응급조치 불이행 – 형사처벌

> **스토킹처벌법 제20조【벌칙】** ③ 긴급응급조치(검사가 제5조 제2항에 따른 긴급응급조치에 대한 사후승인을 청구하지 아니하거나 지방법원 판사가 같은 조 제3항에 따른 승인을 하지 아니한 경우는 제외한다)를 이행하지 아니한 사람은 1년 이하의 징역 또는 1천만원 이하의 벌금에 처한다.

3) 잠정조치 불이행 – 형사처벌

■ **잠정조치 중 위치추적 전자장치 훼손**
- 3년 이하의 징역 또는 3천만원 이하의 벌금에 처한다.

> **스토킹처벌법 제20조【벌칙】** ② 제9조 제1항 제2호(➡ 100미터 내 접근금지) 또는 제3호(➡ 전기통신이용 접근금지)의 잠정조치를 이행하지 아니한 사람은 2년 이하의 징역 또는 2천만원 이하의 벌금에 처한다. [2024 승진]

주제 5 | 민간생활안전(민간경비)

01 민간경비업(Private Security)

1. 민간경비업 개설

- 민간경비는 의뢰인인 고객으로부터 보수를 받고 경비에 관련된 서비스를 제공하는 경비활동을 말하는 것으로, 경찰이 국가의 치안을 책임지는데 있어 부족한 인력과 장비 등을 보완해 주고, 심지어 경찰이 제공해주지 못하는 다양한 서비스를 제공해 주기도 한다.
- 민간경비업의 발전은, 공공 경찰서비스는 기본적으로 거시적 측면에서 지역사회 중심의 안전확보 등과 관련된 역할을 중심으로 하고, 사회구성원 개개인 차원이나 여타 집단과 기업과 같은 조직 등의 안전과 보호는 결국 해당 개인이나 조직이 담당해야 한다는 인식의 전환에서 비롯되었다고 본다. ➡ 수익자부담원칙

💡 민간경비업체는 삼성에스원(SECOM), ADT캡스, KT텔레캅과 같은 업체들을 말하며, 이러한 유명업체 외에도 전국적으로 4,407개 업체가 등록되어 있다(법인 수 기준, 2021.5.31. 기준).

2. 민간경비 경찰경비 비교

구분	민간경비(사경비)	경찰경비(공경비)
주체	영리기업	정부기관(경찰)
대상	보수를 지급하는 특정 의뢰인	일반국민 모두
목적	특정 고객의 경제적 손실방지와 생명·재산보호 등 예방적 측면 강조	공공의 안녕·질서유지 및 범인체포와 같은 법 집행적 측면을 강조
권한	제한적 권한	일반적 권한
성격	민간재의 성격, 보수 지급에 따라 차별적 이용(경합적 서비스)	공공재적 성격, 누구나 동등하게 이용(비경합적 서비스)

02 경비업법

1. 목적과 정의, 영업주체

> **경비업법 제1조【목적】** 이 법은 경비업의 육성 및 발전과 그 체계적 관리에 관하여 필요한 사항을 정함으로써 경비업의 건전한 운영에 이바지함을 목적으로 한다.
>
> **경비업법 제2조【정의】** 이 법에서 사용하는 용어의 정의는 다음과 같다. [2012 채용1차] [2015 채용3차] [2016 승진(경위)] [2017 채용1차] [2017 실무 2] [2020 실무 2]
> 1. "경비업"이라 함은 다음 각목의 1에 해당하는 업무(이하 "경비업무"라 한다)의 전부 또는 일부를 도급받아 행하는 영업을 말한다.
>   가. **시설경비업무**: 경비를 필요로 하는 시설 및 장소(이하 "경비대상시설"이라 한다)에서의 도난·화재 그 밖의 혼잡 등으로 인한 위험발생을 방지하는 업무
>   나. **호송경비업무**: 운반 중에 있는 현금·유가증권·귀금속·상품 그 밖의 물건에 대하여 도난·화재 등 위험발생을 방지하는 업무
>   다. **신변보호업무**: 사람의 생명이나 신체에 대한 위해의 발생을 방지하고 그 신변을 보호하는 업무 ➡ 재산은 포함 ×

💡 2021.5.31. 기준, 경비업종별 등록현황은 다음과 같다(중복집계).

업종	등록업체 수
시설경비	4,321개
호송경비	29개
신변보호	607개
기계경비	143개
특수경비	128개

라. **기계경비업무**: 경비대상시설에 설치한 기기에 의하여 감지 · 송신된 정보를 그 경비대상시설 외의 장소에 설치한 **관제시설의 기기로** 수신하여 도난 · 화재 등 위험발생을 방지하는 업무

마. **특수경비업무**: 공항(**항공기를 포함한다**) 등 대통령령이 정하는 국가중요시설(이하 "국가중요시설"이라 한다)의 경비 및 도난 · 화재 그 밖의 위험발생을 방지하는 업무

2. **"경비지도사"**라 함은 경비원을 지도 · 감독 및 교육하는 자를 말하며 일반경비지도사와 기계경비지도사로 구분한다.

3. **"경비원"**이라 함은 제4조 제1항의 규정에 의하여 경비업의 허가를 받은 법인(이하 "경비업자"라 한다)이 채용한 고용인으로서 다음 각목의 1에 해당하는 자를 말한다.

가. **일반경비원**: 제1호 가목 내지 라목의 경비업무를 수행하는 자

나. **특수경비원**: 제1호 마목의 경비업무를 수행하는 자

4. **"무기"**라 함은 인명 또는 신체에 위해를 가할 수 있도록 제작된 **권총 · 소총** 등을 말한다.

[2017 채용1차] 시설경비업무는 공항(항공기를 포함)등 대통령령이 정하는 국가중요시설의 경비 및 도난 · 화재 그 밖의 위험발생을 방지하는 업무이다. (×)
[2015 채용3차] 호송경비업무는 사람의 생명이나 신체에 대한 위해의 발생을 방지하고 그 신변을 보호하는 업무를 말한다. (×)
[2022 채용1차] '신변보호업무'란 사람의 생명 · 신체 · 재산에 대한 위해의 발생을 방지하고 그 신변을 보호하는 업무를 말한다. (×)
[2016 채용1차] [2016 지능범죄] [2017 채용1차] [2017 승진(경감)] 기계경비업무는 경비대상시설에 설치한 기기에 의하여 감지 · 송신된 정보를 그 경비대상시설 내의 장소에 설치한 관제시설의 기기로 수신하여 도난 · 화재 등 위험 발생을 방지하는 업무를 말한다. (×)
[2016 승진(경감)] 기계경비업무는 공항(항공기를 포함) 등 대통령령이 정하는 국가중요시설의 경비 및 도난 · 화재 그 밖의 위험발생을 방지하는 업무를 말한다. (×)
[2012 채용1차] [2016 지능범죄] 특수경비업무는 공항(항공기를 제외한다) 등 대통령령이 정하는 국가중요시설의 경비 및 도난 · 화재 그 밖의 위험발생을 방지하는 업무이다. (×)
[2017 승진(경감)] [2020 경간] 혼잡경비업무는 경비를 필요로 하는 시설 및 장소(이하 "경비대상시설"이라 한다)에서의 도난 · 화재 그 밖의 혼잡 등으로 인한 위험발생을 방지하는 업무이다. (×)

경비업법 제3조【법인】 경비업은 법인이 아니면 이를 영위할 수 없다. [2017 실무 2] [2018 채용1차]

▌ 경찰관 직무집행법상 '무기'
사람의 생명이나 신체에 위해를 끼칠 수 있도록 제작된 권총 · 소총 · 도검 등을 말한다.

▌ 위해성 경찰장비의 사용기준 등에 관한 규정상 '무기'
권총 · 소총 · 기관총(기관단총을 포함. 이하 같다) · 산탄총 · 유탄발사기 · 박격포 · 3인치포 · 함포 · 크레모아 · 수류탄 · 폭약류 및 도검
➔ (가스발사총 제외) 총 · (물포 제외) 포 · 도

2. 경비업의 허가와 신고

(1) 허가

1) 허가권자와 허가기준

경비업법 제4조【경비업의 허가】 ① 경비업을 영위하고자 하는 법인은 도급받아 행하고자 하는 경비업무를 특정하여 그 법인의 주사무소의 소재지를 관할하는 시 · 도경찰청장의 허가를 받아야 한다. 도급받아 행하고자 하는 경비업무를 변경하는 경우에도 또한 같다. [2017 실무 2] [2018 채용1차] [2024 승진]

② 제1항에 따른 허가를 받으려는 법인은 다음 각 호의 요건을 갖추어야 한다.

1. 대통령령으로 정하는 1억원 이상의 자본금의 보유
2. 다음 각 목의 경비인력 요건
   가. **시설경비업무**: 경비원 10명 이상 및 경비지도사 1명 이상 [2024 승진]
   나. **시설경비업무 외의 경비업무**: 대통령령으로 정하는 경비 인력
3. 제2호의 경비인력을 교육할 수 있는 교육장을 포함하여 대통령령으로 정하는 시설과 장비의 보유
4. 그 밖에 경비업무 수행을 위하여 대통령령으로 정하는 사항

[2018 경간] 경비업의 허가를 받은 법인이 도급받아 행하고자 하는 경비업무를 변경하는 경우 시 · 도경찰청장에게 신고하여야 한다. (×)

2) 허가의 유효기간

> **경비업법 제6조【허가의 유효기간 등】** ① 제4조 제1항의 규정에 의한 경비업 허가의 유효기간은 허가받은 날부터 5년으로 한다. [2017 실무 2] [2020 실무 2]
> ② 제1항의 규정에 의한 유효기간이 만료된 후 계속하여 경비업을 하고자 하는 법인은 행정안전부령으로 정하는 바에 따라 갱신허가를 받아야 한다.
> [2020 실무 2] 경비업 허가의 유효기간은 허가받은 날부터 3년으로 한다. (×)
> [2018 채용1차] 이 법 제4조 제1항의 규정에 의한 경비업 허가의 유효기간은 허가받은 다음 날부터 5년으로 한다. (×)

(2) 신고

> **경비업법 제4조【경비업의 허가】** ③ 제1항의 규정에 의하여 경비업의 허가를 받은 법인은 다음 각호의 어느 하나에 해당하는 때에는 시·도경찰청장에게 신고하여야 한다.
> 1. 영업을 폐업하거나 휴업한 때
> 2. 법인의 명칭이나 대표자·임원을 변경한 때
> 3. 법인의 주사무소나 출장소를 신설·이전 또는 폐지한 때
> 4. 기계경비업무의 수행을 위한 관제시설을 신설·이전 또는 폐지한 때
> 5. 특수경비업무를 개시하거나 종료한 때
> 6. 그 밖에 대통령령이 정하는 중요사항을 변경한 때
> ④ 제1항 및 제3항의 규정에 의한 허가 또는 신고의 절차, 신고의 기한 등 허가 및 신고에 관하여 필요한 사항은 대통령령으로 정한다.
> [2020 실무 2] 기계경비업의 허가를 받은 법인이 기계경비업무의 수행을 위한 관제시설을 신설·이전 또는 폐지한 때에는 시·도경찰청장의 허가를 받아야 한다. (×)

3. 경비원

(1) 경비원의 의무·복장·장비

> **경비업법 제15조의2【경비원 등의 의무】** ① 경비원은 직무를 수행함에 있어 타인에게 위력을 과시하거나 물리력을 행사하는 등 경비업무의 범위를 벗어난 행위를 하여서는 아니된다.
> ② 누구든지 경비원으로 하여금 경비업무의 범위를 벗어난 행위를 하게 하여서는 아니된다.
> **경비업법 제16조【경비원의 복장 등】** ① 경비업자는 경찰공무원 또는 군인의 제복과 색상 및 디자인 등이 명확히 구별되는 소속 경비원의 복장을 정하고 이를 확인할 수 있는 사진을 첨부하여 주된 사무소를 관할하는 시·도경찰청장에게 행정안전부령으로 정하는 바에 따라 신고하여야 한다. [2021 경간]
> ③ 시·도경찰청장은 제1항에 따라 제출받은 사진을 검토한 후 경비업자에게 복장 변경 등에 대한 시정명령을 할 수 있다.
> **경비업법 제16조의2【경비원의 장비 등】** ① 경비원이 휴대할 수 있는 장비의 종류는 경적·단봉·분사기 등 행정안전부령으로 정하되, 근무 중에만 이를 휴대할 수 있다. [2021 경간]
> ② 경비업자가 경비원으로 하여금 분사기를 휴대하여 직무를 수행하게 하는 경우에는 「총포·도검·화약류 등 단속법」에 따라 미리 분사기의 소지허가를 받아야 한다.

┃ 경비업법 시행규칙에 따른 휴대장비
- 경적(금속·플라스틱 호루라기)
- 단봉(호신용 봉)
- 분사기
- 안전방패
- 무전기
- 안전모
- 방검복

③ 누구든지 제1항의 장비를 임의로 개조하여 통상의 용법과 달리 사용함으로써 다른 사람의 생명·신체에 위해를 가하여서는 아니 된다.

④ 경비원은 경비업무를 위하여 필요하다고 인정되는 상당한 이유가 있을 때에는 필요한 최소한도에서 제1항의 장비를 사용할 수 있다.

(2) 특수경비원의 의무·직무 및 무기사용

경비업법 제14조【특수경비원의 직무 및 무기사용 등】 ① 특수경비업자는 특수경비원으로 하여금 배치된 경비구역안에서 관할 경찰서장 및 공항경찰대장 등 국가중요시설의 경비책임자(이하 "관할 경찰관서장"이라 한다)와 국가중요시설의 시설주의 감독을 받아 시설을 경비하고 도난·화재 그 밖의 위험의 발생을 방지하는 업무를 수행하게 하여야 한다.

② 특수경비원은 국가중요시설에 대한 경비업무 수행중 국가중요시설의 정상적인 운영을 해치는 장해를 일으켜서는 아니된다.

③ 시·도경찰청장은 국가중요시설에 대한 경비업무의 수행을 위하여 필요하다고 인정하는 때에는 시설주의 **신청**에 의하여 무기를 구입한다. 이 경우 시설주는 그 무기의 구입대금을 **지불**하고, 구입한 무기를 국가에 **기부채납**하여야 한다.

④ 시·도경찰청장은 국가중요시설에 대한 경비업무의 수행을 위하여 필요하다고 인정하는 때에는 관할경찰관서장으로 하여금 시설주의 **신청**에 의하여 시설주로부터 국가에 기부채납된 무기를 **대여**하게 하고, 시설주는 이를 특수경비원으로 하여금 휴대하게 할 수 있다. 이 경우 특수경비원은 정당한 사유없이 무기를 소지하고 배치된 경비구역을 벗어나서는 아니된다.

⑤ 시설주가 제4항의 규정에 의하여 대여받은 무기에 대하여 시설주 및 관할 경찰관서장은 무기의 관리책임을 지고, 관할 경찰관서장은 시설주 및 특수경비원의 무기관리상황을 대통령령이 정하는 바에 따라 지도·감독하여야 한다.

⑥ 관할 경찰관서장은 무기의 적정한 관리를 위하여 제4항의 규정에 의하여 무기를 대여받은 시설주에 대하여 필요한 명령을 발할 수 있다.

경비업법 제15조【특수경비원의 의무】 ① 특수경비원은 직무를 수행함에 있어 시설주·관할 **경찰관서장** 및 소속상사의 직무상 명령에 복종하여야 한다.

② 특수경비원은 소속상사의 허가 또는 정당한 사유없이 경비구역을 벗어나서는 아니된다.

③ 특수경비원은 파업·태업 그 밖에 경비업무의 정상적인 운영을 저해하는 일체의 쟁의행위를 하여서는 아니된다.

④ 특수경비원이 무기를 휴대하고 경비업무를 수행하는 때에는 다음 각호의 1에 정하는 무기의 안전사용수칙을 지켜야 한다.

1. 특수경비원은 사람을 향하여 권총 또는 소총을 발사하고자 하는 때에는 미리 구두 또는 공포탄에 의한 사격으로 상대방에게 경고하여야 한다. 다만, 다음 각목의 1에 해당하는 경우로서 부득이한 때에는 경고하지 아니할 수 있다.

   가. 특수경비원을 급습하거나 타인의 생명·신체에 대한 중대한 위험을 야기하는 범행이 목전에 실행되고 있는 등 상황이 급박하여 경고할 시간적 여유가 없는 경우

   나. 인질·간첩 또는 테러사건에 있어서 은밀히 작전을 수행하는 경우

2. 특수경비원은 무기를 사용하는 경우에 있어서 범죄와 무관한 다중의 생명·신체에 위해를 가할 우려가 있는 때에는 이를 사용하여서는 아니된다. 다만, 무기를 사용하지 아니하고는 타인 또는 특수경비원의 생명·신체에 대한 중대한 위협을 방지할 수 없다고 인정되는 때에는 필요한 최소한의 범위 안에서 이를 사용할 수 있다.
3. 특수경비원은 총기 또는 폭발물을 가지고 대항하는 경우를 제외하고는 14세 미만의 자 또는 임산부에 대하여는 권총 또는 소총을 발사하여서는 아니된다.

> **🔍 참고** 경찰관의 무기사용
>
> **대통령령** 위해성 경찰장비의 사용기준 등에 관한 규정 제9조 【총기사용의 경고】 경찰관은 법 제10조의4에 따라 사람을 향하여 권총 또는 소총을 발사하고자 하는 때에는 미리 구두 또는 공포탄에 의한 사격으로 상대방에게 경고하여야 한다. 다만, 다음 각 호의 어느 하나에 해당하는 경우로서 부득이한 때에는 경고하지 아니할 수 있다.
> 1. 경찰관을 급습하거나 타인의 생명·신체에 대한 중대한 위험을 야기하는 범행이 목전에 실행되고 있는 등 상황이 급박하여 특히 경고할 시간적 여유가 없는 경우
> 2. 인질·간첩 또는 테러사건에 있어서 은밀히 작전을 수행하는 경우
>
> **대통령령** 위해성 경찰장비의 사용기준 등에 관한 규정 제10조 【권총 또는 소총의 사용제한】
> ① 경찰관은 법 제10조의4의 규정에 의하여 권총 또는 소총을 사용하는 경우에 있어서 범죄와 무관한 다중의 생명·신체에 위해를 가할 우려가 있는 때에는 이를 사용하여서는 아니된다. 다만, 권총 또는 소총을 사용하지 아니하고는 타인 또는 경찰관의 생명·신체에 대한 중대한 위험을 방지할 수 없다고 인정되는 때에는 필요한 최소한의 범위안에서 이를 사용할 수 있다.
> ② 경찰관은 총기 또는 폭발물을 가지고 대항하는 경우를 제외하고는 14세미만의 자 또는 임산부에 대하여 권총 또는 소총을 발사하여서는 아니된다.

4. 집단민원현장경비

(1) 집단민원현장의 의미

> 경비업법 제2조 【정의】 이 법에서 사용하는 용어의 정의는 다음과 같다.
> 5. "집단민원현장"이란 다음 각 목의 장소를 말한다.
>   가. 「노동조합 및 노동관계조정법」에 따라 노동관계 당사자가 노동쟁의 조정신청을 한 사업장 또는 쟁의행위가 발생한 사업장
>   나. 「도시 및 주거환경정비법」에 따른 정비사업과 관련하여 이해대립이 있어 다툼이 있는 장소
>   다. 특정 시설물의 설치와 관련하여 민원이 있는 장소
>   라. 주주총회와 관련하여 이해대립이 있어 다툼이 있는 장소
>   마. 건물·토지 등 부동산 및 동산에 대한 소유권·운영권·관리권·점유권 등 법적 권리에 대한 이해대립이 있어 다툼이 있는 장소
>   바. 100명 이상의 사람이 모이는 국제·문화·예술·체육 행사장
>   사. 「행정대집행법」에 따라 대집행을 하는 장소
>   [2024 승진] 주주총회와 관련하여 이해대립이 있어 다툼이 있는 장소, 100명 이상의 사람이 모이는 국제·문화·예술·체육 행사장, 「행정대집행법」에 따라 대집행을 하는 장소는 집단민원현장에 해당한다. (○)

(2) 집단민원현장경비의 방법

> **경비업법 제7조 【경비업자의 의무】** ⑥ 경비업자는 집단민원현장에 경비원을 배치하는 때에는 경비지도사를 선임하고 그 장소에 배치하여 행정안전부령으로 정하는 바에 따라 경비원을 지도·감독하게 하여야 한다. [2018 채용1차]
>
> [2020 실무 2] 경비업자는 집단민원현장에 경비원을 배치하는 때에는 특수경비원을 선임하고 그 장소에 배치하여 행정안전부령으로 정하는 바에 따라 경비원을 지도·감독하게 하여야 한다. (×)
>
> **경비업법 제7조의2 【경비업무 도급인 등의 의무】** ② 누구든지 집단민원현장에 경비인력을 20명 이상 배치하려고 할 때에는 그 경비인력을 직접 고용하여서는 아니 되고, 경비업자에게 경비업무를 도급하여야 한다. 다만, 시설주 등이 집단민원현장 발생 3개월 전까지 직접 고용하여 경비업무를 수행하는 피고용인의 경우에는 그러하지 아니하다.

제2장 / 수사경찰

주제 1 │ 수사의 기초이론

01 수사의 의의

수사란 범죄가 발생한 때 또는 발생한 것으로 고려되는 사정이 있을 때에는 이를 형사사건으로 처리하기 위하여 범인을 발견, 신병을 확보하고 또 증거를 수집 · 보존하는 수사기관의 활동을 말한다.

02 수사의 목적과 기본이념

1. 수사의 목적

- **사건의 진상파악**: 범죄수사는 수사대상 사건의 진상, 즉 실체적 진실을 파악하고 하는 것이다. ➡ 기소 전 수사의 목적
- **기소 여부의 결정**: 파악된 사건의 진상에 적용될 법률을 감안한 평가와 보완과정을 거쳐, 기소여부를 결정한다.
- **공소제기(기소)의 유지**: 검사의 기소로 원칙적으로 수사는 종결되나, 기소 후 공판과정에서 피고인의 알리바이 주장 등 기소 후에도 수사가 필요한 경우가 있을 수 있다. 이러한 경우 이루어지는 공소제기 후 수사는 기소를 유기하기 위한 목적인 것이다.
- **유죄판결의 확보**: 수사대상인 피의자 · 피고인에 대해 유죄판결을 받아내는 것은 범죄수사의 궁극적 목적이라고 할 수 있다.

> **공소제기 후 수사**
> 수사기관의 공소제기 후 수사가 가능하다고 하더라도, 공소제기에 따라 피고인은 검사와 대등한 당사자 지위를 갖게 되므로, 피고인의 방어권 행사에 영향을 줄 수 있어 공소제기 전 수사와 같이 광범위하게 허용될 수는 없다.

2. 수사의 기본이념

- **실체적 진실의 발견**: 실체진실의 발견은 객관적인 사실관계를 명백히 밝혀내자는 것으로서 이는 형사소송법의 지도이념이기도 하다. 다만, 실체진실 발견은 무제한적인 것은 아니며 ① 인간 능력의 한계, ② 제도 자체의 한계, ③ 초소송법적 중요 이익과 충돌하는 경우의 한계, ④ 인권보장 측면의 제약에 따른 한계 등의 제한이 있다.
- **기본적 인권보장**: 수사기관의 수사활동은 인권침해의 가능성을 내포하고 있는 활동이므로, 수사과정에서 인권침해가 일어나지 않도록 유의해야 한다. 이를 위해 우리 법제도는 ① 임의수사를 원칙으로 하면서, ② 법률의 규정이 있는 경우에 한하여 예외적으로 강제수사를 인정하고, ③ 영장주의를 채택하고 있다.

03 수사의 원칙

1. 수사의 기본원칙

(1) 강제수사 법정주의

> **형사소송법 제199조 【수사와 필요한 조사】** ① 수사에 관하여는 그 목적을 달성하기 위하여 필요한 조사를 할 수 있다. 다만, 강제처분은 이 법률에 특별한 규정이 있는 경우에 한하며, 필요한 최소한도의 범위 안에서만 하여야 한다.

(2) 영장주의

> **헌법 제12조** ③ 체포·구속·압수 또는 수색을 할 때에는 적법한 절차에 따라 검사의 신청에 의하여 법관이 발부한 영장을 제시하여야 한다. 다만, 현행범인인 경우와 장기 3년 이상의 형에 해당하는 죄를 범하고 도피 또는 증거인멸의 염려가 있을 때에는 사후에 영장을 청구할 수 있다.

- 영장주의는 수사과정에서 피의자나 피고인의 기본적 인권이 침해되지 않도록, 수사기관이 강제수사를 할 때는 법관의 영장을 받도록 하는 원칙이다.
- 영장주의는 국민의 기본권인 신체의 자유를 절차적으로 보장하기 위한 핵심적 수단 중 하나이다.

(3) 자기부죄강요금지의 원칙

> **헌법 제12조** ② 모든 국민은 고문을 받지 아니하며, 형사상 자기에게 불리한 진술을 강요당하지 아니한다.

- 진술거부권이라고도 하며, 우리 헌법이 명시적으로 보장하고 있다.
- 이는 수사기관의 고문에 의한 자백 강요를 방지함으로써 피의자·피고인의 인권을 보장하기 위한 것이다.

(4) 수사비례의 원칙

수사로 달성할 수 있는 이익과 수사로 인한 법익침해가 서로 비례성을 유지해야 한다는 원칙으로, 강제수사나 임의수사 모두에 있어서 공통적으로 요구되는 기본원칙이다.

(5) 임의수사의 원칙

수사는 임의수사를 원칙으로 하고 강제수사는 형사소송법에 특별한 규정이 있는 경우에 한하여 예외적으로 허용된다는 원칙으로, 이는 무죄추정의 원칙 또는 수사비례 원칙(필요최소한도 법리)의 제도적 표현이다.

(6) 수사 비공개의 원칙

수사의 개시와 실행은 공개하지 않는다는 원칙이다. 범인의 발견·검거 또는 증거의 발견·수집·보전을 위하여 요구되며, 관계자(피해자·참고인·피의자 등)의 사생활 비밀과 자유나, 명예권과 같은 인격권의 보호를 위해서도 필요하다.

(7) 제출인 환부의 원칙

수사기관이 압수물을 환부할 때에는 피압수자(제출인)에게 환부하여야 한다는 원칙으로, 피해자에게 환부할 이유가 명백한 경우에는 피해자 환부가 허용된다(형사소송법 제219조, 제134조).

2. 수사실행의 5원칙 [2021 승진(실무종합)]

수사자료 완전수집의 원칙	• 수사의 제1원칙 또는 수사의 기본방법 제1조건이다. • 수사관은 그 사건에 관련된 모든 수사자료를 완전히 수집하여야 한다.
수사자료 감식 · 검토의 원칙	수사관은 수집된 자료를 감식과학이나 과학적 지식 · 시설장비를 이용하여 면밀히 감식 · 검토하여야 한다
적절한 추리의 원칙	추측단계에서 수집된 자료를 기초로 합리적인 판단을 하고, 추측은 가정적 · 잠정적 판단에 불과하므로 그 진실성이 확인될 때까지는 추측을 진실이라고 주장 · 확신해서는 안 된다.
검증적 수사의 원칙	• 여러 가지 추측(가설) 중에서 과연 어떤 추측이 정당한 것인지 가리기 위해서는 그들 추측 하나 하나를 모든 각도에서 검토해야 한다 • 순서: 수사사항의 결정 ➡ 수사방법의 결정 ➡ 수사실행
사실판단 증명의 원칙	수사관의 판단은 본인에게만 진실인 주관적 판단이어서는 안되고, 누가 보더라도 그 판단이 진실임을 객관적으로 증명할 수 있을 정도가 되어야 한다.

[2021 승진(실무종합)] 검증적 수사의 원칙이란 여러 가지 추측 중에서 어떤 추측이 정당한 것인가를 가리기 위해서는 그들 추측 하나를 모두 각도에서 검토해야 한다는 원칙으로, 수사방법의 결정 ➡ 수사사항의 결정 ➡ 수사실행이라는 순서에 따라 검토한다. (×)

주제 2 수사의 단서

01 수사의 단서 개설

수사의 단서는 수사개시의 원인을 말하며 수사의 단서로는 현행범인의 체포, 변사자의 검시, 불심검문, 고소 · 고발, 자수, 범죄신고, 범죄첩보나 언론보도 · 풍문 등에 의한 범죄인지 등이 있다.

02 범죄첩보

1. 개설

(1) 범죄첩보의 의의

범죄첩보란 형사절차를 개시하기 위한 수사의 단서로 작용하는 범죄정보를 말한다.

▎수사첩보의 체계

수사첩보 ┬ 범죄첩보 ┬ 범죄사건첩보
│   └ 범죄동향첩보
└ 정책첩보

💡 2019년 경찰청 자체조사 기준, 정보국 외근 정보관들의 업무 중 범죄첩보 비중은 1.3%에 불과한 반면, 정책자료 작성이 가장 많은 22.5%의 비중을 차지히여 경찰 본연의 업무에 충실하지 못하다는 언론의 비판을 받은 바 있다.

예규 **수사첩보 수집 및 처리 규칙 제2조【정의】** 이 규칙에서 사용하는 용어의 정의는 다음과 같다.

1. 「**수사첩보**」라 함은 수사와 관련된 각종 보고자료로서 범죄첩보와 정책첩보를 말한다.
2. 「**범죄첩보**」라 함은 대상자, 혐의 내용, 증거자료 등이 특정된 입건 전 조사(이하 "조사"라 한다) 단서 자료와 범죄 관련 동향을 말하며, 전자를 범죄사건첩보, 후자를 범죄동향첩보라고 한다.
3. 「**기획첩보**」라 함은 일정기간 집중적으로 수집이 필요한 범죄첩보를 말한다.
4. 「**정책첩보**」라 함은 수사제도 및 형사정책 개선, 범죄예방 및 검거대책에 관한 자료를 말한다.
5. 「**수사첩보분석시스템**」이란 수사첩보의 수집, 작성, 평가, 배당 등 전 과정을 전산화한 다음 각 목의 시스템으로서 경찰청 범죄정보과(사이버수사기획과)에서 운영하는 것을 말한다.
   가. 수사국 범죄첩보분석시스템(Criminal Intelligence Analysis System)
   나. 사이버수사국 사이버첩보관리시스템(Cyber Intelligence Management System)

(2) 범죄첩보의 특징

결과지향성	• 범죄첩보는 수사 후 현출되는 결과가 있어야 한다. • 범죄첩보 내지 범죄정보 생산 자체에 많은 시간과 노력이 투입되었더라도 사건화하기 힘든 경우에는 범죄첩보로서 가치가 떨어진다.
가치변화성	범죄첩보는 수사기관의 필요성에 따라 가치가 달라지는 선별적 가치를 가진다.
시한성	범죄첩보는 시간이 경과함에 따라 가치가 감소하게 된다.
결합성	기초첩보는 다른 기초첩보와 서로 결합하여 구체적인 사건첩보가 될 수 있다. **예** 관내 A빌딩에 60~70대 노년층의 주기적인 단체 이동이 목격되고 있다. + A빌딩에 최근 'XX인베스트'라는 간판이 걸렸다. + 'XX인베스트'라는 상호로 금융감독원에 등록된 업체는 없다. = A빌딩에서 노년층대상 유사수신 범죄가 벌어지고 있다.
혼합성	범죄첩보는 단순 사실의 나열이 아닌, 그 속에 범죄의 원인과 결과를 내포하고 있을 수 있으며, 또한 다른 첩보와 연결되어 있어 이를 분해하고 혼합함으로서 완전한 사건으로서 새로운 모습을 갖게 된다. **예** 관내 A지역에서 최근 청소년 노숙이 늘어나고 있다. ➔ 원인: A지역은 숙박업소·술집·24시간 PC방·찜질방 등 밀집지역 / 결과: A지역 청소년대상 범죄 빈발

[2016 채용1차] 범죄첩보의 가치변화성은 범죄첩보는 시간이 경과함에 따라 가치가 감소한다는 것이다. (×)

2. 경찰공무원의 첩보수집

예규 **수사첩보 수집 및 처리 규칙 제3조【적용범위】** 이 규칙은 모든 경찰공무원에게 적용된다.

예규 **수사첩보 수집 및 처리 규칙 제4조【수집의무】** 경찰공무원은 항상 적극적인 자세로 범죄와 관련된 첩보를 발굴 수집하여야 한다.

03 변사자의 검시

1. 의의

사람의 사망이 범죄에 기인한 것인가 여부를 판단하기 위하여 검사 또는 사법경찰관이 변사체의 상황을 조사하는 것을 말한다.

2. 주체

형사소송법 제222조 【변사자의 검시】 ① 변사자 또는 변사의 의심있는 사체가 있는 때에는 그 소재지를 관할하는 지방검찰청 검사가 검시하여야 한다.
② 전항의 검시로 범죄의 혐의를 인정하고 긴급을 요할 때에는 영장없이 검증할 수 있다.
③ 검사는 사법경찰관에게 전2항의 처분을 명할 수 있다.

│ 관련 용어
- **변사자**: 사인이 자연사가 아닌 범죄에 기인한 의심이 있는 자살. 타살. 사고사 등의 사체
- **검시(檢視)**: 사망에 있어 범죄 기인 여부를 판단하기 위한 수사기관의 종합적인 조사
- **검안(檢案)**: 사체를 손괴함이 없이 외부적 오감을 통하여 검사하는 것
- **부검(剖檢)**: 사인을 밝히기 위해 시체를 해부하여 조사하는 것

⊕ **심화 시체현상**

① **초기현상** [2021 승진(실무종합)]
- **체온냉각**: 시체의 체온이 시간 경과에 따라 떨어져 주위의 대기온도와 같아지거나 더 낮아지는 현상(수분증발의 경우)을 말한다.
- **시체건조**: 피부에 대한 수분보충 정지에 따라 몸의 표면이 습윤성을 잃고 건조되는 현상을 말하며, 외상이 있는 부위는 특히 건조가 더 빠르다.
- **각막혼탁**: 사후 12시간 전후부터 흐려지기 시작하여 24시간이 되면 현저하게 흐려지고 48시간 이상이 되면 불투명하게 변하는 현상을 말한다.
- **시체얼룩**: 혈액(적혈구)의 자체중량에 의한 혈액침전으로 시체하부의 피부가 암적갈색으로 변하는 현상을 말하며, 온도가 높을수록, 급사나 질식사의 경우 더욱 빠르게 형성된다.

선홍색	익사, 저체온사, 일산화탄소나 사이안산(청산) 중독
암적색	일반적인 시체
암갈색	염소산칼륨이나 아질산소다 등의 중독
녹갈색	황화수소가스 중독

[2021 승진(실무종합)] 시체얼룩의 경우, 일산화탄소 중독사는 선홍색을 띄고, 청산가리 중독사는 암갈색을 띈다. (×)
- **시체굳음**: 사후 12시간 정도에 전신에 미쳤다가, 30시간 이후부터 굳음이 풀리는 현상을 말하며, 턱관절 ➡ 어깨관절 ➡ 팔 · 다리 ➡ 손가락 · 발가락 순으로 진행된다(Nysten 법칙).

② **후기현상** [2021 승진(실무종합)]
- **자가용해**: 미생물(세균)의 작용과는 별개로, 자가분해효소에 의해 분해가 일어나 장기나 조직이 연화되는 현상을 말한다.
- **부패**: 부패균의 작용에 의해 일어나는 질소화합물의 분해를 말하며, 부패는 부패의 3대 조건(공기 · 온도 · 습도)과 관련하여 ① 공기의 유통이 좋고, ② 온도는 20~30℃, ③ 습도는 60~66%일 때 최적화된다.
- **미이라화**: 고온 · 건조지대에서 시체의 건조가 부패 · 분해보다 빠를 때 생기는 시체의 후기현상이다.

- **밀랍화**: 화학적 분해에 의해 고체형태의 지방산 혹은 그 화합물로 변화한 상태를 말하며, 비정형적 부패형태로 수중 또는 습지대에서 형성된다.
- **백골화**: 뼈만 남는 상태로 소아는 사후 4~5년, 성인은 7~10년 후 완전 백골화된다.

③ 총창(Bullet Wounds) [2021 승진(실무종합)]

총기의 발사탄에 의하여 생기는 손상을 말하며, 총창의 종류, 사입구와 사출구의 감별, 발사방향(사창관의 방향), 발사거리(근사, 접사 및 원사의 감별), 사용 실탄의 종류 등을 감별하여야 한다.

관통총창	탄환이 체부를 관통하여 체외로 나온 경우로서, 총기 사망시 대부분의 총창이 여기에 해당함
맹관총창	탄환이 체내에 잔류하는 경우
찰과총창	탄환이 체표를 찰과만 한 경우
반도총창	탄환의 속도가 약해져서 약간의 표피 박탈 혹은 피하 출혈을 형성하고 있는 경우
회선총창	탄환이 골면에 이르러 골질에 돌입됨이 없이 골면과 연부 조직과의 사이를 우회통과한 경우

주제 3 통신수사

01 통신수사 개설

1. 통신수사의 의미

통신수사는 특정인의 통신내용이나 통신서비스 이용에 따라 통신서비스 제공자에게 생성되는 자료 등의 확보를 통해 수사의 진행에 필요한 단서나 범죄혐의를 입증하는데 필요한 증거를 확보하는 수사방법을 의미한다. 예 통신내용 자체를 지득하는 감청, 전기통신사업자(SKT등)에 대한 통신사실확인자료 제공요청 등

2. 통신의 비밀과 자유 침해 가능성

최근 통신환경의 급격한 발전으로 통신수사는 범죄혐의를 입증하는데 매우 효율적인 수사방법임은 분명하나, 반면 최근의 모바일기기 위주 생활패턴을 고려하면 국민의 사생활의 비밀과 자유라는 기본권을 침해할 가능성이 높은 수사방법임을 유의하여, 통신수사과정에서 기본권 침해가 일어나지 않도록 유의할 필요가 있다.

02 통신의 감청

1. 통신제한조치와 통신감청

> **통신비밀보호법 제2조【정의】** 이 법에서 사용하는 용어의 정의는 다음과 같다.
> 1. "**통신**"이라 함은 우편물 및 전기통신을 말한다.
> 2. "**우편물**"이라 함은 우편법에 의한 통상우편물과 소포우편물을 말한다.
> 3. "**전기통신**"이라 함은 전화·전자우편·회원제정보서비스·모사전송·무선호출 등과 같이 유선·무선·광선 및 기타의 전자적 방식에 의하여 모든 종류의 음향·문언·부호 또는 영상을 송신하거나 수신하는 것을 말한다.

6. "**검열**"이라 함은 우편물에 대하여 당사자의 동의없이 이를 개봉하거나 기타의 방법으로 그 내용을 지득 또는 채록하거나 유치하는 것을 말한다.

7. "**감청**"이라 함은 전기통신에 대하여 당사자의 동의없이 전자장치 · 기계장치등을 사용하여 통신의 음향 · 문언 · 부호 · 영상을 청취 · 공독하여 그 내용을 지득 또는 채록하거나 전기통신의 송 · 수신을 방해하는 것을 말한다.

> **통신비밀보호법 제3조【통신 및 대화비밀의 보호】** ② 우편물의 검열 또는 전기통신의 감청(이하 "통신제한조치"라 한다)은 범죄수사 또는 국가안전보장을 위하여 보충적인 수단으로 이용되어야 하며, 국민의 통신비밀에 대한 침해가 최소한에 그치도록 노력하여야 한다. [2021 승진(실무종합)]

- 전기통신의 감청은 통신제한조치 중 하나로, 범죄수사목적의 감청과 국가안보목적의 감청으로 구분할 수 있다.
- 전기통신의 감청을 포함한 통신제한조치는 기본적으로 법원의 허가를 받도록 하는 방법으로 통제되고 있다.

2. 범죄수사목적의 통신감청

(1) 허가요건

> **통신비밀보호법 제5조【범죄수사를 위한 통신제한조치의 허가요건】** ① 통신제한조치는 다음 각호의 범죄를 계획 또는 실행하고 있거나 실행하였다고 의심할만한 충분한 이유가 있고 다른 방법으로는 그 범죄의 실행을 저지하거나 범인의 체포 또는 증거의 수집이 어려운 경우에 한하여 허가할 수 있다.
> 1. 형법 제2편 중 제1장 내란의 죄, 제2장 외환의 죄 ⋯ 제32장 강간과 추행의 죄 ⋯ 제38장 절도와 강도의 죄 ⋯ 제39장 사기와 공갈의 죄 ⋯ 제41장 장물에 관한 죄 중 제363조의 죄
> 2. 군형법 제2편 중 제1장 반란의 죄, 제2장 이적의 죄 ⋯
> 3. 국가보안법에 규정된 범죄
> 4. 군사기밀보호법에 규정된 범죄
> 5. 군사기지 및 군사시설 보호법에 규정된 범죄
> 6. 마약류관리에 관한 법률에 규정된 범죄 중 제58조 내지 제62조의 죄 ⋯
> 12.「국제상거래에 있어서 외국공무원에 대한 뇌물방지법」에 규정된 범죄 중 제3조 및 제4조의 죄
> ② 통신제한조치는 제1항의 요건에 해당하는 자가 발송 · 수취하거나 송 · 수신하는 특정한 우편물이나 전기통신 또는 그 해당자가 일정한 기간에 걸쳐 발송 · 수취하거나 송 · 수신하는 우편물이나 전기통신을 대상으로 허가될 수 있다.
> [2021 승진(실무종합)] 「형법」 제283조 제2항의 '존속협박'으로는 통신제한조치허가서를 청구할 수 없다. (○)

범죄수사목적 통신감청의 허가요건은 ① 통신비밀보호법이 통신감청 허가대상 범죄로 규정하고 있는 범죄에 대한 것일 것(대상요건), ② 해당 범죄에 대한 계획 · 실행 등 의심할 충분할 이유가 있을 것(개연성요건), 그리고 ③ 다른 방법으로는 범죄실행 저지 · 법인체포 · 증거수집이 어려울 것(보충성요건)의 3가지가 요구된다.

💡 **감청현황(2020년 기준)**
- 통신제한조치(감청)는 주로 국가정보원에서 활발하게 활용하는 수사방법으로 집계되었다(2019년 6,825건, 2020년 6,929건).
- 경찰의 경우 광범위하게 활용하는 수사방법은 아니며, 2017년 83건, 2018년 42건, 2019년 17건, 2020년 단 1건의 감청만을 집행하여 갈수록 활용을 줄이고 있는 것으로 보인다.

(2) 허가절차

1) 경찰의 신청과 검사의 청구

> **통신비밀보호법 제6조【범죄수사를 위한 통신제한조치의 허가절차】** ① 검사(군검사를 포함한다. 이하 같다) 는 제5조 제1항의 요건이 구비된 경우에는 법원(군사법원을 포함한다. 이하 같다)에 대하여 각 피의자별 또는 각 피내사자별로 통신제한조치를 허가하여 줄 것을 청구할 수 있다.
> ② 사법경찰관(군사법경찰관을 포함한다. 이하 같다)은 제5조 제1항의 요건이 구비된 경우에는 검사에 대하여 각 피의자별 또는 각 피내사자별로 통신제한조치에 대한 허가를 신청하고, 검사는 법원에 대하여 그 허가를 청구할 수 있다.
> ③ 제1항 및 제2항의 통신제한조치 청구사건의 관할법원은 그 통신제한조치를 받을 통신당사자의 쌍방 또는 일방의 주소지·소재지, 범죄지 또는 통신당사자와 공범관계에 있는 자의 주소지·소재지를 관할하는 지방법원 또는 지원(군사법원을 포함한다)으로 한다.
> ④ 제1항 및 제2항의 통신제한조치청구는 필요한 통신제한조치의 종류·그 목적·대상·범위·기간·집행장소·방법 및 당해 통신제한조치가 제5조 제1항의 허가요건을 충족하는 사유등의 청구이유를 기재한 서면(이하 "청구서"라 한다)으로 하여야 하며, 청구이유에 대한 소명자료를 첨부하여야 한다. 이 경우 동일한 범죄사실에 대하여 그 피의자 또는 피내사자에 대하여 통신제한조치의 허가를 청구하였거나 허가받은 사실이 있는 때에는 다시 통신제한조치를 청구하는 취지 및 이유를 기재하여야 한다.

2) 법원의 허가서 발부

> **통신비밀보호법 제6조【범죄수사를 위한 통신제한조치의 허가절차】** ⑤ 법원은 청구가 이유 있다고 인정하는 경우에는 각 피의자별 또는 각 피내사자별로 통신제한조치를 허가하고, 이를 증명하는 서류(이하 "허가서"라 한다)를 청구인에게 발부한다.
> ⑥ 제5항의 허가서에는 통신제한조치의 종류·그 목적·대상·범위·기간 및 집행장소와 방법을 특정하여 기재하여야 한다.
> ⑨ 법원은 제1항·제2항 및 제7항 단서에 따른 청구가 이유없다고 인정하는 경우에는 청구를 기각하고 이를 청구인에게 통지한다.

3) 통신제한조치(감청)의 기간

> **통신비밀보호법 제6조【범죄수사를 위한 통신제한조치의 허가절차】** ⑦ 통신제한조치의 기간은 2개월을 초과하지 못하고, 그 기간 중 통신제한조치의 목적이 달성되었을 경우에는 즉시 종료하여야 한다. 다만, 제5조 제1항의 허가요건이 존속하는 경우에는 소명자료를 첨부하여 제1항 또는 제2항에 따라 2개월의 범위에서 통신제한조치기간의 연장을 청구할 수 있다.
> ⑧ 검사 또는 사법경찰관이 제7항 단서에 따라 통신제한조치의 연장을 청구하는 경우에 통신제한조치의 총 연장기간은 1년을 초과할 수 없다. 다만, 다음 각 호의 어느 하나에 해당하는 범죄의 경우에는 통신제한조치의 총 연장기간이 3년을 초과할 수 없다.

1. 「형법」 제2편 중 제1장 내란의 죄, 제2장 외환의 죄 중 제92조부터 제101조까지의 죄, 제4장 국교에 관한 죄 중 제107조, 제108조, 제111조부터 제113조까지의 죄, 제5장 공안을 해하는 죄 중 제114조, 제115조의 죄 및 제6장 폭발물에 관한 죄
2. 「군형법」 제2편 중 제1장 반란의 죄, 제2장 이적의 죄, 제11장 군용물에 관한 죄 및 제12장 위령의 죄 중 제78조·제80조·제81조의 죄
3. 「국가보안법」에 규정된 죄
4. 「군사기밀보호법」에 규정된 죄
5. 「군사기지 및 군사시설보호법」에 규정된 죄

3. 국가안보목적의 통신감청

통신비밀보호법 제7조【국가안보를 위한 통신제한조치】 ① 대통령령이 정하는 정보수사기관의 장(이하 "정보수사기관의 장"이라 한다)은 국가안전보장에 상당한 위험이 예상되는 경우 또는 「국민보호와 공공안전을 위한 테러방지법」 제2조 제6호의 대테러활동에 필요한 경우에 한하여 그 위해를 방지하기 위하여 이에 관한 정보수집이 특히 필요한 때에는 다음 각호의 구분에 따라 통신제한조치를 할 수 있다.

1. 통신의 일방 또는 쌍방당사자가 내국인인 때에는 고등법원 수석판사의 허가를 받아야 한다. 다만, 군용전기통신법 제2조의 규정에 의한 군용전기통신(작전수행을 위한 전기통신에 한한다)에 대하여는 그러하지 아니하다.
2. 대한민국에 적대하는 국가, 반국가활동의 혐의가 있는 외국의 기관·단체와 외국인, 대한민국의 통치권이 사실상 미치지 아니하는 한반도내의 집단이나 외국에 소재하는 그 산하단체의 구성원의 통신인 때 및 제1항 제1호 단서의 경우에는 서면으로 대통령의 승인을 얻어야 한다.

② 제1항의 규정에 의한 통신제한조치의 기간은 4월을 초과하지 못하고, 그 기간중 통신제한조치의 목적이 달성되었을 경우에는 즉시 종료하여야 하되, 제1항의 요건이 존속하는 경우에는 소명자료를 첨부하여 고등법원 수석판사의 허가 또는 대통령의 승인을 얻어 4월의 범위 이내에서 통신제한조치의 기간을 연장할 수 있다. 다만, 제1항 제1호 단서의 규정에 의한 통신제한조치는 전시·사변 또는 이에 준하는 국가비상사태에 있어서 적과 교전상태에 있는 때에는 작전이 종료될 때까지 대통령의 승인을 얻지 아니하고 기간을 연장할 수 있다.

③ 제1항 제1호에 따른 허가에 관하여는 제6조 제2항, 제4항부터 제6항까지 및 제9항을 준용한다. 이 경우 "사법경찰관(군사법경찰관을 포함한다. 이하 같다)"은 "정보수사기관의 장"으로, "법원"은 "고등법원 수석판사"로, "제5조 제1항"은 "제7조 제1항 제1호 본문"으로, 제6조 제2항 및 제5항 중 "각 피의자별 또는 각 피내사자별로 통신제한조치"는 각각 "통신제한조치"로 본다.

④ 제1항 제2호의 규정에 의한 대통령의 승인에 관한 절차등 필요한 사항은 대통령령으로 정한다.

4. 긴급통신제한조치

(1) 범죄수사목적 긴급통신제한조치

1) 요건 및 절차

> **통신비밀보호법 제8조【긴급통신제한조치】①** 검사, 사법경찰관 또는 정보수사기관의 장은 국가안보를 위협하는 음모행위, 직접적인 사망이나 심각한 상해의 위험을 야기할 수 있는 범죄 또는 조직범죄등 중대한 범죄의 계획이나 실행 등 긴박한 상황에 있고 제5조 제1항 또는 제7조 제1항 제1호의 규정에 의한 요건을 구비한 자에 대하여 제6조 또는 제7조 제1항 및 제3항의 규정에 의한 절차를 거칠 수 없는 긴급한 사유가 있는 때에는 법원의 허가없이 통신제한조치를 할 수 있다.
> **③** 사법경찰관이 긴급통신제한조치를 할 경우에는 미리 검사의 지휘를 받아야 한다. 다만, 특히 급속을 요하여 미리 지휘를 받을 수 없는 사유가 있는 경우에는 긴급통신제한조치의 집행착수후 지체없이 검사의 승인을 얻어야 한다.
> **④** 검사, 사법경찰관 또는 정보수사기관의 장이 긴급통신제한조치를 하고자 하는 경우에는 반드시 긴급검열서 또는 긴급감청서(이하 "긴급감청서등"이라 한다)에 의하여야 하며 소속기관에 긴급통신제한조치대장을 비치하여야 한다.

2) 법원의 사후허가

> **통신비밀보호법 제8조【긴급통신제한조치】②** 검사, 사법경찰관 또는 정보수사기관의 장은 제1항의 규정에 의한 통신제한조치(이하 "긴급통신제한조치"라 한다)의 집행착수후 지체없이 제6조 및 제7조 제3항의 규정에 의하여 법원에 허가청구를 하여야 한다.

3) 법원허가를 받지 못한 경우의 자료폐기 등

■ 긴급통신제한조치 후 법원 불허가에 따른 취득자료 폐기규정 신설(2022. 12. 27. 시행)
- 개정 전 통신비밀보호법은 비록 긴급통신제한조치 후 법원의 허가를 득하지 못하였더라도, 이미 취득한 자료를 폐기하여야 한다는 규정이 없어 수사기관이 긴급통신제한조치 제도를 남용할 수 있다는 우려가 있었다.
- 이에 긴급통신제한조치 후 법원 승인을 받지 못한 경우에는 이미 취득한 자료를 반드시 폐기하도록 하고, 그 결과보고서까지 작성하여 법원에 송부하도록 함으로써 긴급통신제한조치에 대한 법원의 통제가 실효성을 갖도록 하였다.

> **통신비밀보호법 제8조【긴급통신제한조치】⑤** 검사, 사법경찰관 또는 정보수사기관의 장은 긴급통신제한조치의 집행에 착수한 때부터 36시간 이내에 법원의 허가를 받지 못한 경우에는 해당 조치를 즉시 중지하고 해당 조치로 취득한 자료를 폐기하여야 한다.
> **⑥** 검사, 사법경찰관 또는 정보수사기관의 장은 제5항에 따라 긴급통신제한조치로 취득한 자료를 폐기한 경우 폐기이유·폐기범위·폐기일시 등을 기재한 자료폐기결과보고서를 작성하여 폐기일부터 7일 이내에 제2항에 따라 허가청구를 한 법원에 송부하고, 그 부본(副本)을 피의자의 수사기록 또는 피내사자의 내사사건기록에 첨부하여야 한다.

(2) 국가안보목적 긴급통신제한조치(대한민국 적대국가·외국인 등)

> **통신비밀보호법 제8조【긴급통신제한조치】** ⑧ 정보수사기관의 장은 국가안보를 위협하는 음모행위, 직접적인 사망이나 심각한 상해의 위험을 야기할 수 있는 범죄 또는 조직범죄등 중대한 범죄의 계획이나 실행 등 긴박한 상황에 있고 제7조 제1항 제2호에 해당하는 자에 대하여 대통령의 승인을 얻을 시간적 여유가 없거나 통신제한조치를 긴급히 실시하지 아니하면 국가안전보장에 대한 위해를 초래할 수 있다고 판단되는 때에는 소속 장관(국가정보원장을 포함한다)의 승인을 얻어 통신제한조치를 할 수 있다.
> ⑨ 정보수사기관의 장은 제8항에 따른 통신제한조치의 집행에 착수한 후 지체 없이 제7조에 따라 대통령의 승인을 얻어야 한다.
> ⑩ 정보수사기관의 장은 제8항에 따른 통신제한조치의 집행에 착수한 때부터 36시간 이내에 대통령의 승인을 얻지 못한 경우에는 해당 조치를 즉시 중지하고 해당 조치로 취득한 자료를 폐기하여야 한다.

5. 감청으로 취득한 자료의 사용·관리

(1) 자료의 사용제한

> **통신비밀보호법 제4조【불법검열에 의한 우편물의 내용과 불법감청에 의한 전기통신내용의 증거사용 금지】** 제3조의 규정에 위반하여, 불법검열에 의하여 취득한 우편물이나 그 내용 및 불법감청에 의하여 지득 또는 채록된 전기통신의 내용은 재판 또는 징계절차에서 증거로 사용할 수 없다. [2022 승진(실무종합)]
> **통신비밀보호법 제12조【통신제한조치로 취득한 자료의 사용제한】** 제9조의 규정에 의한 통신제한조치의 집행으로 인하여 취득된 우편물 또는 그 내용과 전기통신의 내용은 다음 각호의 경우외에는 사용할 수 없다.
> 1. 통신제한조치의 목적이 된 제5조 제1항에 규정된 범죄나 이와 관련되는 범죄를 수사·소추하거나 그 범죄를 예방하기 위하여 사용하는 경우
> 2. 제1호의 범죄로 인한 징계절차에 사용하는 경우
> 3. 통신의 당사자가 제기하는 손해배상소송에서 사용하는 경우
> 4. 기타 다른 법률의 규정에 의하여 사용하는 경우

(2) 인터넷 회선감청으로 취득한 자료의 관리

1) 선별 및 보관

> **통신비밀보호법 제12조의2【범죄수사를 위하여 인터넷 회선에 대한 통신제한조치로 취득한 자료의 관리】** ① 검사는 인터넷 회선을 통하여 송신·수신하는 전기통신을 대상으로 제6조 또는 제8조(제5조 제1항의 요건에 해당하는 사람에 대한 긴급통신제한조치에 한정한다)에 따른 통신제한조치를 집행한 경우 그 전기통신을 제12조 제1호에 따라 사용하거나 사용을 위하여 보관(이하 이 조에서 "보관등"이라 한다)하고자 하는 때에는 집행종료일부터 14일 이내에 보관등이 필요한 전기통신을 선별하여 통신제한조치를 허가한 법원에 보관등의 승인을 청구하여야 한다.

┃ 패킷감청
- 인터넷 회선감청의 방식으로, 수사기관이 인터넷회선을 통해 흐르는 전기신호인 '패킷'을 중간에 가로채어 확보 후 재조합 기술을 통해 내용을 확인하는 방법이다.
- 이러한 패킷감청은 그 '패킷'의 특성상 범죄와는 무관한 정보가 포함되는 경우가 많고, 이에 대한 통제절차가 없다는 이유로 헌법재판소에서 헌법불합치결정을 함에 따라 (헌재 2018.8.30, 2016헌마263) 통신비밀보호법 제12조의2가 신설된 것이다.

② 사법경찰관은 인터넷 회선을 통하여 송신·수신하는 전기통신을 대상으로 제6조 또는 제8조(제5조 제1항의 요건에 해당하는 사람에 대한 긴급통신제한조치에 한정한다)에 따른 통신제한조치를 집행한 경우 그 전기통신의 보관 등을 하고자 하는 때에는 집행종료일부터 14일 이내에 보관등이 필요한 전기통신을 선별하여 검사에게 보관등의 승인을 신청하고, 검사는 신청일부터 7일 이내에 통신제한조치를 허가한 법원에 그 승인을 청구할 수 있다.

③ 제1항 및 제2항에 따른 승인청구는 통신제한조치의 집행 경위, 취득한 결과의 요지, 보관등이 필요한 이유를 기재한 서면으로 하여야 하며, 다음 각 호의 서류를 첨부하여야 한다.

1. 청구이유에 대한 소명자료
2. 보관등이 필요한 전기통신의 목록
3. 보관등이 필요한 전기통신. 다만, 일정 용량의 파일 단위로 분할하는 등 적절한 방법으로 정보저장매체에 저장·봉인하여 제출하여야 한다.

④ 법원은 청구가 이유 있다고 인정하는 경우에는 보관등을 승인하고 이를 증명하는 서류(이하 이 조에서 "승인서"라 한다)를 발부하며, 청구가 이유 없다고 인정하는 경우에는 청구를 기각하고 이를 청구인에게 통지한다.

2) 폐기

> 통신비밀보호법 제12조의2 【범죄수사를 위하여 인터넷 회선에 대한 통신제한조치로 취득한 자료의 관리】 ⑤ 검사 또는 사법경찰관은 제1항에 따른 청구나 제2항에 따른 신청을 하지 아니하는 경우에는 집행종료일부터 14일(검사가 사법경찰관의 신청을 기각한 경우에는 그 날부터 7일) 이내에 통신제한조치로 취득한 전기통신을 폐기하여야 하고, 법원에 승인청구를 한 경우(취득한 전기통신의 일부에 대해서만 청구한 경우를 포함한다)에는 제4항에 따라 법원으로부터 승인서를 발부받거나 청구기각의 통지를 받은 날부터 7일 이내에 승인을 받지 못한 전기통신을 폐기하여야 한다.
> ⑥ 검사 또는 사법경찰관은 제5항에 따라 통신제한조치로 취득한 전기통신을 폐기한 때에는 폐기의 이유와 범위 및 일시 등을 기재한 폐기결과보고서를 작성하여 피의자의 수사기록 또는 피내사자의 내사사건기록에 첨부하고, 폐기일부터 7일 이내에 통신제한조치를 허가한 법원에 송부하여야 한다.

03 통신자료와 통신사실확인자료

1. 통신이용자정보(개정 전 통신자료)

💡 통신이용자정보(舊 통신자료) 제공현황(2020년 기준)

• 통신자료 제공요청은 검찰·경찰·국정원·기타 수사기관(군·관세청·식약처 등) 중 경찰이 가장 활발하게 활용하고 있는 것으로 파악되었다(2020년 기준, 총 5,484,917건 중 3,465,790건이 경찰 관련).
• 통신수단별로는 이동전화 관련이 가장 비중이 높았고, 유선전화와 인터넷은 비슷한 비중을 보였다(2020년 기준).

> 전기통신사업법 제83조 【통신비밀의 보호】 ③ 전기통신사업자는 법원, 검사 또는 수사관서의 장 … 재판, 수사 … 형의 집행 또는 국가안전보장에 대한 위해를 방지하기 위한 정보수집을 위하여 다음 각 호의 (이하 '통신이용자정보'라 한다)의 열람 또는 제출(이하 '통신이용자정보 제공'이라 한다)을 요청하면 그 요청에 따를 수 있다. [2022 승진 (실무종합)]
> 1. 이용자의 성명
> 2. 이용자의 주민등록번호
> 3. 이용자의 주소

4. 이용자의 전화번호

5. 이용자의 아이디(컴퓨터시스템이나 통신망의 정당한 이용자임을 알아보기 위한 이용자 식별부호를 말한다)

6. 이용자의 가입일 또는 해지일

[2021 승진(실무종합)] 통신자료에는 이용자의 성명, 주민등록번호, 주소, 가입일 또는 해지일, 전화번호, ID 등이 포함된다. (○)

통신이용자정보 제공요청은 통상 경찰 등 수사기관이 협조공문(통신이용자정보 제공요청서)를 전기통신사업자에게 보내는 방식으로 이루어지는데, 전기통신사업자는 이에 따를 의무는 없다. ➡ 전기통신사업자는 수사기관의 요청에 따르지 않아도 되고, 따르지 않는다고 해도 법적으로 아무런 문제가 없다.

2. 통신사실확인자료

(1) 의미

> **통신비밀보호법 제2조【정의】** 이 법에서 사용하는 용어의 정의는 다음과 같다.
> 11. "통신사실확인자료"라 함은 다음 각목의 어느 하나에 해당하는 전기통신사실에 관한 자료를 말한다.
>   가. 가입자의 전기통신일시
>   나. 전기통신개시·종료시간
>   다. 발·착신 통신번호 등 상대방의 가입자번호
>   라. 사용도수
>   마. 컴퓨터통신 또는 인터넷의 사용자가 전기통신역무를 이용한 사실에 관한 컴퓨터통신 또는 인터넷의 로그기록자료
>   바. 정보통신망에 접속된 정보통신기기의 위치를 확인할 수 있는 발신기지국의 위치추적자료
>   사. 컴퓨터통신 또는 인터넷의 사용자가 정보통신망에 접속하기 위하여 사용하는 정보통신기기의 위치를 확인할 수 있는 접속지의 추적자료
>
> [2022 승진(실무종합)] 「통신비밀보호법」상 발·착신 통신번호 등 상대방의 가입자번호는 '통신사실확인자료'에 해당되지 않는다. (×)

통신사실확인자료는 누구와 언제 통화했는지, 얼마나 오래 통화했는지, 몇 번이나 통화했는지, 인터넷 사이트의 접속이나 이용 기록, 인터넷에 접속한 컴퓨터의 위치(IP 주소), 핸드폰으로 통화한 위치 등에 관한 자료를 말한다.

(2) 수사기관의 통신사실확인자료 제공요청

> **통신비밀보호법 제13조【범죄수사를 위한 통신사실 확인자료제공의 절차】** ① 검사 또는 사법경찰관은 수사 또는 형의 집행을 위하여 필요한 경우 전기통신사업법에 의한 전기통신사업자(이하 "전기통신사업자"라 한다)에게 통신사실 확인자료의 열람이나 제출(이하 "통신사실 확인자료제공"이라 한다)을 요청할 수 있다. ➡ 필요성
> ② 검사 또는 사법경찰관은 제1항에도 불구하고 수사를 위하여 통신사실확인자료 중 다음 각 호의 어느 하나에 해당하는 자료가 필요한 경우에는 다른 방법으로는 범죄의 실행을 저지하기 어렵거나 범인의 발견·확보 또는 증거의 수집·보전이 어려운 경우에만 전기통신사업자에게 해당 자료의 열람이나 제출을 요청할 수 있다. 다만, 제5조 제1항 각 호의 어느 하나에 해당하는 범죄 또는 전기통신

💡 **통신사실확인자료 제공현황(2020년 기준)**

통신사실확인자료 제공요청 역시 검찰·경찰·국정원·기타 수사기관(군·관세청·식약처 등) 중 경찰이 가장 활발하게 활용하고 있는 것으로 파악되었다(2020년 기준, 총 458,721건 중 323,033건이 경찰 관련).

▎**실시간 (위치)추적**
• 시간의 경과와 함께 계속적으로 변화하는 추적대상자의 위치정보를 추적하는 수사방법이다.
• 경찰이 2014.1.경 철도공사 민영화 반대파업 집행부에 대한 체포영장을 집행하기 위해 이들에 대한 실시간 추적자료를 제공받은 사건에서, 헌법재판소는 수사의 필요성만 있다면 이러한 위치추적이 가능하도록 한 기존 통신비밀보호법이 헌법에 위반된다고 판단하였다(헌재 2018.6.28, 2012헌마191).

- 특정 시간대에 특정 기지국을 이용하여 착·발신된 전화번호와 통화시간을 확인하여 범죄현장에 인근의 용의자를 특정하는 등의 수사방법을 말한다.
- 2011.12. 양재동 서울교육문화회관에서 열린 민주통합당 당대표 예비경선에서 금품살포가 있었다는 의혹과 관련한 기지국수사에서 총 659명의 자료가 수사기관에 제공된 사건에서, 헌법재판소는 수사의 필요성만 있다면 이러한 기지국 수사가 가능하도록 한 기존 통신비밀보호법이 헌법에 위반된다고 판단하였다(헌재 2018.6.28, 2012헌마538).

을 수단으로 하는 범죄에 대한 통신사실확인자료가 필요한 경우에는 제1항에 따라 열람이나 제출을 요청할 수 있다. ➡ 필요성 + 보충성 [2022 승진(실무종합)]

1. 제2조 제11호 바목·사목 중 실시간 추적자료
2. 특정한 기지국에 대한 통신사실확인자료

[2021 승진(실무종합)] 통신사실확인자료 중 수사를 위한 정보통신기기 관련 실시간추적자료, 컴퓨터 통신 인터넷 로그기록자료는 다른 방법으로 범행 저지, 범인의 발견 확보, 증거의 수집·보전이 어려운 경우에만 해당 자료의 열람이나 제출요청이 가능하다. (×)

(3) 지방법원·지원의 허가

통신비밀보호법 제13조【범죄수사를 위한 통신사실 확인자료제공의 절차】③ 제1항 및 제2항에 따라 통신사실 확인자료제공을 요청하는 경우에는 요청사유, 해당 가입자와의 연관성 및 필요한 자료의 범위를 기록한 서면으로 관할 지방법원(군사법원을 포함한다. 이하 같다) 또는 지원의 허가를 받아야 한다. 다만, 관할 지방법원 또는 지원의 허가를 받을 수 없는 긴급한 사유가 있는 때에는 통신사실 확인자료제공을 요청한 후 지체 없이 그 허가를 받아 전기통신사업자에게 송부하여야 한다.
④ 제3항 단서에 따라 긴급한 사유로 통신사실확인자료를 제공받았으나 지방법원 또는 지원의 허가를 받지 못한 경우에는 지체 없이 제공받은 통신사실확인자료를 폐기하여야 한다.

(4) 자료제공의 통지

통신비밀보호법 제13조의3【범죄수사를 위한 통신사실 확인자료제공의 통지】① 검사 또는 사법경찰관은 제13조에 따라 통신사실 확인자료제공을 받은 사건에 관하여 다음 각 호의 구분에 따라 정한 기간 내에 통신사실 확인자료제공을 받은 사실과 제공요청기관 및 그 기간 등을 통신사실 확인자료제공의 대상이 된 당사자에게 서면으로 통지하여야 한다.

구분		기한
제1호 전문	공소제기	공소제기일로부터 30일 이내
제1호 후문	불기소·불송치·불입건 (기소중지·참고인중지· 수사중지 제외)	처분 또는 결정일로부터 30일 이내
제2호	기소중지·참고인중지· 수사중지	결정을 한 날로부터 1년이 경과한 때부터 30일 이내
제3호	수사가 진행 중인 경우	통신사실 확인자료제공을 받은 날부터 1년이 경과한 때부터 30일 이내

② 제1항 제2호 및 제3호에도 불구하고 다음 각 호의 어느 하나에 해당하는 사유가 있는 경우에는 그 사유가 해소될 때까지 같은 항에 따른 통지를 유예할 수 있다.
1. 국가의 안전보장, 공공의 안녕질서를 위태롭게 할 우려가 있는 경우
2. 피해자 또는 그 밖의 사건관계인의 생명이나 신체의 안전을 위협할 우려가 있는 경우
3. 증거인멸, 도주, 증인 위협 등 공정한 사법절차의 진행을 방해할 우려가 있는 경우
4. 피의자, 피해자 또는 그 밖의 사건관계인의 명예나 사생활을 침해할 우려가 있는 경우

③ 검사 또는 사법경찰관은 제2항에 따라 통지를 유예하려는 경우에는 소명자료를 첨부하여 미리 관할 지방검찰청 검사장의 승인을 받아야 한다. 다만, 수사처검사가 제2항에 따라 통지를 유예하려는 경우에는 소명자료를 첨부하여 미리 수사처장의 승인을 받아야 한다.
④ 검사 또는 사법경찰관은 제2항 각 호의 사유가 해소된 때에는 그 날부터 30일 이내에 제1항에 따른 통지를 하여야 한다.

주제 4 마약범죄수사

01 개설

- 마약류의 사용에 대하여 우리나라는 엄격한 규제정책을 취하고 있으며, 마약류 사범에 대한 적발은 2010년 9,732명에서 2020년 18,050명으로 계속하여 증가하는 추세이기는 하나 아직까지는 국제사회로부터 마약청정국가라는 평가를 받고 있는 것으로 보인다.
- 통상 마약범죄 수사는 유통·투약사범 단속에 주력해 온 경찰과 해외 밀반입·조직범죄 관련 등 기획수사를 통한 공급차단에 주력한 검찰의 투트랙으로 진행되어 온 측면이 있으나, 2021년 수사권 조정으로 검찰의 직접수사기능이 축소되면서 마약청정국가 지위유지를 위한 경찰의 수사역량 증강이 요구되는 상황이다.

🔍 참고 마약범죄의 특징

- 마약범죄는 은밀히 이루어지는 특성이 있어, 사전정보의 입수 없이는 단속이 쉽지 않고 이에 따라 함정수사가 일부 허용되기도 한다.
- 마약범죄 적발을 위해서는 국제·국내기관간 정보교류 및 협조가 필수적이며, 특히 정보의 체계적 관리가 요구된다.
- 마약범죄는 생산·유통·소비의 각 단계가 국경을 넘어 이루어지는 국제적 거래의 특성을 보이며, 이에 따라 국내범죄조직과 외국범죄조직이 연계하는 경우가 많다.
- 마약범죄의 근절을 위해서는 마약류 자체의 이동추적·감시뿐만 아니라, 이와 관련된 자금의 흐름을 파악하고 자금세탁 등 행위를 차단하는 것도 중요하다.

02 마약류 관리에 관한 법률

1. 마약류의 정의 ➜ 마약 + 향정 + 대마

마약류 관리에 관한 법률 제2조 【정의】 이 법에서 사용하는 용어의 뜻은 다음과 같다.
1. "마약류"란 마약·향정신성의약품 및 대마를 말한다.
2. "마약"이란 다음 각 목의 어느 하나에 해당하는 것을 말한다.
   가. 양귀비: …
   나. 아편: 양귀비의 액즙이 응결된 것과 이를 가공한 것. 다만, 의약품으로 가공한 것은 제외한다.

💡 최근 마약범죄 동향

- 마약공급 원천인 밀수사범은 2016년 383명에서 2020년 837명으로 4년만에 118%가 증가하는 등 급증하는 추세이다.
- 2020년 기준 전체 마약 압수량은 321.4Kg으로 전년(362Kg) 대비 비슷한 수준이나, 신종마약류가 162.8Kg으로 전년(87Kg) 대비 급증하는 추세를 보였다.
- 추적이 어려운 다크웹이나 텔레그램 등을 통해 판매하는 사례가 급증하는 추세이다. 예 2020.2. 경기도 OO시에서 2층 건물 임차하여 체계적으로 대마재배 후 다크웹에 판매광고 게시하고 총 712회에 걸쳐 3억 8,200만원 상당 대마 5.6Kg을 판매한 일당 4명 적발
- 19세 이하 마약사범이 2016년 121명에서 2020년 313명으로 158.7% 증가하는 등 급증하는 추세이다.

💡 펜타닐

- 1960년 벨기에 제약회사 얀센이 개발한 강력 진통제로서, 21세기 최다 사용 진통제로 자리매김 하고 있는 마약성 진통제이다.
- '모르핀을 100배 농축한 것이 헤로인, 헤로인을 100배 농축한 것이 펜타닐'이라는 말이 있을 정도로 강력한 효과를 가지고 있다(치사량이 2mg에 불과).
- 미국의 경우 펜타닐과 펜타닐 합성 마약이 강력한 사회문제로 떠오르고 있으며, 우리나라 역시 2018년도부터 유통되기 시작하여 점점 확산되는 추세에 있다.

알카로이드(Alkaloid)
- 식물계에 널리 분포하며 동물에 대해 특이하고 강한 생리작용을 가진 염기성(鹽基性) 질소를 함유하는 유기화합물의 총칭이다. ➡ 카페인, 니코틴도 알카로이드이다.
- **양귀비과의 열매**에는 아편알칼로이드라고 총칭되는 많은 알칼로이드가 함유되어 있다.
- **아편**은 양귀비의 덜 익은 열매즙을 건조한 것이며 20종이 넘는 알칼로이드를 함유하고 있다. 몓 모르핀 · 코데인 · 데바인
- **코카나무의 잎(코카)**에도 코카알칼로이드로 총칭되는 많은 알칼로이드가 함유되어 예로부터 약초로 쓰여 왔다.

대마
- 대마의 주요 성분은 THC와 CBD가 있는데, THC는 대마의 오락적 성분, CBD는 의학적 성분을 대표한다.
- THC의 비중이 높은 대마의 잎과 꽃은 마약류 규제대상이고, CBD의 비중이 높은 대마의 종자, 뿌리, 성숙한 대마 줄기는 마약류 규제대상이 아니다. 몓 광동 대마종자유
- 흔히 마약류로서 '대마초'라고 할 때는 대마의 잎과 꽃을 말린 것을 말한다.
- **마리화나(Marijuana)**는 포르투갈어로 '취하게 하는 식물'이라는 뜻에서 유래되었고, 특수한 재배방법을 통해 재배된 대마초로 만든 마리화나는 THC함유율을을 최고 24%까지 높일 수 있다.
- **해시시(Hashish)**는 대마초 암그루의 꽃이삭과 상부 잎에서 분리한 수지를 가루로 만든 것으로, Hash Oil 형태로 만들 경우 THC함유율을 20%대까지 올릴 수 있고, 일반 담배나 마리화나 담배에 떨어뜨려 흡연하는 방식으로 사용하기도 한다.

다. 코카 잎[엽]: 코카 관목 … 의 잎. 다만, 엑고닌 · 코카인 및 엑고닌 알칼로이드 성분이 모두 제거된 잎은 제외한다.

라. 양귀비, 아편 또는 코카 잎에서 추출되는 모든 알카로이드 및 그와 동일한 화학적 합성품으로서 대통령령으로 정하는 것

마. 가목부터 라목까지에 규정된 것 외에 그와 동일하게 남용되거나 해독 작용을 일으킬 우려가 있는 화학적 합성품으로서 대통령령으로 정하는 것

바. 가목부터 마목까지에 열거된 것을 함유하는 혼합물질 또는 혼합제. 다만, 다른 약물이나 물질과 혼합되어 가목부터 마목까지에 열거된 것으로 다시 제조하거나 제제할 수 없고, 그것에 의하여 신체적 또는 정신적 의존성을 일으키지 아니하는 것으로서 총리령으로 정하는 것(이하 "한외마약"이라 한다)은 제외한다. [2019 채용1차]

[2019 채용1차] 마약이라 함은 양귀비, 아편, 대마와 이로부터 추출되는 모든 알카로이드로서 대통령령으로 정하는 것을 말한다. (×)

3. **"향정신성의약품"**이란 인간의 중추신경계에 작용하는 것으로서 이를 오용하거나 남용할 경우 인체에 심각한 위해가 있다고 인정되는 다음 각 목의 어느 하나에 해당하는 것으로서 대통령령으로 정하는 것을 말한다.

4. **"대마"**란 다음 각 목의 어느 하나에 해당하는 것을 말한다. 다만, 대마초[칸나비스 사티바 엘(Cannabis sativa L)을 말한다. 이하 같다]의 종자 · 뿌리 및 성숙한 대마초의 줄기와 그 제품은 제외한다.

가. 대마초와 그 수지 ➡ 수지: 대마 엑기스

나. 대마초 또는 그 수지를 원료로 하여 제조된 모든 제품

다. 가목 또는 나목에 규정된 것과 동일한 화학적 합성품으로서 대통령령으로 정하는 것

라. 가목부터 다목까지에 규정된 것을 함유하는 혼합물질 또는 혼합제제

6. **"원료물질"**이란 마약류가 아닌 물질 중 마약 또는 향정신성의약품의 제조에 사용되는 물질로서 대통령령으로 정하는 것을 말한다. [2024 승진]

[2023 승진(실무종합)] 대마초의 종자(種子) · 뿌리 및 성숙한 대마초의 줄기는 「마약류 관리에 관한 법률」상 '대마'의 정의에 해당한다. (×)

2. 마약류의 분류

(1) 마약

1) 천연마약

분류		내용
양귀비 · 아편계열	양귀비	• 당나라 황후 양귀비에서 유래 • 온대 및 아열대 기후에서 재배되며, 황금의 초승달지대와 황금의 삼각지대를 중심으로 재배 *** 황금의 초승달지대**: 아프가니스탄 · 파키스탄 · 이란 접경지역. 미국이 수차례 군사작전을 통해 소탕노력을 기울였으나 성공을 거두지는 못하였다. *** 황금의 삼각지대**: 미얀마 · 라오스 · 태국 접경지역. 현재 카지노 · 리조트단지로 변모하였으나, 여전히 메스암페타민(히로뽕)의 주요 산지이다.

	아편 (opium)	• 설익은 양귀비의 열매에 상처를 내어 흘러내리는 추출액을 건조시킨 암갈색 덩어리(생아편) • 탁월한 진통효과로 민간에서 약용으로 많이 사용되었으나 지속 흡입시 심각한 중독현상 발생
	모르핀	• 그리스 신화의 꿈의 신 모르페우스에서 명칭 유래 • 아편에서 불순물 제거 후 일정한 화학반응을 거친 알카로이드 • 한번에 200㎎ 이상을 투약하면 거의 모든 사람이 호흡장애를 일으켜 사망
	코데인	• 메틸 모르핀이라고도 불리는 아편 기반 알카로이드 • 모르핀이나 헤로인 중독을 치료하는 대체마약으로도 사용 • 최근 코데인 성분 함유된 복방감초편이 살 빼는 약으로 알려져 중국으로부터 밀수입되고 있음
	테바인	아편에 가장 소량으로 함유된 알카로이드로 화학성분은 모르핀·코데인과 유사하나, 진정효과보다 흥분효과를 강하게 나타냄
	헤로인	• 양귀비의 열매에서 채취한 생아편에 소석회, 염화암모니아 등을 첨가하여 여과 등 과정을 거친 모르핀염기에 무수초산 등을 화학 처리하여 만든 천연마약 ➜ 반합성마약으로 보는 견해도 있으나 대검은 천연마약으로 분류 • 냄새가 없고 백색·연갈색 분말형태로 나타나며 행복감과 도취감을 주는 중추신경 억제제 • 모르핀과 약리작용이 유사하나 중독성은 모르핀의 10배에 달함 • 1898년 독일 바이엘사가 진해제·진통제로 시판하기도 하였음
코카계열	코카인	• 볼리비아, 페루, 콜롬비아 등지의 안데스산맥 고지대에서 자생하는 코카나무의 잎에서 추출한 알카로이드로 중추신경을 자극하여 쾌감을 일으킴 • 코카 잎은 대부분 남미 정글 내 은폐된 제조시설로 운반되어 코카인 추출작업을 통해 생산 • 대부분 남용자들은 분말을 코로 들이마시거나 주사를 통해 투약하며, 강력한 도취감을 일으키는 흥분제로서 과다 투약시 호흡곤란으로 사망 [2019 채용1차] 코카인은 「마약류 관리에 관한 법률」에서 규제하는 향정신성의약품에 해당한다. (×)
	크랙	• 코카인과 탄산나트륨 등을 물에 희석하여 불로 가열한 다음 냉각시켜 추출하는 백색 결정체 • 코카인보다 몇 배나 약효가 강하고 중독성이 높음

▎헤로인
• 기존에 진통제로 사용되던 모르핀을 대체하기 위해 개발된 신약으로, 헤로인은 실제 시판된 상품명이었다.
• 모르핀보다 안전하고 중독성이 없는 약으로 홍보되었다.
• 해악이 알려져 전 세계적으로 금지되기까지 약 30년간 시판되었다.

2) 합성마약

합성마약은 모르핀과 유사한 진통효과를 가지면서 의존성이 적은 의약품을 개발하는 과정에서 합성된 마약으로 모르핀과 같은 정도의 의존성과 부작용을 지니고 있다.

⊕ 심화 한외마약

1 의미

- 한외, 즉 한정한 범위의 바깥에 있는 마약이라는 뜻으로, **마약성분이 미세하게 포함되어 있지만 의존성이나 중독성이 없어 마약으로는 분류되지 않는 약품**을 말한다.
- 재조합 등 방법으로 마약으로 만드는 것이 불가능하다.
- 의사의 처방전이 없이는 구입할 수 없는 전문의약품으로 분류되며, 간혹 같은 약품이 해외에서는 일반의약품으로 분류되어 있어 문제되는 경우가 있다. 예 일본 국민감기약 '파브론골드 A'

2 종류

코데날, 코데잘, 코데솔, 유코데, 세코날 등이 있다.

[2012 경간] 한외마약에는 코데날, 코데인, 코데잘, 코데솔 등이 있다. (×)
[2019 채용1차] 한외마약은 코데날, 코데잘, 코데솔, 코데인, 유코데, 세코날 등이 있다. (×)

💡 식약청 처방·조제 주의대상 코데인제재

삼아제약 '코데날정', 삼성제약 '코데잘정', 한국얀센 '코데솔에스정', 대원제약 '코대원시럽' 등 29개 품목이 대상이 되었다(2017.8. 기준, 디히드로코데인제제).

(2) 향정신성의약품

인간의 중추신경계에 작용하여 이를 오용 또는 남용할 경우 인체에 현저한 위해가 있다고 인정되는 물질로서 그 약리작용에 따라 **환각제·각성제**(중추신경 흥분제), **억제제**(진정제)로 나눌 수 있다.

💡 히로뽕 관련 주요 사건

- 1995.12. 중국 수사당국이 심양 등 현지 밀조공장을, 한국 수사당국이 밀수출경로를, 일본 수사당국이 히로뽕 밀매단과 야쿠자간 거래내용을 중심으로 수사하여, 조직원 35명을 일시 검거(전직경찰 3명 포함)
- 2010.9. 미국 주립대학에서 화학박사 학위를 딴 대기업 간부가 신종 방식으로 순도 94%의 약 6만명분 히로뽕을 제조하여 검거 ➡ 원료물질 관련 법 개정
- 2019.5. 서울 종로구 호텔방에서 중국인 A씨가 약 12만명분 히로뽕을 제조하여 검거 ➡ 통상 제조과정 악취로 인적이 드문 곳에서 은밀히 제조되는데, A씨는 새로운 공법으로 냄새를 발생시키지 않음
- 2021.9. 부산본부세관이 경기도 소재 창고에서 헬리컬기어(비행기 부품)에 은닉된 히로뽕 약 400Kg(1,350만명분, 시가 1조 3천억원) 적발·압수 ➡ 단일사건 역대 최고, 멕시코 카르텔이 한국을 경유지로 선택한 점 주목

분류		내용
각성제	메스암페타민 (히로뽕, 필로폰)	• 우리나라에서 가장 많이 남용되고 있는 각성제로, 1970~1980년대 야쿠자가 국내 조직과 연계하여 부산을 생산기지로 사용하기도 하였음 • 1888년 일본 도쿄대 의학부에서 감기약 개발 중 발견한 물질로, 일본 제약회사에서 피로감을 없애주는 각성약물로 판매함(상품명 Philopon) • 제2차 세계대전 당시 진영을 가리지 않고 대량생산되어 군인의 피로회복과 전투의욕 등을 제고하는 수단으로 악용 • 백색의 결정체나 가루형태가 많으며, **제조시 강한 악취 발생** • 주로 정맥주사형태로 사용되며, 복용시 폭력성향을 증가시켜 다른 범죄를 유발하는 경우가 많음 *** 백색의 삼각지대** 한국 – 중국 – 일본을 잇는 히로뽕 밀거래 유통체계를 말하며, 한국의 단속강화로 중국으로 건너간 제조기술자들이 활발하게 활동하며 코리안 커넥션이라고도 불린다. [2016 경간] 메스암페타민(히로뽕, 필로폰)은 기분이 좋아지는 약, 포옹마약(Hug drug), 클럽마약, 도리도리 등으로 지칭된다. (×) [2012 경간] 중국-일본-한국의 3국을 연결하는 헤로인 밀거래 유통체계를 "백색의 삼각지대"라고 한다. (×)

환각제	MDMA (엑스터시) [2018 경간]	• 1914년 독일 의약품회사에서 식욕감퇴제로 최초 개발, 1980년대 유럽의 클럽에서 확산되기 시작 ➡ '클럽마약' [2018 경간] • 복용시 신체접촉 욕구·성욕 증가, 고개를 저으며 격렬한 춤을 추게 됨 ➡ '포옹마약', '도리도리' • 분말형태도 있으나 주로 알약형태가 많아 투약이 간편 ➡ '캔디' • 히로뽕보다 저렴하나 환각효과는 3배가량 강함 [2016 경간] 엑스터시(MDMA)는 곡물의 곰팡이, 보리 맥각에서 추출한 물질을 인공합성시켜 만든 것으로 무색, 무취, 무미한 특징이 있다. (×)
	LSD [2023 채용1차]	• 1938년 스위스 화학자 호프만이 호밀 이삭에서 발생하는 맥각병에서 착안하여 곡물의 곰팡이, 보리 맥각에서 추출한 물질 등으로 최초 합성한 환각제로 무색·무취·무미의 백색분말 [2019 채용1차] • 저렴한 가격으로 청소년 등 젊은 층 대상으로 많이 확산되며, 알약형태도 있으나 주로 우표형태의 종이에 인쇄 후 혀로 핥는 방법으로 투약 [2018 경간] • 히로뽕의 약 300배에 달하는, 오감을 왜곡하는 강력한 환각효과를 가지고 있으며, 내성이나 심리적 의존성이 있고 일부 남용자들은 실제로 사용하지 않는데도 환각현상을 경험하는 '플래시백 현상'을 일으키기도 함 [2012 경간] • 뇌손상·혈압상승·수전증 등 부작용이 다수 보고됨 [2016 경간] L.S.D.는 카페인, 에페드린, 밀가루 등에 필로폰을 혼합한 것으로 순도가 20~30% 정도로 낮다. (×) [2014 경간] LSD는 각성제 중 가장 강력한 효과를 나타내며 캡슐, 정제, 액체형태로 사용된다. (×)
	YABA	• 동남아시아 마약왕 '쿤사'가 히로뽕·카페인·코데인·에페드린, 밀가루 등을 섞어 만든 순도가 낮은 신종마약의 일종으로, 태국어로 '미친 약'이라는 뜻 [2018 경간] • 화공약품을 원료로 하여 안정적 밀조가 가능하고, 저렴한 가격으로(1알당 3,000~5,000원) 유흥업소종사자, 육체노동자, 운전기사 등을 중심으로 급속히 확산되었으며, 태국·일본 등에서도 청소년이나 격무에 시달리는 회사원 중심으로 남용 ➡ 우리나라: 2019년 경찰청 국제마약 집중단속시 밀반입 마약 1위 [2018 승진(경위)] • 여러 환각물질이 복합작용하여 환각효과가 매우 강력 [2014 경간] 야바(YABA)는 카페인·에페드린·밀가루 등에 필로폰을 혼합한 것으로 순도가 높다. (×) [2012 경간] 유흥업소 종사자, 육체근로자, 운전기사 등을 중심으로 급속히 확산되고 있는 야바(YABA)는 카페인, 에페드린, 밀가루 등에 헤로인을 혼합한 것으로 순도가 낮다. (×)
	펜플루라민	• 중국, 태국 등지로부터 보따리장수, 관광객, 중국에 본사를 둔 인터넷 사이트 등을 통해 밀수입 • 중국산의 경우 '분불납명편·분미림편·섬수·패씨감비환' 등의 제품명으로 일반인에게는 살 빼는 약으로 알려져 유통되고 있음 • 과다 복용시 심한 두통, 설사, 구토, 혈관계질환 등의 부작용

💡 **쿤사(1934~2007년)**

• 젊은 시절 자신이 태어난 미얀마 산주 지역의 독립을 위해 싸웠고, 이후 중국 국민당 잔당으로부터 양귀비 재배법을 익혀 황금 삼각지대를 기반으로 세력을 넓혔다.
• 쿤사는 이 지역 소수민족에게 아편 생산을 강요하고 그 수익으로 군사력 확대를 통해 사실상 자신의 독립 영토를 만들었다.
• 미국 뉴욕에 반입되는 헤로인의 80% 이상이 쿤사가 보낸 것이라는 조사가 있을 정도로 전세계적으로 막강한 영향력을 행사하였으며, 실제 미국 법원에 기소되고 미국에서 소탕 노력을 기울였으나 성공하지 못하였다.
• 2007년 지병으로 사망하였다.

	메스카린 [2018 경간]	• 1919년 오스트리아 화학자 Spath에 의해 합성 • 멕시코 북부 및 미국 서부(텍사스주)에 자생하는 페이요트(peyote) 선인장에서 추출 ➡ 천연마약이 아닌 향정신성 의약품! [2018 승진(경위)] [2012 경간] [2014 경간] 페이요트(Peyote)는 미국의 텍사스나 멕시코 북부지역에서 자생하는 선인장인 메스카린에서 추출·합성한 향정신성의약품이다. (×)
	사일로시빈	• 중남미를 원산지로 하는 삿갓 모양의 버섯으로, 인디언 원주민들 사이에서 기적의 버섯, 만병통치약으로 사용 • 말기암 환자들의 고통 불안증세를 없애거나 우울증 완화제로 사용 [2020 채용1차] 사일로시빈은 미국의 텍사스나 멕시코 북부지역에서 자생하는 선인장인 페이요트(Peyote)에서 추출·합성한 향정신성의약품이다. (×)
억제제	GHB(물뽕) [2018 경간]	• 1960년 프랑스 생화학자 Laborit에 의해 최초 합성되어, 수면 보조제나 수술용 마취제로 시판되었고, 성범죄 악용으로 1990년 미국 FDA가 금지약물로 지정하기 전까지 보디빌더들 사이에서 아나볼릭 스테로이드 대체재로 매우 큰 인기 ➡ 우리나라는 2001년부터 마약류로 규정 • 무색·무취·짠맛의 액체로 속칭 '물뽕', 유럽 등지에서는 '데이트 강간 약물(date-rape drug)'로 불리며, 주로 소다수에 타서 복용하며 복용시 다소 취한 기분이 들고 기분이 좋아지나 알콜에 섞어서 복용할 경우 폭발적 효과 발생으로 의식을 잃을 수도 있어 최근 클럽 등지에서 성범죄에 악용 [2014 경간] [2018 승진(경위)] • 통상 복용 15분 후 효과가 발현되어 3시간가량 지속되며, 24시간 이내 인체를 빠져나가므로 사후 추적이 매우 어려움 [2012 경간] [2019 채용1차] GHB(일명 물뽕)는 무색, 무취, 무미의 액체로 유럽 등지에서 데이트 강간 약물로도 불린다. (×) [2020 채용1차] GHB는 무색, 무취, 무미의 액체로 소다수 등 음료수에 타서 복용하여 '물 같은 히로뽕'이라는 뜻으로 일명 물뽕으로 불리고 있다. (×)
	덱스트로 메토르판 (러미나) [2023 채용1차]	• 진해거담제로서 뇌의 기침 중추에 작용하는 억제성 진해작용을 통해 기침을 억제하고 저렴한 가격으로 유통되며, 의사의 처방전으로 약국 구입 가능 [2016 경간] • 코데인과 화학적 구조가 비슷하나 의존성과 독성이 없어 코데인 대용으로 널리 시판됨 [2014 경간] • 과다 복용시 환각증상과 심박수 증가, 뇌손상, 발작 등 부작용 유발 • 일부 여성들에게는 살 빼는 약으로 알려져 유흥업소 종사자, 가정주부 등이 남용하고 있음 • 청소년들이 소주에 타서 마시기도 하는데 이를 '정글쥬스'라고도 함 [2018 경간] [2020 채용1차] 러미나(덱스트로메트로판)는 강한 중추신경 억제성 진해작용이 있으며, 의존성과 독성이 강한 특징이 있다. (×) [2012 경간] 덱스트로메트로판(일명 S정)은 청소년들 사이에서 소주 등에 타서 마시는데 이를 "정글쥬스"라고 한다. (×)

카리소프로돌 (S정) [2023 채용1차]	• 근골격계 질환을 치료하는 근육이완제 • 과다 복용시 환각증상을 일으키고 인사불성, 정신장애, 호흡장애를 유발하며, 위나 간에 심각한 손상을 입혀 사망에 이를 수 있음 [2014 경간] [2018 경간] [2020 채용1차] • 금단증상으로는 온몸이 뻣뻣해지고 뒤틀리며, 혀꼬부라진 소리 등을 하게 됨 [2016 경간] [2018 승진(경위)] 카리소프로돌(일명 S정)은 내성이나 심리적 의존현상은 있지만 금단증상은 일으키지 않는다고 알려져 있으며, 일부 남용자들은 '플래시백 현상'을 일으키기도 한다. (×)
케타민	• 임상용 또는 동물용 마취제로 사용, 오·남용시 신체적·정신적 의존성과 금단증상을 일으킴 • 유흥업소나 클럽에서 '데이트강간 약물(date-rape drug)'로 불림 • 정맥이나 근육 주사, 흡연 또는 흡입하면 자신의 신체에서 벗어나는 듯한 강력한 환각 효과, 맥박 및 혈압상승·호흡장애·심장마비의 위험성을 동반
프로포폴 [2023 채용1차] [2024 승진]	• 영국 기업이 최초 개발, 국내에서는 1992년부터 사용 허가 • 백색의 액체형태로 '우유주사'로 불리며, 수술시 전신마취 유도나 수면내시경 마취 등에 사용 • 불면증, 피로감, 불안감을 해소하고 기분을 좋게 만드는 환각효과가 있어 국내에서는 주로 유흥업소 종사자들을 중심으로 남용

주제 5 | 성범죄수사

01 개설

• **성범죄**는 성에 관계되는 범죄를 말하는 것으로서, 타인의 자유의사와 관계없이 강압적으로 이루어지는 성폭력범죄와 타인의 자유의사에 반하지 않더라도 건전한 성의식 등에 반하여 범죄로 규정되는 성매매범죄로 구분해 볼 수 있다.
• 성범죄의 척결을 위해 성매매알선 등 행위의 처벌에 관한 법률이나 성폭력범죄의 처벌 등에 관한 특례법을 제정하여 처벌수위를 강화하고 전자발찌 제도나 신상공개제도, 성범죄 가해자를 위한 다양한 교정치료프로그램을 활용하는 등 다양한 시도가 이루어지고 있다.

02 성매매알선 등 행위의 처벌에 관한 법률

1. 목적 및 정의

성매매처벌법 제1조【목적】 이 법은 성매매, 성매매알선 등 행위 및 성매매 목적의 인신매매를 근절하고, 성매매피해자의 인권을 보호함을 목적으로 한다.

성매매처벌법 제2조【정의】 ① 이 법에서 사용하는 용어의 뜻은 다음과 같다.
1. "**성매매**"란 불특정인을 상대로 금품이나 그 밖의 재산상의 이익을 수수하거나 수수하기로 약속하고 다음 각 목의 어느 하나에 해당하는 행위를 하거나 그 상대방이 되는 것을 말한다. [2015 채용2차]
   가. 성교행위
   나. 구강, 항문 등 신체의 일부 또는 도구를 이용한 유사 성교행위
2. "**성매매알선 등 행위**"란 다음 각 목의 어느 하나에 해당하는 행위를 하는 것을 말한다.
   가. 성매매를 알선, 권유, 유인 또는 강요하는 행위
   나. 성매매의 장소를 제공하는 행위 [2015 채용2차]
   다. 성매매에 제공되는 사실을 알면서 자금, 토지 또는 건물을 제공하는 행위
   [2018 승진(경위)] 성매매에 이용됨을 알면서 정보통신망을 제공하는 행위는 성매매알선 등 행위태양 중 하나이다. (×)
4. "**성매매피해자**"란 다음 각 목의 어느 하나에 해당하는 사람을 말한다.
   가. 위계, 위력, 그 밖에 이에 준하는 방법으로 성매매를 강요당한 사람
   나. 업무관계, 고용관계, 그 밖의 관계로 인하여 보호 또는 감독하는 사람에 의하여 「마약류관리에 관한 법률」 제2조에 따른 마약·향정신성의약품 또는 대마(이하 "마약등"이라 한다)에 중독되어 성매매를 한 사람
   다. 청소년, 사물을 변별하거나 의사를 결정할 능력이 없거나 미약한 사람 또는 대통령령으로 정하는 중대한 장애가 있는 사람으로서 성매매를 하도록 알선·유인된 사람
   라. 성매매 목적의 인신매매를 당한 사람

2. 금지행위

성매매처벌법 제4조【금지행위】 누구든지 다음 각 호의 어느 하나에 해당하는 행위를 하여서는 아니 된다.
1. 성매매
2. 성매매알선 등 행위
3. 성매매 목적의 인신매매
4. 성을 파는 행위를 하게 할 목적으로 다른 사람을 고용·모집하거나 성매매가 행하여진다는 사실을 알고 직업을 소개·알선하는 행위

3. 처벌

(1) 주요 처벌유형

1) 성매매 ➡ 미수범 처벌 ×

> **성매매처벌법 제21조【벌칙】** ① 성매매를 한 사람은 1년 이하의 징역이나 300만 원 이하의 벌금·구류 또는 과료(科料)에 처한다.
>
> **성매매처벌법 제6조【성매매피해자에 대한 처벌특례와 보호】** ① 성매매피해자의 성매매는 처벌하지 아니한다. [2015 채용2차]

- 원칙적으로 성매매를 한 사람이 처벌되는 것이므로, '성을 파는 행위'를 한 사람과 '성을 사는 행위'를 한 사람이 모두 처벌된다.
- 단, '성매매피해자' ① 성매매 강요, ② 보호·감독자가 마약 등 중독시킨 성매매, ③ 청소년, 심신미약·장애자 등이 성매매 유인, ④ 인신매매에 해당하면 처벌하지 아니한다.

▌아청법의 경우
아동·청소년 성매매의 경우 성을 사는 행위를 한 사람만이 처벌된다(1년 이상 10년 이하, 2천만원 이상 5천만원 이하).

2) 성매매 등 강요·알선 ➡ 미수범 처벌 ○

> **성매매처벌법 제18조【벌칙】** ① 다음 각 호의 어느 하나에 해당하는 사람은 10년 이하의 징역 또는 1억원 이하의 벌금에 처한다.
> 1. 폭행이나 협박으로 성을 파는 행위를 하게 한 사람
> 2. 위계 또는 이에 준하는 방법으로 성을 파는 사람을 곤경에 빠뜨려 성을 파는 행위를 하게 한 사람
> 3. 친족관계, 고용관계, 그 밖의 관계로 인하여 다른 사람을 보호·감독하는 것을 이용하여 성을 파는 행위를 하게 한 사람
> 4. 위계 또는 위력으로 성교행위 등 음란한 내용을 표현하는 영상물 등을 촬영한 사람
>
> **성매매처벌법 제19조【벌칙】** ① 다음 각 호의 어느 하나에 해당하는 사람은 3년 이하의 징역 또는 3천만원 이하의 벌금에 처한다.
> 1. 성매매알선 등 행위를 한 사람
> ② 다음 각 호의 어느 하나에 해당하는 사람은 7년 이하의 징역 또는 7천만원 이하의 벌금에 처한다.
> 1. 영업으로 성매매알선 등 행위를 한 사람

3) 성판매자 고용·모집 등 ➡ 미수범 처벌 ○

> **성매매처벌법 제19조【벌칙】** ① 다음 각 호의 어느 하나에 해당하는 사람은 3년 이하의 징역 또는 3천만원 이하의 벌금에 처한다.
> 2. 성을 파는 행위를 할 사람을 모집한 사람
> 3. 성을 파는 행위를 하도록 직업을 소개·알선한 사람
> ② 다음 각 호의 어느 하나에 해당하는 사람은 7년 이하의 징역 또는 7천만원 이하의 벌금에 처한다.
> 2. 성을 파는 행위를 할 사람을 모집하고 그 대가를 지급받은 사람
> 3. 성을 파는 행위를 하도록 직업을 소개·알선하고 그 대가를 지급받은 사람

4) 성매매 등 광고 ➡ 미수범 처벌 ○

> **성매매처벌법 제20조【벌칙】** ① 다음 각 호의 어느 하나에 해당하는 사람은 3년 이하의 징역 또는 3천만원 이하의 벌금에 처한다.
> 1. 성을 파는 행위 또는 「형법」제245조에 따른 음란행위 등을 하도록 직업을 소개·알선할 목적으로 광고(각종 간행물, 유인물, 전화, 인터넷, 그 밖의 매체를 통한 행위를 포함한다. 이하 같다)를 한 사람
> 2. 성매매 또는 성매매알선 등 행위가 행하여지는 업소에 대한 광고를 한 사람
> 3. 성을 사는 행위를 권유하거나 유인하는 광고를 한 사람
> ② 영업으로 제1항에 따른 광고물을 제작·공급하거나 광고를 게재한 사람은 2년 이하의 징역 또는 1천만원 이하의 벌금에 처한다.
> ③ 영업으로 제1항에 따른 광고물이나 광고가 게재된 출판물을 배포한 사람은 1년 이하의 징역 또는 500만원 이하의 벌금에 처한다.

(2) 처벌의 특례

> **성매매처벌법 제22조【범죄단체의 가중처벌】** 제18조 또는 제19조에 규정된 범죄를 목적으로 단체 또는 집단을 구성하거나 그러한 단체 또는 집단에 가입한 사람은 「폭력행위 등 처벌에 관한 법률」제4조(➡ 범죄단체 구성·활동)의 예에 따라 처벌한다.
>
> **성매매처벌법 제23조【미수범】** 제18조부터 제20조까지에 규정된 죄의 미수범은 처벌한다. ➡ 성매매행위 자체 제외하고 모두 미수범 처벌!
>
> **성매매처벌법 제24조【징역과 벌금의 병과】** 제18조 제1항, 제19조, 제20조 및 제23조(제18조 제2항부터 제4항까지에 규정된 죄의 미수범은 제외한다)의 경우에는 징역과 벌금을 병과할 수 있다.
>
> **성매매처벌법 제25조【몰수 및 추징】** 제18조부터 제20조까지에 규정된 죄를 범한 사람이 그 범죄로 인하여 얻은 금품이나 그 밖의 재산은 몰수하고, 몰수할 수 없는 경우에는 그 가액을 추징한다. ➡ 성매매행위 자체 제외하고 모두 몰수·추징!
>
> **성매매처벌법 제26조【형의 감면】** 이 법에 규정된 죄를 범한 사람이 수사기관에 신고하거나 자수한 경우에는 형을 감경하거나 면제할 수 있다.
> [2015 채용2차] 이 법에 규정된 죄를 범한 사람이 수사기관에 신고하거나 자수한 경우에는 형을 감경하거나 면제해야 한다. (×)

4. 피해자의 보호

(1) 신고의무

> **성매매처벌법 제7조【신고의무 등】** ① 「성매매방지 및 피해자보호 등에 관한 법률」제5조 제1항에 따른 지원시설 및 같은 법 제10조에 따른 성매매피해상담소의 장이나 종사자가 업무와 관련하여 성매매 피해사실을 알게 되었을 때에는 지체 없이 수사기관에 신고하여야 한다.
> ② 누구든지 이 법에 규정된 범죄를 신고한 사람에게 그 신고를 이유로 불이익을 주어서는 아니 된다.
> ③ 다른 법률에 규정이 있는 경우를 제외하고는 신고자등의 인적사항이나 사진 등 그 신원을 알 수 있는 정보나 자료를 인터넷 또는 출판물에 게재하거나 방송매체를 통하여 방송하여서는 아니 된다.

(2) 수사기관의 보호조치

> **성매매처벌법 제6조【성매매피해자에 대한 처벌특례와 보호】** ② 검사 또는 사법경찰관은 수사과정에서 피의자 또는 참고인이 성매매피해자에 해당한다고 볼 만한 상당한 이유가 있을 때에는 지체 없이 법정대리인, 친족 또는 변호인에게 통지하고, 신변보호, 수사의 비공개, 친족 또는 지원시설·성매매피해상담소에의 인계 등 그 보호에 필요한 조치를 하여야 한다. 다만, 피의자 또는 참고인의 사생활 보호 등 부득이한 사유가 있는 경우에는 통지하지 아니할 수 있다.

(3) 신뢰관계 있는 자의 동석

> **성매매처벌법 제8조【신뢰관계에 있는 사람의 동석】** ① 법원은 신고자등을 증인으로 신문할 때에는 직권으로 또는 본인·법정대리인이나 검사의 신청에 의하여 신뢰관계에 있는 사람을 동석하게 할 수 있다.
> ② 수사기관은 신고자등을 조사할 때에는 직권으로 또는 본인·법정대리인의 신청에 의하여 신뢰관계에 있는 사람을 동석하게 할 수 있다.
> ③ 법원 또는 수사기관은 청소년, 사물을 변별하거나 의사를 결정할 능력이 없거나 미약한 사람 또는 대통령령으로 정하는 중대한 장애가 있는 사람에 대하여 제1항 및 제2항에 따른 신청을 받은 경우에는 재판이나 수사에 지장을 줄 우려가 있는 등 특별한 사유가 없으면 신뢰관계에 있는 사람을 동석하게 하여야 한다.
> ④ 제1항부터 제3항까지의 규정에 따라 신문이나 조사에 동석하는 사람은 진술을 대리하거나 유도하는 등의 행위로 수사나 재판에 부당한 영향을 끼쳐서는 아니 된다.

(4) 심리의 비공개

> **성매매처벌법 제9조【심리의 비공개】** ① 법원은 신고자등의 사생활이나 신변을 보호하기 위하여 필요하면 결정으로 심리를 공개하지 아니할 수 있다.
> ② 증인으로 소환받은 신고자등과 그 가족은 사생활이나 신변을 보호하기 위하여 증인신문의 비공개를 신청할 수 있다.
> ③ 재판장은 제2항에 따른 신청을 받으면 그 허가 여부, 법정 외의 장소에서의 신문 등 신문의 방식 및 장소에 관하여 결정할 수 있다.

(5) 민사상의 보호

> **성매매처벌법 제10조【불법원인으로 인한 채권무효】** ① 다음 각 호의 어느 하나에 해당하는 사람이 그 행위와 관련하여 성을 파는 행위를 하였거나 할 사람에게 가지는 채권은 그 계약의 형식이나 명목에 관계없이 무효로 한다. 그 채권을 양도하거나 그 채무를 인수한 경우에도 또한 같다.
> 1. 성매매알선 등 행위를 한 사람
> 2. 성을 파는 행위를 할 사람을 고용·모집하거나 그 직업을 소개·알선한 사람
> 3. 성매매 목적의 인신매매를 한 사람

- 앞서 언급한 선불금(마이킹) 관련하여, 이러한 선불금을 받고 접대부가 잠적한 경우 업주가 이를 사기죄로 고소하는 사례가 많이 있다.
- 다만, 이 경우 선불금반환채무가 불법원인급여에 해당한다고 하여 사기죄가 당연히 성립하지 않는 것은 아니며, 법원은 ① 종업원의 인적사항이 제대로 기재되어 있는지, ② 선불금 편취전력이 있는지, ③ 선불금 상환이력이나 미상환 이유 등을 종합적으로 고려하여 판단하고 있다.

② 검사 또는 사법경찰관은 제1항의 불법원인과 관련된 것으로 의심되는 채무의 불이행을 이유로 고소·고발된 사건을 수사할 때에는 금품이나 그 밖의 재산상의 이익 제공이 성매매의 유인·강요 수단이나 성매매 업소로부터의 이탈방지 수단으로 이용되었는지를 확인하여 수사에 참작하여야 한다.
③ 검사 또는 사법경찰관은 성을 파는 행위를 한 사람이나 성매매피해자를 조사할 때에는 제1항의 채권이 무효라는 사실과 지원시설 등을 이용할 수 있음을 본인 또는 법정대리인 등에게 고지하여야 한다.

03 성폭력범죄의 처벌 등에 관한 특례법

1. 목적 및 정의

성폭력처벌법 제1조 【목적】 이 법은 성폭력범죄의 처벌 및 그 절차에 관한 특례를 규정함으로써 성폭력범죄 피해자의 생명과 신체의 안전을 보장하고 건강한 사회질서의 확립에 이바지함을 목적으로 한다.

성폭력처벌법 제2조 【정의】 ① 이 법에서 "성폭력범죄"란 다음 각 호의 어느 하나에 해당하는 죄를 말한다.
1. 「형법」 제2편 제22장 성풍속에 관한 죄 중 …
2. 「형법」 제2편 제31장 약취, 유인 및 인신매매의 죄 중 추행, 간음 또는 성매매와 성적 착취를 목적으로 범한 …
3. 「형법」 제2편 제32장 강간과 추행의 죄 중 …
4. 「형법」 제339조(강도강간)의 죄 및 제342조(제339조의 미수범으로 한정한다)의 죄
5. 이 법 제3조(특수강도강간 등)부터 제15조(미수범)까지의 죄
② 제1항 각 호의 범죄로서 다른 법률에 따라 가중처벌되는 죄는 성폭력범죄로 본다.

🔍 참고 19세 미만 피해자 등
- 19세 미만인 피해자나 신체적인 또는 정신적인 장애로 사물을 변별하거나 의사를 결정할 능력이 미약한 피해자를 말한다(법 제26조 제4항).

2. 주요 처벌유형

(1) 특수강도강간 등

성폭력처벌법 제3조 【특수강도강간 등】 ① 형법 제319조 제1항(주거침입), … 야간주거침입절도 … 특수절도 … 의 죄를 범한 사람이 … 강간 … 유사강간 … 강제추행 및 … 준강간, 준강제추행의 죄를 범한 경우에는 무기징역 또는 7년 이상의 징역에 처한다.
② … 특수강도 … 의 죄를 범한 사람이 … 강간 … 유사강간 … 강제추행 및 … 준강간, 준강제추행의 죄를 범한 경우에는 사형, 무기징역 또는 10년 이상의 징역에 처한다.

<aside>
💡
- 이하 '성폭력범죄의 처벌 등에 관한 특례법'은 '**성폭력처벌법**'으로 약칭한다.
- 이 법은 1992년 의붓아버지 김영오로부터 9세때부터 지속적으로 성추행·성폭행을 당해오던 김OO 양이 대학입학 후 남자친구와 함께 김영오를 강도로 위장하여 살해한 '의붓아버지 살인 사건'이 계기가 되었다.
- 당시 사회분위기상 패륜범죄로 비난받을 법함에도 김OO 양을 동정하는 여론이 압도적이었고, 김OO 양의 석방탄원서에는 약 87,000명이 서명을 하기도 하였다.
- 형법적으로는 정당방위의 사회적 상당성요건 인정 여부가 문제되었으며, 김OO 양은 유죄판결이 확정되긴 하였으나 형량은 이례적으로 가볍게 선고되었다(징역 3년, 집행유예 5년).
</aside>

(2) 특수강간

> **성폭력처벌법 제4조 【특수강간 등】** ① 흉기나 그 밖의 위험한 물건을 지닌 채 또는 2명 이상이 합동하여 형법 제297조(강간)의 죄를 범한 사람은 무기징역 또는 7년 이상의 징역에 처한다.
> ② 제1항의 방법으로 형법 제298조(강제추행)의 죄를 범한 사람은 5년 이상의 유기징역에 처한다.
> ③ 제1항의 방법으로 「형법」 제299조(준강간, 준강제추행)의 죄를 범한 사람은 제1항 또는 제2항의 예에 따라 처벌한다.

(3) 친족관계에 의한 강간

> **성폭력처벌법 제5조 【친족관계에 의한 강간 등】** ① 친족관계인 사람이 폭행 또는 협박으로 사람을 강간한 경우에는 7년 이상의 유기징역에 처한다.
> ② 친족관계인 사람이 폭행 또는 협박으로 사람을 강제추행한 경우에는 5년 이상의 유기징역에 처한다.
> ③ 친족관계인 사람이 사람에 대하여 형법 제299조(준강간, 준강제추행)의 죄를 범한 경우에는 제1항 또는 제2항의 예에 따라 처벌한다.
> ④ 제1항부터 제3항까지의 친족의 범위는 4촌 이내의 혈족·인척과 동거하는 친족으로 한다.
> ⑤ 제1항부터 제3항까지의 친족은 사실상의 관계에 의한 친족을 포함한다.

▌사실상 관계에 의한 친족
혼인신고가 없기 때문에 법률상 혼인으로 인정되지 않는 이른바 사실혼으로 인하여 형성되는 인척을 말한다. 예 혼인신고를 하지 않은 사실상의 배우자의 친딸을 강간한 경우(대판 2000.2.8, 99도5395)

(4) 장애인에 대한 강간·강제추행

> **성폭력처벌법 제6조 【장애인에 대한 강간·강제추행 등】** ① 신체적인 또는 정신적인 장애가 있는 사람에 대하여 형법 제297조(강간)의 죄를 범한 사람은 무기징역 또는 7년 이상의 징역에 처한다.
> ③ 신체적인 또는 정신적인 장애가 있는 사람에 대하여 형법 제298조(강제추행)의 죄를 범한 사람은 3년 이상의 유기징역 또는 3천만원 이상 5천만원 이하의 벌금에 처한다.
> ⑦ 장애인의 보호, 교육 등을 목적으로 하는 시설의 장 또는 종사자가 보호, 감독의 대상인 장애인에 대하여 제1항부터 제6항까지의 죄를 범한 경우에는 그 죄에 정한 형의 2분의 1까지 가중한다.

(5) 13세 미만의 미성년자에 대한 강간, 강제추행

> **성폭력처벌법 제7조 【13세 미만의 미성년자에 대한 강간, 강제추행 등】** ① 13세 미만의 사람에 대하여 형법 제297조(강간)의 죄를 범한 사람은 무기징역 또는 10년 이상의 징역에 처한다.
> ② 13세 미만의 사람에 대하여 폭행이나 협박으로 다음 각 호의 어느 하나에 해당하는 행위를 한 사람은 7년 이상의 유기징역에 처한다.
> 1. 구강·항문 등 신체(성기는 제외한다)의 내부에 성기를 넣는 행위
> 2. 성기·항문에 손가락 등 신체(성기는 제외한다)의 일부나 도구를 넣는 행위
> ③ 13세 미만의 사람에 대하여 형법 제298조(강제추행)의 죄를 범한 사람은 5년 이상의 유기징역에 처한다.

▌아청법상 아동·청소년에 대한 강간과 비교
1. 아청법상 아동·청소년에 대한 강간은 **무기징역 또는 5년 이상의 유기징역**에 처한다(제7조 제1항).
2. 아청법상 아동·청소년은 19세 미만의 자이므로,
   • 13세 이상 19세 미만의 경우 아청법이,
   • 13세 미만의 경우에는 성폭력처벌법이
   각 적용된다.

④ 13세 미만의 사람에 대하여 형법 제299조(준강간, 준강제추행)의 죄를 범한 사람은 제1항부터 제3항까지의 예에 따라 처벌한다.

⑤ 위계 또는 위력으로써 13세 미만의 사람을 간음하거나 추행한 사람은 제1항부터 제3항까지의 예에 따라 처벌한다.

(6) 업무상 위력 등에 의한 추행

> 성폭력처벌법 제10조【업무상 위력 등에 의한 추행】① 업무, 고용이나 그 밖의 관계로 인하여 자기의 보호, 감독을 받는 사람에 대하여 위계 또는 위력으로 추행한 사람은 3년 이하의 징역 또는 1천500만원 이하의 벌금에 처한다.
>
> ② 법률에 따라 구금된 사람을 감호하는 사람이 그 사람을 추행한 때에는 5년 이하의 징역 또는 2천만원 이하의 벌금에 처한다

(7) 공중밀집장소에서의 추행

 공중밀집장소에서의 추행은 성적 의도가 없었다 하더라도 상대방이 불쾌감·수치심을 느꼈는지 여부가 중요하고, 장소 특성상 CCTV나 목격자 증언 확보가 곤란한 경우가 많다는 점을 수사상 유의하여야 한다.

> 성폭력처벌법 제11조【공중 밀집 장소에서의 추행】대중교통수단, 공연·집회 장소, 그 밖에 공중이 밀집하는 장소에서 사람을 추행한 사람은 3년 이하의 징역 또는 3천만원 이하의 벌금에 처한다.

(8) 성적 목적을 위한 다중이용장소 침입행위

> 성폭력처벌법 제12조【성적 목적을 위한 다중이용장소 침입행위】자기의 성적 욕망을 만족시킬 목적으로 화장실, 목욕장·목욕실 또는 발한실, 모유수유시설, 탈의실 등 불특정 다수가 이용하는 다중이용장소에 침입하거나 같은 장소에서 퇴거의 요구를 받고 응하지 아니하는 사람은 1년 이하의 징역 또는 1천만원 이하의 벌금에 처한다.

(9) 통신매체를 이용한 음란행위

- 흔히 '통매음'이라고 불리는 규정으로, 일상생활에서 별 생각 없이 하는 인터넷 댓글, 메신저 채팅, 게임 중 채팅 중 상대방의 성적 수치심을 유발하는 행위를 하지 않도록 유의하여야 한다. 예 '꼬우면 함주셈' ➡ 벌금 200만원 선고(울산지법) / 'ㅅㅂ ㅊㄴ 아' ➡ 불기소

- 특히 성폭력처벌법상 100만원 이상 벌금형 선고받고 확정 후 3년이 경과하지 않는 자는 경찰공무원 임용 결격사유에 해당함도 주의할 필요가 있다.

> 성폭력처벌법 제13조【통신매체를 이용한 음란행위】자기 또는 다른 사람의 성적 욕망을 유발하거나 만족시킬 목적으로 전화, 우편, 컴퓨터, 그 밖의 통신매체를 통하여 성적 수치심이나 혐오감을 일으키는 말, 음향, 글, 그림, 영상 또는 물건을 상대방에게 도달하게 한 사람은 2년 이하의 징역 또는 2천만원 이하의 벌금에 처한다.

(10) 촬영물 관련

> 성폭력처벌법 제14조【카메라 등을 이용한 촬영】① 카메라나 그 밖에 이와 유사한 기능을 갖춘 기계장치를 이용하여 성적 욕망 또는 수치심을 유발할 수 있는 사람의 신체를 촬영대상자의 의사에 반하여 촬영한 자는 7년 이하의 징역 또는 5천만원 이하의 벌금에 처한다.

② 제1항에 따른 촬영물 또는 복제물(복제물의 복제물을 포함한다. 이하 이 조에서 같다)을 반포 · 판매 · 임대 · 제공 또는 공공연하게 전시 · 상영(이하 "반포등"이라 한다)한 자 또는 제1항의 촬영이 촬영 당시에는 촬영대상자의 의사에 반하지 아니한 경우(자신의 신체를 직접 촬영한 경우를 포함한다)에도 사후에 그 촬영물 또는 복제물을 촬영대상자의 의사에 반하여 반포등을 한 자는 7년 이하의 징역 또는 5천만원 이하의 벌금에 처한다.

③ 영리를 목적으로 촬영대상자의 의사에 반하여 「정보통신망 이용촉진 및 정보보호 등에 관한 법률」 제2조 제1항 제1호의 정보통신망(이하 "정보통신망"이라 한다)을 이용하여 제2항의 죄를 범한 자는 3년 이상의 유기징역에 처한다.

④ 제1항 또는 제2항의 촬영물 또는 복제물을 소지 · 구입 · 저장 또는 시청한 자는 3년 이하의 징역 또는 3천만원 이하의 벌금에 처한다.

⑤ 상습으로 제1항부터 제3항까지의 죄를 범한 때에는 그 죄에 정한 형의 2분의 1까지 가중한다.

성폭력처벌법 제14조의2 【허위영상물 등의 반포등】 ① 반포등을 할 목적으로 사람의 얼굴 · 신체 또는 음성을 대상으로 한 촬영물 · 영상물 또는 음성물(이하 이 조에서 "영상물등"이라 한다)을 영상물등의 대상자의 의사에 반하여 성적 욕망 또는 수치심을 유발할 수 있는 형태로 편집 · 합성 또는 가공(이하 이 조에서 "편집등"이라 한다)한 자는 5년 이하의 징역 또는 5천만원 이하의 벌금에 처한다.

② 제1항에 따른 편집물 · 합성물 · 가공물(이하 이 항에서 "편집물등"이라 한다) 또는 복제물(복제물의 복제물을 포함한다. 이하 이 항에서 같다)을 반포등을 한 자 또는 제1항의 편집등을 할 당시에는 영상물등의 대상자의 의사에 반하지 아니한 경우에도 사후에 그 편집물등 또는 복제물을 영상물등의 대상자의 의사에 반하여 반포등을 한 자는 5년 이하의 징역 또는 5천만원 이하의 벌금에 처한다.

③ 영리를 목적으로 영상물등의 대상자의 의사에 반하여 정보통신망을 이용하여 제2항의 죄를 범한 자는 7년 이하의 징역에 처한다.

④ 상습으로 제1항부터 제3항까지의 죄를 범한 때에는 그 죄에 정한 형의 2분의 1까지 가중한다.

성폭력처벌법 제14조의3 【촬영물 등을 이용한 협박 · 강요】 ① 성적 욕망 또는 수치심을 유발할 수 있는 촬영물 또는 복제물(복제물의 복제물을 포함한다)을 이용하여 사람을 협박한 자는 1년 이상의 유기징역에 처한다.

② 제1항에 따른 협박으로 사람의 권리행사를 방해하거나 의무 없는 일을 하게 한 자는 3년 이상의 유기징역에 처한다.

③ 상습으로 제1항 및 제2항의 죄를 범한 경우에는 그 죄에 정한 형의 2분의 1까지 가중한다.

- 성폭력처벌법 제14조의2는 소위 '**딥페이크**(Deep Fake)라고 불리는, 음란물 합성행위(주로 여성 연예인 대상)를 처벌하기 위한 것으로, 2020년 6월 개정 · 시행되었다.
- 이러한 딥페이크는 최근 디지털 기술의 발전 및 관련 도구(tool)의 접근성 완화로 급증하고 있는 추세이며, 특히 2022년 딥페이크 음란물이 전년대비 8배나 급증하는 것으로 조사되는 등(2022년 방통위 모니터링 기준) 새롭게 사회문제화되고 있는 신종유형의 범죄이다.

3. 수사 · 재판상 특례

(1) 수사 및 재판절차에서의 배려

성폭력처벌법 제29조 【수사 및 재판절차에서의 배려】 ① 수사기관과 법원 및 소송관계인은 성폭력범죄를 당한 피해자의 나이, 심리 상태 또는 후유장애의 유무 등을 신중하게 고려하여 조사 및 심리 · 재판 과정에서 피해자의 인격이나 명예가 손상되거나 사적인 비밀이 침해되지 아니하도록 주의하여야 한다.

② 수사기관과 법원은 성폭력범죄의 피해자를 조사하거나 심리·재판할 때 피해자가 편안한 상태에서 진술할 수 있는 환경을 조성하여야 하며, 조사 및 심리·재판 횟수는 필요한 범위에서 최소한으로 하여야 한다.

③ 수사기관과 법원은 조사 및 심리·재판 과정에서 19세 미만 피해자 등의 최상의 이익을 고려하여 다음 각 호에 따른 보호조치를 하도록 노력하여야 한다.

1. 19세 미만 피해자 등의 진술을 듣는 절차가 타당한 이유 없이 지연되지 아니하도록 할 것
2. 19세 미만 피해자 등의 진술을 위하여 아동 등에게 친화적으로 설계된 장소에서 피해자 조사 및 증인신문을 할 것
3. 19세 미만 피해자 등이 피의자 또는 피고인과 접촉하거나 마주치지 아니하도록 할 것
4. 19세 미만 피해자 등에게 조사 및 심리·재판 과정에 대하여 명확하고 충분히 설명할 것
5. 그 밖에 조사 및 심리·재판 과정에서 19세 미만 피해자 등의 보호 및 지원 등을 위하여 필요한 조치를 할 것

[2020 채용2차] 수사기관은 성폭력범죄의 피해자를 조사할 때 피해자가 편안한 상태에서 진술할 수 있는 환경을 조성하여야 하며, 조사 횟수는 1회로 마쳐야 한다. (×)

(2) 피해자 신원과 사생활 비밀누설금지

성폭력처벌법 제24조【피해자의 신원과 사생활 비밀 누설 금지】① 성폭력범죄의 수사 또는 재판을 담당하거나 이에 관여하는 공무원 또는 그 직에 있었던 사람은 피해자의 주소, 성명, 나이, 직업, 학교, 용모, 그 밖에 피해자를 특정하여 파악할 수 있게 하는 인적사항과 사진 등 또는 그 피해자의 사생활에 관한 비밀을 공개하거나 다른 사람에게 누설하여서는 아니 된다.

② 누구든지 제1항에 따른 피해자의 주소, 성명, 나이, 직업, 학교, 용모, 그 밖에 피해자를 특정하여 파악할 수 있는 인적사항이나 사진 등을 피해자의 동의를 받지 아니하고 신문 등 인쇄물에 싣거나 「방송법」 제2조 제1호에 따른 방송 또는 정보통신망을 통하여 공개하여서는 아니 된다.

(3) 성폭력피해자에 대한 전담조사제·전담재판부

성폭력처벌법 제26조【성폭력범죄의 피해자에 대한 전담조사제】① 검찰총장은 각 지방검찰청 검사장으로 하여금 성폭력범죄 전담 검사를 지정하도록 하여 특별한 사정이 없으면 이들로 하여금 피해자를 조사하게 하여야 한다.

② 경찰청장은 각 경찰서장으로 하여금 성폭력범죄 전담 사법경찰관을 지정하도록 하여 특별한 사정이 없으면 이들로 하여금 피해자를 조사하게 하여야 한다.

[2015 승진(경감)] [2017 승진(경위)] [2020 경간]

③ 국가는 제1항의 검사 및 제2항의 사법경찰관에게 성폭력범죄의 수사에 필요한 전문지식과 피해자보호를 위한 수사방법 및 수사절차, 아동심리 및 아동·장애인 조사 면담기법 등에 관한 교육을 실시하여야 한다.

④ 성폭력범죄를 전담하여 조사하는 제1항의 검사 및 제2항의 사법경찰관은 19세 미만인 피해자나 신체적인 또는 정신적인 장애로 사물을 변별하거나 의사를 결정할 능력이 미약한 피해자(이하 "19세 미만 피해자 등"이라 한다)를 조사할 때에는 피해자의 나이, 인지적 발달 단계, 심리 상태, 장애 정도 등을 종합적으로 고려하여야 한다.

성폭력처벌법 제28조【성폭력범죄에 대한 전담재판부】 지방법원장 또는 고등법원장은 특별한 사정이 없으면 성폭력범죄 전담재판부를 지정하여 성폭력범죄에 대하여 재판하게 하여야 한다.

(4) 변호사 선임의 특례

성폭력처벌법 제27조【성폭력범죄 피해자에 대한 변호사 선임의 특례】 ① 성폭력범죄의 피해자 및 그 법정대리인(이하 "피해자등"이라 한다)은 형사절차상 입을 수 있는 피해를 방어하고 법률적 조력을 보장하기 위하여 변호사를 선임할 수 있다.
② 제1항에 따른 변호사는 검사 또는 사법경찰관의 피해자등에 대한 조사에 참여하여 의견을 진술할 수 있다. 다만, 조사 도중에는 검사 또는 사법경찰관의 승인을 받아 의견을 진술할 수 있다.
③ 제1항에 따른 변호사는 피의자에 대한 구속 전 피의자심문, 증거보전절차, 공판준비기일 및 공판절차에 출석하여 의견을 진술할 수 있다. 이 경우 필요한 절차에 관한 구체적 사항은 대법원규칙으로 정한다.
④ 제1항에 따른 변호사는 증거보전 후 관계 서류나 증거물, 소송계속 중의 관계 서류나 증거물을 열람하거나 등사할 수 있다.
⑤ 제1항에 따른 변호사는 형사절차에서 피해자등의 대리가 허용될 수 있는 모든 소송행위에 대한 포괄적인 대리권을 가진다.
⑥ 검사는 피해자에게 변호사가 없는 경우 국선변호사를 선정하여 형사절차에서 피해자의 권익을 보호할 수 있다. 다만, 19세 미만 피해자 등에게 변호사가 없는 경우에는 국선변호사를 선정하여야 한다.

💡 제27조 제2항~제6항은 아청법에 그대로 준용된다.

(5) 신뢰관계에 있는 사람의 동석

성폭력처벌법 제34조【신뢰관계에 있는 사람의 동석】 ① 법원은 다음 각 호의 어느 하나에 해당하는 피해자를 증인으로 신문하는 경우에 검사, 피해자 또는 법정대리인이 신청할 때에는 재판에 지장을 줄 우려가 있는 등 부득이한 경우가 아니면 피해자와 신뢰관계에 있는 사람을 동석하게 하여야 한다.
1. 제3조부터 제8조까지, 제10조, 제14조, 제14조의2, 제14조의3, 제15조(제9조의 미수범은 제외한다) 및 제15조의2에 따른 범죄의 피해자
2. 19세 미만 피해자 등
② 제1항은 수사기관이 같은 항 각 호의 피해자를 조사하는 경우에 관하여 준용한다.
③ 제1항 및 제2항의 경우 법원과 수사기관은 피해자와 신뢰관계에 있는 사람이 피해자에게 불리하거나 피해자가 원하지 아니하는 경우에는 동석하게 하여서는 아니 된다. [2020 채용2차]

▌신뢰관계자 동석필요 범죄
- 제3조(특수강도강간 등)
- 제4조(특수강간 등)
- 제5조(친족관계에 의한 강간 등)
- 제6조(장애인에 대한 강간·강제추행 등)
- 제7조(13세 미만의 미성년자에 대한 강간, 강제추행 등)
- 제8조(강간 등 상해·치상)
- 제10조(업무상 위력 등에 의한 추행)
- 제14조(카메라 등을 이용한 촬영)
- 제14조의2(허위영상물 등의 반포등)
- 제14조의3(촬영물 등을 이용한 협박·강요)
- 제15조(미수범). 단, 제9조 강간 등 살인·치사 미수범은 제외
- 제15조의2(예비, 음모). 단, 제3조부터 제7까지만 해당

(6) 영상물의 촬영·보존 및 증거능력 특례

성폭력처벌법 제30조【19세 미만 피해자 등 진술 내용 등의 영상녹화 및 보존 등】 ① 검사 또는 사법경찰관은 19세 미만 피해자 등의 진술 내용과 조사 과정을 영상녹화장치로 녹화(녹음이 포함된 것을 말하며, 이하 "영상녹화"라 한다)하고, 그 영상녹화물을 보존하여야 한다.

② 검사 또는 사법경찰관은 19세 미만 피해자 등을 조사하기 전에 다음 각 호의 사실을 피해자의 나이, 인지적 발달 단계, 심리 상태, 장애 정도 등을 고려한 적절한 방식으로 피해자에게 설명하여야 한다.

1. 조사 과정이 영상녹화된다는 사실

2. 영상녹화된 영상녹화물이 증거로 사용될 수 있다는 사실

③ 제1항에도 불구하고 19세 미만 피해자 등 또는 그 법정대리인(법정대리인이 가해자이거나 가해자의 배우자인 경우는 제외한다)이 이를 원하지 아니하는 의사를 표시하는 경우에는 영상녹화를 하여서는 아니 된다.

④ 검사 또는 사법경찰관은 제1항에 따른 영상녹화를 마쳤을 때에는 지체 없이 피해자 또는 변호사 앞에서 봉인하고 피해자로 하여금 기명날인 또는 서명하게 하여야 한다.

⑤ 검사 또는 사법경찰관은 제1항에 따른 영상녹화 과정의 진행 경과를 조서(별도의 서면을 포함한다. 이하 같다)에 기록한 후 수사기록에 편철하여야 한다.

⑥ 제5항에 따라 영상녹화 과정의 진행 경과를 기록할 때에는 다음 각 호의 사항을 구체적으로 적어야 한다.

1. 피해자가 영상녹화 장소에 도착한 시각

2. 영상녹화를 시작하고 마친 시각

3. 그 밖에 영상녹화 과정의 진행경과를 확인하기 위하여 필요한 사항

⑦ 검사 또는 사법경찰관은 19세 미만 피해자 등이나 그 법정대리인이 신청하는 경우에는 영상녹화 과정에서 작성한 조서의 사본 또는 영상녹화물에 녹음된 내용을 옮겨 적은 녹취서의 사본을 신청인에게 발급하거나 영상녹화물을 재생하여 시청하게 하여야 한다.

⑧ 누구든지 제1항에 따라 영상녹화한 영상녹화물을 수사 및 재판의 용도 외에 다른 목적으로 사용하여서는 아니 된다.

⑨ 제1항에 따른 영상녹화의 방법에 관하여는 「형사소송법」 제244조의2 제1항 후단을 준용한다.

성폭력처벌법 제30조의2 제30조의2【영상녹화물의 증거능력 특례】 ① 제30조 제1항에 따라 19세 미만 피해자 등의 진술이 영상녹화된 영상녹화물은 같은 조 제4항부터 제6항까지에서 정한 절차와 방식에 따라 영상녹화된 것으로서 다음 각 호의 어느 하나의 경우에 증거로 할 수 있다.

1. 증거보전기일, 공판준비기일 또는 공판기일에 그 내용에 대하여 피의자, 피고인 또는 변호인이 피해자를 신문할 수 있었던 경우. 다만, 증거보전기일에서의 신문의 경우 법원이 피의자나 피고인의 방어권이 보장된 상태에서 피해자에 대한 반대신문이 충분히 이루어졌다고 인정하는 경우로 한정한다.

2. 19세 미만 피해자 등이 다음 각 목의 어느 하나에 해당하는 사유로 공판준비기일 또는 공판기일에 출석하여 진술할 수 없는 경우. 다만, 영상녹화된 진술 및 영상녹화가 특별히 신빙할 수 있는 상태에서 이루어졌음이 증명된 경우로 한정한다.

가. 사망 / 나. 외국 거주 / 다. 신체적, 정신적 질병·장애 / 라. 소재불명

마. 그 밖에 이에 준하는 경우

② 법원은 제1항 제2호에 따라 증거능력이 있는 영상녹화물을 유죄의 증거로 할지를 결정할 때에는 피고인과의 관계, 범행의 내용, 피해자의 나이, 심신의 상태, 피해자가 증언으로 인하여 겪을 수 있는 심리적 외상, 영상녹화물에 수록된 19세미만피해자등의 진술 내용 및 진술 태도 등을 고려하여야 한다. 이 경우 법원은 전문심리위원 또는 제33조에 따른 전문가의 의견을 들어야 한다.

[2020 채용2차] 모든 성폭력범죄 피해자를 조사하는 경우에 진술내용과 조사과정을 비디오녹화기 등 영상물 녹화장치로 촬영·보존하여야 한다. (×)

[2017 경간] 성폭력범죄의 피해자가 21세 미만이거나 신체적인 또는 정신적인 장애로 사물을 변별하거나의사를 결정할 능력이 미약한 경우에는 피해자의 진술내용과 조사과정을 비디오녹화기 등 영상물 녹화장치로 촬영·보존하여야 한다. (×)

(7) 증거보전의 특례

성폭력처벌법 제41조【증거보전의 특례】① 피해자나 그 법정대리인 또는 사법경찰관은 피해자가 공판기일에 출석하여 증언하는 것에 현저히 곤란한 사정이 있을 때에는 그 사유를 소명하여 제30조에 따라 영상녹화된 영상녹화물 또는 그 밖의 다른 증거에 대하여 해당 성폭력범죄를 수사하는 검사에게「형사소송법」제184조(증거보전의 청구와 그 절차)제1항에 따른 증거보전의 청구를 할 것을 요청할 수 있다. 이 경우 피해자가 19세 미만 피해자 등인 경우에는 공판기일에 출석하여 증언하는 것에 현저히 곤란한 사정이 있는 것으로 본다.

② 제1항의 요청을 받은 검사는 그 요청이 타당하다고 인정할 때에는 증거보전의 청구를 할 수 있다. 다만, 19세미만피해자등이나 그 법정대리인이 제1항의 요청을 하는 경우에는 특별한 사정이 없는 한「형사소송법」제184조 제1항에 따라 관할 지방법원판사에게 증거보전을 청구하여야 한다.

▎증거보전절차

특정의 증거를 미리 조사해 두었다가 본안소송에서 사실을 인정하는 데 사용하기 위한 증거조사방법으로, 본안소송에서 정상적인 증거조사를 할 때까지 기다려서는 그 증거를 본래의 사용가치대로 사용하는 것이 곤란하게 될 염려가 있는 증거를 미리 조사하여 그 결과를 보전해 두는 것을 말한다.

4. 처벌 등의 특례

(1) 미수범, 예비·음모의 처벌

성폭력처벌법 제15조【미수범】제3조부터 제9조까지, 제14조, 제14조의2 및 제14조의 3의 미수범은 처벌한다.

성폭력처벌법 제15조의2【예비, 음모】제3조부터 제7조까지의 죄를 범할 목적으로 예비 또는 음모한 사람은 3년 이하의 징역에 처한다.

☑ **KEY POINT | 성폭력처벌법상 미수, 예비·음모 처벌 정리**

구분	미수	예비·음모
제3조(특수강도강간 등)	처벌 ○	처벌 ○
제4조(특수강간 등)	처벌 ○	처벌 ○
제5조(친족관계에 의한 강간 등)	처벌 ○	처벌 ○
제6조(장애인에 대한 강간·강제추행 등)	처벌 ○	처벌 ○
제7조(13세 미만의 미성년자에 대한 강간, 강제추행 등)	처벌 ○	처벌 ○
제8조(강간 등 상해·치상)	처벌 ○	처벌 ×
제9조(강간 등 살인·치사)	처벌 ○	처벌 ×

제10조(업무상 위력 등에 의한 추행)	처벌 ×	처벌 ×
제11조(공중 밀집 장소에서의 추행)	처벌 ×	처벌 ×
제12조(성적 목적을 위한 다중이용장소 침입행위)	처벌 ×	처벌 ×
제13조(통신매체를 이용한 음란행위)	처벌 ×	처벌 ×
제14조(카메라 등을 이용한 촬영)	처벌 ○	처벌 ×
제14조의2(허위영상물 등의 반포등)	처벌 ○	처벌 ×
제14조의3(촬영물 등을 이용한 협박·강요)	처벌 ○	처벌 ×

(2) 수강명령 등의 병과

> **성폭력처벌법 제16조 【형벌과 수강명령 등의 병과】** ① 법원이 성폭력범죄를 범한 사람에 대하여 형의 선고를 유예하는 경우에는 1년 동안 보호관찰을 받을 것을 명할 수 있다. 다만, 성폭력범죄를 범한 「소년법」 제2조에 따른 소년에 대하여 형의 선고를 유예하는 경우에는 반드시 보호관찰을 명하여야 한다.
> ② 법원이 성폭력범죄를 범한 사람에 대하여 유죄판결(선고유예는 제외한다)을 선고하거나 약식명령을 고지하는 경우에는 500시간의 범위에서 재범예방에 필요한 수강명령 또는 성폭력 치료프로그램의 이수명령(이하 "이수명령"이라 한다)을 병과하여야 한다. 다만, 수강명령 또는 이수명령을 부과할 수 없는 특별한 사정이 있는 경우에는 그러하지 아니하다.

(3) 고소제한의 예외

> **성폭력처벌법 제18조 【고소 제한에 대한 예외】** 성폭력범죄에 대하여는 「형사소송법」 제224조(고소의 제한) 및 「군사법원법」 제266조에도 불구하고 자기 또는 배우자의 직계존속을 고소할 수 있다.
> **형사소송법 제224조 【고소의 제한】** 자기 또는 배우자의 직계존속을 고소하지 못한다.

(4) 감경규정의 특례

> **성폭력처벌법 제20조 【형법상 감경규정에 관한 특례】** 음주 또는 약물로 인한 심신장애 상태에서 성폭력범죄(제2조 제1항 제1호의 죄는 제외한다)를 범한 때에는 형법 제10조 제1항·제2항 및 제11조를 적용하지 아니할 수 있다. → **형법상 감경규정 적용가능한 제2조 제1항 제1호의 죄**: 성풍속에 관한 죄 중 음행매개, 음화반포등, 음화제조 및 공연음란

(5) 공소시효의 특례

> **성폭력처벌법 제21조 【공소시효에 관한 특례】** ① 미성년자에 대한 성폭력범죄의 공소시효는 형사소송법」 제252조 제1항 및 군사법원법 제294조 제1항에도 불구하고 해당 성폭력범죄로 피해를 당한 미성년자가 성년에 달한 날부터 진행한다. [2016 실무 2] [2017 경간]
> ② 제2조 제3호(→ 강간·강제추행 유형) 및 제4호의 죄(→ 강도강간과 그 미수)와 제3조부터 제9조까지의 죄는 디엔에이(DNA)증거 등 그 죄를 증명할 수 있는 과학적인 증거가 있는 때에는 공소시효가 10년 연장된다.

③ 13세 미만의 사람 및 신체적인 또는 정신적인 장애가 있는 사람에 대하여 다음 각 호의 죄를 범한 경우에는 제1항과 제2항에도 불구하고 「형사소송법」 제249조부터 제253조까지 및 「군사법원법」 제291조부터 제295조까지에 규정된 공소시효를 적용하지 아니한다. [2016 실무 2] [2019 승진(경위)]
1. 「형법」 제297조(강간), 제298조(강제추행), 제299조(준강간, 준강제추행), 제301조(강간등 상해 · 치상), 제301조의2(강간등 살인 · 치사) 또는 제305조(미성년자에 대한 간음, 추행)의 죄
2. 제6조 제2항(➡ 장애인에 대한 강간 · 강제추행), 제7조 제2항 및 제5항(➡ 13세미만 강간 · 강제추행), 제8조(➡ 강간 등 상해 · 치상), 제9조(➡ 강간 등 살인 · 치사)의 죄
3. 「아동 · 청소년의 성보호에 관한 법률」 제9조(➡ 강간 등 상해 · 치상) 또는 제10조(➡ 강간 등 살인 · 치사)의 죄
④ 다음 각 호의 죄를 범한 경우에는 제1항과 제2항에도 불구하고 「형사소송법」 제249조부터 제253조까지 및 「군사법원법」 제291조부터 제295조까지에 규정된 공소시효를 적용하지 아니한다.
1. 「형법」 제301조의2(강간등 살인 · 치사)의 죄(강간등 살인에 한정한다)
2. 제9조 제1항(➡ 강간 등 살인)의 죄
3. 「아동 · 청소년의 성보호에 관한 법률」 제10조 제1항(➡ 강간 등 살인)의 죄
4. 「군형법」 제92조의8의 죄(강간 등 살인에 한정한다)

[2016 실무 2] 특정한 성폭력 범죄의 경우 디엔에이(DNA)증거 등 그 죄를 증명할 수 있는 과학적인 증거가 있는 때에는 공소시효가 20년 연장된다. (×)
[2019 승진(경위)] 카메라등이용촬영죄는 디엔에이(DNA)증거 등 그 죄를 증명할 수 있는 과학적인 증거가 있는 때에는 공소시효가 10년 연장된다. (×)
[2017 경간] [2020 경간] 13세 미만의 사람 및 신체적인 또는 정신적인 장애가 있는 사람에 대하여 강간죄를 범한 경우에는 공소시효가 10년 연장된다. (×)
[2017 실무 2] [2019 승진(경위) 유사] 13세인 사람 및 신체적인 또는 정신적인 장애가 있는 사람에 대하여 강간의 죄를 범한 경우에는 공소시효를 적용하지 아니한다. (×)

5. 주요 행정처분

(1) 신상정보의 등록 및 공개

1) 등록대상자

성폭력처벌법 제42조【신상정보 등록대상자】① … "등록대상 성범죄"라 한다)로 유죄판결이나 약식명령이 확정된 자 또는 같은 법 제49조 제1항 제4호에 따라 공개명령이 확정된 자는 신상정보 등록대상자(이하 "등록대상자"라 한다)가 된다. 다만, 제12조(➡ 성적 목적을 위한 다중이용장소 침입행위) · 제13조(➡ 통신매체를 이용한 음란행위)의 범죄 및 「아동 · 청소년의 성보호에 관한 법률」 제11조 제3항 및 제5항(➡ 아동 · 청소년 성착취물 배포 · 제공 · 광고 · 소개 · 전시 · 상영 · 구입 · 소지 · 시청)의 범죄로 벌금형을 선고받은 자는 제외한다.
② 법원은 등록대상 성범죄로 유죄판결을 선고하거나 약식명령을 고지하는 경우에는 등록대상자라는 사실과 제43조에 따른 신상정보 제출 의무가 있음을 등록대상자에게 알려 주어야 한다.
③ 제2항에 따른 통지는 판결을 선고하는 때에는 구두 또는 서면으로 하고, 약식명령을 고지하는 때에는 통지사항이 기재된 서면을 송달하는 방법으로 한다.
④ 법원은 제1항의 판결이나 약식명령이 확정된 날부터 14일 이내에 판결문(제45조 제4항에 따라 법원이 등록기간을 달리 정한 경우에는 그 사실을 포함한다) 또는 약식명령 등본을 법무부장관에게 송달하여야 한다.

2) 신상정보의 제출

성폭력처벌법 제43조 【신상정보의 제출 의무】 ① 등록대상자는 제42조 제1항의 판결이 확정된 날부터 30일 이내에 다음 각 호의 신상정보(이하 "기본신상정보"라 한다)를 자신의 주소지를 관할하는 경찰관서의 장(이하 "관할경찰관서의 장"이라 한다)에게 제출하여야 한다. 다만, 등록대상자가 교정시설 또는 치료감호시설에 수용된 경우에는 그 교정시설 등의 장에게 기본신상정보를 제출함으로써 이를 갈음할 수 있다.

1. 성명 / 2. 주민등록번호 / 3. 주소 및 실제거주지 / 4. 직업 및 직장 등의 소재지 / 5. 연락처(전화번호, 전자우편주소를 말한다) / 6. 신체정보(키와 몸무게) / 7. 소유차량의 등록번호

② 관할경찰관서의 장 또는 교정시설등의 장은 제1항에 따라 등록대상자가 기본신상정보를 제출할 때에 등록대상자의 정면·좌측·우측 상반신 및 전신 컬러사진을 촬영하여 전자기록으로 저장·보관하여야 한다.

③ 등록대상자는 제1항에 따라 제출한 기본신상정보가 변경된 경우에는 그 사유와 변경내용(이하 "변경정보"라 한다)을 변경사유가 발생한 날부터 20일 이내에 제1항에 따라 제출하여야 한다.

④ 등록대상자는 제1항에 따라 기본신상정보를 제출한 경우에는 그 다음 해부터 매년 12월 31일까지 주소지를 관할하는 경찰관서에 출석하여 경찰관서의 장으로 하여금 자신의 정면·좌측·우측 상반신 및 전신 컬러사진을 촬영하여 전자기록으로 저장·보관하도록 하여야 한다. 다만, 교정시설등의 장은 등록대상자가 교정시설 등에 수용된 경우에는 석방 또는 치료감호 종료 전에 등록대상자의 정면·좌측·우측 상반신 및 전신 컬러사진을 새로 촬영하여 전자기록으로 저장·보관하여야 한다.

⑤ 관할경찰관서의 장 또는 교정시설등의 장은 등록대상자로부터 제출받은 기본신상정보 및 변경정보와 제2항 및 제4항에 따라 저장·보관하는 전자기록을 지체 없이 법무부장관에게 송달하여야 한다.

⑥ 제5항에 따라 등록대상자에 대한 기본신상정보를 송달할 때에 관할경찰관서의 장은 등록대상자에 대한 「형의 실효 등에 관한 법률」 제2조 제5호에 따른 범죄경력자료를 함께 송달하여야 한다.

성폭력처벌법 제43조의2 【출입국 시 신고의무 등】 ① 등록대상자가 6개월 이상 국외에 체류하기 위하여 출국하는 경우에는 미리 관할경찰관서의 장에게 체류국가 및 체류기간 등을 신고하여야 한다.

② 제1항에 따라 신고한 등록대상자가 입국하였을 때에는 특별한 사정이 없으면 14일 이내에 관할경찰관서의 장에게 입국 사실을 신고하여야 한다. 제1항에 따른 신고를 하지 아니하고 출국하여 6개월 이상 국외에 체류한 등록대상자가 입국하였을 때에도 또한 같다.

③ 관할경찰관서의 장은 제1항 및 제2항에 따른 신고를 받았을 때에는 지체 없이 법무부장관에게 해당 정보를 송달하여야 한다.

[2018 채용1차] [2020 경간] 등록대상자가 6개월 이상 국외에 체류하기 위하여 출국하는 경우에는 미리 관할경찰관서의 장에게 허가를 받아야 한다. (×)

3) 신상정보의 등록과 관리

> **성폭력처벌법 제44조【등록대상자의 신상정보 등록 등】** ① 법무부장관은 제43조 제5항, 제6항 및 제43조의2 제3항에 따라 송달받은 정보와 다음 각 호의 등록대상자 정보를 등록하여야 한다.
> 1. 등록대상 성범죄 경력정보
> 2. 성범죄 전과사실(죄명, 횟수)
> 3. 「전자장치 부착 등에 관한 법률」에 따른 전자장치 부착 여부
> ② 법무부장관은 등록대상자가 제1항에 따라 등록한 정보를 정보통신망을 이용하여 열람할 수 있도록 하여야 한다. 다만, 등록대상자가 신청하는 경우에는 등록한 정보를 등록대상자에게 통지하여야 한다.
>
> **성폭력처벌법 제45조【등록정보의 관리】** ① 법무부장관은 제44조 제1항 또는 제4항에 따라 기본신상정보를 최초로 등록한 날(이하 "최초등록일"이라 한다)부터 다음 각 호의 구분에 따른 기간(이하 "등록기간"이라 한다) 동안 등록정보를 보존·관리하여야 한다. 다만, 법원이 제4항에 따라 등록기간을 정한 경우에는 그 기간 동안 등록정보를 보존·관리하여야 한다.
> 1. 신상정보 등록의 원인이 된 성범죄로 사형, 무기징역·무기금고형 또는 10년 초과의 징역·금고형을 선고받은 사람: 30년
> 2. 신상정보 등록의 원인이 된 성범죄로 3년 초과 10년 이하의 징역·금고형을 선고받은 사람: 20년
> 3. 신상정보 등록의 원인이 된 성범죄로 3년 이하의 징역·금고형을 선고받은 사람 또는 「아동·청소년의 성보호에 관한 법률」 제49조 제1항 제4호에 따라 공개명령이 확정된 사람: 15년
> 4. 신상정보 등록의 원인이 된 성범죄로 벌금형을 선고받은 사람: 10년
>
> **성폭력처벌법 제45조의2【신상정보 등록의 면제】** ① 신상정보 등록의 원인이 된 성범죄로 형의 선고를 유예받은 사람이 선고유예를 받은 날부터 2년이 경과하여 형법 제60조에 따라 면소된 것으로 간주되면 신상정보 등록을 면제한다.
> [2018 채용1차]

4) 등록정보의 활용과 공개

> **성폭력처벌법 제46조【등록정보의 활용 등】** ① 법무부장관은 등록정보를 등록대상 성범죄와 관련한 범죄 예방 및 수사에 활용하게 하기 위하여 검사 또는 각급 경찰관서의 장에게 배포할 수 있다.
>
> **성폭력처벌법 제47조【등록정보의 공개】** ② 등록정보의 공개는 여성가족부장관이 집행한다. [2018 채용1차]
> ③ 법무부장관은 등록정보의 공개에 필요한 정보를 여성가족부장관에게 송부하여야 한다.
>
> **성폭력처벌법 제48조【비밀준수】** 등록대상자의 신상정보의 등록·보존 및 관리 업무에 종사하거나 종사하였던 자는 직무상 알게 된 등록정보를 누설하여서는 아니 된다. [2018 채용1차]

주제 6 | 가정폭력수사

01 개설

| 경찰공공의 원칙

경찰권은 사회공공의 안녕·질서를 유지하기 위해서만 발동될 수 있고, 그와 직접 관계가 없는 사생활·사주소 및 민사상의 법률관계에는 원칙적으로 관여할 수 없다는 원칙을 말한다.

가정폭력 현황

- 가정폭력신고건수는 222,046건(2020년 기준), 검거건수는 50,277건(2019년 기준)으로 집계되었다(경찰청).
- 한국여성정책연구원의 2019년도 통계분석 자료에 따르면 자체 추출한 3,154건의 사례 중 여성 피해자가 78.5%, 남성 피해자가 21.3%의 비중을 차지하였으며, 폭력유형은 상해가 81.9%로 가장 높은 비중을 차지하였다.

- 가정폭력범죄는 가족구성원들 사이에서 일어나는 폭력을 수반하는 범죄를 말하는 것으로서, 전통적으로는 경찰공공의 원칙 등을 근거로 경찰권이 적극적으로 개입하지 않으려는 경향이 있었으나 최근에는 우리 사회의 가정폭력에 대한 허용도가 낮아짐에 따라 경찰 등 공권력의 적절한 개입 요구가 증가하고 있다.
- 물론 가정 내에서 벌어지는 모든 갈등상황에 경찰력을 비롯한 국가공권력이 모두 개입할 필요는 없으며, 오히려 과잉개입 역시 가족구성원간의 관계회복에 부정적 영향을 끼치거나 행정력의 누수현상을 일으킬 수 있으므로, 최일선의 현장에 있는 경찰의 현명한 대응이 요구된다.

> **🔍 참고 가정폭력범죄의 특징**
>
> - 가정폭력범죄는 지극히 사적이고 폐쇄적인 공간에서 발생함으로써 노출되기 어렵다.
> - 가정폭력범죄는 여러가지 요인(심리·정서적, 신체적, 경제적, 성적 폭력)의 복합작용으로 발생하며, 지속적으로 이루어지는 특성이 있다.
> - 가정폭력범죄는 가족관계라는 특수성으로 인하여 신고 자체가 어려울 뿐 아니라, 신고 이후 경찰 등 공권력의 조치과정에서도 여러 현실적 어려움에 직면하게 된다.
> - 가정폭력의 대표적 유형인 배우자간 폭력은 아동폭력이나 노인폭력으로 이어질 개연성이 있다.

💡 이하 '가정폭력범죄의 처벌 등에 관한 특례법'은 '가정폭력처벌법'으로 약칭한다.

02 가정폭력범죄의 처벌 등에 관한 특례법

1. 총칙

(1) 목적 및 정의

> **가정폭력처벌법 제1조 【목적】** 이 법은 가정폭력범죄의 형사처벌 절차에 관한 특례를 정하고 가정폭력범죄를 범한 사람에 대하여 환경의 조정과 성행의 교정을 위한 보호처분을 함으로써 가정폭력범죄로 파괴된 가정의 평화와 안정을 회복하고 건강한 가정을 가꾸며 피해자와 가족구성원의 인권을 보호함을 목적으로 한다.
> [2023 승진(실무종합)]
>
> **가정폭력처벌법 제2조 【정의】** 이 법에서 사용하는 용어의 뜻은 다음과 같다.
> 1. **"가정폭력"**이란 가정구성원 사이의 **신체적, 정신적 또는 재산상** 피해를 수반하는 행위를 말한다. [2016 지능범죄]
>   [2017 실무 2] 가정폭력의 피해에는 가정구성원간의 신체적, 정신적 피해만 해당된다. (×)
> 2. **"가정구성원"**이란 다음 각 목의 어느 하나에 해당하는 사람을 말한다.
>   가. 배우자(사실상 혼인관계에 있는 사람을 포함한다. 이하 같다) 또는 배우자였던 사람 [2014 채용2차] [2016 경간] [2024 채용 1차]
>   나. 자기 또는 배우자와 직계존비속관계(사실상의 양친자관계를 포함한다. 이하 같다)에 있거나 있었던 사람 [2019 승진(경위)]
>   다. 계부모와 자녀의 관계 또는 적모와 서자의 관계에 있거나 있었던 사람 [2024 채용 1차]
>   라. 동거하는 친족 [2024 채용 1차]

| 적모·서자

홍판서는 남평 문씨와 혼인한 후 관기 옥영향과 사이에서 아들 홍길동을 낳았다. ➡ 적모: 남평 문씨 / 서자: 홍길동

[2023 승진(실무종합)] "가정구성원"이란 배우자(사실상 혼인관계에 있는 사람은 제외한다) 또는 배우자였던 사람을 의미한다. (×)
[2018 실무 2] 가정구성원 사이의 신체적, 정신적 또는 재산상 피해를 수반하는 행위로서 「형법」 제257조(상해)의 죄를 범한 자가 피해자와 사실혼관계에 있는 경우 민법 소정의 친족이라 할 수 없어 「가정폭력범죄의 처벌 등에 관한 특례법」상 가정구성원에 해당하지 않는다. (×)
[2017 실무 2] 자기 또는 배우자와 직계존비속관계에 있거나 있었던 사람은 가정구성원에 해당하지 않는다. (×)
[2016 지능범죄] 동거하는 친족관계에 있었던 사람도 '가정구성원'에 해당한다. (×)
[2015 채용3차] 동거하는 친족관계에 있었던 자는 가정구성원에 해당되지 않는다. (○)

3. **"가정폭력범죄"**란 가정폭력으로서 다음 각 목의 어느 하나에 해당하는 죄를 말한다. [2014 채용2차] [2016 채용2차] [2017 실무 2]

보호법익	항목
생명과 신체	• **상해와 폭행**: 상해, 존속상해, 중상해, 존속중상해, 특수상해, 폭행, 존속폭행, 특수폭행 • **유기와 학대**: 유기, 존속유기, 영아유기, 학대, 존속학대, 아동혹사
자유	• **체포와 감금**: 체포, 감금, 존속체포, 존속감금, 중체포, 중감금, 존속중체포, 존속중감금, 특수체포, 특수감금 • **협박**: 협박, 존속협박, 특수협박 • **강간과 추행**: 강간, 유사강간, 강제추행, 준강간, 준강제추행, 강간등 상해·치상, **강간등 살인**·치사, 미성년자등에 대한 간음, 미성년자에 대한 간음·추행
명예와 신용	**명예훼손**, 사자의 명예훼손, 출판물등에 의한 명예훼손, **모욕**
사생활 평온	**주거침입**, 퇴거불응, 특수주거침입, 주거·신체 수색
재산	• 강요 • **공갈**, 특수공갈 • **손괴**: 재물손괴, 특수손괴
특별법상	• (성폭력처벌법) 카메라 등을 이용한 촬영 • (정보통신망법) 공포심이나 불안감을 유발하는 부호·문언·음향·화상 또는 영상 반복전송

* **가정폭력범죄에 해당하지 않는 죄** [2016 채용1차] [2016 경간] [2017 경간]
살인죄, 존속살해죄, 영아살해죄, 상해치사죄, 과실치사죄 / 약취·유인죄 / 사기죄, 횡령·배임죄, 절도죄, 중손괴

[2024 채용1차] 丙과 같이 사는 사촌동생이 丙을 약취유인한 경우 「가정폭력범죄의 처벌 등에 관한 특례법」상 가정폭력범죄에 해당한다. (×)
[2015 승진(경위)] 「형법」상 약취·유인죄는 「가정폭력범죄의 처벌 등에 관한 특례법」상 가정폭력범죄에 해당한다. (×)
[2019 승진(경감)] 乙의 시어머니가 乙의 아들을 약취한 경우 가정폭력사건으로 처리할 수 있다. (×)
[2018 승진(경위)] 출판물등에 의한 명예훼손은 가정폭력범죄에 해당한다. (○)
[2020 실무 2] 피해자와 같이 살고 있는 사촌동생이 피해자의 명예를 훼손한 경우 가정폭력 사건으로 처리할 수 없다. (×)
[2019 승진(경위) 변형] 주거침입죄(형법 제319조)는 '가정폭력범죄'에 해당하나, 주거·신체 수색죄(형법 제321조)는 '가정폭력범죄'에 해당하지 않는다. (×)
[2020 경간] 가정폭력범죄의 처벌 등에 관한 특례법상 중손괴죄는 가정폭력범죄의 유형에 해당하지 않는다. (○)
[2021 채용1차] 가정폭력으로서 출판물 등에 의한 명예훼손, 재물손괴, 유사강간, 주거침입의 죄는 가정폭력범죄에 해당한다. (○)
[2022 승진(실무종합)] 甲의 배우자였던 乙이 甲에게 폭행을 당한 것을 이유로 112종합상황실에 가정폭력으로 신고하여 순찰 중이던 경찰관이 출동한 경우, 그 경찰관은 해당 사건에 대해 가정폭력범죄 사건으로 처리할 수 없다. (×)

4. **"가정폭력행위자"**란 가정폭력범죄를 범한 사람 및 **가정구성원인 공범**을 말한다. [2016 지능범죄]

[2023 승진(실무종합)] "가정폭력행위자"는 가정폭력범죄를 범한 사람만을 의미하고 가정구성원인 공범은 포함되지 않는다. (×)

5. **"피해자"**란 가정폭력범죄로 인하여 **직접적**으로 피해를 입은 사람을 말한다. ➡ 간접적 × [2016 경간]

[2016 지능범죄] [2020 실무 2] "피해자"란 가정폭력범죄로 인하여 직접적·간접적으로 피해를 입은 사람을 말한다. (×)

6. **"가정보호사건"**이란 가정폭력범죄로 인하여 이 법에 따른 **보호처분**의 대상이 되는 사건을 말한다.

7. **"보호처분"**이란 법원이 가정보호사건에 대하여 심리를 거쳐 가정폭력행위자에게 하는 제40조에 따른 처분을 말한다.

7의2. "피해자보호명령사건"이란 가정폭력범죄로 인하여 제55조의2에 따른 피해자보호명령의 대상이 되는 사건을 말한다.

8. "아동"이란 「아동복지법」 제3조 제1호에 따른 아동(➡ 18세 미만인 사람)을 말한다.

(2) 다른 법률과의 관계

가정폭력처벌법 제3조【다른 법률과의 관계】 가정폭력범죄에 대하여는 이 법을 우선 적용한다. 다만, 아동학대범죄에 대하여는 「아동학대범죄의 처벌 등에 관한 특례법」을 우선 적용한다.
[2021 채용1차] 가정폭력범죄 중 아동학대범죄에 대해서는 「청소년 보호법」을 우선 적용한다. (×)

2. 가정폭력범죄 발생시 처리절차

(1) 신고와 고소

1) 신고

▎아동학대범죄의 신고와 비교
- 아동학대범죄는 수사기관뿐만 아니라 지방자치단체에 대한 신고도 규정하고 있다.
- 아동학대범죄는 '의심이 있으면' 즉시 신고하여야 한다.
- 아동학대범죄의 신고의무자는 가정폭력범죄에 비하여 훨씬 광범위하게 규정되어 있다. 피해아동 등이 학대를 당연히 받아들이고 이를 학대로 인식하지 못하는 **미인지성** 때문이다.

가정폭력처벌법 제4조【신고의무 등】 ① 누구든지 가정폭력범죄를 알게 된 경우에는 수사기관에 신고할 수 있다. [2014 채용2차]
② 다음 각 호의 어느 하나에 해당하는 사람이 직무를 수행하면서 가정폭력범죄를 알게 된 경우에는 정당한 사유가 없으면 즉시 수사기관에 신고하여야 한다.
1. 아동의 교육과 보호를 담당하는 기관의 종사자와 그 기관장
2. 아동, 60세 이상의 노인, 그 밖에 정상적인 판단 능력이 결여된 사람의 치료 등을 담당하는 의료인 및 의료기관의 장
3. 「노인복지법」에 따른 노인복지시설, 「아동복지법」에 따른 아동복지시설, 「장애인복지법」에 따른 장애인복지시설의 종사자와 그 기관장
4. 「다문화가족지원법」에 따른 다문화가족지원센터의 전문인력과 그 장
5. 「결혼중개업의 관리에 관한 법률」에 따른 국제결혼중개업자와 그 종사자
   [2016 지능범죄]
6. 「소방기본법」에 따른 구조대·구급대의 대원
7. 「사회복지사업법」에 따른 사회복지 전담공무원
8. 「건강가정기본법」에 따른 건강가정지원센터의 종사자와 그 센터의 장
③ 「아동복지법」에 따른 아동상담소, 「가정폭력방지 및 피해자보호 등에 관한 법률」에 따른 가정폭력 관련 상담소 및 보호시설, 「성폭력방지 및 피해자보호 등에 관한 법률」에 따른 성폭력피해상담소 및 보호시설(이하 "상담소 등"이라 한다)에 근무하는 상담원과 그 기관장은 피해자 또는 피해자의 법정대리인 등과의 상담을 통하여 가정폭력범죄를 알게 된 경우에는 가정폭력피해자의 명시적인 반대의견이 없으면 즉시 신고하여야 한다.
④ 누구든지 제1항부터 제3항까지의 규정에 따라 가정폭력범죄를 신고한 사람(이하 "신고자"라 한다)에게 그 신고행위를 이유로 불이익을 주어서는 아니 된다.
[2017 실무 2] 가정폭력범죄는 피해와 관련 있는 고소권자만이 신고할 수 있다. (×)

가정폭력처벌법 제66조【과태료】 다음 각 호의 어느 하나에 해당하는 사람에게는 300만원 이하의 과태료를 부과한다.

　1. 정당한 사유 없이 제4조 제2항 각 호의 어느 하나에 해당하는 사람으로서 그 직무를 수행하면서 가정폭력범죄를 알게 된 경우에도 신고를 하지 아니한 사람 ➡ 제4조 제3항의 상담소는 ✕

2) 고소

가정폭력처벌법 제6조【고소에 관한 특례】 ① 피해자 또는 그 법정대리인은 가정폭력행위자를 고소할 수 있다. 피해자의 법정대리인이 가정폭력행위자인 경우 또는 가정폭력행위자와 공동으로 가정폭력범죄를 범한 경우에는 피해자의 친족이 고소할 수 있다. [2022 승진(실무종합)]

② 피해자는 형사소송법 제224조에도 불구하고 가정폭력행위자가 자기 또는 배우자의 직계존속인 경우에도 고소할 수 있다. 법정대리인이 고소하는 경우에도 또한 같다.

③ 피해자에게 고소할 법정대리인이나 친족이 없는 경우에 이해관계인이 신청하면 검사는 10일 이내에 고소할 수 있는 사람을 지정하여야 한다. [2015 채용3차]

[2018 실무 2] 피해자는 자기 또는 배우자의 직계존속이 가정폭력행위자인 경우 이를 고소할 수 없다. 다만, 피해자의 법정대리인이 가정폭력행위자인 경우 또는 가정폭력행위자와 공동으로 가정폭력범죄를 범한 경우에는 피해자의 친족이 고소할 수 있다. (✕)

[2015 채용3차] 피해자의 법정대리인이 가정폭력행위자인 경우 또는 가정폭력행위자와 공동으로 가정폭력범죄를 범한 경우에는 피해자의 친족이 고소할 수 없다. (✕)

■ **형사소송법 제224조【고소의 제한】**
자기 또는 배우자의 직계존속을 고소하지 못한다.

(2) 경찰단계 – 응급조치 · 긴급임시조치 · 사건송치

⊕ 심화 가정폭력방지 및 피해자보호 등에 관한 법률상의 '현장출동'

1 **일반규정 – 경찰관 직무집행법**

경찰관 직무집행법 제7조【위험 방지를 위한 출입】 ① 경찰관은 제5조 제1항 · 제2항 및 제6조에 따른 위험한 사태가 발생하여 사람의 생명 · 신체 또는 재산에 대한 위해가 임박한 때에 그 위해를 방지하거나 피해자를 구조하기 위하여 부득이하다고 인정하면 합리적으로 판단하여 필요한 한도에서 다른 사람의 토지 · 건물 · 배 또는 차에 출입할 수 있다.

④ 경찰관은 제1항부터 제3항까지의 규정에 따라 필요한 장소에 출입할 때에는 그 신분을 표시하는 증표를 제시하여야 하며, 함부로 관계인이 하는 정당한 업무를 방해해서는 아니 된다.

• 경찰관 직무집행법 제5조 제1항은 천재 · 사변 등이고, 제2항은 대간첩작전 수행 등, 그리고 제6조는 신체 위해 · 재산상 중대한 손해 끼칠 중대한 우려가 있는 경우이다.

2 **특별규정 – 가정폭력방지법**

가정폭력방지법 제9조의4【사법경찰관리의 현장출동 등】 ① 사법경찰관리는 가정폭력범죄의 신고가 접수된 때에는 지체 없이 가정폭력의 현장에 출동하여야 한다.

② 제1항에 따라 출동한 사법경찰관리는 피해자를 보호하기 위하여 신고된 현장 또는 사건 조사를 위한 관련 장소에 출입하여 관계인에 대하여 조사를 하거나 질문을 할 수 있다.

③ 가정폭력행위자는 제2항에 따른 사법경찰관리의 현장 조사를 거부하는 등 그 업무 수행을 방해하는 행위를 하여서는 아니 된다.

④ 제2항에 따라 출입, 조사 또는 질문을 하는 사법경찰관리는 그 권한을 표시하는 증표를 지니고 이를 관계인에게 내보여야 한다. [2012 채용2차]

💡 이하 '가정폭력방지 및 피해자보호 등에 관한 법률'은 '가정폭력방지법'으로 약칭한다.

1) 응급조치

▌아동학대처벌법상 응급조치
· 제1호: 행위의 제지
· 제2호: 학대자와 아동 격리
· 제3호: 보호시설 인도
· 제4호: 의료기관 인도

> **가정폭력처벌법 제5조【가정폭력범죄에 대한 응급조치】** 진행 중인 가정폭력범죄에 대하여 신고를 받은 사법경찰관리는 즉시 현장에 나가서 다음 각 호의 조치를 하여야 한다. [2012 채용2차] [2013 채용1차] [2018 실무 2] [2019 승진(경위)]
> 1. 폭력행위의 제지, 가정폭력행위자 · 피해자의 분리
> 1의2. 「형사소송법」 제212조에 따른 현행범인의 체포 등 범죄수사
> 2. 피해자를 가정폭력 관련 상담소 또는 보호시설로 인도(피해자가 동의한 경우만 해당한다) [2014 승진(경위)]
> 3. 긴급치료가 필요한 피해자를 의료기관으로 인도 [2014 승진(경위)] [2015 채용1차]
> 4. 폭력행위 재발 시 제8조에 따라 임시조치를 신청할 수 있음을 통보
> 5. 제55조의2에 따른 피해자보호명령 또는 신변안전조치를 청구할 수 있음을 고지
> [2015 채용1차] 피해자의 동의 없이도 피해자를 가정폭력 관련 상담소 또는 보호시설로 인도할 수 있다. (×)

2) 긴급임시조치 ➡ 가해자 퇴거 · 접근금지 · 통신금지

▌판사가 하는 제29조 임시조치
가정폭력행위자에게
· 제1호: 퇴거격리
· 제2호: 100m 내 접근금지
· 제3호: 전기통신 접근금지
· 제4호: 의료기관 · 요양소 위탁
· 제5호: 유치장 · 구치소 유치
· 제6호: 상담위탁

💡 긴급임시조치는 가정폭력 현장에 출동한 경찰관이 피해자 보호를 위해 직접 조치를 취할 수 있도록 2011년 도입되었으나, 강제수단이 과태료에 불과해 실효성이 크지 않다는 비판을 받아오고 있다.

> **가정폭력처벌법 제8조의2【긴급임시조치】** ① 사법경찰관은 제5조에 따른 응급조치에도 불구하고 가정폭력범죄가 재발될 우려가 있고, 긴급을 요하여 법원의 임시조치 결정을 받을 수 없을 때에는 직권 또는 피해자나 그 법정대리인의 신청에 의하여 제29조 제1항 제1호부터 제3호까지의 어느 하나에 해당하는 조치(이하 "긴급임시조치"라 한다)를 할 수 있다. ➡ 가해자 퇴거격리 · 접근금지 · 통신접근금지 [2016 채용2차] [2018 실무 2] [2021 채용1차] [2022 승진(실무종합)]
> ② 사법경찰관은 제1항에 따라 긴급임시조치를 한 경우에는 즉시 긴급임시조치결정서를 작성하여야 한다.
> ③ 제2항에 따른 긴급임시조치결정서에는 범죄사실의 요지, 긴급임시조치가 필요한 사유 등을 기재하여야 한다. [2014 승진(경위)]
> [2014 승진(경위)] 사법경찰관은 응급조치에도 불구하고 재발 우려 및 긴급한 경우에도 법원의 결정 없이는 긴급임시조치를 할 수 없다. (×)
> [2014 채용2차] 사법경찰관은 가정폭력범죄에 대한 응급조치에도 불구하고 재발될 우려가 있고, 긴급을 요하여 검사의 임시조치결정을 받을 수 없는 경우에도 긴급임시조치를 할 수 있다. (×)
> [2015 실무 2] 「가정폭력범죄의 처벌 등에 관한 특례법」상 경찰에서 긴급임시조치로서 국가경찰관서의 유치장 또는 구치소에서의 유치를 할 수 있다. (×)
> [2017 승진(경위)] 「가정폭력범죄의 처벌 등에 관한 특례법」상 사법경찰관은 긴급임시조치로서 의료기관이나 그 밖의 요양소에의 위탁을 할 수 있다. (×)
> [2023 채용1차] 가정폭력범죄에 대해 사법경찰관이 취할 수 있는 긴급임시조치에는 국가경찰관서의 유치장 또는 구치소에의 유치, 피해자 또는 가정구성원이나 그 주거 · 직장 등에서 100미터 이내의 접근금지, 피해자 또는 가정구성원의 주거 또는 점유하는 방실로부터의 퇴거 등 격리, 피해자 또는 가정구성원에 대한 「전기통신기본법」 제2조 제1호의 전기통신을 이용한 접근금지가 있다. (×)

> **가정폭력처벌법 제8조의3【긴급임시조치와 임시조치의 청구】** ① 사법경찰관이 제8조의2 제1항에 따라 긴급임시조치를 한 때에는 지체 없이 검사에게 제8조에 따른 임시조치를 신청하고, 신청받은 검사는 법원에 임시조치를 청구하여야 한다. 이 경우 임시조치의 청구는 긴급임시조치를 한 때부터 48시간 이내에 청구하여야 하며, 제8조의2 제2항에 따른 긴급임시조치결정서를 첨부하여야 한다. [2016 채용2차] [2019 승진(경위)]
> ② 제1항에 따라 임시조치를 청구하지 아니하거나 법원이 임시조치의 결정을 하지 아니한 때에는 즉시 긴급임시조치를 취소하여야 한다.
> [2020 실무 2] 사법경찰관이 응급조치를 한 때에는 지체 없이 검사에게 임시조치를 신청하고, 신청받은 검사는 법원에 임시조치를 청구하여야 한다. 이 경우 임시조치의 청구는 응급조치를 한 때부터 48시간 이내에 청구하여야 하며, 긴급임시조치결정서를 첨부하여야 한다. (×)

> **가정폭력처벌법 제66조【과태료】** 다음 각 호의 어느 하나에 해당하는 사람에게는 300만원 이하의 과태료를 부과한다.
> 2. 정당한 사유 없이 제8조의2 제1항에 따른 긴급임시조치(검사가 제8조의3 제1항에 따른 임시조치를 청구하지 아니하거나 법원이 임시조치의 결정을 하지 아니한 때는 제외한다)를 이행하지 아니한 사람

- 긴급임시조치는 가해자에게 불이익을 주는 것이 목적이 아니라, 가해자의 폭력으로부터 피해자의 생명과 신체를 보호함으로써 피해자의 안전을 지키고자 하는 예방활동에 해당한다.
- 한편, 가정폭력처벌법상 판사가 하는 임시조치는 '경찰의 신청 ➡ 검찰청구 ➡ 법원 결정'의 절차를 거쳐야 하는 등 피해자 보호에 공백이 발생하므로, 이러한 공백기간 중 피해자를 보호하기 위한 **최소한의 조치(가해자 퇴거·접근금지·통신금지)**로 구성되어 있다.

3) 수사 및 사건송치

> **가정폭력처벌법 제7조【사법경찰관의 사건 송치】** 사법경찰관은 가정폭력범죄를 신속히 수사하여 사건을 검사에게 송치하여야 한다. 이 경우 사법경찰관은 해당 사건을 가정보호사건으로 처리하는 것이 적절한지에 관한 의견을 제시할 수 있다. [2015 채용1차] [2015 채용3차] [2016 경간]

(3) 검찰단계

1) 임시조치의 청구

> **가정폭력처벌법 제8조【임시조치의 청구 등】** ① 검사는 가정폭력범죄가 재발될 우려가 있다고 인정하는 경우에는 직권으로 또는 사법경찰관의 신청에 의하여 법원에 제29조 제1항 제1호·제2호 또는 제3호의 임시조치를 청구할 수 있다.
> ➡ 가해자 퇴거격리·접근금지·통신접근금지 [2012 채용2차]
> ② 검사는 가정폭력행위자가 제1항의 청구에 의하여 결정된 임시조치를 위반하여 가정폭력범죄가 재발될 우려가 있다고 인정하는 경우에는 직권으로 또는 사법경찰관의 신청에 의하여 법원에 제29조 제1항 제5호의 임시조치를 청구할 수 있다. ➡ 가해자 유치
> ③ 제1항 및 제2항의 경우 피해자 또는 그 법정대리인은 검사 또는 사법경찰관에게 제1항 및 제2항에 따른 임시조치의 청구 또는 그 신청을 요청하거나 이에 관하여 의견을 진술할 수 있다.
> ④ 제3항에 따른 요청을 받은 사법경찰관은 제1항 및 제2항에 따른 임시조치를 신청하지 아니하는 경우에는 검사에게 그 사유를 보고하여야 한다.
> [2015 채용1차] 가정폭력범죄가 재발될 우려가 있다고 인정하는 경우에는 사법경찰관의 직권으로 법원에 임시조치를 청구할 수 있다. (×)
> [2016 채용2차] 검사는 가정폭력범죄가 재발될 우려가 있다고 인정하는 경우에는 직권으로 또는 사법경찰관의 신청에 의하여 법원에 피해자 또는 가정구성원의 주거 또는 점유하는 방실로부터의 퇴거 등 격리, 피해자 또는 가정구성원의 주거·직장 등에서 100미터 이내의 접근금지, 의료기관이나 그 밖의 요양소에 위탁의 임시조치를 청구할 수 있다. (×)

'긴급임시조치'는 사법경찰관이 직권으로 할 수 있으나, '임시조치'는 사법경찰관이 검사에게 신청하여 검사가 법원에 청구할 수 있는 것으로 규정되어 있음을 주의하여야 한다.

2) 사법경찰관의 긴급임시조치에 따른 임시조치 청구

- 앞서 본 가정폭력처벌법 제8조의3에 따라, 사법경찰관이 긴급임시조치를 한 경우 지체없이 검사에게 임시조치를 신청하고, 신청을 받은 검사는 긴급임시조치를 한 때부터 48시간 이내에 법원에 임시조치를 청구하여야 한다.
- 즉, 임시조치의 경우 ① 제8조에 근거한 긴급임시조치를 거치지 않은 임시조치, ② 제8조의3에 근거한 긴급임시조치를 거친 임시조치 두가지 경우가 있을 수 있는 것이다.

3) 수사종결 및 기소 등

① 상담조건부 기소유예

> **가정폭력처벌법 제9조의2【상담조건부 기소유예】** 검사는 가정폭력사건을 수사한 결과 가정폭력행위자의 성행 교정을 위하여 필요하다고 인정하는 경우에는 상담조건부 기소유예를 할 수 있다.

② 가정보호사건으로 처리

> **가정폭력처벌법 제9조【가정보호사건의 처리】** ① 검사는 가정폭력범죄로서 사건의 성질·동기 및 결과, 가정폭력행위자의 성행 등을 고려하여 이 법에 따른 보호처분을 하는 것이 적절하다고 인정하는 경우에는 가정보호사건으로 처리할 수 있다. 이 경우 검사는 피해자의 의사를 존중하여야 한다.
> ② 다음 각 호의 경우에는 제1항을 적용할 수 있다.
> 1. 피해자의 고소가 있어야 공소를 제기할 수 있는 가정폭력범죄에서 고소가 없거나 취소된 경우
> 2. 피해자의 명시적인 의사에 반하여 공소를 제기할 수 없는 가정폭력범죄에서 피해자가 처벌을 희망하지 아니한다는 명시적 의사표시를 하였거나 처벌을 희망하는 의사표시를 철회한 경우
>
> **가정폭력처벌법 제11조【검사의 송치】** ① 검사는 제9조에 따라 가정보호사건으로 처리하는 경우에는 그 사건을 관할 가정법원 또는 지방법원(이하 "법원"이라 한다)에 송치하여야 한다.
> ② 검사는 가정폭력범죄와 그 외의 범죄가 경합하는 경우에는 가정폭력범죄에 대한 사건만을 분리하여 관할 법원에 송치할 수 있다.

③ 형사사건 기소: 형사처벌을 받아야 할 사안인 경우 검사는 형사소송법에 따라 피의자를 형사기소하게 되고, 이 경우에는 일반적인 형사사건절차로 처리된다.

(3) 법원단계(가정보호사건 처리)

1) 법원의 임시조치

> **가정폭력처벌법 제29조【임시조치】** ① 판사는 가정보호사건의 원활한 조사·심리 또는 피해자 보호를 위하여 필요하다고 인정하는 경우에는 결정으로 가정폭력행위자에게 다음 각 호의 어느 하나에 해당하는 임시조치를 할 수 있다.
> 1. 피해자 또는 가정구성원의 주거 또는 점유하는 방실로부터의 퇴거 등 격리
> 2. 피해자 또는 가정구성원이나 그 주거·직장 등에서 100미터 이내의 접근 금지

3. 피해자 또는 가정구성원에 대한 전기통신기본법 제2조 제1호의 전기통신을 이용한 접근 금지

4. 의료기관이나 그 밖의 요양소에의 위탁

5. 국가경찰관서의 유치장 또는 구치소에의 유치

6. 상담소등에의 상담위탁

⑨ 제1항 제1호부터 제3호까지의 임시조치기간은 2개월, 같은 항 제4호부터 제6호까지의 임시조치기간은 1개월을 초과할 수 없다. 다만, 피해자의 보호를 위하여 그 기간을 연장할 필요가 있다고 인정하는 경우에는 결정으로 제1항 제1호부터 제3호까지의 임시조치는 두 차례만, 같은 항 제4호부터 제6호까지의 임시조치는 한 차례만 각 기간의 범위에서 연장할 수 있다.

⑩ 가정폭력행위자, 그 법정대리인이나 보조인은 제1항에 따른 임시조치 결정의 취소 또는 그 종류의 변경을 신청할 수 있다.

⑪ 판사는 직권으로 또는 제10항에 따른 신청에 정당한 이유가 있다고 인정하는 경우에는 결정으로 해당 임시조치를 취소하거나 그 종류를 변경할 수 있다.

> **가정폭력처벌법 제63조【보호처분 등의 불이행죄】** ② 정당한 사유 없이 제29조 제1항 제1호부터 제3호까지의 어느 하나에 해당하는 임시조치를 이행하지 아니한 가정폭력행위자는 1년 이하의 징역 또는 1천만원 이하의 벌금 또는 구류에 처한다.

법원이 가정보호사건을 심리하여 보호처분의 결정을 내리기까지 상당한 시일이 소요되므로, 그때까지 임시로 가정폭력행위자를 피해자 등으로부터 격리 등을 해 두기 위한 제도이다.

[2020 실무 2] 긴급임시조치는 사법경찰관이 할 수 있고, 임시조치는 판사가 할 수 있다. (○)

- 임시조치위반에 따른 벌칙은 원래 과태료 처분이었으나 2021.1.부터 형사처벌사항으로 변경되었다.
- 2021년 기준 법 제29조 제1호~제3호 임시조치 위반건수는 526건이었으며, 이로 인해 제5호 임시처분(유치장 유치)으로 넘어간 것은 111건으로 집계되었다.

☑ KEY POINT | 임시조치 사항별 비교

구분	경찰 긴급임시조치	검사 임시조치청구	법원 결정시 기간
제1호 퇴거격리	대상 ○	대상 ○	2개월, 2회 연장 可 (최대 6개월)
제2호 접근금지(100m)	대상 ○	대상 ○	
제3호 통신접근금지	대상 ○	대상 ○	
제4호 의료기관 등 위탁	대상 ×	대상 ×	1개월, 1회 연장 可 (최대 2개월)
제5호 유치장 등 유치	대상 ×	제1·2·3호 위반시 대상 ○	
제6호 상담위탁	대상 ×	대상 ×	

2) 불처분의 결정

> **가정폭력처벌법 제37조【처분을 하지 아니한다는 결정】** ① 판사는 가정보호사건을 심리한 결과 다음 각 호의 어느 하나에 해당하는 경우에는 처분을 하지 아니한다는 결정을 하여야 한다.
>
> 1. 보호처분을 할 수 없거나 할 필요가 없다고 인정하는 경우
> 2. 사건의 성질·동기 및 결과, 가정폭력행위자의 성행, 습벽 등에 비추어 가정보호사건으로 처리하는 것이 적당하지 아니하다고 인정하는 경우

3) 보호처분의 결정

- 2020년 가정보호사건으로 접수된 20,042건의 사건 중 절반에 약간 못미치는 8,128건이 불처분결정되었다.
- 보호처분 중에서는 제8호 상담위탁이 4,719건으로 가장 많은 비중을 차지하였다(그 다음은 제4호 사회봉사·수강명령 2,890건).
- 제3호 친권행사제한과 제6호 감호위탁은 0건으로 집계되었다.

┃아동학대처벌법의 보호처분기간
- 제4호(사회봉사·수강명령) 제외한 나머지: 1년 초과 불가
- 제4호: 200시간 초과 불가

가정폭력처벌법 제40조【보호처분의 결정 등】① 판사는 심리의 결과 보호처분이 필요하다고 인정하는 경우에는 결정으로 다음 각 호의 어느 하나에 해당하는 처분을 할 수 있다.
1. 가정폭력행위자가 피해자 또는 가정구성원에게 접근하는 행위의 제한
2. 가정폭력행위자가 피해자 또는 가정구성원에게 「전기통신기본법」 제2조 제1호의 전기통신을 이용하여 접근하는 행위의 제한
3. 가정폭력행위자가 친권자인 경우 피해자에 대한 친권 행사의 제한
4. 「보호관찰 등에 관한 법률」에 따른 사회봉사·수강명령
5. 「보호관찰 등에 관한 법률」에 따른 보호관찰
6. 「가정폭력방지 및 피해자보호 등에 관한 법률」에서 정하는 보호시설에의 감호위탁
7. 의료기관에의 치료위탁
8. 상담소등에의 상담위탁
② 제1항 각 호의 처분은 병과할 수 있다.

가정폭력처벌법 제41조【보호처분의 기간】 제40조 제1항 제1호부터 제3호까지 및 제5호부터 제8호까지의 보호처분의 기간은 6개월을 초과할 수 없으며, 같은 항 제4호의 사회봉사·수강명령의 시간은 200시간을 각각 초과할 수 없다.

가정폭력처벌법 제63조【보호처분 등의 불이행죄】① 다음 각 호의 어느 하나에 해당하는 가정폭력행위자는 2년 이하의 징역 또는 2천만원 이하의 벌금 또는 구류에 처한다.
1. 제40조 제1항 제1호부터 제3호까지의 어느 하나에 해당하는 보호처분이 확정된 후에 이를 이행하지 아니한 가정폭력행위자
2. 제55조의2에 따른 피해자보호명령 또는 제55조의4에 따른 임시보호명령을 받고 이를 이행하지 아니한 가정폭력행위자

⊕심화 피해자보호명령 사건

1 의의
- 앞서 본 가정보호사건과는 달리, 가정폭력 피해자가 경찰이 검찰 등 수사기관을 거치지 않고 직접 법원에 가해자의 접근금지 등과 같은 보호명령을 청구할 수 있는 제도이다. ➔ 피해자보호명령 사건과 가정보호사건은 엄연히 서로 다른 별개의 사건이며 다만 병합심리는 가능하다.
- 이는 가정폭력 피해자가 가해자에 대한 적극적인 형사처벌 등은 원하지 않되 신속히 법원의 보호를 받고자 할 때 주로 이용된다.

2 피해자보호명령의 종류

가정폭력처벌법 제55조의2【피해자보호명령 등】① 판사는 피해자의 보호를 위하여 필요하다고 인정하는 때에는 피해자, 그 법정대리인 또는 검사의 청구에 따라 결정으로 가정폭력행위자에게 다음 각 호의 어느 하나에 해당하는 피해자보호명령을 할 수 있다.
1. 피해자 또는 가정구성원의 주거 또는 점유하는 방실로부터의 퇴거 등 격리
2. 피해자 또는 가정구성원이나 그 주거·직장 등에서 100미터 이내의 접근금지
3. 피해자 또는 가정구성원에 대한 「전기통신사업법」 제2조 제1호의 전기통신을 이용한 접근금지
4. 친권자인 가정폭력행위자의 피해자에 대한 친권행사의 제한
5. 가정폭력행위자의 피해자에 대한 면접교섭권행사의 제한
② 제1항 각 호의 피해자보호명령은 이를 병과할 수 있다.

3. 처벌의 특례

(1) 형벌과 수강명령의 병과

> 가정폭력처벌법 제3조의2 【형벌과 수강명령 등의 병과】 ① 법원은 가정폭력행위자에 대하여 유죄판결(선고유예는 제외한다)을 선고하거나 약식명령을 고지하는 경우에는 200시간의 범위에서 재범예방에 필요한 수강명령(「보호관찰 등에 관한 법률」에 따른 수강명령을 말한다. 이하 같다) 또는 가정폭력 치료프로그램의 이수명령(이하 "이수명령"이라 한다)을 병과할 수 있다. [2021 채용1차]
> ⑥ 제1항에 따른 수강명령 또는 이수명령은 다음 각 호의 내용으로 한다.
> 1. 가정폭력 행동의 진단·상담
> 2. 가정구성원으로서의 기본 소양을 갖추게 하기 위한 교육
> 3. 그 밖에 가정폭력행위자의 재범예방을 위하여 필요한 사항

▮ 수강명령·이수명령 비교
- 아청법: 500시간, 필요적 병과
- 성폭력처벌법: 500시간, 필요적 병과
- 스토킹처벌법: 200시간, 임의적 병과
- 가정폭력처벌법: 200시간, 임의적 병과
- 아동학대처벌법: 200시간, 임의적 병과

(2) 공소시효의 정지 등

> 가정폭력처벌법 제17조 【공소시효의 정지와 효력】 ① 가정폭력범죄에 대한 공소시효는 해당 가정보호사건이 법원에 송치된 때부터 시효 진행이 정지된다. 다만, 다음 각 호의 어느 하나에 해당하는 경우에는 그 때부터 진행된다.
> 1. 해당 가정보호사건에 대한 제37조 제1항의 처분을 하지 아니한다는 결정(제1호의 사유에 따른 결정만 해당한다)이 확정된 때 ➡ 보호처분 필요없어 내려지는 법원의 불처분결정
> 2. 해당 가정보호사건이 … 송치된 때
> ② 공범 중 1명에 대한 제1항의 시효정지는 다른 공범자에게도 효력을 미친다.

주제 7 아동학대수사

01 개설

- 아동은 비록 현재는 성인의 보호를 필요로 하지만 국가와 사회로부터 존중받아야 할 독립된 인격체이자 장래 대한민국을 이끌어갈 주역으로서, 이러한 아동의 보호를 위해 경찰 등 공권력의 적절한 개입이 필수적이나, 통상 아동학대의 가해자 위치에 있는 부모 등 보호자의 강력한 반발로 효과적인 공권력의 개입이 쉽지만은 않은 실정이다.

⊕ 심화 아동학대의 특성

은폐성	외부에서 인지하기 어려운 가정 내 장소 등에서 일어나 발견되기 쉽지 않음
반복성	학대자의 지속적인 학대 습성에 의해 1회성으로 그치지 않음
순환성	피해아동이 성장해 자녀에게 대물림 학대하는 등 세대간 전이됨
미인지성	피해아동은 부모의 학대를 당연하여 받아들이고 이를 학대로 인식하지 못함

[2018 승진(경감)] 피해아동이 보호자의 학대를 당연하게 받아들이고 이를 학대로 인식하지 못하는 은폐성 때문에 「아동학대범죄의 처벌 등에 관한 특례법」은 아동학대 신고의무자를 광범위하게 규정하고 있다. (×)

■ 울산 아동학대 사망 사건
- 2013년 10월, 혼인신고 없이 동거하던 계모 박성복이 초등학교 2학년 재학중이던 이OO 양이 소풍을 가고싶다는 말에 약 50분간 무차별 구타하여 갈비뼈 16개를 부러뜨리는 중상을 입히고 사망에 이르게 한 사건이다.
- 박상복은 이 사건 이전인 2011년 어린이집 교사의 신고로 아동학대 사실이 인정되었으나 법제도의 미비로 교육이수명령을 제외하고는 특별히 의미있는 조치가 이루어지지 않았다.
- 이 사건은 아동학대 사망 사건에서 관례적으로 적용했던 학대치사죄 대신 살인죄가 적용되어 인정된 첫 번째 사례로서, 징역 18년이 확정되었다(방조혐의 친부는 징역 4년 확정).

■ 학대예방경찰관(APO, Anti-Abuse Police Officer)
- 가정폭력·아동학대·노인 및 장애인 학대 등 사회적 약자를 대상으로 한 범죄에 대한 예방·수사연계·피해자보호·사후관리 지원업무를 수행한다.
- 구체적으로는 ① 학교전담경찰관, ② 가정폭력전담경찰관, ③ 노인·장애인 학대전담경찰관, ④ 아동학대 전담경찰관이 있다.

💡 이하 '아동학대범죄의 처벌 등에 관한 특례법'은 '아동학대처벌법'으로 약칭한다.

- 우리나라는 2000년 1월 아동복지법을 제정하면서 아동학대에 대해 본격적으로 대응해 오기 시작하다가, 2013년 10월 발생한 울산 아동학대 사망사건을 계기로 2014년 1월 '아동학대범죄의 처벌 등에 관한 특례법'을 제정하여 아동학대에 대한 형사적 대응을 강화하고 특히 경찰에 대해서는 <u>초기 현장출동단계부터 파출소·지구대 경찰이 반드시 개입하고 경찰관서에 아동학대예방 전담경찰관을 배치</u>하도록 하였다.

🔍 **참고 아동학대 사건의 발생현황 및 대응체계**

1 발생현황
- 보건복지부 아동학대 주요통계(2020)에 따르면, 2020년 기준 전체 신고건수는 42,251건이고, 그중 30,905건이 아동학대사례로 분류되었다.
- 아동학대사례 중 남성학대행위자는 17,145건(55.5%), 여성 13,760건(건(44.5%)으로 조사되었고, 학대행위자는 부모인 경우가 25,380건(82.1%), 대리양육자가 2,930건(9.5%), 친인척 1,661건(5.4%)로 나타났다.
- 한편, 부모의 학대행위 중 친부모의 학대가 압도적으로 많았으며, 계부와 계모의 학대행위는 각각 1.9%, 1.0%로 조사되었다.
- 아동학대사례 30,905건 중 고소·고발 등으로 법적조치가 취해진 경우는 11,209건으로 집계되었다.

2 대응체계
그동안 우리나라는 여러 차례 충격적인 아동학대 사건들을 겪으면서, 지난 2021년부터 '아동학대 조사 공공화 정책'을 시행하여 ① 공공영역에서 경찰 및 지방자치단체(아동학대전담공무원), ② 민간영역에서 아동보호전문기관을 통해 대응하는 체계를 구축하고 있다.

---

02 아동학대범죄의 처벌 등에 관한 특례법

1. 총칙

(1) 목적 및 정의

> **아동학대처벌법 제1조【목적】** 이 법은 아동학대범죄의 처벌 및 그 절차에 관한 특례와 피해아동에 대한 보호절차 및 아동학대행위자에 대한 보호처분을 규정함으로써 아동을 보호하여 아동이 건강한 사회 구성원으로 성장하도록 함을 목적으로 한다. [2015 채용3차]
>
> **아동학대처벌법 제2조【정의】** 이 법에서 사용하는 용어의 뜻은 다음과 같다.
>   1. "아동"이란 「아동복지법」 제3조 제1호에 따른 아동을 말한다.
>   2. "보호자"란 「아동복지법」 제3조 제3호에 따른 보호자를 말한다.
>   3. "아동학대"란 「아동복지법」 제3조 제7호에 따른 아동학대를 말한다.
>   5. "아동학대행위자"란 아동학대범죄를 범한 사람 및 그 공범을 말한다.
>   6. "피해아동"이란 아동학대범죄로 인하여 직접적으로 피해를 입은 아동을 말한다.
>
> **아동복지법 제3조【정의】** 이 법에서 사용하는 용어의 뜻은 다음과 같다.
>   1. "아동"이란 18세 미만인 사람을 말한다. [2018 실무 2]
>   3. "보호자"란 친권자, 후견인, 아동을 보호·양육·교육하거나 그러한 의무가 있는 자 또는 업무·고용 등의 관계로 사실상 아동을 보호·감독하는 자를 말한다.

7. **"아동학대"**란 보호자를 포함한 성인이 아동의 건강 또는 복지를 해치거나 정상적 발달을 저해할 수 있는 신체적 · 정신적 · 성적 폭력이나 가혹행위를 하는 것과 아동의 보호자가 아동을 유기하거나 방임하는 것을 말한다.

[2015 채용3차] [2017 경간] 「아동학대범죄의 처벌 등에 관한 특례법」상 아동이란 19세 미만인 사람을 말한다. (×)

(2) 다른 법률과의 관계

> 아동학대처벌법 제3조【다른 법률과의 관계】아동학대범죄에 대하여는 이 법을 우선 적용한다. 다만, 「성폭력범죄의 처벌 등에 관한 특례법」, 「아동 · 청소년의 성보호에 관한 법률」에서 가중처벌되는 경우에는 그 법에서 정한 바에 따른다. [2015 채용3차] [2018 실무 2] [2020 승진(경위)]

2. 아동학대범죄 발생시 처리절차

(1) 신고와 고소

1) 신고

> 아동학대처벌법 제10조【아동학대범죄 신고의무와 절차】① 누구든지 아동학대범죄를 알게 된 경우나 그 의심이 있는 경우에는 특별시 · 광역시 · 특별자치시 · 도 · 특별자치도(이하 "시 · 도"라 한다), 시 · 군 · 구(자치구를 말한다. 이하 같다) 또는 수사기관에 신고할 수 있다.
>
> ② 다음 각 호의 어느 하나에 해당하는 사람이 직무를 수행하면서 아동학대범죄를 알게 된 경우나 그 의심이 있는 경우에는 시 · 도, 시 · 군 · 구 또는 수사기관에 즉시 신고하여야 한다.
>
> 　1. 「아동복지법」 제10조의2에 따른 아동권리보장원(이하 "아동권리보장원" 이라 한다) 및 가정위탁지원센터의 장과 그 종사자
> 　2. 아동복지시설의 장과 그 종사자(아동보호전문기관의 장과 그 종사자는 제외한다) ➡ 아동보호전문기관의 장과 그 종사자는 제14호에 규정되어 있음
> 　3. 「아동복지법」 제13조에 따른 아동복지전담공무원
> 　7. 「사회보장급여의 이용 · 제공 및 수급권자 발굴에 관한 법률」 제43조에 따른 사회복지전담공무원 및 「사회복지사업법」 제34조에 따른 사회복지시설의 장과 그 종사자
> 　10. 「119구조 · 구급에 관한 법률」 제2조 제4호에 따른 119구급대의 대원
> 　11. 「응급의료에 관한 법률」 제2조 제7호에 따른 응급의료기관등에 종사하는 응급구조사
> 　12. 「영유아보육법」 제7조에 따른 육아종합지원센터의 장과 그 종사자 및 제10조에 따른 어린이집의 원장 등 보육교직원
> 　13. 「유아교육법」 제2조 제2호에 따른 유치원의 장과 그 종사자
> 　15. 「의료법」 제3조 제1항에 따른 의료기관의 장과 그 의료기관에 종사하는 의료인 및 의료기사
> 　20. 「초 · 중등교육법」 제2조에 따른 학교의 장과 그 종사자
> 　22. 「학원의 설립 · 운영 및 과외교습에 관한 법률」 제6조에 따른 학원의 운영자 · 강사 · 직원 및 같은 법 제14조에 따른 교습소의 교습자 · 직원
> 　23. 「아이돌봄 지원법」 제2조 제4호에 따른 아이돌보미
> 　25. 「입양특례법」 제20조에 따른 입양기관의 장과 그 종사자

▌가정폭력범죄의 신고와 비교
- 가정폭력범죄는 수사기관 신고만 규정하고 있다.
- 가정폭력범죄는 '정당한 사유가 없으면' 즉시 신고하여야 한다.
- 아동학대범죄의 신고의무자는 가정폭력범죄에 비하여 훨씬 광범위하게 규정되어 있다. 피해아동 등이 학대를 당연히 받아들이고 이를 학대로 인식하지 못하는 미인지성 때문이다.

- 2021년 1월 26일 신설 · 시행된 규정으로, 2020년 10월 전 국민을 충격에 빠트렸던 '정인이 사건'이 계기가 되었다(이 규정 외에도 지방자치단체와 수사기관 사이의 상호통지규정과 사법경찰관리의 타인 토지 · 건물 출입권 등 신설).
- 사건발생 전인 2020년 5월, 6월, 9월에 3차례나 아동학대 의심신고가 들어왔음에도 경찰의 안이한 대응이 밝혀지며 경찰은 엄청난 여론의 질타를 받았고, 이에 관할 양천경찰서장이 문책성 대기발령 조치를 당하고 김창룡 경찰청장이 대국민 사과를 하기도 하였다.

③ 누구든지 제1항 및 제2항에 따른 신고인의 인적 사항 또는 신고인임을 미루어 알 수 있는 사실을 다른 사람에게 알려주거나 공개 또는 보도하여서는 아니 된다.
④ 제2항에 따른 신고가 있는 경우 시 · 도, 시 · 군 · 구 또는 수사기관은 정당한 사유가 없으면 즉시 조사 또는 수사에 착수하여야 한다.

아동학대처벌법 제63조 【과태료】 ① 다음 각 호의 어느 하나에 해당하는 사람에게는 1천만원 이하의 과태료를 부과한다.
2. 정당한 사유 없이 제10조 제2항에 따른 신고를 하지 아니한 사람

2) 고소

아동학대처벌법 제10조의4 【고소에 대한 특례】 ① 피해아동 또는 그 법정대리인은 아동학대행위자를 고소할 수 있다. 피해아동의 법정대리인이 아동학대행위자인 경우 또는 아동학대행위자와 공동으로 아동학대범죄를 범한 경우에는 피해아동의 친족이 고소할 수 있다.
② 피해아동은 「형사소송법」 제224조에도 불구하고 아동학대행위자가 자기 또는 배우자의 직계존속인 경우에도 고소할 수 있다. 법정대리인이 고소하는 경우에도 또한 같다.
③ 피해아동에게 고소할 법정대리인이나 친족이 없는 경우에 이해관계인이 신청하면 검사는 10일 이내에 고소할 수 있는 사람을 지정하여야 한다.

(2) 경찰 및 아동학대전담공무원의 초기대응

1) 출동 및 조사

- 2021.4.13. 00:03경, 모텔 객실에서 "생후 2개월 딸이 숨을 쉬지 않는다."며 119신고 / 119구급대원이 아동학대의심 경찰신고
- 2021.4.13. 00:30경, 현장출동 경찰은 학대의심, 피의자 A씨(27세, 남) 긴급체포
- 2021.4.13. 01:00경, 경찰연락 받은 부평구청 아동보호팀(아동학대전담공무원), 피해아동 입원 응급실 현장출동 및 조사, 모텔에 홀로 남겨진 19개월 남아(피해아동 오빠) 발견
- 2021.4.13. 09:00경, 아동학대전담공무원 피해아동 오빠 임시보호시설 인계
- 2021.9. 인천지법, 피고인 A씨에 대해 징역 3년 실형선고

아동학대처벌법 제11조 【현장출동】 ① 아동학대범죄 신고를 접수한 사법경찰관리나 「아동복지법」 제22조 제4항에 따른 아동학대전담공무원(이하 "아동학대전담공무원"이라 한다)은 지체 없이 아동학대범죄의 현장에 출동하여야 한다. 이 경우 수사기관의 장이나 시 · 도지사 또는 시장 · 군수 · 구청장은 서로 동행하여 줄 것을 요청할 수 있으며, 그 요청을 받은 수사기관의 장이나 시 · 도지사 또는 시장 · 군수 · 구청장은 정당한 사유가 없으면 사법경찰관리나 아동학대전담공무원이 아동학대범죄 현장에 동행하도록 조치하여야 한다.
[2015 채용3차] [2017 경간] [2020 승진(경위)]
② 아동학대범죄 신고를 접수한 사법경찰관리나 아동학대전담공무원은 아동학대범죄가 행하여지고 있는 것으로 신고된 현장 또는 피해아동을 보호하기 위하여 필요한 장소에 출입하여 아동 또는 아동학대행위자 등 관계인에 대하여 조사를 하거나 질문을 할 수 있다. 다만, 아동학대전담공무원은 다음 각 호를 위한 범위에서만 아동학대행위자 등 관계인에 대하여 조사 또는 질문을 할 수 있다.
1. 피해아동의 보호
2. 「아동복지법」 제22조의4의 사례관리계획에 따른 사례관리(이하 "사례관리"라 한다)

③ 시·도지사 또는 시장·군수·구청장은 제1항에 따른 현장출동 시 아동보호 및 사례관리를 위하여 필요한 경우 아동보호전문기관의 장에게 아동보호전문기관의 직원이 동행할 것을 요청할 수 있다. 이 경우 아동보호전문기관의 직원은 피해아동의 보호 및 사례관리를 위한 범위에서 아동학대전담공무원의 조사에 참여할 수 있다.

④ 제2항 및 제3항에 따라 출입이나 조사를 하는 사법경찰관리, 아동학대전담공무원 또는 아동보호전문기관의 직원은 그 권한을 표시하는 증표를 지니고 이를 관계인에게 내보여야 한다.

⑤ 제2항에 따라 조사 또는 질문을 하는 사법경찰관리 또는 아동학대전담공무원은 피해아동, 아동학대범죄신고자등, 목격자 등이 자유롭게 진술할 수 있도록 아동학대행위자로부터 분리된 곳에서 조사하는 등 필요한 조치를 하여야 한다.

⑥ 누구든지 제1항부터 제3항까지의 규정에 따라 현장에 출동한 사법경찰관리, 아동학대전담공무원 또는 아동보호전문기관의 직원이 제2항 및 제3항에 따른 업무를 수행할 때에 폭행·협박이나 현장조사를 거부하는 등 그 업무 수행을 방해하는 행위를 하여서는 아니 된다.

⑦ 제1항에 따른 현장출동이 동행하여 이루어지지 아니한 경우 수사기관의 장이나 시·도지사 또는 시장·군수·구청장은 현장출동에 따른 조사 등의 결과를 서로에게 통지하여야 한다.

[2022 승진(실무종합)] 아동학대범죄 신고를 접수한 사법경찰관리나 아동학대전담공무원이 동행하여 현장출동하지 아니한 경우, 수사기관의 장이나 시·도지사 또는 시장·군수·구청장은 현장출동에 따른 조사 등의 결과를 서로에게 통지할 수 있다. (×)

아동학대처벌법 제11조의2【조사】 ① 아동학대전담공무원은 피해아동의 보호 및 사례관리를 위한 조사를 할 수 있다. 이 경우 아동학대전담공무원은 아동학대행위자 및 관계인에 대하여 출석·진술 및 자료제출을 요구할 수 있으며, 아동학대행위자 및 관계인은 정당한 사유가 없으면 이에 따라야 한다.

② 제1항에 관하여는 행정조사기본법 … 를 준용한다. 이 경우 "행정조사"는 "제1항에 따른 아동학대전담공무원의 조사"로, "행정기관"은 "시·도 또는 시·군·구"로, "조사대상자"는 "아동학대행위자 및 관계인"으로 본다.

아동학대처벌법 제63조【과태료】 ① 다음 각 호의 어느 하나에 해당하는 사람에게는 1천만원 이하의 과태료를 부과한다.

3. 정당한 사유 없이 제11조 제6항을 위반하여 사법경찰관리, 아동학대전담공무원 또는 아동보호전문기관의 직원이 수행하는 현장조사를 거부한 사람

3의2. 정당한 사유 없이 제11조의2 제1항 후단을 위반하여 아동학대전담공무원의 출석·진술 및 자료제출 요구에 따르지 아니하거나 거짓으로 진술 또는 자료를 제출한 사람

2) 응급조치

가정폭력처벌법상 응급조치
- 제1호: 제지 및 분리
- 제2호: 현행범체포 등 범죄수사
- 제3호: 의료기관 인도
- 제4호: 임시조치 신청가능 통보
- 제5호: 피해자보호명령 등 청구가능 고지

- 2020년 기준 상담원에 의한 응급조치를 제외한 697건의 응급조치 중 620건은 경찰, 77건은 아동학대전담공무원에 의해 이루어졌다.
- 응급조치의 대부분은 제3호 조치(62.7%)였으며, 제2호 조치가 17.8%, 제1호 조치가 13.4%로 나타났다.

아동학대처벌법 제12조【피해아동 등에 대한 응급조치】 ① 제11조 제1항에 따라 현장에 출동하거나 아동학대범죄 현장을 발견한 경우 또는 학대현장 이외의 장소에서 학대피해가 확인되고 재학대의 위험이 급박·현저한 경우, 사법경찰관리 또는 아동학대전담공무원은 피해아동, 피해아동의 형제자매인 아동 및 피해아동과 동거하는 아동(이하 "피해아동등"이라 한다)의 보호를 위하여 즉시 다음 각 호의 조치(이하 "응급조치"라 한다)를 하여야 한다. 이 경우 제3호의 조치(➡ 보호시설 인도)를 하는 때에는 피해아동등의 이익을 최우선으로 고려하여야 하며, 피해아동등을 보호하여야 할 필요가 있는 등 특별한 사정이 있는 경우를 제외하고는 피해아동등의 의사를 존중하여야 한다. [2015 채용1차] [2017 경간]
1. 아동학대범죄 행위의 제지
2. 아동학대행위자를 피해아동등으로부터 격리
3. 피해아동등을 아동학대 관련 보호시설로 인도
4. 긴급치료가 필요한 피해아동을 의료기관으로 인도
② 사법경찰관리나 아동학대전담공무원은 제1항 제3호 및 제4호 규정에 따라 피해아동등을 분리·인도하여 보호하는 경우 지체 없이 피해아동등을 인도받은 보호시설·의료시설을 관할하는 시·도지사 또는 시장·군수·구청장에게 그 사실을 통보하여야 한다. [2015 채용1차]
③ 제1항 제2호부터 제4호까지의 규정에 따른 응급조치(➡ 격리·보호시설 인도·의료기관 인도)는 72시간을 넘을 수 없다. 다만, 본문의 기간에 공휴일이나 토요일이 포함되는 경우로서 피해아동등의 보호를 위하여 필요하다고 인정되는 경우에는 48시간의 범위에서 그 기간을 연장할 수 있다. [2018 승진(경감)]
④ 제3항에도 불구하고 검사가 제15조 제2항에 따라 임시조치를 법원에 청구한 경우에는 법원의 임시조치 결정 시까지 응급조치 기간이 연장된다.
⑤ 사법경찰관리 또는 아동학대전담공무원이 제1항에 따라 응급조치를 한 경우에는 즉시 응급조치결과보고서를 작성하여야 한다. 이 경우 사법경찰관리가 응급조치를 한 경우에는 관할 경찰관서의 장이 시·도지사 또는 시장·군수·구청장에게, 아동학대전담공무원이 응급조치를 한 경우에는 소속 시·도지사 또는 시장·군수·구청장이 관할 경찰관서의 장에게 작성된 응급조치결과보고서를 지체 없이 송부하여야 한다.
⑥ 제5항에 따른 응급조치결과보고서에는 피해사실의 요지, 응급조치가 필요한 사유, 응급조치의 내용 등을 기재하여야 한다.
⑦ 누구든지 아동학대전담공무원이나 사법경찰관리가 제1항에 따른 업무를 수행할 때에 폭행·협박이나 응급조치를 저지하는 등 그 업무 수행을 방해하는 행위를 하여서는 아니 된다.
⑧ 사법경찰관리는 제1항 제1호 또는 제2호의 조치를 위하여 다른 사람의 토지·건물·배 또는 차에 출입할 수 있다.

[2020 승진(경감)] 아동학대범죄의 신고를 받아 현장에 출동하거나 아동학대범죄현장을 발견한 사법경찰관리가 피해아동의 보호를 위하여 즉시 행하는 조치를 임시조치라 한다. (×)
[2020 승진(경위)] 피해아동에 대한 응급조치의 내용 중 '피해아동을 아동학대 관련 보호시설로 인도'하는 조치를 하는 때에는 피해아동 및 보호자의 동의를 받아야 한다. (×)
[2017 경간] 응급조치의 유형에는 아동학대범죄행위의 제지, 아동학대행위자를 피해아동으로부터 격리, 피해아동을 아동학대 관련 보호시설로 인도, 아동보호전문기관에의 상담 및 교육 위탁이 있다. (×)
[2015 채용1차 유사] [2020 승진(경감)] [2021 승진(실무종합) 유사] 응급조치상 격리란 학대행위자를 48시간을 기한으로 피해아동으로부터 공간적으로 분리하는 조치를 의미한다. (×)

3) 긴급임시조치

> **아동학대처벌법 제13조【아동학대행위자에 대한 긴급임시조치】** ① 사법경찰관은 제12조 제1항에 따른 응급조치에도 불구하고 아동학대범죄가 재발될 우려가 있고, 긴급을 요하여 제19조 제1항에 따른 법원의 임시조치 결정을 받을 수 없을 때에는 직권이나 피해아동등, 그 법정대리인(아동학대행위자를 제외한다. 이하 같다), 변호사(제16조에 따른 변호사를 말한다. 제48조 및 제49조를 제외하고는 이하 같다), 시·도지사, 시장·군수·구청장 또는 아동보호전문기관의 장의 신청에 따라 제19조 제1항 제1호부터 제3호까지의 어느 하나에 해당하는 조치를 할 수 있다. ➜ 퇴거격리·접근금지·통신금지 [2018 승진(경감)] [2021 승진(실무종합)] [2022 승진(실무종합)]
> ② 사법경찰관은 제1항에 따른 조치(이하 "긴급임시조치"라 한다)를 한 경우에는 즉시 긴급임시조치결정서를 작성하여야 하고, 그 내용을 시·도지사 또는 시장·군수·구청장에게 지체 없이 통지하여야 한다.
> ③ 제2항에 따른 긴급임시조치결정서에는 범죄사실의 요지, 긴급임시조치가 필요한 사유, 긴급임시조치의 내용 등을 기재하여야 한다. [2018 실무 2]
> [2020 승진(경감)] 긴급임시조치에도 피해아동 또는 가정구성원의 주거로부터 퇴거 등 격리, 피해아동 또는 가정구성원의 주거, 학교 또는 보호시설 등에서 100미터 이내의 접근금지, 경찰관서의 유치장 또는 구치소에의 유치 등이 있다. (×)
>
> **아동학대처벌법 제15조【응급조치·긴급임시조치 후 임시조치의 청구】** ① 사법경찰관이 제12조 제1항 제2호부터 제4호까지의 규정에 따른 응급조치 또는 제13조 제1항에 따른 긴급임시조치를 하였거나 시·도지사 또는 시장·군수·구청장으로부터 제12조 제1항 제2호부터 제4호까지의 규정에 따른 응급조치가 행하여졌다는 통지를 받은 때에는 지체 없이 검사에게 제19조에 따른 임시조치의 청구를 신청하여야 한다.
> ② 제1항의 신청을 받은 검사는 임시조치를 청구하는 때에는 응급조치가 있었던 때부터 72시간(제12조 제3항 단서에 따라 응급조치 기간이 연장된 경우에는 그 기간을 말한다) 이내에, 긴급임시조치가 있었던 때부터 48시간 이내에 하여야 한다. 이 경우 제12조 제5항에 따라 작성된 응급조치결과보고서 및 제13조 제2항에 따라 작성된 긴급임시조치결정서를 첨부하여야 한다.
> ③ 사법경찰관은 검사가 제2항에 따라 임시조치를 청구하지 아니하거나 법원이 임시조치의 결정을 하지 아니한 때에는 즉시 그 긴급임시조치를 취소하여야 한다.
>
> **아동학대처벌법 제63조【과태료】** ① 다음 각 호의 어느 하나에 해당하는 사람에게는 1천만원 이하의 과태료를 부과한다.
> 4. 정당한 사유 없이 제13조 제1항에 따른 긴급임시조치를 이행하지 아니한 사람

4) 수사 및 사건송치

> **아동학대처벌법 제24조【사법경찰관의 사건송치】** 사법경찰관은 아동학대범죄를 신속히 수사하여 사건을 검사에게 송치하여야 한다. 이 경우 사법경찰관은 해당 사건을 아동보호사건으로 처리하는 것이 적절한 지에 관한 의견을 제시할 수 있다.

■ 판사가 하는 제19조 임시조치
아동학대행위자에게
- 제1호: 퇴거격리
- 제2호: 100m 내 접근금지
- 제3호: 전기통신 접근금지
- 제4호: 친권 등 행사제한·정지
- 제5호: 상담 및 교육 위탁
- 제6호: 의료·요양시설 위탁
- 제7호: 유치장·구치소 유치

■ 판사가 하는 가정폭력처벌법 제29조 임시조치
가정폭력행위자에게
- 제1호: 퇴거격리
- 제2호: 100m 내 접근금지
- 제3호: 전기통신 접근금지
- 제4호: 의료기관·요양소 위탁
- 제5호: 유치장·구치소 유치
- 제6호: 상담 위탁

(3) 검찰단계

1) 임시조치의 청구

> **아동학대처벌법 제14조 【임시조치의 청구】** ① 검사는 아동학대범죄가 재발될 우려가 있다고 인정하는 경우에는 직권으로 또는 사법경찰관이나 보호관찰관의 신청에 따라 법원에 제19조 제1항 각 호의 임시조치를 청구할 수 있다.
> ② 피해아동등, 그 법정대리인, 변호사, 시 · 도지사, 시장 · 군수 · 구청장 또는 아동보호전문기관의 장은 검사 또는 사법경찰관에게 제1항에 따른 임시조치의 청구 또는 그 신청을 요청하거나 이에 관하여 의견을 진술할 수 있다.
> ③ 제2항에 따른 요청을 받은 사법경찰관은 제1항에 따른 임시조치를 신청하지 아니하는 경우에는 검사 및 임시조치를 요청한 자에게 그 사유를 통지하여야 한다.

2) 사법경찰관의 긴급임시조치에 따른 임시조치청구

- 앞서 본 아동학대처벌법 제15조에 따라, 사법경찰관이 응급조치 · 긴급임시조치 등을 한 경우 지체없이 검사에게 임시조치를 신청하고, 신청을 받은 검사는 긴급임시조치가 있었던 때로부터 48시간, 응급조치가 있었던 때로부터 72시간 이내에 법원에 임시조치를 청구하여야 한다.
- 즉, 임시조치의 경우 ① 제14조에 근거한 응급조치 · 긴급임시조치를 거치지 않은 임시조치, ② 제15조에 근거한 응급조치 · 긴급임시조치를 거친 임시조치 두가지 경우가 있을 수 있는 것이다.

3) 수사종결 및 기소 등

① 조건부 기소유예

> **아동학대처벌법 제26조 【조건부 기소유예】** 검사는 아동학대범죄를 수사한 결과 다음 각 호의 사유를 고려하여 필요하다고 인정하는 경우에는 아동학대행위자에 대하여 상담, 치료 또는 교육 받는 것을 조건으로 기소유예를 할 수 있다.
> 1. 사건의 성질 · 동기 및 결과 / 2. 아동학대행위자와 피해아동과의 관계 /
> 3. 아동학대행위자의 성행(性行) 및 개선 가능성 / 4. 원가정보호의 필요성 /
> 5. 피해아동 또는 그 법정대리인의 의사

② 아동보호사건으로 처리

> **아동학대처벌법 제27조 【아동보호사건의 처리】** ① 검사는 아동학대범죄로서 제26조 각 호의 사유를 고려하여 제36조에 따른 보호처분을 하는 것이 적절하다고 인정하는 경우에는 아동보호사건으로 처리할 수 있다.
> ② 다음 각 호의 경우에는 제1항을 적용할 수 있다.
> 1. 피해자의 고소가 있어야 공소를 제기할 수 있는 아동학대범죄에서 고소가 없거나 취소된 경우
> 2. 피해자의 명시적인 의사에 반하여 공소를 제기할 수 없는 아동학대범죄에서 피해자가 처벌을 희망하지 아니한다는 명시적 의사표시를 하였거나 처벌을 희망하는 의사표시를 철회한 경우

> **아동학대처벌법 제28조** 【건으로 처리하는 경우에는 그 사건을 제18조 제1항에 따른 관할 법원(➡ 아동학대행위자의 행위지, 거주지 또는 현재지를 관할하는 가정법원)에 송치하여야 한다.
> ② 검사는 아동학대범죄와 그 외의 범죄가 경합하는 경우에는 아동학대범죄에 대한 사건만을 분리하여 관할 법원에 송치할 수 있다.

③ **형사사건 기소**: 형사처벌을 받아야 할 사안인 경우 검사는 형사소송법에 따라 피의자를 형사기소 하게 되고, 이 경우에는 일반적인 형사사건절차로 처리된다.

(3) 법원단계(아동보호사건 처리)

1) 임시조치

> **아동학대처벌법 제19조** 【아동학대행위자에 대한 임시조치】 ① 판사는 아동학대범죄의 원활한 조사·심리 또는 피해아동등의 보호를 위하여 필요하다고 인정하는 경우에는 결정으로 아동학대행위자에게 다음 각 호의 어느 하나에 해당하는 조치(이하 "임시조치"라 한다)를 할 수 있다. [2018 승진(경감)] [2020 승진(경감)] [2021 승진(실무종합)] [2022 승진(실무종합)]
> 1. 피해아동등 또는 가정구성원(「가정폭력범죄의 처벌 등에 관한 특례법」 제2조 제2호에 따른 가정구성원을 말한다. 이하 같다)의 주거로부터 퇴거 등 격리
> 2. 피해아동등 또는 가정구성원의 주거, 학교 또는 보호시설 등에서 100미터 이내의 접근금지
> 3. 피해아동등 또는 가정구성원에 대한 「전기통신기본법」 제2조 제1호의 전기통신을 이용한 접근금지
> 4. 친권 또는 후견인 권한 행사의 제한 또는 정지
> 5. 아동보호전문기관 등에의 상담 및 교육 위탁
> 6. 의료기관이나 그 밖의 요양시설에의 위탁
> 7. 경찰관서의 유치장 또는 구치소에의 유치
> ② 제1항 각 호의 처분은 병과할 수 있다.
> ③ 판사는 피해아동등에 대하여 제12조 제1항 제2호부터 제4호까지의 규정에 따른 응급조치가 행하여진 경우에는 임시조치가 청구된 때로부터 24시간 이내에 임시조치 여부를 결정하여야 한다.
> ④ 제1항 각 호의 규정에 따른 임시조치기간은 2개월을 초과할 수 없다. 다만, 피해아동등의 보호를 위하여 그 기간을 연장할 필요가 있다고 인정하는 경우에는 결정으로 제1항 제1호부터 제3호까지의 규정에 따른 임시조치는 두 차례만, 같은 항 제4호부터 제7호까지의 규정에 따른 임시조치는 한 차례만 각 기간의 범위에서 연장할 수 있다.
> [2018 실무 2] 사법경찰관은 아동학대범죄의 피해아동 보호를 위하여 필요하다고 인정되는 경우에는 직권으로 아동학대행위자에게 임시조치를 할 수 있다. (×)
> [2019 승진(경감)] 「아동학대범죄의 처벌 등에 관한 특례법」상 아동학대행위자에 대한 임시조치로 '피해아동등을 아동학대 관련 보호시설로 인도'하는 조치가 있다. (×)
>
> **아동학대처벌법 제59조** 【보호처분 등의 불이행죄】 ① 다음 각 호의 어느 하나에 해당하는 아동학대행위자는 2년 이하의 징역 또는 2천만원 이하의 벌금 또는 구류에 처한다.
> 1. 제19조 제1항 제1호부터 제4호까지의 어느 하나에 해당하는 임시조치를 이행하지 아니한 아동학대행위자

- 2020년 청구된 임시조치는 총 2,697건이고 그중 2,451건이 인용되었다.
- 인용된 결정 중 제5호 조치 인용이 39%로 가장 높았고, 제2호 조치가 31.2%로 그 뒤를 이었다.

■ **아동학대처벌법상 응급조치**
- **제1호**: 행위의 제지
- **제2호**: 학대자와 아동 격리
- **제3호**: 보호시설 인도
- **제4호**: 의료기관 인도

① 아동학대의 경우

구분	경찰 긴급임시조치	검사 임시조치청구	법원 결정시 기간
제1호 퇴거격리	대상 ○	대상 ○	2개월, 2회 연장 可 (최대 6개월)
제2호 접근금지(100m)	대상 ○	대상 ○	
제3호 통신접근금지	대상 ○	대상 ○	
제4호 친권 등 제한 · 정지	대상 ×	대상 ○	2개월, 1회 연장 可 (최대 4개월)
제5호 교육위탁	대상 ×	대상 ○	
제6호 의료기관 등 위탁	대상 ×	대상 ○	
제7호 유치장 등 유치	대상 ×	대상 ○	

② 가정폭력의 경우

구분	경찰 긴급임시조치	검사 임시조치청구	법원 결정시 기간
제1호 퇴거격리	대상 ○	대상 ○	2개월, 2회 연장 可 (최대 6개월)
제2호 접근금지(100m)	대상 ○	대상 ○	
제3호 통신접근금지	대상 ○	대상 ○	
제4호 의료기관 등 위탁	대상 ×	대상 ×	1개월, 1회 연장 可 (최대 2개월)
제5호 유치장 등 유치	대상 ×	제1 · 2 · 3호 위반시 대상 ○	
제6호 상담위탁	대상 ×	대상 ×	

2) 불처분의 결정

아동학대처벌법 제44조가 가정폭력처벌법 제37조를 준용함에 따라 판사는 아동보호사건의 경우에도 불처분결정을 할 수 있다.

3) 보호처분의 결정

- 2020년 기준, 법원에서 처리된 사례는 총 2600건이었고, 이 중 불처분 617건, 보호처분은 1,635건, 형사처벌 276건(나머지는 공소기각 · 무죄 등)이었다.
- 보호처분 중에서는 상담위탁이 891건으로 가장 높은 비중을 차지하였다.

> **아동학대처벌법 제36조【보호처분의 결정 등】**① 판사는 심리의 결과 보호처분이 필요하다고 인정하는 경우에는 결정으로 다음 각 호의 어느 하나에 해당하는 보호처분을 할 수 있다.
> 1. 아동학대행위자가 피해아동 또는 가정구성원에게 접근하는 행위의 제한
> 2. 아동학대행위자가 피해아동 또는 가정구성원에게 「전기통신기본법」 제2조 제1호의 전기통신을 이용하여 접근하는 행위의 제한
> 3. 피해아동에 대한 친권 또는 후견인 권한 행사의 제한 또는 정지
> 4. 「보호관찰 등에 관한 법률」에 따른 사회봉사 · 수강명령
> 5. 「보호관찰 등에 관한 법률」에 따른 보호관찰
> 6. 법무부장관 소속으로 설치한 감호위탁시설 또는 법무부장관이 정하는 보호시설에의 감호위탁
> 7. 의료기관에의 치료위탁
> 8. 아동보호전문기관, 상담소 등에의 상담위탁
> ② 제1항 각 호의 처분은 병과할 수 있다.
> ③ 제1항 제3호의 처분을 하는 경우에는 피해아동을 아동학대행위자가 아닌 다른 친권자나 친족 또는 아동복지시설 등으로 인도할 수 있다.

아동학대처벌법 제37조【보호처분의 기간】제36조 제1항 제1호부터 제3호까지 및 제5호부터 제8호까지의 규정에 따른 보호처분의 기간은 1년을 초과할 수 없으며, 같은 항 제4호의 사회봉사·수강명령의 시간은 각각 200시간을 초과할 수 없다.

아동학대처벌법 제59조【보호처분 등의 불이행죄】① 다음 각 호의 어느 하나에 해당하는 아동학대행위자는 2년 이하의 징역 또는 2천만원 이하의 벌금 또는 구류에 처한다.
2. 제36조 제1항 제1호부터 제3호까지의 어느 하나에 해당하는 보호처분이 확정된 후에 이를 이행하지 아니한 아동학대행위자

■ 가정폭력처벌법의 보호처분기간
- 제4호(사회봉사·수강명령) 제외한 나머지: 6개월 초과 불가
- 제4호: 200시간 초과 불가

3. 피해아동의 보호

(1) 증인에 대한 신변안전조치

아동학대처벌법 제17조의2【증인에 대한 신변안전조치】① 검사는 아동학대범죄사건의 증인이 피고인 또는 그 밖의 사람으로부터 생명·신체에 해를 입거나 입을 염려가 있다고 인정될 때에는 관할 경찰서장에게 증인의 신변안전을 위하여 필요한 조치를 할 것을 요청하여야 한다. [2022 승진(실무종합)]
② 증인은 검사에게 제1항의 조치를 하도록 청구할 수 있다.
③ 재판장은 검사에게 제1항의 조치를 하도록 요청할 수 있다.
④ 제1항의 요청을 받은 관할 경찰서장은 즉시 증인의 신변안전을 위하여 필요한 조치를 하고 그 사실을 검사에게 통보하여야 한다.

(2) 피해아동보호명령사건

아동학대처벌법 제47조【가정법원의 피해아동에 대한 보호명령】① 판사는 직권 또는 피해아동, 그 법정대리인, 변호사, 시·도지사 또는 시장·군수·구청장의 청구에 따라 결정으로 피해아동의 보호를 위하여 다음 각 호의 피해아동보호명령을 할 수 있다.
1. 아동학대행위자를 피해아동의 주거지 또는 점유하는 방실로부터의 퇴거 등 격리
2. 아동학대행위자가 피해아동 또는 가정구성원에게 접근하는 행위의 제한
3. 아동학대행위자가 피해아동 또는 가정구성원에게 「전기통신기본법」제2조 제1호의 전기통신을 이용하여 접근하는 행위의 제한
4. 피해아동을 아동복지시설 또는 장애인복지시설로의 보호위탁
5. 피해아동을 의료기관으로의 치료위탁
5의2. 피해아동을 아동보호전문기관, 상담소 등으로의 상담·치료위탁
6. 피해아동을 연고자 등에게 가정위탁
7. 친권자인 아동학대행위자의 피해아동에 대한 친권 행사의 제한 또는 정지
8. 후견인인 아동학대행위자의 피해아동에 대한 후견인 권한의 제한 또는 정지
9. 친권자 또는 후견인의 의사표시를 갈음하는 결정
② 아동보호전문기관의 장은 시·도지사 또는 시장·군수·구청장에게 제1항에 따른 피해아동보호명령의 청구를 요청할 수 있다. 이 경우 시·도지사 또는 시장·군수·구청장은 요청을 신속히 처리해야 하며, 요청받은 날부터 15일 이내에 그 처리 결과를 아동보호전문기관의 장에게 통보하여야 한다.
③ 제1항 각 호의 처분은 병과할 수 있다.

4. 업무수행 방해에 따른 제재

▌업무수행 방해죄 대상업무

- 제11조 제2항: 현장출동 사법경찰관리 · 아동학대전담공무원의 조사 · 질문
- 제11조 제3항: 아동보호전문기관 직원의 조사참여
- 제12조 제1항: 사법경찰관리 · 아동학대전담공무원의 응급조치
- 제19조 제1항: 아동학대행위자에 대한 임시조치
- 제36조 제1항: 보호처분
- 제47조 제1항: 피해아동 보호명령

> **아동학대처벌법 제61조【업무수행 등의 방해죄】** ① 제11조 제2항 · 제3항, 제12조 제1항, 제19조 제1항 각 호, 제36조 제1항 각 호 또는 제47조 제1항 각 호에 따른 업무를 수행 중인 사법경찰관리, 아동학대전담공무원이나 아동보호전문기관의 직원에 대하여 폭행 또는 협박하거나 위계 또는 위력으로써 그 업무수행을 방해한 사람은 5년 이하의 징역 또는 5천만원 이하의 벌금에 처한다.
> ② 단체 또는 다중의 위력을 보이거나 위험한 물건을 휴대하여 제1항의 죄를 범한 때에는 그 정한 형의 2분의 1까지 가중한다.
> ③ 제1항의 죄를 범하여 사법경찰관리, 아동학대전담공무원이나 아동보호전문기관의 직원을 상해에 이르게 한 때에는 3년 이상의 유기징역에 처한다. 사망에 이르게 한 때에는 무기 또는 5년 이상의 징역에 처한다.

제3장 / 경비경찰

주제 1 경비경찰의 기초

01 경비경찰의 의의, 종류 및 특성

1. 경비경찰의 의의

- **경비경찰**이라 함은 공공의 안녕과 질서를 유지하기 위해, 일반통치권에 근거하여 불법행위나 인위적 또는 자연적인 혼잡·재해 등을 예방·경계·진압·검거하는 등의 조직적인 경찰활동을 말한다.
- 경비경찰기능의 실패는 국민의 일상생활에 큰 혼란과 불편을 가져올 뿐 아니라 국가·사회적인 위기상황을 가져올 수도 있다.

2. 경비경찰의 종류(대상) [2021 승진(실무종합)]

대상	종류	내용
인위적·자연적 재해	행사안전 경비	기념행사·경기대회·제례의식 등에 참여하는 미조직 군중에 의하여 발생하는 자연적·인위적인 혼란상태를 경계·예방·진압하는 활동
	재난경비	천재지변·화재 등의 자연적·인위적 돌발사태로 인하여 인명 또는 재산상 피해가 야기될 경우 이를 예방·진압하는 활동
개인적·단체적 불법행위	중요시설 경비	공공기관, 공항·항만, 주요 산업시설 등 적에 의하여 점령 또는 파괴되거나 기능이 마비될 경우 국가안보 및 국민생활에 중대한 영향을 미치는 시설을 방호하기 위한 경비활동
	치안경비	공안을 해하는 다중범죄 등 집단적인 범죄사태가 발생하거나 발생할 우려가 있는 경우에 이를 예방·경계·진압하기 위한 경비활동 예 불법집회
	경호경비	피경호자의 신변을 보호하는 경비활동
	특수경비 (대테러)	총포·도검·폭발물 등에 의한 인질난동·살상 등 사회이목을 집중시키는 중요 사건을 예방·경계·진압하는 경비활동

[2017 실무 1] 자연적·인위적 재난은 치안경비와 재난경비로 구성된다. (×)

광우병 사태

- 2008.5.~8. 기간 동안, 2,398회에 걸쳐 약 932,000명이 참여한, 서울을 비롯 전국 각지에서 일어난 '미국 쇠고기 수입반대 촛불시위'를 말한다.
- 초기에는 국민 건강을 염려하는 차원의 평화적 집회였으나, 이후 경찰에 대한 집단폭행·경찰버스 파손 등 대규모 폭력 사태로 변질되고, 막 출범한 새 정부의 퇴진투쟁으로 번졌다.
- 교통 마비는 물론, 주변 상인들의 영업피해, 일반 시민에 대한 폭행, 인근 호텔 난입 및 직원 폭행 등 사회적 혼란이 극에 달했으며, 사회·경제적 손실이 3조 7,513억원에 이른다는 연구결과가 나오기도 하였다(한국경제연구원).
- 경찰 부상은 501명(중상 100), 경찰 차량 및 장비는 2,257점 파손·피탈되었다.
- 43명이 구속기소되고, 1,476명이 입건되었다.

3. 경비경찰의 특성

▌경비경찰의 복합기능적 측면
- 집회·시위의 신고 접수는 일선 경찰서의 정보과에서 이루어진다.
- 정보경찰은 집회상황을 입수·분석하여 대응방안을 마련한다.
- 보안경찰이 신고된 집회의 대공혐의점 등을 분석하기도 한다.
- 실제 집회현장에서는 교통경찰로부터 현장 교통질서유지 등의 도움을 받는다.
- 불법집회·시위의 경우 수사경찰의 수사가 이루어진다.

(1) 복합기능적 활동

- 경비경찰활동은 사태가 발생한 후에 진압하는 사후진압적 측면과, 사태의 발생을 미연에 방지하기 위한 사전예방적 측면이 복합되어 있다. [2012 채용3차] [2016 경간] [2019 승진(경감)] [2024 승진]
- 경비경찰활동은 정보·보안·교통·수사 등 다른 경찰기능과 밀접한 관계를 맺고 있다.

[2021 승진(실무종합)] 경비경찰은 다중범죄, 테러, 경호상 위해나 경찰작전상황 등이 발생하였을 경우 즉시 출동하여 신속하게 조기진압해야 하는 복합기능적인 활동이라는 특징을 갖는다. (×)

(2) 현상유지적 활동

- 경비경찰활동은 현재의 소극적 질서상태 유지·보존에 가치를 둔다. [2015 실무 1]
- 여기서 소극적인 질서상태를 유지·보존한다는 것은 정태적·소극적인 개념뿐만이 아니라 새로운 변화와 발전을 보장하기 위한 기초를 다진다는 의미에서 동태적·적극적인 의미까지 포함된 현상유지작용이라고 볼 수 있다. [2019 승진(경감)] [2022 경간]

[2024 승진] 현재의 질서상태를 유지하는 것에 가치를 두는 현상유지적 활동으로 정태적이고 소극적인 특성을 가지나 질서유지를 통해 새로운 변화와 발전을 보장하기 위한 동태적이고 적극적인 특성은 갖지 않는다. (×)
[2012 채용3차 유사] [2016 경간] 경비활동은 기본적으로 현재의 질서상태를 보존하는 것에 가치를 둔다고 할 수 있다. 따라서, 동태적·적극적 질서유지가 아닌 새로운 변화와 발전을 보장하기 위한 정태적·소극적 의미의 유지작용이다. (×)
[2012 승진(경감)] 경비활동은 정태적·소극적인 질서유지가 아닌 새로운 변화와 발전을 보장하기 위한 동태적·적극적인 의미의 유지작용이라는 것은 경비경찰의 즉시적(즉응적)활동에 대한 설명이다. (×)

(3) 즉응적 활동

경비경찰활동은 신속한 처리가 필요한 '즉응적(즉시적) 활동'으로 경비사태에 대해 기한을 정하여 진압할 수 없으며 즉시 출동하여 신속하게 조기제압을 하여야 하고, 사태가 종료되면 동시에 해당 업무도 종료된다. [2016 경간] [2019 승진(경감)]

[2015 실무 1] 경비사태가 발생한 후에 진압뿐만 아니라 특정한 사태가 발생하기 전에 경계·예방의 역할을 수행하는 활동이라는 특징은 경비경찰의 즉시적(즉응적) 활동에 대한 설명이다. (×)

(4) 조직적인 부대활동

경비경찰활동은 개인단위 활동보다는 부대단위로 지휘관, 부하, 장비, 보급체계를 갖춘 조직적이고 집단적이며 물리적인 힘으로 대처하는 것을 그 특징으로 한다. ➡ 체계적인 부대편성, 관리, 운영이 필요하다. [2012 채용3차] [2012 승진(경감)] [2015 실무 1]

[2024 승진] 경비사태가 발생할 때 조직적이고 집단적인 대응이 요구되므로 조직적 부대 활동에 중점을 둔 체계적인 부대편성과 관리 및 운영이 필요하다. (○)

(5) 하향적 명령에 따른 활동

경비경찰활동은 지휘관이 내리는 하향적인 지시·명령에 의해 일사불란한 움직임이 필요하므로 부대원의 재량은 상대적으로 적고 수명사항에 대한 책임, 즉 결과책임은 지휘관이 지는 경우가 보통이다. [2012 채용3차] [2016 경간] [2021 승진(실무종합)]

[2019 승진(경감)] 하향적 명령에 의한 활동 - 긴급하고 신속한 경비업무의 효율적인 처리를 위하여 지휘관을 한 사람만 두어야 한다는 의미로 폭동의 진압과 같은 긴급한 상황에서는 지휘관의 신속한 결단과 명확한 지침이 필요하다. (×)

(6) 국가목적적·사회전반적 안녕목적의 활동

- 경비경찰은 직접적으로 공공의 안녕과 질서를 파괴하는 범죄를 그 대상으로 한다.
- 다시 말해 결과적으로 사회 전체의 질서를 파괴하는 범죄를 대상으로 한다는 점에서 경비경찰의 임무는 국가목적적 치안의 수행이라고 부르기도 한다. [2012 승진(경감)] [2015 실무 1]

02 경비경찰의 근거와 활동원칙

1. 경비경찰활동의 근거

(1) 헌법

> **헌법 제37조** ② 국민의 모든 자유와 권리는 국가안전보장·질서유지 또는 공공복리를 위하여 필요한 경우에 한하여 법률로써 제한할 수 있으며, 제한하는 경우에도 자유와 권리의 본질적인 내용을 침해할 수 없다.
> [2014 승진(경위)] 「헌법」 제37조 제2항에 따라 필요에 의해 제한할 경우 반드시 법령으로 제한하여야 한다. (×)

헌법 제37조 제2항은 질서유지와 같은 목적을 위해 국민의 기본권을 제한할 수 있는 근거가 되므로 곧 경비경찰활동의 근본적 근거규범이 되면서, 동시에 기본권을 제한하는 경우에도 본질적 내용은 침해가 금지되므로 한계규범으로서의 성격도 갖는다.

(2) 법률

위 헌법규정에 따라 제정된 '경찰관 직무집행법', '국가경찰과 자치경찰의 조직 및 운영에 관한 법률', '집회 및 시위에 관한 법률', '재난 및 안전관리 기본법', '통합방위법', '대통령 등의 경호에 관한 법률' 등이 경비경찰활동의 법률적 근거가 된다.

2. 경비경찰의 활동원칙

(1) 비례의 원칙

- 경비경찰활동을 위한 경찰권 발동은, 공공의 안녕과 질서유지라는 목적달성을 위해 필요한 최소한의 범위 내에서 행사되어야 한다는 원칙이다.
- 경비경찰활동 중 **진압조치**의 경우 사회질서유지를 위해 묵과할 수 없는 '경찰위반 상태를 제거'하기 위해서만, **예방조치**의 경우 사회질서유지를 위해 묵과할 수 없는 '경찰위반의 직접적 위험 또는 상당한 확실성'이 있을 때에만 발동 가능하다.
- 경비경찰 목적달성을 위한 경찰권이 발동되더라도, 그 수단의 선택에 있어서는 공공의 안녕과 질서를 회복하는데 가장 적은 침해를 가져오면서 사태를 해결할 수 있는 방법을 선택하여야 한다(필요성의 원칙, 최소침해의 원칙).

(2) 보충성의 원칙

경비경찰활동은 다른 사회 일반적인 방법으로 통제 불가능할 때 최후수단으로서 개입해야 한다는 원칙이다.

(3) 적시성의 원칙

경비경찰권은 경비상황의 발생에 따른 개입의 조건을 고려하여 가장 적합한 시기에 발동 되어야 한다는 원칙으로, 경비경찰권은 원칙적으로 개입조건이 충족되기도 전에 발동되거나, 이미 소멸한 후에 발동되어서는 안 된다.

▌장해·구체적 위험·추상적 위험
- **장해**: 위험이 실현된 경우, 법익에 대한 침해가 이미 발생하여 계속되고 있는 상태
- **구체적 위험**: 개별 사안에서, 가까운 장래에 손해발생의 충분한 개연성이 있는 경우
- **추상적 위험**: 일반적으로, 이러한 사안에는 이러한 위험이 발생할 수 있다는 정도의 구체적 위험의 예견 가능성

⊕ 심화 위법한 경비경찰활동과 손해배상

① 경비경찰활동에 따른 국가배상책임의 발생

경비경찰활동이 그 활동의 근거가 된 관련 규정을 위반하거나, 준수하여야 할 각종 원칙을 위반한 경우 위법한 경비경찰활동으로서 국민에 대해 국가배상책임을 부담하게 될 수 있다.

> **⚖ 요지판례 |**
>
> 공무원의 직무집행이 법령이 정한 요건과 절차에 따라 이루어진 것이라면 특별한 사정이 없는 한 이는 법령에 적합한 것이고 그 과정에서 개인의 권리가 침해되는 일이 생긴다고 하여 그 법령적합성이 곧바로 부정되는 것은 아니라고 할 것이며, 불법시위를 진압하는 경찰관들의 직무집행이 법령에 위반한 것이라고 하기 위하여는 그 시위진압이 불필요하거나 또는 불법시위의 태양 및 시위 장소의 상황 등에서 예측되는 피해 발생의 구체적 위험성의 내용에 비추어 시위진압의 계속 수행 내지 그 방법 등이 현저히 합리성을 결하여 이를 위법하다고 평가할 수 있는 경우이어야 할 것이다(대판 1997.7.25, 94다2480).

② 관련 사례

> **⚖ 요지판례 |**
>
> **<국가배상책임 긍정사례>**
> - 무장공비와 격투 중에 있는 청년의 가족이 3차례나 간첩출현신고를 하였음에도 경찰관이 출동하지 않아 결과적으로 그 청년이 공비에게 사살된 경우 군경공무원들의 직무유기행위와 위 망인의 사망과의 사이에 인과관계가 인정된다(대판 1971.4.6, 71다124) → 무장공비색출체포를 위한 대간첩작전을 수행하기 위하여 파출소 소장, 순경 및 육군장교 수명 등이 파출소에서 합동대기하고 있던 중 그로부터 불과 60~70미터 거리에서 약 15분간에 걸쳐 주민들이 무장간첩과 격투하던 주민 중 1인이 무장간첩의 발사권총탄에 맞아 사망한 사안(1.21. 사태, 김신조 사건)
> - 상설검문소 근무 경찰관이 통행금지 또는 비상경계령이 내려 있지 않는데도 검문소운영요강을 지키지 아니하고 도로상에 방치해둔 바리케이드에 오토바이 운행자가 충돌하여 사망한 경우 국가의 손해배상책임이 인정된다(부산지방법원 1992.8.25, 91가합31268).
> - 경찰관이 농민들의 시위를 진압하고 시위과정에 도로상에 방치된 트랙터 1대에 대하여 이를 도로 밖으로 옮기거나 후방에 안전표지판을 설치하는 것과 같은 위험발생방지조치를 취하지 아니한 채 그대로 방치하고 철수하여 버린 결과, 야간에 그 도로를 진행하던 운전자가 위 방치된 트랙터를 피하려다가 다른 트랙터에 부딪혀 상해를 입은 경우 국가배상책임이 인정된다(대판 1998.8.25, 98다16890).
> - 전경들이 서울지역총학생회연합(서총련)의 불법시위 해산 과정에서, 단순히 전경들의 도서관 진입에 항의한 학생 등 시위무관자들을 강제연행 하였다면 이들에 대한 국가의 손해배상책임이 인정된다(서울지방법원 1996.8.22, 95가합43551). → 단, 전경들의 도서관 진입이 불법시위 참가자 중 일부가 도서관으로 도주함에 따라 이를 추적·체포하기 위한 것이라면 이는 현행범 체포행위로서 적법하고, 따라서 전경들의 도서관 진입으로 인한 정신적 충격과 학습권 침해를 이유로 한 위자료지급청구는 인정되지 않는다.
>
> **<국가배상책임 부정사례>**
> - 경찰관들의 시위진압에 대항하여 시위자들이 던진 화염병에 의하여 발생한 화재로 인하여 손해를 입었다 하더라도, 시위의 진압에 나선 경찰관들이 비록 시위진압에 전력하느라 원고의 구호요청에 바로 응하지 못하고 지체되기는 하였지만 휴대 중이던 개인소화기로 진화를 시도하고 소방서에 연락하여 화재를 진화하게 하는 등 그 나름의 조치를 취하였다면 국가배상책임은 인정되기 어렵다(대판 1997.7.25, 선고 94다2480).
> - 현행범의 체포업무에 종사하는 경찰 기타 공무원으로서는 그 체포 시점의 구체적 상황하에서 피체포자가 집회, 시위 현장에서 체포를 피해 도주하거나 외모로 보아 집회참가의 흔적이 확연하여 집회참가자로 의심할 만한 객관적·합리적인 사정이 인정되는 때에는 결과적으로 현행범 또는 준현행범의 요건을 갖춘 것으로 오인하여 체포하였다 하더라도 이에 과실이 있다고 할 수는 없다(서울지방법원 1996.8.22, 95가합43551).

▌간첩 김신조 사건

- 1968.1.21. 북한 124부대 공작원 31명이 박정희 당시 대통령을 암살하기 위해 서울 종로구 자하문고개 인근까지 침투한 사건이다.
- 청와대 인근에서 이들에 대한 검문 도중 벌어진 총격에서 당시 종로경찰서장 최규식 총경(경무관 특진, 태극무공훈장 추서)과 정종수 순경(경사 특진, 화랑무공훈장 추서)이 순직하였다.
- 전투경찰순경이 탄생하는 계기가 되었다.

03 경비경찰의 조직

1. 경비경찰의 조직

대통령령 경찰청과 그 소속기관 직제 제13조 【경비국】 ① 경비국에 국장 1명을 둔다.
② 국장은 치안감 또는 경무관으로 보한다.
③ 국장은 다음 사항을 분장한다.
1. 경비에 관한 계획의 수립 및 지도 / 2. 경찰부대의 운영·지도 및 감독 / 3. 청원경찰의 운영 및 지도 / 4. 민방위업무의 협조에 관한 사항 / 5. 경찰작전·경찰전시훈련 및 비상계획에 관한 계획의 수립·지도 / 6. 중요시설의 방호 및 지도 / 7. 예비군의 무기 및 탄약 관리의 지도 / 8. 대테러 예방 및 진압대책의 수립·지도 / 8의2. 안전관리·재난상황 및 위기상황 관리기관과의 연계체계 구축·운영 / 9. 의무경찰의 복무 및 교육훈련 / 10. 의무경찰의 인사 및 정원의 관리 / 11. 경호 및 주요 인사 보호 계획의 수립·지도 / 12. 경찰항공기의 관리·운영 및 항공요원의 교육훈련 / 13. 경찰업무수행과 관련된 항공지원업무

행정안전부령 경찰청과 그 소속기관 직제 시행규칙 제31조 【서울특별시경찰청에 두는 담당관 및 직할대】 ② 서울특별시경찰청(이하 이 절에서 "서울경찰청"이라 한다) 공공안전차장 밑에 101경비단·기동단·22경찰경호대·국회경비대·김포공항경찰대·경찰특공대 및 202경비대를 둔다.

💡 **서울청 소속 경찰부대**

- **기동단:** 기동본부를 두고 그 산하에 8개 기동단 운영

기동단	상징
제1기동단	독수리 수도치안의 선봉
제2기동단	청룡
제3기동단	백호
제4기동단	사자
제5기동단	흑표
제6기동단	–
제7기동단	백마
제8기동단	푸른 늑대

- **101경비단:** 청와대 경내 경비
- **202경비단:** 청와대 외곽 경비
- **22경찰경호대:** 대통령·국빈 경호 담당

2. 경비경찰조직운영의 원칙

(1) 부대단위활동의 원칙 [2023 승진(실무종합)]

경비경찰의 활동은 개인적 활동이 아니라 부대단위로 운영되어야 한다는 원칙이다.

내용	• 부대는 지휘권을 가지고 있는 지휘관, 그리고 그 지휘를 받는 직원·대원이 있어야 하며, 활동에 필요한 장비와 보급지원체계가 있어야 한다. • 부대의 관리와 임무수행을 위한 최종결정은 지휘관만이 할 수 있고, 특정 경비상황 발생시 지휘관의 하명에 의해 활동이 이루어진다. • 부대활동의 성패는 지휘관에 의하여 크게 좌우된다.

(2) 지휘관 단일성의 원칙 [2023 승진(실무종합)]

긴급성과 신속성을 요하는 경비업무의 효율적인 수행을 위하여, 지휘관은 한 사람만 두어 신속한 결단과 통일성있는 지휘가 이루어질 수 있도록 해야 한다는 원칙이다.

내용	• 위원회 등의 집단지휘체계는 효율적인 경비업무수행이 어렵다. • 의사결정과정은 회의 등을 통해 신중하게 하더라도, 결정된 의사의 집행은 한 사람의 지휘관에 의해야 한다. ➡ 지휘관 단일성의 원칙이 의사결정과정도 한 사람의 지휘관이 해야 한다는 의미는 아니다! • 경찰조직 편성의 원리 중 명령통일의 원리와 관련이 깊다.

▌경찰조직 편성의 원리

- **계층제의 원리:** 권한의 책임·정도에 따라 직무 등급화, 계층간에 지휘·감독관계 및 명령·복종관계 형성
- **통솔범위의 원리:** 한사람의 상관이 직접 통솔가능한 부하의 수는 어느 정도인가?
- **명령통일의 원리:** 한 사람의 상관에게 보고, 한 사람의 상관으로부터 명령·지시
- **분업화·전문화의 원리:** 전문화 등 정도에 따라 기관별·개인별로 업무 분담
- **조정·통합의 원리:** 조직의 제1원리(Mooney). 조직 공통목적달성을 위해 단위기관활동을 전체적 관점에서 조정·통일

(3) 체계통일성의 원칙

조직의 정점에서 말단에 이르는 계선을 통하여 상하계급간에 일정한 관계가 형성되어 책임과 임무의 분담이 명확히 이루어지고 명령과 복종의 체계가 통일되어야한다는 원칙이다.

내용	• 임무의 중복부여는 체계통일성원칙의 위반이다. • 경찰 각 부대간 효율적인 협조는 물론 타 기관과의 상호응원도 효율적으로 이루어질 수 있다.

[2023 승진(실무종합)] 체계통일성 원칙이란 경비업무를 효과적으로 수행하기 위해 복수의 지휘관을 두어야 한다는 원칙이다. (×)

(4) 치안협력성의 원칙 [2023 승진(실무종합)]

업무 수행과정에서 국민(주민)과 협력을 이루어야 효과적인 목적달성이 가능하다는 원칙으로, 이는 어디까지나 임의적 협조로 강제적 협조는 허용되지 않는다.

04 경비경찰의 수단과 원칙

1. 경비경찰의 수단

(1) 경고

- 경고는 경비부대를 전면에 배치 또는 진출시켜 위력을 과시하거나 경고하여 범죄 실행의 의사를 자발적으로 포기하도록 하는 간접적 실력행사를 말한다.
- 관계자에게 주의를 주고 일정한 행위를 촉구하는 사실상의 통지행위이며 강제력을 수반하지 않는 임의처분의 성격을 갖는다.
- 경찰관 직무집행법 제5조(위험발생의 방지) 제1호에 근거하며, 제6조도 일부 근거가 될 수 있다. [2021 승진(실무종합)]

[2019 경간] 「경찰관 직무집행법」 제5조(위험발생의 방지 등)에 따라 경찰관은 행사경비를 실시함에 있어 매우 긴급한 경우 위해를 입을 우려가 있는 사람을 필요한 한도 내에서 억류할 수 있다. (○)

(2) 제지

- 제지는 경비사태를 예방·진압하기 위하여 행해지는 세력분산·통제파괴·주동자 및 주모자의 격리 등의 직접적 실력행사를 말한다.

[2014 실무 1] [2023 승진(실무종합)] '경고와 제지'는 간접적 실력행사로 「경찰관 직무집행법」에 근거하고, '체포'는 직접적 실력행사로 「형사소송법」에 근거를 두고 있다. (×)

- 강제력이나 유형력을 수반하는, 대인적 즉시강제이자 강제처분의 성격을 가진다. [2014 실무 1]
- 경찰관 직무집행법 제6조(범죄의 예방과 제지)에 근거한다.

> **경찰관 직무집행법 제6조【범죄의 예방과 제지】** 경찰관은 범죄행위가 목전에 행하여지려고 하고 있다고 인정될 때에는 이를 예방하기 위하여 관계인에게 필요한 경고를 하고, 그 행위로 인하여 사람의 생명·신체에 위해를 끼치거나 재산에 중대한 손해를 끼칠 우려가 있는 긴급한 경우에는 그 행위를 제지할 수 있다.

(3) 체포

- 상대방의 신체를 구속하는 직접적 실력행사로서 강제처분의 성격을 갖는다.
- 형사소송법 제212조(현행범인의 체포)에 근거를 두고 있다.

[2017 실무 1] 실력의 행사는 반드시 경고, 제지, 체포의 순서로 행사되어야 한다. (×)

[2021 승진(실무종합)] 직접적 실력행사인 '제지'와 '체포'는 경비사태를 예방 진압하거나 상대방의 신체를 구속하는 강제처분으로서 모두 「경찰관 직무집행법」 제6조에 근거를 두고 있다. (×)

█ 위험발생 방지조치의 대상(경찰관 직무집행법 제5조)
- **경고(제1호):** 그 장소에 모인 사람, 사물 관리자, 그 밖의 관계인
- **억류·피난(제2호):** 매우 긴급한 경우, 위해를 입을 우려가 있는 사람
- **필요조치를 하게 하는 경우(제3호):** 그 장소에 있는 사람, 사물 관리자, 그 밖의 관계인

💡 **인내진압**
- 인권을 중시하는 최근 경찰의 집회 시위 관리 기조이다.
- '인내진압이 뭐냐구요? 쉽게 말하면 "구경만 하고 있어라."입니다. 시위로 인해 국민 다수가 피해보던 말던 좌파 시위꾼들이 우선이니 적극적으로 진압하지 말고 참고 인내하고 구경이나 해라라는 뜻이죠.' (2022.4.22. Blind 앱, 현직 경찰관의 익명게시글)
- '위에서는 불법행위가 발생하면 체포하라고 한다. 그런데 자꾸 인내하라 인내하라고 하는데 어떻게 사람을 체포하나?' (2019.5.24. '폭행 당한 경찰관. 진압하다 처벌받느니 때리는대로 맞아' 동아일보 현직 경찰관 인터뷰 中)

2. 경비수단의 원칙 – 시·위·안·균 [2017 실무 1] [2023 승진(실무종합)]

시점의 원칙	실력행사 시에는 상대의 허약한 시점을 포착하여 적절한 실력행사를 해야 한다는 원칙 ➜ 적시의 원칙이라고도 함
위치의 원칙	실력행사를 하는 경우 상대하는 군중보다 유리한 지점과 위치를 확보해야 한다는 원칙
안전의 원칙	경비사태 발생시 진압과정에서 경찰이나 군중의 사고가 없어야 한다는 원칙
균형의 원칙	균형 있는 경력운영으로 상황에 따라 주력부대와 예비부대를 적절하게 활용하여 한정된 경력으로 최대의 성과를 올려야 한다는 원칙

[2016 경간] 적시의 원칙은 비상사태 발생시에 진압과정에서 경찰이나 시민의 사고가 없어야 하며, 경찰작전시 새로운 변수의 발생을 방지해야 한다는 것이다. (×)
[2014 실무 1] 일반적 경비수단의 원칙에는 균형의 원칙, 위치의 원칙, 적시의 원칙, 보충의 원칙이 있다. (×)
[2018 실무 1] '위치의 원칙'이란 실력행사시 상대하는 군중보다 유리한 지점과 위치를 확보하여 작전수행이나 진압을 용이하게 하는 것으로 한정된 경력으로 최대의 성과를 거양하는 원칙을 말한다. (×)
[2014 승진(경위)] 한정의 원칙 – 상황과 대상에 따라 주력부대와 예비부대를 적절하게 활용하여 한정된 경력으로 최대한의 성과를 거양하는 것이다. (×)
[2021 승진(실무종합)] 경비수단의 원칙 중 '균형의 원칙'은 작전시의 변수의 발생은 사회적으로 큰 파장을 미칠 수 있으므로 경찰병력이나 군중들을 사고 없이 안전하게 진압하여야 한다는 원칙이다. (×)

주제 2 행사안전경비(혼잡경비)

01 행사안전경비 개설

1. 군중

(1) 의미

군중(Crowd)이란 국적이나 직업, 남녀구분, 모이게 된 동기 등에 구애받지 않는 개인의 집단으로서 단순한 다수인의 집합이 아니라 의식적 개성이 상실되고 감정에 의해 사고가 동일한 방향으로 집중되는 특성을 가진다.

(2) 군중심리의 특징

경신성 (피암시성)	군중은 유언비어 등은 쉽게 믿고(경신) 다른 사람의 암시에 따른 행위를 쉽게 하는 경향이 있다.
충동성 (변이성)	군중은 충동적·즉흥적인 행동을 쉽게 하고 외부의 자극에 따라 행동이 변이한다.
과장성 (단순성)	군중들은 개성이 소멸되어 감정이 단순해 지며 과장되거나 강화된 감정이 나타나기 쉽다.
편협성 (전횡성)	군중은 다른 집단의 반대의견을 허용하지 않는 경향이 나타난다.

(3) 군중정리의 원칙 [2018 실무 1] [2022 채용2차]

이동의 일정화	• 군중은 자기의 위치와 갈 곳을 모르면 불안감을 가진다. • 따라서 군중 불안감 해소를 위하여 일정한 방향과 속도로 이동시켜 주위상황을 파악할 수 있는 여건을 조성하고, 이를 통해 심리적 안정감을 가지도록 한다. [2017 실무 1]
지시의 철저	분명하고 자세한 안내방송을 계속함으로써 혼잡사태와 사고를 방지한다.
경쟁행동의 지양	• 차분한 목소리로 안내방송을 하여 다른 사람보다 먼저 가려는 심리상태를 억제시켜, 질서 있게 행동하면 모든 일이 잘 될 수 있다는 것을 납득시킨다. • 질서를 지키면 오히려 손해를 본다는 심리상태가 형성되지 않도록 주의해야 한다.
밀도의 희박화	• 제한된 지역에 많은 군중이 모이면 상호충돌 및 혼잡을 야기하므로 가급적 다수인이 모이는 상황을 회피한다. • 대규모 군중이 모이는 장소는 사전에 블록화한다.

[2015 채용2차] 이동의 일정화 - 대규모 군중이 모이는 장소는 사전에 블록화하고, 일정 방향과 속도로 이동시켜 주위의 상황을 파악할 수 있는 여건을 조성한다. (×)
[2020 지능범죄] 군중정리의 원칙들 중 대규모 군중이 모이는 장소를 사전에 블록화하여 추후 일정한 방향으로 이동시켜 주위상황을 파악할 수 있는 여건을 조성하는 것은 경쟁적 행동의 지양과 밀접한 관련이 있다. (×)
[2022 채용2차] 밀도의 희박화 - 제한된 면적의 특정한 지역에 사람이 많이 모이면 상호간에 충돌현상이 나타나고 혼잡이 야기되므로, 차분한 목소리로 안내방송을 진행함으로써 사전에 혼잡상황을 대비하여 사고를 방지할 수 있다. (×)

2. 행사안전경비의 의미

- **행사안전경비**(혼잡경비)는 공연·기념행사·경기대회·제례행사 등 각종 행사로 모인 미조직된 군중에 의하여 발생되는 자연적인 혼란상태를 사전에 예방하거나 경계하고, 위험한 사태가 발생한 경우에는 신속히 조치하여 확대되는 것을 방지하는 경비경찰활동이다.
- **비교»** **다중범죄 진압경비**(치안경비)의 경우 조직화된 군중이 대상이 된다는 점에서, 미조직된 군중을 대상으로 하는 행사안전경비(혼잡경비)와는 구분된다. ➡ 행사안전경비는 개인이나 단체의 불법행위를 전제로 하는 것이 아니다!

[2019 경간] 행사안전경비는 공연, 경기대회 등 미조직된 군중에 의하여 발생되는 자연적인 혼란상태를 사전에 예방·경계·진압하는 경비경찰활동으로 개인이나 단체의 불법행위를 전제로 한다. (×)

02 행사안전경비의 내용

1. 다중운집행사

(1) 의미

- **다중운집행사**란 제한된 공간에서 미조직된 다수의 군중이 모일 것으로 예상되는 축제, 공연, 체육경기, 행사 등을 의미한다.
- 다중운집행사는 한정된 장소에 많은 군중이 모이는 집중성, 사소한 사고에도 큰 피해가 발생할 위험성, 군중들의 돌발성과 흥분가능성, 위험발생의 연쇄성, 그리고 원칙적인 통제권한이 경찰이 아닌 주최 측(민간)에게 있다는 등의 특징이 있다.

[2014 채용2차] 열린 음악회에 인기 아이돌 가수들이 대거 출연하여 많은 관객들이 입장할 것으로 예상되는 경우 안전사고 등을 미연에 방지하고자 하는 경비유형은 행사안전경비이다. (○)

💡 **판교 테크노밸리 환풍구 붕괴 사건**
- 2014년 10월, 제1회 판교 테크노밸리 축제에서 걸그룹 포미닛 공연 중, 공연이 열린 유스페이스 광장 인근 지하환풍구 덮개가 붕괴한 참사이다.
- 당시 환풍기 위에 있던 27명의 인원이 추락하여 16명이 사망하고 11명이 부상을 당하였다.

(2) 공연법에 따른 주최 측의 의무

공연법 제11조 【재해예방조치】 ① 공연장운영자는 화재나 그 밖의 재해를 예방하기 위하여 그 공연장 종업원의 임무·배치 등 재해대처계획을 수립하여 매년 관할 특별자치시장·특별자치도지사·시장·군수·구청장에게 신고하여야 한다. 이 경우 특별자치시장·특별자치도지사·시장·군수·구청장은 신고받은 재해대처계획을 관할 소방서장에게 통보하여야 한다. [2017 실무 1] [2018 승진(경위)]

② 관할 특별자치시장·특별자치도지사·시장·군수·구청장은 제1항 전단에 따라 신고를 받은 재해대처계획을 검토하여 적합하다고 인정하는 경우에는 신고를 수리하여야 한다. 이 경우 신고된 재해대처계획의 내용이 미흡하다고 인정할 때에는 보완을 요구할 수 있다.

④ 공연장 외의 장소에서 대통령령으로 정하는 규모의 관람자가 있을 것으로 예상되는 공연을 하려는 자의 재해예방조치에 관하여는 제1항을 준용한다.

[2019 경간] [2019 승진(경위) 유사] 「공연법」 제11조에 의하면 공연장 운영자는 재해대처계획을 수립하여 매년 관할 시·도경찰청장에게 신고하여야 한다. 이 경우 시·도경찰청장은 신고 받은 재해대처계획을 관할 소방서장에게 통보하여야 한다. (×)

대통령령 **공연법 시행령 제9조 【재해대처계획의 신고 등】** ① 법 제11조 제1항에 따른 재해대처계획에는 다음 각 호의 사항이 모두 포함되어야 한다.

1. 공연장 시설 등을 관리하는 자의 임무 및 관리 조직에 관한 사항

2. 비상시에 하여야 할 조치 및 연락처에 관한 사항 [2018 승진(경위)]

3. 화재예방 및 인명피해 방지조치에 관한 사항

③ 공연장 외의 시설이나 장소에서 1천명 이상의 관람이 예상되는 공연을 하려는 자는 법 제11조 제3항에 따라 해당 시설이나 장소 운영자와 공동으로 공연 개시 14일 전까지 제1항 각 호의 사항과 안전관리인력의 확보·배치계획 및 공연계획서가 포함된 재해대처계획을 관할 특별자치시장·특별자치도지사·시장·군수 또는 구청장에게 신고하여야 하며, 신고한 사항을 변경하려는 경우에는 해당 공연 7일 전까지 변경신고를 하여야 한다. [2018 승진(경위)]

공연법 제43조 【과태료】 ① 다음 각 호의 어느 하나에 해당하는 자에게는 2천만원 이하의 과태료를 부과한다. [2019 승진(경위)]

1. 제11조 제1항 전단, 같은 조 제3항 또는 제4항을 위반하여 재해대처계획을 수립, 신고 또는 보완하지 아니한 자

2. 제11조에 따른 재해대처계획에 따라 필요한 재해예방조치를 취하지 아니한 자

[2017 실무 1] 「공연법」상 재해대처계획을 신고하지 아니한 자는 2천만원 이하의 벌금에 처한다. (×)
[2018 승진(경위)] 재해대처계획을 신고하지 아니한 자는 1천만원 이하의 과태료를 부과한다. (×)

(3) 경비업법에 따른 경찰의 개입

대통령령 **경비업법 시행령 제30조 【경비가 필요한 시설 등에 대한 경비의 요청】** 시·도경찰청장은 행사장 그밖에 많은 사람이 모이는 시설 또는 장소에서 혼잡 등으로 인한 위험의 발생을 방지하기 위하여 법 제2조 제3호의 규정에 의한 경비원에 의한 경비가 필요하다고 인정되는 때에는 행사개최일 전에 당해 행사의 주최자에게 경비원에 의한 경비를 실시하거나 부득이한 사유로 그것을 실시할 수 없는 경우에는 행사개최 24시간 전까지 시·도경찰청장에게 그 사실을 통지하여 줄 것을 요청할 수 있다.

[2019 경간] 시·도경찰청장은 행사장 그 밖에 많은 사람이 모이는 시설 또는 장소에서 혼잡 등으로 인한 위험의 발생을 방지하기 위하여 경비원에 의한 경비가 필요하다고 인정되는 때에는 행사개최일 전에 당해 행사의 주최자에게 경비원에 의한 경비를 실시하거나 부득이한 사유로 그것을 실시할 수 없는 경우에는 행사개최 36시간 전까지 시·도경찰청장에게 그 사실을 통지하여 줄 것을 요청해야 한다. (×)

🔍 **쉽게 읽기!**

§30: 시·도경찰청장은 / 혼잡 등으로 인한 위험발생방지를 위하여 / 행사 주최자에게 / 다음을 요청할 수 있다.
• 경비원에 의한 경비를 실시할 것
• 부득이하게 자체경비 실시할 수 없는 경우 24시간 전까지 통지해 줄 것

2. 행사안전경비 유의사항

수익자 부담원칙	• 수익성 행사에 있어 행사안전의 1차적 책임은 행사 주최 측에 있고 경찰은 필요최소한도로 개입하는 것이 원칙이다. ➡ 주최 측의 협조요청시에도 행사안전은 주최 측 책임으로 확보! • 경찰은 우발사태대비 개념으로 운용하고, 행사관리는 주최 측의 민간 경비업체의 적극 활용을 유도한다. • 올림픽이나 월드컵과 같은 국가적 행사와 같이 수익자부담원칙을 적용하기 어려운 경우도 있으며, 일반 사인이 주최하는 행사라 하더라도 영리목적 없는 공익행사의 경우에는 경찰이 행사안전경비를 할 수도 있다. [2012 승진(경감)] 주최 측의 경비 협조요청시에는 경찰책임으로 행사안전을 확보한다. (×)
충분한 사전대응	• 초기 대응이 중요하므로 초기단계부터 적절한 통제가 필요하다. ➡ 행사진행과정 파악, 자율적 질서유지 요청, 용역경비원의 활용권고 등 • 경찰의 예비대 운용 여부는 경찰의 재량판단사항이지, 협조사항은 아니다. [2018 승진(경감)] 예비대의 운용 여부판단은 주최 측과 협조하여 실시한다. (×)
적절한 부대배치	• 치안상 문제없는 행사는 가급적 경찰 배치를 지양하고, 치안상 문제가 있는 행사는 **1차**로 정보·교통요원 등 최소 경력을 배치하고, **2차**로 우발사태에 대비하여 예비대를 행사장 주변 및 통로에 배치하며, **3차**로 행사장 내부 등에 적정한 경력을 배치한다. [2019 승진(경위)] • 배치를 하는 경우 경력은 군중 입장 전에 사전배치하되, 행사의 성격·행사규모·군중의 수·군중의 성향 등을 고려하여 적정한 인원을 배치함으로써 경력 낭비를 최소화한다. • 경찰지휘본부(CP ; Command Post)는 행사장 전체를 조망·관리할 수 있는 장소에 설치·운용한다. [2018 승진(경감)] 예비대가 관중석에 배치될 경우 관중이 잘 보이도록 행사장 앞쪽에 배치하는 것이 효과적이다. (×)
냉정한 임무수행	냉정하고 침착하게 임무를 수행하며, 기상변화 등 돌발사태에 대비하고, 경기내용·행사내용보다 관중을 주시해야 한다.

다중범죄진압경비(치안경비)

01 다중범죄진압경비 개설

1. 다중범죄

(1) 의미

다중범죄란 정치·경제·사회·문화적 원인 또는 특정집단의 주의·주장·요구조건 등을 관철할 목적으로 나타나는, 지역의 안전과 평온을 해할 수 있을 정도의 시위·소요·폭동과 같은 범죄행위를 말한다.

▎행사안전경비의 대상과의 비교
다중범죄진압경비의 대상이 조직화된 군중이라면, 행사안전경비의 대상은 미조직된 군중이라는 점에서 차이가 있다.

(2) 다중범죄 군중의 특징 [2014 채용1차]

확신적 행동성	다중범죄의 참여자는 자신의 주장이 옳다는 확신을 가지고 사회정의를 위하여 투쟁한다는 확신범의 성격을 가지므로 과감하고 전투적인 행동을 하는 경우가 많다. 예 시위 도중 분신자살 [2016 승진(경감)]
조직적 연계성	다중범죄는 특정한 조직에 기반을 두고 뚜렷한 목적의식을 가지고 감행되는 경우가 많다. ➡ 소속단체의 설립목적이나 활동방침 파악을 통해 원활한 사태해결을 도모할 수 있다.
부화뇌동적 파급성	다중범죄의 발생은 군중심리의 영향으로 발생되는 경우가 많아, 일단 발생되면 부화뇌동적 파급성으로 인해 급격히 확대될 수 있다.
비이성적 단순성	시위군중은 이성적인 판단능력을 상실하여 과격·단순·편협하여 행태 예측이나 타협·설득이 어려운 경우가 많다.

[2017 실무 1] 다중범죄의 특징 중 '조직적 연계성'이란 다중범죄를 발생시키는 주동자나 참여하는 자들은 자신의 사고가 정의라는 확신을 가지고 행동하므로 과감하고 전투적인 경우가 많고, 점거 농성할 때 투신이나 분신자살 등이 그 대표적인 예이다. (×)

(3) 다중범죄에 대한 정책적 해결방법(치료법) [2018 채용1차] [2022 승진(실무종합)]

선수승화법 (사전해결)	특정한 불만집단에 대한 정보활동을 강화, 사전에 불만 및 분쟁요인을 찾아내어 해소시키는 방법 예 재건축에 따른 이주비 보상·영구임대아파트 보장요구 시위 첩보를 입수하고 구청장이나 재건축 조합장과 면담을 주선하여 대화에 의한 타협을 본 사례 [2016 승진(경위)]
전이법 (다른 이슈 제기)	다중범죄의 발생징후나 이슈가 있을 때 집단이나 국민들의 관심을 집중시킬 수 있는 경이적인 사건을 폭로하거나 대규모 행사를 개최하여 원래의 이슈가 상대적으로 약화되도록 하는 방법 [2012 승진(경위)] [2017 실무 1] [2018 실무 1]
지연정화법 (시간지연)	시간을 끌어 불만집단이 이성적으로 생각할 기회를 부여하고 정서적으로 감정을 둔화시켜 흥분을 가라앉게 하는 방법
경쟁행위법 (반대의견 부각)	불만집단과 반대되는 대중의견을 크게 부각시켜 불만집단이 위압되어 스스로 해산 및 분산되도록 하는 방법 예 장애인단체의 지하철 운행방해 시위에 대해 출근시간에 불편을 겪은 시민들의 목소리를 부각시키는 경우 [2017 실무 1] [2018 실무 1]

[2014 채용1차] 다중범죄의 정책적 치료법 중 불만집단과 반대되는 대중의견을 크게 부각시켜 불만집단이 위압되어 스스로 해산 및 분산되도록 하는 방법은 전이법이다. (×)
[2017 승진(경감)] 세력분산법 - 불만집단과 이에 반대하는 대중의견을 크게 부각시켜 불만집단이 위압되어 자진해산 및 분산하게 하는 방법이다. (×)
[2018 채용1차] 지연정화법 - 불만집단에 반대하는 대중의견을 크게 부각시켜 불만집단이 위압되어 자진해산 및 분산되도록 하는 방법이다. (×)
[2022 승진(실무종합)] 전이법은 불만집단과 이에 반대하는 대중의견을 크게 부각시켜 불만집단이 자진해산 및 분산하게 하는 정책적 치료법이다. (×)

2. 다중범죄진압경비

(1) 의미

- 공공의 안녕과 질서를 해하는 조직화된 다중에 의한 불법사태가 발생하거나 발생할 것에 대비하여 사태를 예방·진압하고 사태 악화를 최소화하는 경비경찰활동을 말한다.
- 실무상 '치안경비'라고도 한다.

행사안전경비의 군중심리 특징
- **경신성**: 유언비어를 쉽게 믿음
- **충동성**: 충동적·즉흥적 행동
- **과장성**: 단순하고 과장·강화된 감정
- **편협성**: 반대의견 불허

행사안전경비의 군중정리원칙
- **이동의 일정화**: 일정방향·속도로 이동시켜 주어 심리적 안정 도모
- **지시의 철저**: 분명하고 자세한 안내방송
- **경쟁행동의 지양**: 차분한 안내방송, 먼저 가려는 심리상태 억제
- **밀도의 희박화**: 다수인이 밀집되는 상황 회피, 사전 블록화

(2) 특징

- 다중범죄의 진압은 정보 · 보안 · 교통 등을 포함한 총체적 경찰활동이므로 각 경찰기능간의 유기적 협력이 절실히 요구된다. ➔ 복합기능적 활동의 특성
- 다중범죄는 정책적 해결방법이 가장 바람직하고 궁극적인 대책이지만, 현실적으로는 물리적 진압방법과 병행되어야 한다.

02 다중범죄진압경비의 내용

1. 물리적 진압의 3대원칙 [2012 채용2차] [2014 채용1차]

신속한 해산	시위군중은 군중심리의 영향으로 격화 · 확대되기 쉽고 파급성이 강하므로 초기단계에서 신속 · 철저히 해산시켜야 한다.
주모자 체포	시위군중은 주모자를 잃으면 무기력해져 쉽게 해산되는 것이 보통이므로 그들 가운데서 주동적으로 행동하는 자부터 체포 · 분리시켜야 한다.
재집결 방지	시위군중은 일단 해산 후 다시 집결하기 쉬우므로 재집결할 만한 곳에 경력을 배치하고 순찰과 검문검색을 강화하여 재집결을 방지한다.

[2015 실무 1] '집결자 전원 검거'는 '진압의 3대원칙' 중 하나이다. (×)

2. 물리적 진압방법(다중범죄진압의 기본원칙)

- **차단 · 배제**: 다중범죄는 특정장소에서만 목적을 달성할 수 있는 경우가 많으므로, 군중이 목적지에 집결하기 전 중간차단하여 집합을 못하게 하는 방법이다. 예 검문검색을 통하여 불법시위 가담자를 사전색출 · 검거 또는 귀가조치 [2017 경간] [2018 경채]
- **봉쇄 · 방어**: 군중들이 중요시설이나 기관 등 보호대상물의 점거를 기도할 경우 사전에 진압부대가 점령하거나 바리케이트 등으로 봉쇄하여 방어조치를 취하는 방법이다. [2022 승진(실무종합)]
- **세력분산**: 일단 결집한 군중에 대해서는 진압대형을 통한 공격이나 가스탄 등으로 혼란시켜 시위집단의 지휘통제력을 약화시키고 수 개의 소집단으로 분할시켜 그 세력을 분산시키는 방법이다. [2017 승진(경감)] [2018 경채]
- **주동자 격리**: 다중범죄는 특정 주동자의 선동에 의한 경우가 많으므로 주동자를 사전에 검거하거나 군중과 격리시킴으로써 군중의 집단적 결속력을 약화시켜 진압하는 방법이다.

주제 4 경호경비

01 경호

1. 의의

경비와 호위를 종합한 개념으로, ① **경비**는 생명·신체를 보호하기 위하여 특정한 지역을 경계·순찰·방비하는 활동을 말하고, ② **호위**는 신체에 대하여 직접적으로 가해자는 위해를 근접에서 방지 또는 제거하는 활동을 말한다. [2017 실무 1]

[2021 경간] 경호란 경비와 호위를 포함하는 개념으로 호위란 피경호자의 생명과 신체를 보호하기 위해 특정한 지역을 경계·순찰·방비하는 행위이다. (×)
[2015 경간] 경호란 경호 대상자의 생명과 신체에 가하여지는 위해(危害)를 방지하거나 제거하고, 특정 지역을 경계·순찰 및 방비하는 등의 모든 안전활동이다. (○)

2. 종류

구분	내용
장소에 따른 구분	행사장경호, 숙소경호, 연도경호(노상경호)
성격에 따른 구분	• **공식경호**: 경호관계자의 사전 통보에 의해 계획·준비되는 공식행사 때에 실시하는 경호 • **비공식경호**: 보안유지가 요구되는 비공개행사 때의 경호 예 현장방문행사 • **완전비공식경호**: 정무 또는 사무상 필요에 의해 사전통보나 절차 없이 이루어지는 행사 때 실시하는 경호 예 비공식방문, 운동·공연 관람
활동시점 및 경호방법에 의한 구분	• **선발경호**: 행사장에 사전에 파견되어 인적·물적·지리적 위해요소를 제거하고 만일의 경우 예상되는 비상사태에도 대비하는 예방경호 • **수행경호(근접경호)**: 경호대상자의 근접에서 각종 위해사항을 제거하여 경호대상자의 안전을 확보하는 일련의 경호활동

[2020 실무 1] 행사성격에 의한 구분 중 정무 또는 사무상 필요에 의해 사전통보나 절차 없이 이루어지는 행사 때 실시하는 경호를 "비공식" 경호라고 하며, 현장방문행사 등이 이에 해당한다. (×)

⊕심화 경호대상과 경호등급

1 **경호대상**

대통령 등의 경호에 관한 법률 제4조 【경호대상】 ① 경호처의 경호대상은 다음과 같다.
1. 대통령과 그 가족
2. 대통령 당선인과 그 가족
3. 본인의 의사에 반하지 아니하는 경우에 한정하여 퇴임 후 10년 이내의 전직 대통령과 그 배우자. 다만, 대통령이 임기 만료 전에 퇴임한 경우와 재직 중 사망한 경우의 경호 기간은 그로부터 5년으로 하고, 퇴임 후 사망한 경우의 경호 기간은 퇴임일부터 기산하여 10년을 넘지 아니하는 범위에서 사망 후 5년으로 한다.
4. 대통령권한대행과 그 배우자
5. 대한민국을 방문하는 외국의 국가 원수 또는 행정수반과 그 배우자
6. 그 밖에 처장이 경호가 필요하다고 인정하는 국내외 요인(要人)

[2021 경간] '대통령 등의 경호에 관한 법률'에 따르면 대통령뿐만 아니라 대통령 당선인과 대통령권한대행 모두 경호처의 경호대상이다. (○)

② 경호등급

> **대통령령** 대통령 등의 경호에 관한 법률 시행령 제3조의2 【경호등급】① 처장은 법 제4조 제1항 제5호 및 제6호에 따른 경호대상자의 경호임무를 수행하기 위하여 해당 경호대상자의 지위와 경호위해요소, 해당 국가의 정치상황, 국제적 상징성, 상호주의 측면, 적대국가 유무 등 국제적 관계를 고려하여 경호등급을 구분하여 운영할 수 있다.
> ② 제1항에 따라 경호등급을 구분하여 운영하는 경우에는 외교부장관, 국가정보원장 및 경찰청장과 미리 협의하여야 한다.
> ③ 제1항의 경호등급과 관련하여 필요한 사항은 처장이 따로 정한다.

③ 경호규칙에 따른 경호대상별 등급

- **국내요인**은 그 중요도에 따라 갑(甲)호 · 을(乙)호 · 병(丙)호로 나눈다.

갑호	대통령과 그 가족, 대통령 당선인과 그 가족, 전직대통령과 그 배우자(퇴임 후 10년 이내, 본인 의사에 반하지 않는 경우), 대통령권한대행과 그 배우자
을호	• 퇴임 후 10년 경과한 전직대통령, 대통령선거 후보자 • **4부요인**: 국회의장, 대법원장, 국무총리, 헌법재판소장
병호	갑호 · 을호 외에 경찰청장이 필요하다고 인정한 사람

[2020 실무 1] 전직대통령(퇴임 후 10년 경과), 대통령선거 후보자, 대통령 권한대행과 그 배우자는 을호경호대상이다. (×)

- **국외요인**은 국빈 · 외빈 여부에 따라 A · B · C등급 또는 A · B등급으로 나눈다.

국빈 (A · B · C등급)	대통령 · 국왕 등 국가원수, 행정수반인 총리 등 ➡ 경호처장이 등급 분류
외빈 (A · B등급)	행정수반이 아닌 총리(또는 부통령), 왕세자 등 왕족, 국제기구대표, 기타 장관급 이상 ➡ 경찰청장이 등급 분류

[2020 실무 1] 왕족, 국제기구대표, 행정수반, 기타 장관급 이상 외빈은 외빈 A · B등급으로 경찰청장이 등급을 분류한다. (×)

▌국빈(國賓, state guest)
나라에서 정식으로 초대한 외국 손님으로 주로 외국의 국가원수급을 말한다.

▌외빈(外賓, foreign guest)
외국에서 온 귀한 손님

02 경호경비와 행사장 경호

1. 경호경비

경호경비는 정부요인, 국내 · 외 중요인사 등의 신변에 대하여 가해지려는 직 · 간접적인 위해를 방지하기 위하여 위험요소를 사전에 제거하고 만일의 사태발생시 신속히 조치함으로써 궁극적으로 피경호자의 안전을 확보하고자 하는 경비경찰활동을 말한다.

> **⊕ 심화 경호경비의 4대원칙** [2020 지능범죄]
>
> | 자기희생의 원칙 | 경호인이 어떠한 희생을 치르더라도 피경호자 신변의 안전이 절대 보호 · 유지되어야 한다는 원칙 |
> |---|---|
> | 자기담당구역 책임의 원칙 | • 경호원은 자기담당구역 내에서 일어나는 어떠한 사태에 대하여도 다른 사람 아닌 자기만이 책임을 지고 해결하여야 한다는 원칙
• 경호원은 자기 담당구역을 절대 사수하여 부여된 책임과 임무를 완수해야 함 |
> | 하나의 통제된 지점을 통한 접근의 원칙 | • 피경호자에게 접근할 수 있는 통로는 경호상 통제된 유일한 통로만을 유지
• 여러 개의 통로는 오히려 불순분자에게 접근을 용이하게 해주며, 경호의 취약성을 노출시키기 쉬움
• 단, 위급시 피경호자가 탈출할 수 있는 비상통로는 예외 |

목표물 보존의 원칙	• 암살기도자 또는 위해를 가할 가능성이 있는 불순분자로부터 피경호자를 분리 시켜야 한다는 원칙 • 행차 코스·행사예정 장소 등은 비공개가 원칙 • 피경호자가 수회 행차한 동일한 장소는 가급적 회피하고, 대중에게 노출된 도보 행차는 가급적 지양

[2021 경간] 자기 담당구역이 아닌 인근지역에서 특별한 상황이 발생하면 상호원조의 원칙에 따라 확인·원조해야 한다. (×)
[2012 채용2차] 경호경비의 4대원칙 중 '하나의 통제된 지점을 통한 접근원칙'은 일반에 노출된 도보행차나 수차 행차하였던 동일한 장소를 가급적 회피하는 원칙이다. (×)

2. 3선 개념의 행사장 경비

(1) 제1선 – 안전구역, 내부

• 경호대상자의 신변에 직접 위해를 줄 수 있는 구역으로, 완벽한 통제가 필요한 절대안전 확보구역이며 요인의 승·하차장, 동선 등의 취약개소를 포함한다. [2012 경간] [2021 승진(실무종합)]

실내행사의 경우	실외행사의 경우
• 요인이 위치하는 행사장 내부·건물 자체 • 행사장의 직상·직하층을 포함	• 권총의 유효 사거리·수류탄 투척거리 • 통상 행사장 반경 50m

• 경호에 대한 주관 및 책임은 경호처에 있으며, 경찰은 경호처 요청시 경력 및 장비를 지원한다.

• 출입자 통제관리, MD(Metal Detector, 금속탐지기)설치 운용, 출입자 감시, 비표 확인 및 출입자 검문 등의 활동이 이루어진다. [2012 실무 1] [2020 실무 1]

[2012 실무 1] [2015 경간] 행사장 경호에 있어 제1선은 경비구역으로 MD를 설치·운용하고 비표확인 및 출입자 감시가 이루어진다. (×)
[2020 지능범죄] [2021 경간 유사] 세 가지 경호활동지역 중 MD설치 운용과 비표확인 및 출입자 감시를 주요활동으로 하는 구역은 절대안전확보구역인 제3선이다. (×)

(2) 제2선 – 경비구역, 내곽

• 안전구역을 보호하기 위한 경호활동구역으로, 부분적 통제가 필요한 주경비지역이다. [2021 승진(실무종합)]

실내행사의 경우	실외행사의 경우
건물 내부 또는 담장을 연하는 내곽지역	• 소총의 유효 사거리 • 통상 행사장 반경 600m

• 경호책임은 경찰이 담당하고, 군부대 내일 경우에는 군이 책임을 진다.

• 바리케이트 등 장애물 설치, 돌발사태 대비 예비대 운영 및 비상통로 확보, 구급차·소방차 대기, 행사장 접근로에 검문조와 순찰조를 운영하여 불심자의 접근 제지 및 위해요소 제거 등의 활동이 이루어진다. [2020 실무 1]

[2012 경간] 제2선은 주경비지역이라고도 하며, 경호책임은 대통령경호처에서 담당하고 경찰은 대통령경호처의 요청시 경력 및 장비를 지원한다. (×)
[2017 실무 1] 감시조 운영, 바리케이트 등 장애물 설치는 행사장 경호시 제2선(경비구역)에서 이루어지는 활동이다. (×)

(3) 제3선 – 경계구역, 외곽

• 행사장 중심으로 적의 접근을 조기에 경보하고 차단하기 위해 설정된 선으로서, 안전구역과 경비구역을 보호하기 위한 경호활동 구역이며, 보안 및 수색활동이 필요한 조기경보지역이다. [2021 승진(실무종합)]

▌중요시설경비(3지대 개념 방호선)

• **제1지대(경계지대):** 목 지점과 감제고지 등을 장악하는 선으로, 소총 유효사거리 개념인 외곽 경비지대를 연결하는 선. 병력배치 및 장애물 설치로 방호

• **제2지대(주방어지대):** 시설 울타리를 연결하는 선. 탐조등·망루·보안등과 같은 방호시설 설치, 출입자 통제 및 무단침입자 감시

• **제3지대(핵심방어지대):** 회후 방호선. 핵심시설 지하화나, 방호벽·방탄망·적외선 CCTV등 설치 및 항상 경비원 감시 필요

➡ 경호경비와 선거경비는 1이 핵심, 중요시설경비는 3이 핵심

실내행사의 경우	실외행사의 경우
• 소총의 유효 사거리 • 통상 행사장 반경 600m	• 곡사화기 유효 사거리 • 통상 행사장 반경 1.5km

- 통상 경호책임은 경찰이 담당한다.
- 감시조 운영, 도보 등 원거리 기동순찰조 운영, 원거리 불심자 및 집단사태를 적발·차단하고 경호상황본부에 상황전파로 제1선·제2선 내의 경력이 대처할 시간을 제공등의 활동이 이루어진다. [2020 실무 1]
- 직시고층건물 및 감제고지에 대한 안전확보를 한다. [2012 경간]

[2015 경간] 행사장 경호에 있어 제3선은 경계구역으로서 돌발사태에 대비하여 예비대 및 비상통로, 소방차, 구급차 등을 확보한다. (×)

⊕ **심화 숙소경호와 연도경호**

① **숙소경호**
- 경호대상자가 평소에 거처하는 관저뿐만 아니라 임시로 외지에서 머무는 장소를 경호하는 것을 말한다.
- 숙소에 대한 경호는 행사장 경호에 준하나 체류기간이 장기화될 수 있다는 점과 야간근무가 이루어진다는 점이 고려되어야 한다.

② **연도경호**
- 경호대상자의 행차 등이 예상되는 육도(도로)와 철도, 그 주변에 대한 제반 위해요소를 사전에 제거하는 경호활동을 말한다.
- 지리적인 방대함과 각종 취약요소 때문에 엄격한 3선 개념의 경호원리를 적용하기 어렵고, 각종 물적 취약요소에 대하여 완벽한 검측이 어렵다. [2012 실무 1] [2015 경간]

주제 5 대테러경비(특수경비)

01 테러와 테러리즘

1. 테러의 의미

> 국민보호와 공공안전을 위한 테러방지법 제11조【경계태세】제2조(정의) 이 법에서 사용하는 용어의 뜻은 다음과 같다.
> 1. "테러"란 국가·지방자치단체 또는 외국 정부(외국 지방자치단체와 조약 또는 그 밖의 국제적인 협약에 따라 설립된 국제기구를 포함한다)의 권한행사를 방해하거나 의무 없는 일을 하게 할 목적 또는 공중을 협박할 목적으로 하는 다음 각 목의 행위를 말한다.

2. 테러리즘

정치적 또는 사회적 영향력을 증대하기 위한 목적으로 조직적이고 계획적으로 비합법적인 폭력을 사용하거나 위협함으로써 상징적인 인물이나 불특정 다수에게 심리적인 공포심을 부여하는 행위이다.

⊕ 심화 인질 관련 증후군과 인질협상

1 리마증후군 [2020 승진(경위)]

- 1996년 12월, 페루 수도인 리마 소재 일본대사관에 '투팍아마루 혁명운동(MRTA)' 소속의 게릴라가 난입하여 대사관 직원 등 400여명을 126일 동안 인질로 잡은 사건에서 유래된 심리학 용어이다.
- 시간경과에 따라 인질범이 인질에게 일체감을 느끼게 되고 인질의 입장을 이해하여 호의를 베푸는 등 인질범이 인질에게 동화되어 인질에게 본인의 신상을 털어놓는 등 폭력성이 저하되는 현상이다.

2 스톡홀름증후군 [2012 승진(경위)] [2017 경간] [2017 실무 1] [2018 승진(경감)]

- 1973년 8월, 스웨덴 스톡홀름의 은행에서 발생한 은행강도 사건에서, 인질로 잡혀있던 여인이 인질범과 사랑에 빠져 인질범과 함께 경찰에 대항하여 싸운 행위에서 유래된 심리학 용어이다.
- 인질이 인질범에게 동화되는 현상으로서, 극도의 공포나 긴장감을 사랑의 감정으로 착각하는 오귀인 효과(Misattribution Effect)라고도 한다.
- 독재자들이 이러한 심리효과를 이용하기도 한다.

3 인질협상 – 영국 Scot Negotiation Institute [2018 실무 1]

1단계 (협상의 준비)	최대한 양보할 것, 얻기를 희망하는 것, 꼭 얻어야 하는 것 등을 준비
2단계 (논쟁의 개시)	인질범으로 하여금 떼를 쓰고 흥정을 걸어오도록 유도
3단계(신호)	노약자, 어린이, 여자 등의 석방요구를 하면서 협상의 의사가 있음을 전달
4단계(제안)	협상상대, 교신방법, 진행방법 등을 제시하는 단계
5단계(타결안)	개별적 내용들에 대한 일괄타결
6단계(흥정)	협상은 양보가 아닌 교역(trade)임을 염두, 요구사항이 바뀌는 경우 다시 협상 ➜ '공짜는 절대 없다'
7단계(정리)	합의시마다 내용을 정리하여 쟁점을 명확하게 함
8단계(타결)	타결 불가시 다음 단계 작전 대비, 지속적 대화·접촉유지

02 국민보호와 공공안전을 위한 테러방지법

💡 이하 '국민보호와 공공안전을 위한 테러방지법'은 '테러방지법'으로 약칭한다.

1. 목적, 정의 및 다른 법률과의 관계

테러방지법 제1조【목적】 이 법은 테러의 예방 및 대응 활동 등에 관하여 필요한 사항과 테러로 인한 피해보전 등을 규정함으로써 테러로부터 국민의 생명과 재산을 보호하고 국가 및 공공의 안전을 확보하는 것을 목적으로 한다.

테러방지법 제2조【정의】 이 법에서 사용하는 용어의 뜻은 다음과 같다.

2. **"테러단체"**란 국제연합(UN)이 지정한 테러단체를 말한다. [2017 채용1차] [2020 경간] [2022 채용1차]

3. **"테러위험인물"**이란 테러단체의 조직원이거나 테러단체 선전, 테러자금 모금·기부, 그 밖에 테러 예비·음모·선전·선동을 하였거나 하였다고 의심할 상당한 이유가 있는 사람을 말한다. [2022 승진(실무종합)]

[2018 경간] 테러단체란 국가테러대책위원회가 지정한 테러단체를 말한다. (×)
[2018 승진(경위)] '테러단체'란 국가정보원이 지정한 테러단체를 말한다. (×)
[2017 채용1차] [2022 채용1차 유사] [2023 승진(실무종합)] '테러위험인물'이란 테러를 실행·계획·준비하거나 테러에 참가할 목적으로 국적국이 아닌 국가의 테러단체에 가입하거나 가입하기 위하여 이동 또는 이동을 시도하는 내국인·외국인을 말한다. (×)

테러방지법 제4조【다른 법률과의 관계】 이 법은 대테러활동에 관하여 다른 법률에 우선하여 적용한다.

2. 테러대응기관

(1) 국가테러대책위원회

> **테러방지법 제5조【국가테러대책위원회】** ① 대테러활동에 관한 정책의 중요사항을 심의·의결하기 위하여 국가테러대책위원회(이하 "대책위원회"라 한다)를 둔다.
> ② 대책위원회는 국무총리 및 관계기관의 장 중 대통령령으로 정하는 사람으로 구성하고 위원장은 국무총리로 한다.
> [2017 채용1차] 국가테러대책위원회 위원장은 대통령으로 한다. (×)
> [2023 승진(실무종합)] 대테러활동에 관한 정책의 중요사항을 심의·의결하기 위하여 국가테러대책위원회를 두고 위원장은 국가정보원장으로 한다. (×)

(2) 대테러센터

> **테러방지법 제6조【대테러센터】** ① 대테러활동과 관련하여 다음 각 호의 사항을 수행하기 위하여 국무총리 소속으로 관계기관 공무원으로 구성되는 대테러센터를 둔다.
> 1. 국가 대테러활동 관련 임무분담 및 협조사항 실무 조정
> 2. 장단기 국가대테러활동 지침 작성·배포
> 3. 테러경보 발령
> 4. 국가 중요행사 대테러안전대책 수립
> 5. 대책위원회의 회의 및 운영에 필요한 사무의 처리
> 6. 그 밖에 대책위원회에서 심의·의결한 사항
> ② 대테러센터의 조직·정원 및 운영에 관한 사항은 대통령령으로 정한다.
> ③ 대테러센터 소속 직원의 인적사항은 공개하지 아니할 수 있다.

⊕ 심화 각국의 대테러부대 [2020 경간]

우리나라	1983년, 86아시안게임과 88올림픽을 대비하여 KNP868(경찰특공대, KNP SWAT) 창설 ➡ KNP868은 서울시도경찰청 직할부대
영국	독일 뮌헨올림픽 선수촌의 검은 구월단 사건을 계기 대테러 진압부대인 SAS(Special Air Service) 창설
미국	• 9·11테러 계기로 국토안보부에 DHS(Department of Homeland Security)를 설치, 대테러 총괄 • 경찰 특수부대로서 SWAT
독일	독일 뮌헨올림픽에서의 검은 구월단에 의한 이스라엘 선수 테러사건 계기, GSG-9 창설 [2017 경간]
프랑스	GIPN(경찰특공대), GIGN(군인경찰특공대)
이스라엘	Sayeret Mat'Kal(사렛트 매트칼)

[2012 채용2차] 각국의 대테러조직으로 영국의 SAS, 미국의 SWAT, 독일의 GIGN, 프랑스의 GSG-9 등이 있다. (×)

💡 **검은 구월단**
- 이슬람 계열 테러단체로, 아랍계 게릴라가 요르단 정부 토벌작전으로 큰 피해를 입은 1970년 9월을 의미한다.
- 1972년 9월, 독일 뮌헨 올림픽에서 이스라엘 선수단 숙소로 침입, 9명을 인질로 잡고 이스라엘이 억류하고 있던 포로석방을 요구하였으나, 협상 실패로 인질 9명이 모두 사망한 사건이 발생하였다.

3. 대테러활동

(1) 의미

테러방지법 제2조【정의】이 법에서 사용하는 용어의 뜻은 다음과 같다.
6. "대테러활동"이란 제1호의 테러 관련 정보의 수집, 테러위험인물의 관리, 테러에 이용될 수 있는 위험물질 등 테러수단의 안전관리, 인원·시설·장비의 보호, 국제행사의 안전확보, 테러위협에의 대응 및 무력진압 등 테러 예방과 대응에 관한 제반 활동을 말한다. [2022 채용1차]
8. "대테러조사"란 대테러활동에 필요한 정보나 자료를 수집하기 위하여 현장조사·문서열람·시료채취 등을 하거나 조사대상자에게 자료제출 및 진술을 요구하는 활동을 말한다. [2022 채용1차]

(2) 정보수집 등

테러방지법 제9조【테러위험인물에 대한 정보 수집 등】① 국가정보원장은 테러위험인물에 대하여 출입국·금융거래 및 통신이용 등 관련 정보를 수집할 수 있다. 이 경우 출입국·금융거래 및 통신이용 등 관련 정보의 수집은 「출입국관리법」, 「관세법」, 「특정 금융거래정보의 보고 및 이용 등에 관한 법률」, 「통신비밀보호법」의 절차에 따른다.
② 국가정보원장은 제1항에 따른 정보 수집 및 분석의 결과 테러에 이용되었거나 이용될 가능성이 있는 금융거래에 대하여 지급정지 등의 조치를 취하도록 금융위원회 위원장에게 요청할 수 있다.
③ 국가정보원장은 테러위험인물에 대한 개인정보(「개인정보 보호법」상 민감정보를 포함한다)와 위치정보를 「개인정보 보호법」 제2조의 개인정보처리자와 「위치정보의 보호 및 이용 등에 관한 법률」 제5조 제7항에 따른 개인위치정보사업자 및 같은 법 제5조의2 제3항에 따른 사물위치정보사업자에게 요구할 수 있다.
④ 국가정보원장은 대테러활동에 필요한 정보나 자료를 수집하기 위하여 대테러조사 및 테러위험인물에 대한 추적을 할 수 있다. 이 경우 사전 또는 사후에 대책위원회 위원장에게 보고하여야 한다. [2018 경간] [2018 승진(경위)] [2023 승진(실무종합)]
[2017 채용1차] 국가정보원장은 테러위험인물에 대하여 출입국·금융거래 및 통신이용 등 관련 정보를 수집하여야 한다. (×)

(3) 외국인테러전투원에 대한 규제

테러방지법 제2조【정의】이 법에서 사용하는 용어의 뜻은 다음과 같다.
4. "외국인테러전투원"이란 테러를 실행·계획·준비하거나 테러에 참가할 목적으로 국적국이 아닌 국가의 테러단체에 가입하거나 가입하기 위하여 이동 또는 이동을 시도하는 내국인·외국인을 말한다. 예 IS에 가입하기 위해 시리아로 출국하려는 한국인 / IS에 가입하기 위해 한국을 경유하여 시리아로 출국하려는 일본인

테러방지법 제13조【외국인테러전투원에 대한 규제】① 관계기관의 장은 외국인테러전투원으로 출국하려 한다고 의심할 만한 상당한 이유가 있는 내국인·외국인에 대하여 일시 출국금지를 법무부장관에게 요청할 수 있다. [2018 승진(경위)]
② 제1항에 따른 일시 출국금지 기간은 90일로 한다. 다만, 출국금지를 계속할 필요가 있다고 판단할 상당한 이유가 있는 경우에 관계기관의 장은 그 사유를 명시하여 연장을 요청할 수 있다. [2018 승진(경위)]
③ 관계기관의 장은 외국인테러전투원으로 가담한 사람에 대하여 「여권법」 제13조에 따른 여권의 효력정지 및 같은 법 제12조 제3항에 따른 재발급 거부를 외교부장관에게 요청할 수 있다.

▌민감정보
개인의 신체적·행동적 특징에 관한 정보나 유전정보, 범죄경력정보 등

▌개인위치정보사업
개인의 위치정보를 수집하는 사업 예 이동통신사업자, 스마트폰 OS사업자

▌사물위치정보사업
개인정보 수집 없이 사물의 위치정보만을 수집하는 사업 예 물류정보시스템 운영사업

💡 **김모군 IS가담사건**
• 2015년 10월경, 김모군(당시 17세)이, 터키로 출구한 후 이슬람 근본주의 표방 테러단체인 IS(ISIL, Islamic State of Iraq and the Levant)에 가입한 사건이다.
• 테러방지법이 '외국인테러전투원'에 대해 따로 규제하려는 이유는, 이와 같이 내국인이든 외국인이든 '대한민국을 경유하여' 테러단체에 합류하고자 하는 자를 대한민국에서 중간 차단하고자 하는 것으로 이해할 수 있다.

4. 테러단체구성죄

> 테러방지법 제17조【테러단체 구성죄 등】① 테러단체를 구성하거나 구성원으로 가입한 사람은 다음 각 호의 구분에 따라 처벌한다.
> 1. 수괴는 사형·무기 또는 10년 이상의 징역
> 2. 테러를 기획 또는 지휘하는 등 중요한 역할을 맡은 사람은 무기 또는 7년 이상의 징역
> 3. 타국의 외국인테러전투원으로 가입한 사람은 5년 이상의 징역 [2018 경간]
> 4. 그 밖의 사람은 3년 이상의 징역
> ② 테러자금임을 알면서도 자금을 조달·알선·보관하거나 그 취득 및 발생원인에 관한 사실을 가장하는 등 테러단체를 지원한 사람은 10년 이하의 징역 또는 1억원 이하의 벌금에 처한다.
> ③ 테러단체 가입을 지원하거나 타인에게 가입을 권유 또는 선동한 사람은 5년 이하의 징역에 처한다.
> ④ 제1항 및 제2항의 미수범은 처벌한다.
> ⑤ 제1항 및 제2항에서 정한 죄를 저지를 목적으로 예비 또는 음모한 사람은 3년 이하의 징역에 처한다.
> [2020 승진(경위)] 테러단체 구성죄는 미수범, 예비·음모 모두 처벌한다. (O)
>
> 테러방지법 제19조【세계주의】제17조의 죄는 대한민국 영역 밖에서 저지른 외국인에게도 국내법을 적용한다. [2018 경간]

💡 이하 '테러취약시설 안전활동에 관한 규칙'은 '테러취약시설규칙'으로 약칭한다.

03 테러취약시설 안전활동에 관한 규칙

1. 지도점검의 기본방침

> 훈령 테러취약시설규칙 제18조【지도·점검 기본방침】① 경찰관서장은 경보·등급 및 해당 시설의 특성을 고려한 맞춤형 지도·점검 계획을 수립하여 시행하여야 한다. [2016 실무 1]
> ② 경찰관서장은 대상 시설의 상징성, 중요성, 정세 등을 감안하여 지도·점검을 실시하여야 한다.

2. 테러취약시설

(1) 종류와 지정

> 훈령 테러취약시설규칙 제2조【정의】이 규칙에서 사용하는 용어의 뜻은 다음 각 호와 같다. [2020 실무 1]
> 1. "테러취약시설"이란 테러 예방 및 대응을 위해 경찰이 관리하는 다음 각 목의 시설·건축물 등 중 경찰청장이 지정하는 것을 말한다.
>   가. 국가중요시설
>   나. 다중이용건축물등
>   다. 공관지역
>   라. 미군 관련 시설
>   마. 그 밖에 특별한 관리가 필요하다고 제14조의 테러취약시설 심의위원회(이하 '심의위원회'라고 한다)에서 결정한 시설

테러취약시설규칙 제5조【지정등 권한자】테러취약시설의 지정등은 경찰청장이 행한다.

(2) 국가중요시설

테러취약시설규칙 제2조【정의】이 규칙에서 사용하는 용어의 뜻은 다음 각 호와 같다.
2. "국가중요시설"이란 「통합방위법」 제21조 제4항에 따라 국방부장관이 지정한 시설을 말한다.

테러취약시설규칙 제21조【국가중요시설 지도·점검】① 경찰서장은 관할 내에 있는 국가중요시설 전체에 대하여 연 1회 이상 지도·점검을 실시하여야 한다.
② 시·도경찰청장은 관할 내 국가중요시설 중 선별하여 연 1회 이상 지도·점검을 실시한다. [2020 실무 1]
③ 경찰청장은 경찰관서장이 국가중요시설에 대해 적절한 지도·점검을 실시하는지 감독하고, 선별적으로 지도·점검을 실시한다.
④ 경찰관서장이 「통합방위지침」에 의한 경·군 합동으로 지도·점검을 실시한 경우에는 해당 기간에 자체 지도·점검을 실시한 것으로 본다.

┃통합방위업 제21조
④ 국가중요시설은 국방부장관이 관계 행정기관의 장 및 국가정보원장과 협의하여 지정한다.

(3) 다중이용건축물등

테러취약시설규칙 제2조【정의】이 규칙에서 사용하는 용어의 뜻은 다음 각 호와 같다.
3. "다중이용건축물등"이란 「재난 및 안전관리 기본법 시행령」 제43조의8 제1호·제2호에 따른 건축물 또는 시설로서 관계기관의 장이 소관업무와 관련하여 대테러센터장과 협의하여 지정한 것을 말한다.

테러취약시설규칙 제9조【다중이용건축물등의 분류】① 다중이용건축물등은 기능·역할의 중요성과 가치의 정도에 따라 "A"등급, "B"등급, "C"등급(이하 각 "A급", "B급", "C급"이라 한다)으로 구분하며, 그 기준은 다음 각 호와 같다. [2016 실무 1] [2016 승진(경위)] [2018 경간]

등급	공통사항	테러진압작전 수행요구지역	국민생활 영향정도
A급	테러에 의하여 파괴되거나 기능 마비시	광범위한 지역의 대테러진압작전이 요구되고,	국민생활에 **결정적인 영향**을 미칠 수 있는 건축물 또는 시설
B급		일부 지역의 대테러진압작전이 요구되고,	국민생활에 **중대한 영향**을 미칠 수 있는 건축물 또는 시설
C급		제한된 지역에서 단기간 대테러진압작전이 요구되고,	국민생활에 **상당한 영향**을 미칠 수 있는 건축물 또는 시설

[2017 실무 1] B급 다중이용건축물등은 테러에 의하여 파괴되거나 기능 마비시 제한된 지역에서 단기간 대테러진압작전이 요구되고, 국민생활에 상당한 영향을 미칠 수 있는 시설을 말한다. (×)

테러취약시설규칙 제22조【다중이용건축물등 지도·점검】① 경찰서장은 관할 내에 있는 다중이용건축물등 전체에 대해 해당 시설 관리자의 동의를 받아 다음 각 호와 같이 지도·점검을 실시하여야 한다.
1. A급: 분기 1회 이상
2. B급, C급: 반기 1회 이상 [2017 실무 1] [2018 경간]
② 시·도경찰청장은 관할 내 다중이용건축물등 중 일부를 선별하여 해당 시설 관리자의 동의를 받아 반기 1회 이상 지도·점검을 실시하여야 한다.

┃국가중요시설
• 가급: 광범위지역, 결정적 영향
• 나급: 일부지역, 중대한 영향
• 다급: 제한된 지역 단기간, 상당한 영향

③ 경찰청장은 경찰관서장이 다중이용건축물등에 대해 적절한 지도·점검을 실시하는지 감독하고, 해당 시설 관리자의 동의를 받아 선별적으로 지도·점검을 실시하여야 한다.

[2017 승진(경위)] 경찰서장은 관할 내에 있는 A급 다중이용건축물등에 대하여 반기 1회 이상 지도·점검을 실시하여야 한다. (×)
[2020 실무 1] 테러에 의하여 파괴되거나 기능 마비시 광범위한 지역의 대테러진압작전이 요구되고, 국민생활에 결정적인 영향을 미칠 수 있는 건축물 또는 시설에 대하여 관할 경찰서장은 반기 1회 이상 지도·점검을 실시하여야 한다. (×)
[2020 경간] [2020 승진(경위)] 「테러취약시설 안전활동에 관한 규칙」상 경찰서장은 관할 내에 있는 B급 다중이용건축물등에 대하여 분기 1회 이상 지도·점검을 실시하여야 한다. (×)
[2016 실무 1 유사] [2016 승진(경위)] C급 다중이용건축물등의 경우 관할 경찰서장은 연 1회 이상 지도·점검을 실시하여야 한다. (×)

3. 테러취약시설의 심의위원회

훈령 테러취약시설규칙 제14조 【심의위원회 구성 및 운영】 ① 심의위원회는 위기관리센터에 비상설로 두며, 다음 각 호와 같이 구성한다. [2017 승진(경위)]
1. 위원장: 경찰청 경비국장 [2020 실무 1]
2. 부위원장: 위기관리센터장

주제 6 선거경비

01 선거경비 개설

1. 선거경비의 의의

• 각종 선거시 후보자에 대한 완벽한 신변보호와 투·개표장에서의 선거와 관련한 폭력·난동·테러 등 선거방해요소를 사전예방·제거함으로써 평온한 가운데 선거가 실시될 수 있도록 치안질서를 확립하는 것을 말하는 것으로서, 후보자의 자유로운 선거운동과 민주적 절차에 의한 선거를 보장하는데 역점을 둔다. [2012 실무 1] [2015 실무 1]
• 선거경비는 행사안전·특수·경호·다중범죄 진압 등 종합적인 경비활동이 요구된다. [2012 채용1차]

2. 경찰의 선거경비

일반적으로 대통령 선거의 경우, 선거운동기간 중에는 비상근무 중 '경계강화', 선거일 당일에는 비상근무 최고등급인 '갑호비상'을 발령한다.

⊕ 심화 선거 관련 기간 및 경찰비상근무의 실제

1 선거 관련 기간

> **공직선거법 제59조【선거운동기간】** 선거운동은 <u>선거기간개시일부터 선거일 전일까지</u>에 한하여 할 수 있다. [2018 실무 1]
>
> **공직선거법 제33조【선거기간】** ① 선거별 선거기간은 다음 각호와 같다.
> 1. 대통령선거는 23일
> 2. 국회의원선거와 지방자치단체의 의회의원 및 장의 선거는 14일 [2018 실무 2]
> ③ "선거기간"이란 다음 각 호의 기간을 말한다.
> 1. 대통령선거: <u>후보자등록마감일의 다음 날부터 선거일까지</u> [2018 실무 2]
> 2. **국회의원선거와 지방자치단체의 의회의원 및 장의 선거**: 후보자등록마감일 후 6일부터 선거일까지 [2018 실무 1]
>
> [2017 실무 1] 대통령선거, 국회의원선거, 지방선거에 있어서 선거운동기간은 후보자 등록 마감일의 다음 날부터 선거일 전일까지 한하여 할 수 있다. (×)
> [2018 실무 1] [2018 실무 2] 국회의원선거와 지방자치단체의 의회의원 및 장의 선거의 선거기간은 후보자등록마감일 전 6일부터 선거일까지이다. (×)
>
> **공직선거법 제34조【선거일】** ① 임기만료에 의한 선거의 선거일은 다음 각호와 같다.
> 1. 대통령선거는 그 임기만료일전 70일 이후 첫번째 수요일
> 2. 국회의원선거는 그 임기만료일전 50일 이후 첫번째 수요일
> 3. 지방의회의원 및 지방자치단체의 장의 선거는 그 임기만료일전 30일 이후 첫번째 수요일

2 경찰비상근무의 실제

- 예컨대 최근 실시된 제20대 대통령 선거의 경우 선거 관련 기간과 이에 따른 경찰비상근무 현황은 다음과 같다.

일정구분		날짜	경찰비상근무
후보자등록마감일		2022.2.14.	–
선거기간	선거운동기간	후보자등록마감 다음 날 2022.2.15.	• 15일 0시 '경계강화' 돌입
		선거일 전일 2022.3.8.	• 9일 06시까지 '경계강화' 유지
	선거일	문재인 대통령 임기만료일 전 70일 이후 첫번째 수요일인 2022년 3월 9일	• 9일 06시부터 개표 종료시까지 '갑호비상'

- 선거기간은 2월 15일 0시부터(2월 15일 포함) 3월 9일(선거일 당일 포함)까지 23간이다.
- 선거기간 중 현장상황의 신속한 보고 · 전파 및 상황 대처를 위해 경찰청과 시 · 도경찰청, 일선 경찰서에 선거경비통합상황실을 운영한다. [2012 실무 1]

[2012 승진(경감)] 통상 선거공고일부터 선거일까지는 경계강화기간이다. (×)
[2012 경간] 통상 선거기간개시일부터 선거일 전일까지는 경계강화기간이며, 선거일부터 개표 종료일까지는 을호비상이 일반적이다. (×)
[2017 실무 1] 대통령선거, 국회의원선거, 지방선거 모두 선거일 06:00부터 개표 종료시까지 을호비상이 원칙이다. (×)

▌경찰비상근무(경비비상)
- **갑호비상**: 국제행사 · 기념일 전후 치안수요 급증, 가용경력 100%
- **을호비상**: 국제행사 · 기념일 전후 치안수요 증가, 가용경력 50%
- **병호비상**: 국제행사 · 기념일 전후 치안수요 증가, 가용경력 30%
- **경계강화**: 별도 경력동원 ×, 치안활동 강화
- **작전준비태세**: 작전비상시 적용

02 선거경비의 내용

1. 후보자 신변보호

(1) 대통령 후보자 [2012 채용1차] [2012 경간] [2012 승진(경감)]

등급	• 乙호경호대상 • 대통령 당선시 甲호경호대상
보호기간	후보자 등록시부터 당선확정시까지

💡 훈령 경찰경호규칙
- 대통령 후보자 등에 대한 경호사항은 경찰청 훈령인 '경찰경호규칙'에 근거하고 있다.
- 다만, 이 규칙은 3급비밀로 지정되어 있어 일반에 공개되지 않는다.

| 보호방법 | • 신변경호요청이 있는 경우: 후보자의 요청에 따라 전담 신변경호대를 편성·운용하여 24시간 경호임무를 수행
• 신변경호를 원하지 않는 경우: 시·도경찰청에서 경호경험이 있는 자로 선발된 직원을 대기시켜 관내 유세기간 중 근접 배치한다. |

[2012 실무 1] 대통령선거 후보자의 신변보호(병호경호대상)는 후보자 등록시부터 당선확정시까지 실시하며 대통령으로 당선이 확정된 자는 갑호경호의 대상이다. (×)

(2) 그 외 선거의 후보자

각 선거구를 관할하는 경찰서에서 후보자의 요청에 따라 전담경호요원을 적정 수 배치 한다.

2. 투표소 경비

> **공직선거법 제163조 【투표소 등의 출입제한】** ① 투표하려는 선거인·투표참관인·투표관리관, 읍·면·동선거관리위원회 및 그 상급선거관리위원회의 위원과 직원 및 투표사무원을 제외하고는 누구든지 투표소에 들어갈 수 없다.
>
> **공직선거법 제164조 【투표소 등의 질서유지】** ① 투표관리관 또는 투표사무원은 투표소의 질서가 심히 문란하여 공정한 투표가 실시될 수 없다고 인정하는 때에는 투표소의 질서를 유지하기 위하여 정복을 한 경찰공무원 또는 경찰관서장에게 원조를 요구할 수 있다. [2022 승진(실무종합)]
> ② 제1항의 규정에 의하여 원조요구를 받은 경찰공무원 또는 경찰관서장은 즉시 이에 따라야 한다.
> ③ 제1항의 요구에 의하여 투표소안에 들어간 경찰공무원 또는 경찰관서장은 투표관리관의 지시를 받아야 하며, 질서가 회복되거나 투표관리관의 요구가 있는 때에는 즉시 투표소안에서 퇴거하여야 한다.
> ④ 사전투표소의 질서유지에 관하여는 제1항부터 제3항까지의 규정을 준용한다. 이 경우 "투표관리관"은 "사전투표관리관"으로, "투표사무원"은 "사전투표사무원"으로 본다.
>
> [2017 실무 1] 투표소 경비는 위해를 차단하기 위한 예방으로 무장 정복경찰 2명을 고정배치한다. (×)
>
> **공직선거법 제166조 【투표소내외에서의 소란언동금지 등】** ① 투표소 안에서 또는 투표소로부터 100미터 안에서 소란한 언동을 하거나 특정 정당이나 후보자를 지지 또는 반대하는 언동을 하는 자가 있는 때에는 투표관리관 또는 투표사무원은 이를 제지하고, 그 명령에 불응하는 때에는 투표소 또는 그 제한거리 밖으로 퇴거하게 할 수 있다. 이 경우 투표관리관 또는 투표사무원은 필요하다고 인정하는 때에는 정복을 한 경찰공무원 또는 경찰관서장에게 원조를 요구할 수 있다. [2022 승진(실무종합)]
> ④ 제164조 제2항 및 제3항의 규정은 투표소 내외에서의 소란언동금지 등에 이를 준용한다. ➡ 이 준용규정에 따라 원조요구를 받은 경찰공무원 또는 경찰관서장은 즉시 이에 따라야 한다.

선거관리위원회의 자체 경비가 원칙이고, 경찰은 돌발상황에 대비하여 순찰 및 출동태세를 갖춘다.

3. 투표함 운송경비

> **공직선거법 제170조【투표함 등의 송부】** ① 투표관리관은 투표가 끝난 후 지체없이 투표함 및 그 열쇠와 투표록 및 잔여투표용지를 관할구·시·군선거관리위원회에 송부하여야 한다.
> ② 제1항의 규정에 의하여 투표함을 송부하는 때에는 후보자별로 <u>투표참관인 1인</u>과 호송에 필요한 정복을 한 경찰공무원을 <u>2인에 한하여</u> 동반할 수 있다.
>
> [2015 실무 1] 투표함 운송경비는 선거관리위원회 직원과 합동으로 한다. (O)

투표함 운송경비 역시 선거관리위원회의 자체 경비가 원칙이며, 선거관리위원회와 경찰청간 협의에 따라 경찰은 비상사태에 대비한다.

4. 개표소 경비

> **공직선거법 제183조【개표소의 출입제한과 질서유지】** ① 구·시·군선거관리위원회와 그 상급선거관리위원회의 위원·직원, 개표사무원·개표사무협조요원 및 개표참관인을 제외하고는 누구든지 개표소에 들어갈 수 없다. 다만, 관람증을 배부받은 자와 방송·신문·통신의 취재·보도요원이 일반관람인석에 들어가는 경우는 그러하지 아니하다.
> ③ 구·시·군선거관리위원회위원장이나 위원은 개표소의 질서가 심히 문란하여 공정한 개표가 진행될 수 없다고 인정하는 때에는 개표소의 질서유지를 위하여 정복을 한 경찰공무원 또는 경찰관서장에게 원조를 요구할 수 있다.
> ④ 제3항의 규정에 의하여 원조요구를 받은 경찰공무원 또는 경찰관서장은 즉시 이에 따라야 한다.
> ⑤ 제3항의 요구에 의하여 개표소안에 들어간 경찰공무원 또는 경찰관서장은 구·시·군선거관리위원회위원장의 지시를 받아야 하며, 질서가 회복되거나 위원장의 요구가 있는 때에는 즉시 개표소에서 퇴거하여야 한다.
> ⑥ 제3항의 경우를 제외하고는 누구든지 개표소안에서 무기나 흉기 또는 폭발물을 지닐 수 없다.
>
> [2012 채용1차] 개표소 내부는 선거관리위원회 위원장의 책임하에 질서를 유지하며, 질서문란행위가 발생하면 선거관리위원회 위원장의 요청이 있을 경우에만 경찰력을 투입할 수 있다. (×)
> [2022 승진(실무종합)] 「공직선거법」상 구·시·군선거관리위원회위원장이나 위원이 개표소의 질서유지를 위하여 정복을 한 경찰공무원 또는 경찰관서장에게 원조를 요구할 수 있으며, 이와 같은 요구에 의해 개표소 안에 들어간 경찰공무원 또는 경찰관서장은 질서가 회복되거나 위원장의 요구시 개표소에서 퇴거할 수 있다. (×)
> [2015 실무 1] 개표소 내에서는 무기나 흉기 또는 폭발물을 지닐 수 없으므로, 원조요구를 받은 경찰관은 절대 무기를 휴대할 수 없다. (×)
> [2018 승진(경감)] 「공직선거법」상 누구든지 개표소 안에서 무기 등을 지닐 수 없으므로 선거관리위원회위원장의 원조요구가 있더라도 개표소 안으로 투입되는 경찰관에게 무기를 휴대할 수 없도록 한다. (×)

① 3선 경비의 실시
- 개표가 이루어지는 장소인 개표소(주로 학교의 강당, 체육관 등 지정)는 경찰의 3선 경비(1선: 개표소 내부 ➜ 2선: 울타리 내곽 ➜ 3선: 울타리 외곽)가 이루어진다. [2015 승진(경위)] [2017 실무 1]
- 경찰은 우발사태에 대비하여 개표소별로 예비대를 확보하고 소방·전력 등 관계요원을 대기시켜 자가발전시설이나 예비조명기구를 확보하여 화재·정전사고 등에 대비하며, 선거관리위원회와 협조하여 경찰에서 보안안전팀을 운영함으로써 개표소 내·외곽에 대한 사전 안전검측을 실시, 안전을 유지하고 채증요원을 배치하여 운용한다. [2012 승진(경감)] [2014 실무 1] [2015 승진(경위)] [2018 승진(경감)]
[2012 경간] 개표소 내부에 대한 사전 안전검측 및 안전유지는 선거관리위원회에서 보안안전팀을 운영하여 실시한다. (×)

② 3선 경비의 내용 [2012 경간] [2018 승진(경감)]

개표소 내부 (제1선)	• 선거관리위원장의 책임하에 개표당일 내부 질서유지 • 사태발생시 개표소 내부에는 선거관리위원장·위원의 요청이 있는 경우에만 정복경찰관을 투입 가능 • 원조요구를 받은 경찰관은 위원장의 지시를 받아야 하며, 질서가 회복된 경우 또는 위원장의 퇴거요구가 있는 경우 즉시 퇴거
울타리 내곽 (제2선)	선거관리위원회 직원과 합동으로 출입자를 통제하며, 2선(울타리 내곽) 출입문은 되도록 정문만 사용하고 기타 출입문은 시정
울타리 외곽 (제3선)	검문조·순찰조를 운용하여 위해(危害) 기도자 접근을 차단 [2022 승진(실무종합)]

[2015 승진(경위)] 제1선 개표소 내부에서 질서문란행위가 발생한 경우 선거관리위원회위원장 또는 선거관리위원회위원의 요청이 없더라도 경찰 자체판단으로 경찰력을 투입하여야 한다. (×)
[2014 실무 1] 제2선(울타리 내곽)은 경찰이 단독으로 출입자를 통제하며 2선의 출입문은 되도록 정문만 사용하고 기타 출입문은 시정한다. (×)
[2018 승진(경감)] 제2선(울타리 내곽)에서는 선거관리위원회와 합동으로 출입자를 통제하며, 2선의 출입문은 수개로 하는 것이 원칙이므로 정문과 후문을 개방한다. (×)

┃ 기도자
어떤 일을 시도(기도)하여 이루려고 하는 사람

주제 7 재난경비

01 재난경비 개설

1. 재난과 재난경비

(1) 재난 - 자연재난 / 사회재난

> **재난 및 안전관리 기본법 제3조【정의】** 이 법에서 사용하는 용어의 뜻은 다음과 같다.
> 1. "**재난**"이란 국민의 생명·신체·재산과 국가에 피해를 주거나 줄 수 있는 것으로서 다음 각 목의 것을 말한다. [2019 채용2차] [2022 승진(실무종합)] [2023 채용1차]
>   가. **자연재난**: 태풍, 홍수, 호우, 강풍, 풍랑, 해일, 대설, 한파, 낙뢰, 가뭄, 폭염, 지진, 황사, 조류 대발생, 조수, 화산활동, 「우주개발 진흥법」에 따른 자연 우주물체의 추락·충돌, 그 밖에 이에 준하는 자연현상으로 인하여 발생하는 재해

나. **사회재난**: 화재·붕괴·폭발·교통사고(항공사고 및 해상사고를 포함한다)·
화생방사고·환경오염사고 등으로 인하여 발생하는 대통령령으로 정하는
규모 이상의 피해와 국가핵심기반의 마비, 「감염병의 예방 및 관리에 관한
법률」에 따른 감염병 또는 「가축전염병예방법」에 따른 가축전염병의 확
산, 「미세먼지 저감 및 관리에 관한 특별법」에 따른 미세먼지, 「우주개발
진흥법」에 따른 인공우주물체의 추락·충돌 등으로 인한 피해

2. "**해외재난**"이란 대한민국의 영역 밖에서 대한민국 국민의 생명·신체 및 재산
에 피해를 주거나 줄 수 있는 재난으로서 정부차원에서 대처할 필요가 있는
재난을 말한다.

[2024 승진] 재난'이란 국민의 생명·신체·재산과 국가에 피해를 주거나 줄 수있는 것이며, 화재·붕괴·폭발·교통사고는
'사회재난'으로 구분한다. (○)
[2020 채용2차] [2020 경간] "재난"이란 국민의 생명·신체·재산과 국가에 피해를 주거나 줄 수 있는 것으로서 자연재난과
인적재난으로 구분된다. (×)

(2) 재난경비

- 재난경비는 재난으로부터 국민의 생명과 재산을 보호하고 공공의 안녕을 유지하
기 위하여 이를 예방·경계·진압하는 경비경찰활동을 말한다.
- 경찰은 재난상황에 있어 주무부서가 아닌 긴급구조지원기관으로써 인명구조, 응
급처치 등의 긴급구조를 지원하는 임무를 수행한다.

2. 안전관리 · 재난관리 · 긴급구조

재난 및 안전관리 기본법 제3조【정의】 이 법에서 사용하는 용어의 뜻은 다음과 같다.

3. "**재난관리**"란 재난의 예방·대비·대응 및 복구를 위하여 하는 모든 활동을 말한
다. [2019 채용2차] [2023 채용1차]

4. "**안전관리**"란 재난이나 그 밖의 각종 사고로부터 사람의 생명·신체 및 재산의 안
전을 확보하기 위하여 하는 모든 활동을 말한다.

6. "**긴급구조**"란 재난이 발생할 우려가 현저하거나 재난이 발생하였을 때에 국민의
생명·신체 및 재산을 보호하기 위하여 긴급구조기관과 긴급구조지원기관이 하는
인명구조, 응급처치, 그 밖에 필요한 모든 긴급한 조치를 말한다.

[2020 채용2차] "재난관리"란 재난의 예방·대응·복구 및 평가를 위하여 하는 모든 활동을 말한다. (×)

3. 재난 및 안전관리 유관기관

(1) **심의기관** – 중앙안전관리위원회

재난 및 안전관리 기본법 제9조【중앙안전관리위원회】 ① 재난 및 안전관리에 관한 다
음 각 호의 사항을 심의하기 위하여 국무총리 소속으로 중앙안전관리위원회(이
하 "중앙위원회"라 한다)를 둔다.

(2) 재난 및 안전관리 총괄·조정기관 – 행정안전부장관

> **재난 및 안전관리 기본법 제6조【재난 및 안전관리 업무의 총괄·조정】** 행정안전부장관은 국가 및 지방자치단체가 행하는 재난 및 안전관리 업무를 총괄·조정한다.
> [2024 승진]
> [2023 채용1차] 경찰청장은 국가 및 지방자치단체가 행하는 재난 및 안전관리업무를 총괄·조정한다. (×)
> [2019 채용2차] 국무총리는 국가 및 지방자치단체가 행하는 재난 및 안전관리 업무를 총괄·조정한다. (×)

(3) 대규모재난 수습 총괄·조정기관 – 중앙재난안전대책본부(본부장: 행정안전부장관)

> **재난 및 안전관리 기본법 제14조【중앙재난안전대책본부 등】** ① 대통령령으로 정하는 대규모 재난(이하 "대규모재난"이라 한다)의 대응·복구(이하 "수습"이라 한다) 등에 관한 사항을 총괄·조정하고 필요한 조치를 하기 위하여 행정안전부에 중앙재난안전대책본부(이하 "중앙대책본부"라 한다)를 둔다. [2018 경채] [2020 경간] [2023 채용1차]
> ② 중앙대책본부에 본부장과 차장을 둔다.
> ③ 중앙대책본부의 본부장(이하 "중앙대책본부장"이라 한다)은 행정안전부장관이 되며, 중앙대책본부장은 중앙대책본부의 업무를 총괄하고 필요하다고 인정하면 중앙재난안전대책본부회의를 소집할 수 있다. 다만, 해외재난의 경우에는 외교부장관이, 「원자력시설 등의 방호 및 방사능 방재 대책법」 제2조 제1항 제8호에 따른 방사능재난의 경우에는 같은 법 제25조에 따른 중앙방사능방재대책본부의 장이 각각 중앙대책본부장의 권한을 행사한다. [2018 경채] [2020 채용2차]
> ④ 제3항에도 불구하고 재난의 효과적인 수습을 위하여 다음 각 호의 어느 하나에 해당하는 경우에는 국무총리가 중앙대책본부장의 권한을 행사할 수 있다. 이 경우 행정안전부장관, 외교부장관(해외재난의 경우에 한정한다) 또는 원자력안전위원회 위원장(방사능 재난의 경우에 한정한다)이 차장이 된다. [2018 경채]
> 1. 국무총리가 범정부적 차원의 통합 대응이 필요하다고 인정하는 경우
> 2. 행정안전부장관이 국무총리에게 건의하거나 제15조의2 제2항에 따른 수습본부장의 요청을 받아 행정안전부장관이 국무총리에게 건의하는 경우
> [2020 채용2차] 「재난 및 안전관리 기본법」상 대통령령으로 정하는 대규모 재난의 대응·복구 등에 관한 사항을 총괄·조정하고 필요한 조치를 하기 위하여 국무조정실에 중앙재난안전대책본부를 둔다. (×)
> [2018 경채] 중앙대책본부의 본부장은 대통령이 되며, 중앙대책본부장은 필요하다고 인정하면 중앙대책본부회의를 소집할 수 있다. (×)

(4) 재난관리 유관기관 – 재난관리책임기관 / 재난관리주관기관 / 수습본부

> **재난 및 안전관리 기본법 제3조【정의】** 이 법에서 사용하는 용어의 뜻은 다음과 같다.
> 5. "재난관리책임기관"이란 재난관리업무를 하는 다음 각 목의 기관을 말한다.
>   가. 중앙행정기관 및 지방자치단체(「제주특별자치도 설치 및 국제자유도시 조성을 위한 특별법」 제10조 제2항에 따른 행정시를 포함한다)
>   나. 지방행정기관·공공기관·공공단체(공공기관 및 공공단체의 지부 등 지방조직을 포함한다) 및 재난관리의 대상이 되는 중요시설의 관리기관 등으로서 대통령령으로 정하는 기관
> 5의2. "재난관리주관기관"이란 재난이나 그 밖의 각종 사고에 대하여 그 유형별로 예방·대비·대응 및 복구 등의 업무를 주관하여 수행하도록 대통령령으로 정하는 관계 중앙행정기관을 말한다. 예 학교에서 발생한 사고: 교육부 / 경기장 및 공연장 발생 사고: 문화체육관광부 / 유해화학물질 유출사고: 환경부 / 다중밀집시설 대형화재: 소방청 / 산불·산사태: 산림청 등

(5) 긴급구조 유관기관 – 긴급구조기관 / 긴급구조지원기관

> **재난 및 안전관리 기본법 제3조【정의】** 이 법에서 사용하는 용어의 뜻은 다음과 같다.
> 7. "긴급구조기관"이란 소방청·소방본부 및 소방서를 말한다. 다만, 해양에서 발생한 재난의 경우에는 해양경찰청·지방해양경찰청 및 해양경찰서를 말한다.
> 8. "긴급구조지원기관"이란 긴급구조에 필요한 인력·시설 및 장비, 운영체계 등 긴급구조능력을 보유한 기관이나 단체로서 대통령령으로 정하는 기관과 단체를 말한다.
>
> **[대통령령] 재난 및 안전관리 기본법 시행령 제4조【긴급구조지원기관】** 법 제3조 제8호에서 "대통령령으로 정하는 기관과 단체"란 다음 각 호의 기관과 단체를 말한다.
> 1. 교육부, 과학기술정보통신부, 국방부, 산업통상자원부, 보건복지부, 환경부, 국토교통부, 해양수산부, 방송통신위원회, 경찰청, 기상청 및 산림청
> [2012 채용2차] 재난발생시 재난관리 주무부서는 경찰청이다. (×)

(6) 경찰 유관기관

1) 재난상황실 ➡ 경찰청, 시·도경찰청 2개 유형의 재난상황실이 있다.

> **[훈령] 경찰 재난관리 규칙 제4조【경찰청 재난상황실의 설치】** 치안상황관리관은 재난이 발생하였거나 재난이 발생할 우려가 있는 경우에는 위기관리센터 또는 치안종합상황실에 재난상황실을 설치·운영할 수 있다. 다만, 제11조의 재난대책본부가 설치되었거나 「재난 및 안전관리 기본법」(이하 "법"이라 한다) 제38조에 따라 '심각'단계의 위기경보가 발령된 경우에는 재난상황실을 설치·운영하여야 한다. [2015 승진(경위)] [2017 승진(경위)] [2022 승진(실무종합)]
> [2019 승진(경감)] 재난의 발생 가능 정도에 따라 재난관리단계를 관심단계·주의단계·경계단계·심각단계로 구분하여 관리하며, 경계단계부터는 반드시 재난상황실을 설치·운영한다. (×)
> [2015 승진(경위)] [2015 승진(경감)] [2020 경간] 재난의 발생 가능 정도에 따라 재난관리 단계를 관심 – 주의 – 경계 – 심각 4단계로 구분하여 관리한다. (○)
> [2015 승진(경위)] 관심단계는 재난이 발생하였거나 재난의 발생이 확실시되는 상태를 말한다. (×)
> [2017 승진(경위)] [2019 승진(경감) 유사] "주의단계"는 일부지역 기상특보 발령 등 재난발생 징후와 관련된 현상이 나타나고 있으나 그 활동수준이 낮아서 재난으로 발전할 가능성이 적은 상태를 말한다. (×)
>
> **[훈령] 경찰 재난관리 규칙 제9조【시·도경찰청등 재난상황실 설치 및 운영】** ① 시·도경찰청등의 장은 관할 지역 내에서 재난이 발생하였거나 발생할 우려가 있는 경우 재난상황실을 설치·운영할 수 있다. 다만, 시·도경찰청등에 재난대책본부가 설치되었거나, 법 제38조에 따라 '심각' 단계의 위기경보가 발령된 경우에는 재난상황실을 설치·운영하여야 한다.
>
> **[훈령] 경찰 재난관리 규칙 제6조【기능】** 재난상황실의 기능은 다음 각 호와 같다.
> 1. 재난상황의 접수·분석·전파 등 관리
> 2. 재난관리를 위한 초동조치 지휘 및 대책 마련
> 3. 재난관리를 위한 관계기관과의 협조
> 4. 재난상황 대응을 위한 비상연락망 유지
> 5. 시·도경찰청 및 경찰서(이하 "시·도경찰청등"이라 한다)에 설치된 재난상황실에 대한 지휘 및 지원
> 6. 그 밖에 재난관리를 위해 필요한 사항

❙ 위기경보 4단계
- **관심(Blue)**: 징후가 있으나 그 활동 수준이 낮으며 가까운 기간 내에 국가위기로 발전할 가능성도 비교적 낮은 상태
- **주의(Yellow)**: 징후활동이 비교적 활발하고 국가위기로 발전할 수 있는 일정수준의 경향성이 나타나는 상태 [2015 승진(경감)]
- **경계(Orange)**: 징후활동이 매우 활발하고 전개속도, 경향성 등이 현저한 수준으로서 국가위기로의 발전 가능성이 농후한 상태
- **심각(Red)**: 징후활동이 매우 활발하고 전개속도, 경향성 등이 심각한 수준으로서 위기발생이 확실시 되는 상태

2) **재난대책본부** ➡ 경찰청, 시·도경찰청 2개 유형의 재난대책본부가 있다.

> **[훈령] 경찰 재난관리 규칙 제11조【경찰청 재난대책본부의 설치】** 경찰청장은 인명 또는 재산의 피해정도가 매우 큰 재난 또는 사회적, 경제적으로 광범위한 영향이 있는 재난이 발생하였거나 발생할 우려가 있어 이에 대한 전국적인 관리가 필요하다고 인정하는 경우 경찰청에 재난대책본부를 설치할 수 있다.
>
> **[훈령] 경찰 재난관리 규칙 제16조【시·도경찰청등 재난대책본부의 설치 및 운영】** ① 시·도경찰청등의 장은 경찰청에 재난대책본부가 설치되었거나, 관할 지역 내 재난이 발생하였거나 발생할 우려가 있는 경우 시·도경찰청등에 재난대책본부를 설치할 수 있고 그 운영은 제12조부터 제14조의 규정을 준용한다. 이 경우, 시·도경찰청등의 장은 재난대책본부의 설치 사항을 바로 위 상급기관의 장에게 보고한다.
>
> **[훈령] 경찰 재난관리 규칙 제13조【재난대책본부의 기능】** 재난대책본부의 기능은 다음 각 호와 같다.
> 1. 경찰재난관리와 관련한 주요 정책의 결정
> 2. 경찰관서 방재·피해복구를 위해 필요한 사항의 결정
> 3. 법 제14조에 따른 중앙재난안전대책본부, 법 제15조의2에 따른 중앙사고수습본부 및 관계기관과의 협조
> 4. 시·도경찰청등에 설치한 재난대책본부에 대한 지휘 및 지원
> 5. 그 밖에 경찰청장 또는 본부장이 재난관리를 위해 필요하다고 인정하는 사항

3) **현장지휘본부**

> **[훈령] 경찰 재난관리 규칙 제20조【현장지휘본부의 설치 및 운영】** ① 시·도경찰청등의 장은 관할 지역 내 재난이 발생한 경우 재난 현장의 대응 활동을 총괄하기 위하여 현장지휘본부를 설치할 수 있다.

⊕ 심화 재난관리 임무

① 경찰청 국·관별 재난관리 임무[별표 1]

국·관	임무
치안상황관리관	• 재난대책본부 및 재난상황실 운영 • 재난관리를 위한 관계기관과의 협력 • 재난피해우려지역 예방 순찰 및 재난취약요소 발견시 초동조치 • 재난지역 주민대피 지원 [2020 경간]
대변인	경찰의 재난관리 관련 홍보
감사관	재난상황시 재난관리태세 점검
기획조정관	재난관리와 관련한 예산의 조정·지원
경무인사기획관	• 경찰관·경찰관서의 피해 예방 및 피해 발생시 대응·복구 [2019 승진(경감)] • 재난상황시 직원 복무 및 사기관리
정보화장비정책관	• 재난관리자원 비축·관리 및 보급 • 국가적 정보통신 피해발생시 긴급통신망 복구지원 • 재난지역 통신장비 설치 및 운영 • 그 밖에 재난관리를 위한 장비의 지원
생활안전국	• 재난지역 범죄예방활동 • 재난지역 총포·화약류 안전관리

교통국	• 재난대비 교통취약지 예방 순찰 및 취약요소 발견시 초동조치 • 재난지역 교통통제 및 긴급차량 출동로 확보 • 재난지역 교통안전시설관리 • 재난 관련 인적 · 물적자원의 이동시 교통안전 확보
경비국	• 재난관리를 위한 경찰부대 및 장비 동원 • 재난관리 필수시설의 안전관리
공공안녕정보국	• 재난취약요소에 대한 정보활동 • 재난상황시 국민안전을 확보하기 위한 정보활동
외사국	• 해외 재난안전정보 수집 • 재난지역 체류 외국인 관련 치안활동
형사국	• 재난지역 강도 · 절도 등 민생침해범죄의 예방 및 검거 • 재난으로 인한 인명피해발생시 원인이 되는 불법행위에 대한 수사
수사국	• 재난 관계 법령 위반 행위에 대한 수사 • 매점매석 등 사회혼란 야기행위에 대한 수사 • 감염병 · 가축전염병의 확산으로 인한 재난발생시 역학조사 지원 • 기타 재난발생의 원인이 되는 불법행위에 대한 수사
과학수사관리관	재난상황으로 인한 사상자 신원확인
사이버수사국	• 온라인상 허위정보의 생산 · 유포 행위 대응 및 수사 • 온라인상 매점매석 등 사회혼란 야기행위에 대한 수사
안보수사국	재난지역 국가안보 위해요소 점검

② 전담반 및 지원팀별 임무

지원팀	임무
전담반	• 현장지휘본부 운영 총괄 · 조정 • 재난안전상황실 업무협조 [2017 실무 1] • 현장상황 등 보고 · 전파
112	• 재난지역 및 중요시설 주변 순찰활동 • 피해지역 주민 소개 등 대피 및 접근 통제 [2017 실무 1]
경무	• 현장지휘본부 사무실, 차량, 유 · 무선 통신시설 등 설치 • 그 밖에 예산, 장비 등 행정업무 지원
홍보	경찰지원활동 등 언론대응 및 홍보
경비	• 재난지역 및 중요시설 등 경비 • 경찰통제선 설정 · 운용
교통	• 비상출동로 지정 · 운용 • 현장주변에 대한 교통통제 및 우회로 확보 등 교통관리
생안	• 재난지역 범죄예방활동 • 재난지역 총포 · 화약류 안전관리 강화
수사	• 실종자 · 사상자 현황 파악 및 수사 [2017 실무 1] • 민생침해범죄의 예방 및 수사활동
정보	• 재난지역 집단민원 파악 • 관계기관 협조체제 및 대외 협력관계유지

[2017 실무 1] 현장상황 등 보고 · 전파는 경무지원팀 임무이다. (×)
[2017 실무 1] 경찰통제선 설정 · 운용은 교통지원팀 임무이다. (×)
[2017 실무 1] 재난지역 집단 민원 파악은 홍보지원팀 임무이다. (×)

02 재난관리체계 - 예방 ➡ 대비 ➡ 대응 ➡ 복구

1. 예방단계

재난요인을 사전에 제거하고, 피해가능성을 최소화하거나 그 피해를 분산시키는 조치 등이 이루어지는 단계를 말한다.

항목	내용	조항
재난예방조치	재난관리책임기관의 장이 ① 재난에 대응할 조직의 구성 및 정비, ② 재난의 예측 및 예측정보 등의 제공·이용에 관한 체계의 구축, ③ 재난발생에 대비한 교육·훈련과 재난관리예방에 관한 홍보 등의 조치를 함	제25조의2
정부합동 안전점검	행정안전부장관은 재난관리책임기관의 재난 및 안전관리 실태를 점검하기 위하여 대통령령으로 정하는 바에 따라 정부합동안전점검단을 편성하여 안전 점검을 실시할 수 있음	제32조
재난관리체계 평가	행정안전부장관은 재난관리책임기관에 대하여 ① 대규모 재난의 발생에 대비한 단계별 예방·대응 및 복구과정, ② 재난에 대응할 조직의 구성 및 정비 실태 등을 정기적으로 평가할 수 있음	제33조의2
재난관리 실태 공시	시장·군수·구청장은 재난관리 실태를 매년 1회 이상 관할 지역 주민에게 공시하여야 함	제33조의3

2. 대비단계

재난을 경감하려는 노력에도 불구하고 재난발생 가능성을 완전히 배제할 수 없기 때문에, 재난발생을 예상하여 그 피해를 최소화 하고, 원활한 대응을 위한 준비를 수행하는 과정에 대한 단계를 말한다.

항목	내용	조항
재난관리자원 비축·관리	재난관리책임기관의 장은 재난관리를 위하여 필요한 물품, 재산 및 인력 등의 물적·인적자원(재난관리자원)을 비축하거나 지정하는 등 체계적이고 효율적으로 관리하여야 함	제34조
재난현장 긴급통신수단 마련	재난관리책임기관의 장은 재난의 발생으로 인하여 통신이 끊기는 상황에 대비하여 미리 유선이나 무선 또는 위성통신망을 활용할 수 있도록 긴급통신수단을 마련하여야 함	제34조의2
기능별 재난대응 활동계획 작성·활용	재난관리책임기관의 장은 재난관리가 효율적으로 이루어질 수 있도록 기능별 재난대응 활동계획을 작성하여 활용하여야 함	제34조의4

재난분야 위기관리 매뉴얼 작성·운용	• 재난관리책임기관의 장은 재난을 효율적으로 관리하기 위하여 재난유형에 따라 위기관리 매뉴얼을 작성·운용하여야 함 • 이 경우 재난대응활동계획과 위기관리 매뉴얼이 서로 연계되도록 하여야 함	제34조의5
재난대비훈련 기본계획 수립	• 행정안전부장관은 매년 재난대비훈련 기본계획을 수립하고 재난관리책임기관의 장에게 통보하여야 함 • 재난관리책임기관의 장은 재난대비훈련 기본계획에 따라 소관분야별로 자체계획을 수립하여야 함	제34조의9
재난대비 훈련 실시	행정안전부장관, 중앙행정기관의 장, 시·도지사, 시장·군수·구청장 및 긴급구조기관(훈련주관기관)의 장은 매년 정기적으로 또는 수시로 재난관리책임기관, 긴급구조지원기관 및 군부대 등 관계 기관과 합동으로 재난대비훈련을 실시하여야 함	제35조

[2019 채용1차] 재난분야 위기관리 매뉴얼 작성은 예방단계에서의 활동이다. (×)

3. 대응단계

실제로 재난이 발생한 경우 즉각적으로 이루어져야 할 조치단계를 말한다.

항목	내용	조항
재난사태 선포	• 행정안전부장관은 극심한 인명 또는 재산피해를 수반하는 등의 재난이 발생하거나 발생할 우려가 있는 경우로서 긴급한 조치가 필요하다고 인정하면 중앙위원회의 심의를 거쳐 재난사태를 선포할 수 있음 • 행정안전부장관은 재난상황이 긴급하여 중앙위원회의 심의를 거칠 시간적 여유가 없다고 인정하는 경우에는 중앙위원회의 심의를 거치지 아니하고 재난사태를 선포할 수 있음	제36조
응급조치	시·도긴급구조통제단 등은 재난대응활동계획 및 위기관리 매뉴얼에서 정하는 바에 따라 수방·진화·구조 및 구난 등 응급조치를 하여야 함	제37조
위기경보의 발령	• 재난관리주관기관의 장은 위험수준, 발생 가능성 등을 판단하여 위기경보를 발령할 수 있음 • 다수의 재난관리주관기관이 관련되는 재난의 경우 행정안전부장관이 위기경보를 발령할 수도 있음	제38조
동원명령	중앙대책본부장 등은 민방위대 동원명령이나 군부대 지원 요청 등 조치를 취할 수 있음	제39조
대피명령	시장·군수·구청장 등은 해당 지역 주민이나 그 지역 안에 있는 사람에게 대피하도록 명할 수 있음	제40조
긴급구조	지역통제단장은 재난이 발생하면 소속 긴급구조요원을 재난현장에 신속히 출동시켜 필요한 긴급구조활동을 하게 하여야 함	제51조

💡 **재난사태 선포 사례**
- 최근에는 2022.3.4.~3.13.까지 경북 울진 강원 삼척 일대에서 약 20,923ha 면적의 산불이 발생하여(피해추정액 약 2조 5천억원) 재난사태가 선포된 바 있다.
- 지금까지 선포된 4번의 재난사태 중 3번은 산불 관련이었고, 나머지 한번은 2007.12. 발생한 태안군 선박충돌 원유유출 사고였다.

4. 복구단계

재난으로 인한 혼란상태가 어느정도 안정되고 응급 인명구조와 재산의 보호활동이 이루어진 후, 재난 이전의 정상상태로 회복시키기 위한 여러 활동이 이루어지는 단계를 말한다.

💡 **특별재난지역 선포 사례**

• 특별재난지역은 자연재난이나 사회재난이 있을 때마다 선포되고 있으며, 2020년에는 폭우·태풍 등 자연재난으로 2회(경기 안성시, 강원 삼척시), 사회재난으로 1회(COIVD 19 관련, 대구·경북지역), 2021년에는 자연재난으로만 2회(전남 장흥시, 경북 포항시) 선포되었다.
• 2022년에는 울진·삼척시 산불로 해당 지역에 1회 선포되었다(2022년 4월 말 기준).

항목	내용	조항
재난피해 신고 및 조사 [2019 채용1차]	• 피해신고를 받은 시장·군수·구청장은 피해상황을 조사한 후 중앙대책본부장에게 보고 • 재난관리책임기관의 장은 피해상황을 신속하게 조사한 후 그 결과를 중앙대책본부장에게 통보	제58조
재난복구계획 수립·시행	재난관리책임기관의 장은 사회재난으로 인한 피해에 대하여 피해조사를 마치면 지체 없이 자체복구계획을 수립·시행하여야 함	제59조
특별재난지역 선포 [2019 채용2차]	• 중앙대책본부장은 일정 규모 이상의 재난이 발생하여 국가의 안녕 및 사회질서의 유지에 중대한 영향을 미치거나 피해를 효과적으로 수습하기 위하여 특별한 조치가 필요하다고 인정하거나 지역대책본부장의 요청이 타당하다고 인정하는 경우에는 중앙위원회의 심의를 거쳐 해당 지역을 특별재난지역으로 선포할 것을 대통령에게 건의할 수 있음 [2012 채용3차] • 특별재난지역의 선포를 건의받은 대통령은 해당 지역을 특별재난지역으로 선포할 수 있음 • 국가나 지방자치단체는 특별재난지역으로 선포된 지역에 대하여는 국고보조 등 지원을 하는 외에 응급대책 및 재난구호와 복구에 필요한 행정상·재정상·금융상·의료상의 특별지원을 할 수 있음	제60조, 제61조
손실보상	국가나 지방자치단체는 동원명령·응급부담 등에 따른 조치로 인하여 손실이 발생하면 이를 보상하여야 함	제64조
재난지역에 대한 국고보조	국가는 자연재난이나 사회재난 중 특별재난지역으로 선포된 지역의 원활한 복구를 위하여 그 비용의 전부 또는 일부를 국고에서 부담하거나 지방자치단체, 그 밖의 재난관리책임자에게 보조할 수 있음	제66조

[2019 채용1차] 특별재난지역 선포는 대응단계에서의 활동이다. (×)

☑ **KEY POINT** | 재난관리 4단계 정리

예방단계	재난요인 사전 제거, 피해가능성 최소화, 피해 분산 관련 행위 예 정부합동안전 점검, 재난관리체계 등의 평가활동
대비단계	• 재난발생 완전 제거 불가능 인정 • 재난발생을 예상하여 그 피해를 최소화하고, 원활한 대응위한 준비수행과정 예 각 기능별 재난대응 활동계획 작성, 재난분야 위기관리 매뉴얼 작성, 재난대비훈련 등
대응단계	실제 재난발생시 수행해야 할 활동 예 응급조치, 긴급구조 등
복구단계	재난으로 인한 혼란상태가 상당히 안정되고 응급한 인명구조와 재산보호활동이 이루어진 후 재난 전의 정상상태로 회복시키기 위한 활동 예 재난피해조사, 특별재난지역 선포, 손실보상 등

[2019 채용1차] 특별재난지역 선포는 대응단계에서의 활동이다. (×)

주제 8 국가중요시설경비

01 국가중요시설

1. 국가중요시설

통합방위법 제2조 【정의】 이 법에서 사용하는 용어의 뜻은 다음과 같다.
13. "국가중요시설"이란 공공기관, 공항·항만, 주요 산업시설 등 적에 의하여 점령 또는 파괴되거나 기능이 마비될 경우 국가안보와 국민생활에 심각한 영향을 주게 되는 시설을 말한다. [2014 채용2차] [2014 승진(경감)] [2016 실무 1] [2017 실무 1]

국가중요시설에 대한 경비·방호에는 인위적인 시설 침해는 물론 재해에 의한 중요시설 침해의 방지도 중요시설 경비의 범주에 포함된다. 평상시에는 산업발전으로 국력신장을 도모하고 전시에는 전쟁수행능력을 뒷받침하는 국가 방호의 중요한 역할을 하기 때문이다. [2012 실무 1] [2017 실무 1]

2. 지정

통합방위법 제21조 【국가중요시설의 경비·보안 및 방호】 ④ 국가중요시설은 국방부장관이 관계 행정기관의 장 및 국가정보원장과 협의하여 지정한다. [2014 채용2차] [2016 실무 1]
[2023 승진(실무종합)]
[2012 실무 1 유사] [2014 승진(경감)] [2016 지능범죄] [2017 실무 1] [2020 실무 1] 국가중요시설은 국가정보원장이 관계 행정기관의 장 및 국방부장관과 협의하여 지정한다. (×)
[2016 채용1차] 국가중요시설은 경찰청장이 관계 행정기관의 장 및 국가정보원장과 협의하여 지정한다. (×)

3. 분류 [2012 실무 1]

등급	공통사항	통합방위작전 수행요구지역	국민생활 영향정도
가급	적에 의하여 점령 또는 파괴되거나, 기능 마비시	광범위한 지역의 통합방위작전수행이 요구되고,	국민생활에 결정적인 영향을 미칠 수 있는 시설
나급		일부지역의 통합방위작전수행이 요구되고,	국민생활에 중대한 영향을 미칠 수 있는 시설
다급		제한된 지역에서 단기간 통합방위작전수행이 요구되고,	국민생활에 상당한 영향을 미칠 수 있는 시설

💡 **국가중요시설 지정예시(국방부 훈령 제1057호 기준)**
- **가급**: 청와대, 국회의사당, 대법원, 정부종합청사, 국방부, 국가정보원 청사, 한국은행 본점 등
- **나급**: 대검찰청, 경찰청, 기상청, 한국산업은행, 한국수출입은행 등
- **다급**: 중앙행정기관 청사, 국가정보원 지부, 한국은행 지역본부 등

[2020 실무 1] 적에 의하여 점령 또는 파괴되거나 기능이 마비된 때 일부지역의 통합방위작전 수행이 요구되고 국민생활에 중대한 영향을 미칠 수 있는 시설은 '다'급에 해당한다. (×)

02 국가중요시설의 경비·보안·방호

1. 방호책임자와 관계기관의 임무

(1) 자체방호계획·방호지원계획의 수립

> **통합방위법 제21조【국가중요시설의 경비·보안 및 방호】** ① 국가중요시설의 관리자(소유자를 포함한다. 이하 같다)는 경비·보안 및 방호책임을 지며, 통합방위사태에 대비하여 자체방호계획을 수립하여야 한다. 이 경우 국가중요시설의 관리자는 자체방호계획을 수립하기 위하여 필요하면 시·도경찰청장 또는 지역군사령관에게 협조를 요청할 수 있다. [2012 실무 1] [2016 채용1차] [2016 실무 1] [2017 실무 1]
> ② 시·도경찰청장 또는 지역군사령관은 통합방위사태에 대비하여 국가중요시설에 대한 방호지원계획을 수립·시행하여야 한다. [2016 채용1차] [2018 실무 1]
>
> [2018 실무 1] 국가중요시설의 관리자(소유자를 제외한다)는 경비·보안 및 방호책임을 지며, 통합방위사태에 대비하여 자체방호계획을 수립하여야 한다. (×)

▌통합방위사태
적의 침투·도발이나 그 위협에 대응하여 갑종·을종·병종의 구분에 따라 선포하는 단계별 사태

갑종사태	적의 **대규모 병력** 침투 또는 **대량살상무기** 공격
을종사태	**여러 지역**에서 적이 침투·도발하여 단기간 내에 치안회복 곤란
병종사태	적의 침투·도발 위협이 예상되거나 **소규모**의 적이 침투

(2) 관계기관의 업무

> **통합방위법 제21조【국가중요시설의 경비·보안 및 방호】** ⑤ 국가중요시설의 자체방호, 방호지원계획, 그 밖에 필요한 사항은 대통령령으로 정한다. [2018 실무 1]
>
> **대통령령** **통합방위법 시행령 제32조【국가중요시설의 경비·보안 및 방호】** 국가중요시설의 경비·보안 및 방호를 위하여 국가중요시설의 관리자(소유자를 포함한다. 이하 같다), 시·도경찰청장, 지역군사령관 및 대대 단위 지역책임 부대장은 다음 각 호의 구분에 따른 업무를 수행하여야 한다.
> 1. 관리자의 경우에는 다음 각 목의 업무
>   가. 청원경찰, 특수경비원, 직장예비군 및 직장민방위대 등 방호인력, 장애물 및 과학적인 감시 장비를 통합하는 것을 내용으로 하는 자체방호계획의 수립·시행. 이 경우 자체방호계획에는 관리자 및 특수경비업자의 책임하에 실시하는 통합방위법령과 시설의 경비·보안 및 방호 업무에 관한 직무교육과 개인화기를 사용하는 실제의 사격훈련에 관한 사항이 포함되어야 한다.
>   나. 국가중요시설의 자체방호를 위한 통합상황실과 지휘·통신망의 구성 등 필요한 대비책의 마련

2. 시·도경찰청장 및 지역군사령관의 경우에는 관할 지역 안의 국가중요시설에 대하여 군·경찰·예비군 및 민방위대 등의 국가방위요소를 통합하는 것을 내용으로 하는 방호지원계획의 수립·시행. 이 경우 경찰은 경찰서 단위의 방호지원계획을 수립·시행하고 군은 대대 단위의 방호지원계획을 수립·시행하여야 한다.

3. 관리자, 대대 단위 지역책임 부대장 및 경찰서장은 국가중요시설의 방호를 위한 역할분담 등에 관한 협정을 체결하고, 자체방호계획 또는 대대 단위나 경찰서 단위의 방호지원계획을 작성하거나 변경하는 때에는 그 사실을 서로 통보한다.

☑ KEY POINT | 관계기관의 임무정리

관리자(소유자 포함)	시·도경찰청장	경찰서장
• 경비·보안·방호 책임자 • **자체방호계획 수립·시행** 　– 방호인력·장애물·감시장비 통합내용 포함 　– 방위법령·방호업무에 관한 직무교육 포함 　– 개인화기 실사격훈련 포함 • 자체방호 대비책 마련	• **방호지원계획 수립·시행** 　– 군·경·예비군 등 국가방위요소 통합내용 포함	• **역할분담 협정체결** • 경찰서 단위 방호지원계획 작성·변경시 서로 통보

(3) 지도 및 감독

통합방위법 제21조 【국가중요시설의 경비·보안 및 방호】 ③ 국가중요시설의 평시 경비·보안활동에 대한 지도·감독은 관계 행정기관의 장과 국가정보원장이 수행한다. [2016 채용1차]

[2016 실무 1] 국가중요시설의 평시 경비·보안활동에 대한 지도·감독은 시·도경찰청장과 지역군사령관이 수행한다. (×)

2. 중요시설 방호대책: 3지대 개념 방호선

제1지대 (경계지대)	• 시설 울타리의 전방 취약지점에서 시설에 접근하기 전에 저지할 수 있는 예상 접근로상의 목 지점(Choke Point) 및 감제고지(적 활동을 살피기 적합한 높은 지역) 등을 장악하는 선 • 소총 유효 사거리 개념인 외곽 경비지대를 연결하는 선 • 병력배치 및 장애물을 설치하여 방호를 실시 ➡ 불규칙적으로 수색·매복·탐지활동을 하여 2지대로의 진입을 차단
제2지대 (주방어지대)	• 시설 울타리를 연하는 선으로 시설 내부 및 핵심시설에 적의 침투를 방지하여 결정적으로 중요시설을 방호하는 선 • 탐조등·망루·보안등과 같은 방호시설물을 집중적으로 설치하고 고정초소 근무 및 순찰근무로서 출입자를 통제하고 무단침입자를 감시
제3지대 (핵심방어지대)	• 시설의 기능에 결정적인 영향을 미치는 지역에 대한 최후 방어선 • 주요 핵심부는 지하화하거나 위장이 되어야 하며, 항상 경비원의 감시하에 통제가 되도록 하고 방호벽·방탄망·적외선 CCTV 등 방호시설물을 설치하여야 함 • 유사시는 결정적인 보호가 될 수 있도록 경비인력을 증가 배치하여야 함

▌3선 경호의 원칙

• **제1선(안전구역, 내부)**: 경호대상자의 신변에 직접 위해를 줄 수 있는 행사장 내부 또는 행사장 반경 50m(권총 유효 사거리), 승·하차지점과 동선 행사장 직상·하층을 포함한다.

• **제2선(경비구역, 내곽)**: 안전구역을 보호하기 위한 경호구역으로 건물 내부·내곽지역 또는 행사장 반경 600m(소총 유효 사거리)

• **제3선(경계구역, 외곽)**: 적의 접근을 조기에 경보하고 차단하기 위한 선으로 안전구역과 경비구역을 보호하기 위한 경호구역

➡ **사람**은 1이 **핵심**, **지역**은 3이 **핵심**

01 경찰작전 개설

1. 경찰작전의 의미

- 경찰작전은 대간첩작전, 전시대비 경찰작전, 비상업무, 상황실의 운영, 검문검색 등 일체의 작전업무를 말한다.
- 국가경찰과 자치경찰의 조직 및 운영에 관한 법률(경찰법) 제3조, 경찰관 직무집행법 제2조 등에 대간첩·대테러작전 수행이 경찰의 임무로 규정되어 있다.

2. 평시의 경찰작전

전시를 대비한 도상훈련으로서 을지태극연습을 통상 매년 5월 실시하며, 이를 통해 제기되는 문제점을 수정·보완함으로써 매년 충무계획이 수립되고, 전쟁발생 시 충무계획에 의거하여 실질적인 전시작전이 이루어지게 된다.

💡 **을지태극연습**
- 기존의 을지연습과 한국군 단독연습인 태극연습을 연계하여 시행하는 연습이다.
- 전국적 대형복합재난 상황에 대비하는 국가위기 대응연습과 군사적 위협에 대응하는 전시대비연습으로 나누어진다.

02 통합방위사태와 통합방위작전

1. 경계태세

> **통합방위법 제11조 【경계태세】** ① 대통령령으로 정하는 군부대의 장 및 경찰관서의 장(이하 이 조에서 "발령권자"라 한다)은 적의 침투·도발이나 그 위협이 예상될 경우 통합방위작전을 준비하기 위하여 경계태세를 발령할 수 있다.
> ② 제1항에 따라 경계태세가 발령된 때에는 해당 지역의 국가방위요소는 적의 침투·도발이나 그 위협에 대응하기 위하여 필요한 지휘·협조체계를 구축하여야 한다.
> ③ 발령권자는 경계태세 상황이 종료되거나 상급 지휘관의 지시가 있는 경우 경계태세를 해제하여야 하고, 제12조에 따라 통합방위사태가 선포된 때에는 경계태세는 해제된 것으로 본다.

2. 통합방위사태

(1) 통합방위사태의 유형

> **통합방위법 제2조【정의】** 이 법에서 사용하는 용어의 뜻은 다음과 같다.
>
> 3. **"통합방위사태"**란 적의 침투·도발이나 그 위협에 대응하여 제6호부터 제8호 까지의 구분에 따라 선포하는 단계별 사태를 말한다.
> 6. **"갑종사태"**란 일정한 조직체계를 갖춘 적의 대규모 병력 침투 또는 대량살상 무기 공격 등의 도발로 발생한 비상사태로서 통합방위본부장 또는 지역군사령 관의 지휘·통제 하에 통합방위작전을 수행하여야 할 사태를 말한다. [2014 채용2차] [2016 지능범죄] [2017 채용2차] [2019 승진(경감)] [2023 승진(실무종합)]
> 7. **"을종사태"**란 일부 또는 여러 지역에서 적이 침투·도발하여 단기간 내에 치 안이 회복되기 어려워 지역군사령관의 지휘·통제 하에 통합방위작전을 수행 하여야 할 사태를 말한다. [2014 승진(경감)] [2016 지능범죄]
> 8. **"병종사태"**란 적의 침투·도발 위협이 예상되거나 소규모의 적이 침투하였을 때에 시·도경찰청장, 지역군사령관 또는 함대사령관의 지휘·통제 하에 통합 방위작전을 수행하여 단기간 내에 치안이 회복될 수 있는 사태를 말한다. [2014 승진(경감)]

☑ KEY POINT ｜ 통합방위사태의 유형 정리

유형	적침상황	치안상황	작전지휘·통제
갑종사태	• 대규모 병력침투 • 대량살상무기	–	• 통합방위본부장 • 지역군사령관
을종사태	일부·여러 지역 적침	단기간 내 회복 불가	지역군사령관
병종사태	• 적침 등 예상 • 소규모 적 침투	단기간 내 회복 가능	• 시·도경찰청장 • 지역군사령관 • 함대사령관

[2020 지능범죄] 통합방위사태의 유형 중 일부 또는 여러 지역에서 적의 침투 혹은 도발로 단기간 내에 치안회복이 어려워 시·도경찰 청장, 지역군사령관 또는 함대사령관의 지휘·통제하에 통합방위작전을 수행하여야 할 사태는 갑종사태이다. (×)

[2018 경간] [2020 실무 1] 을종사태는 적이 침투·도발이 예상되거나 소규모의 적이 침투하여 단기간 내에 치안이 회복될 수 있는 사태를 말한다. (×)

[2017 채용2차] '을종사태'란 일부 또는 여러 지역에서 적이 침투·도발하여 단기간 내에 치안이 회복되기 어려워 시·도경찰청장의 지휘·통제하에 통합방위작전을 수행하여야 할 사태를 말한다. (×)

[2023 승진(실무종합)] '을종사태'란 적의 침투·도발 위협이 예상되거나 소규모의 적이 침투하였을 때에 시·도경찰청장, 지역군사령 관 또는 함대사령관의 지휘·통제 하에 통합방위작전을 수행하여 단기간 내에 치안이 회복될 수 있는 사태를 말한다. (×)

(2) 통합방위사태의 선포

> **통합방위법 제12조【통합방위사태의 선포】** ① 통합방위사태는 갑종사태, 을종사태 또 는 병종사태로 구분하여 선포한다.
>
> ② 제1항의 사태에 해당하는 상황이 발생하면 다음 각 호의 구분에 따라 해당하 는 사람은 즉시 국무총리를 거쳐 대통령에게 통합방위사태의 선포를 건의하여 야 한다.
> 1. 갑종사태에 해당하는 상황이 발생하였을 때 또는 둘 이상의 특별시·광역시· 특별자치시·도·특별자치도(이하 "시·도"라 한다)에 걸쳐 을종사태에 해당 하는 상황이 발생하였을 때: 국방부장관 [2020 승진(경감)]
> 2. 둘 이상의 시·도에 걸쳐 병종사태에 해당하는 상황이 발생하였을 때: 행정안 전부장관 또는 국방부장관

③ 대통령은 제2항에 따른 건의를 받았을 때에는 중앙협의회와 국무회의의 심의를 거쳐 통합방위사태를 선포할 수 있다. [2012 경간]

④ 시·도경찰청장, 지역군사령관 또는 함대사령관은 을종사태나 병종사태에 해당하는 상황이 발생한 때에는 즉시 시·도지사에게 통합방위사태의 선포를 건의하여야 한다. [2016 지능범죄] [2018 실무 1] [2020 승진(경감)]

⑤ 시·도지사는 제4항에 따른 건의를 받은 때에는 시·도 협의회의 심의를 거쳐 을종사태 또는 병종사태를 선포할 수 있다.

⑥ 시·도지사는 제5항에 따라 을종사태 또는 병종사태를 선포한 때에는 지체 없이 행정안전부장관 및 국방부장관과 국무총리를 거쳐 대통령에게 그 사실을 보고하여야 한다.

⑦ 제3항이나 제5항에 따라 통합방위사태를 선포할 때에는 그 이유, 종류, 선포 일시, 구역 및 작전지휘관에 관한 사항을 공고하여야 한다.

⑧ 시·도지사가 통합방위사태를 선포한 지역에 대하여 대통령이 통합방위사태를 선포한 때에는 그 때부터 시·도지사가 선포한 통합방위사태는 효력을 상실한다.

⑨ 제1항부터 제8항까지에서 규정한 사항 외에 통합방위사태의 구체적인 선포 요건·절차 및 공고 방법 등에 관하여 필요한 사항은 대통령령으로 정한다.

💡 통합방위사태 유형별 절차 구분
- [제1유형: 가장 심각, 전국가적 문제상황] 갑종사태·복수지역 을종사태가 여기에 해당하며, 이 경우는 국방부장관만이 건의권자가 되고 대통령이 선포권자가 된다.
- [제2유형: 중간 심각, 전국가적 문제상황] 복수지역 병종사태가 여기에 해당하며, 이 경우는 행안부장관·국방부장관이 건의권자가 되고 대통령이 선포권자가 된다.
- [제3유형: 약간 심각, 지역적 문제상황] 단수지역 을종·병종사태가 여기에 해당하며, 이 경우는 함대사령관·지역군사령관·시·도경찰청장이 건의권자가 되고 시·도지사가 선포권자가 된다

✅ **KEY POINT | 통합방위사태의 건의권자·선포권자 정리**

1 **단수지역**

유형	건의권자	선포권자
갑종사태	국방부장관, 국무총리 거쳐 대통령에게	대통령이, 중앙협의회와 국무회의 심의 거쳐서
을종사태	시·도경찰청장, 지역군사령관 또는 함대사령관, 시·도지사에게	• 시·도지사가, 시·도협의회 심의 거쳐서 • 행정안전부장관·국방부장관·국무총리 거쳐 대통령 보고
병종사태		

[2019 승진(경감)] 행정안전부장관 또는 국방부장관은 을종사태에 해당하는 상황이 발생하였을 때 즉시 국무총리를 거쳐 대통령에게 통합방위사태의 선포를 건의하여야 한다. (×)
[2020 승진(경감)] 시·도지사는 을종사태나 병종사태 선포의 건의를 받은 때에는 중앙협의회의 심의를 거쳐 을종사태 또는 병종사태를 선포할 수 있다. (×)

2 **복수지역(둘 이상의 시·도)**

유형	건의권자	선포권자
을종사태	국방부장관, 국무총리 거쳐 대통령에게	대통령이, 중앙협의회와 국무회의 심의 거쳐서
병종사태	행정안전부장관 또는 국방부장관, 국무총리 거쳐 대통령에게	

[2014 채용2차] 시·도경찰청장, 지역군사령관 또는 함대사령관은 둘 이상의 시·도에 걸쳐 병종사태에 해당하는 상황이 발생하였을 때 즉시 국방부장관에게 통합방위사태의 선포를 건의하여야 한다. (×)
[2018 실무 1] [2020 실무 1 유사] 행정안전부장관은 둘 이상의 시·도에 걸쳐 을종사태에 해당하는 상황이 발생하였을 때 즉시 국무총리를 거쳐 대통령에게 통합방위사태의 선포를 건의하여야 한다.
[2018 경간] 서울특별시와 경기도에 걸친 병종사태에 해당하는 상황이 발생하였을 때는 대통령이 선포권자가 된다. (○)

(3) 국회 등에 대한 통고

> 통합방위법 제13조【국회 또는 시·도의회에 대한 통고 등】① 대통령은 통합방위사태를 선포한 때에는 지체 없이 그 사실을 국회에 통고하여야 한다.
> ② 시·도지사는 통합방위사태를 선포한 때에는 지체 없이 그 사실을 시·도의회에 통고하여야 한다.

③ 대통령 또는 시·도지사는 제1항이나 제2항에 따른 통고를 할 때에 국회 또는 시·도의회가 폐회 중이면 그 소집을 요구하여야 한다.

3. 통합방위작전

(1) 의미

> **통합방위법 제2조【정의】** 이 법에서 사용하는 용어의 뜻은 다음과 같다.
> 4. **"통합방위작전"**이란 통합방위사태가 선포된 지역에서 제15조에 따라 통합방위본부장, 지역군사령관, 함대사령관 또는 시·도경찰청장(이하 "작전지휘관"이라 한다)이 국가방위요소를 통합하여 지휘·통제하는 방위작전을 말한다. [2012 경간]

▌국가방위요소
- 국군
- 경찰청·해양경찰청 및 그 소속기관, 자치경찰기구
- 예비군·민방위
- 통합방위협의회를 두는 직장

(2) 작전수행의 주체

> **통합방위법 제15조【통합방위작전】** ② 시·도경찰청장, 지역군사령관 또는 함대사령관은 통합방위사태가 선포된 때에는 즉시 다음 각 호의 구분에 따라 통합방위작전(공군작전사령관의 경우에는 통합방위 지원작전)을 신속하게 수행하여야 한다. 다만, 을종사태가 선포된 경우에는 지역군사령관이 통합방위작전을 수행하고, 갑종사태가 선포된 경우에는 통합방위본부장 또는 지역군사령관이 통합방위작전을 수행한다. ➡ 즉, 아래 각 호는 병종사태만 해당(단, 제4호는 통합방위 지원작전)
> 1. **경찰관할지역:** 시·도경찰청장
> 2. **특정경비지역 및 군관할지역:** 지역군사령관
> 3. **특정경비해역 및 일반경비해역:** 함대사령관
> 4. **비행금지공역 및 일반공역:** 공군작전사령관
> [2018 경간] 통합방위작전의 관할구역 중 경찰관할지역은 경찰청장이 작전을 수행한다. (×)
> [2012 경간] 통합방위 을종사태에서는 경찰청장 또는 지역군사령관의 지휘·통제하에 통합방위작전을 수행한다. (×)

☑ **KEY POINT** | **작전수행의 주체** [2012 경간]

유형	작전수행 주체(작전지휘·통제권자)
갑종사태	• 통합방위본부장 • 지역군사령관
을종사태	지역군사령관
병종사태	• 시·도경찰청장: 경찰관할지역 • 지역군사령관: 특정경비지역·군관할지역 • 함대사령관: 특정경비해역·일반경비해역

* 공군작전사령관은 통합방위 지원작전 수행(비행금지공역 및 일반공역)

💡 **특정경비지역 방위**
예컨대 포항일대의 특정경비지역 방위를 위해 '포항특정경비지역사령부'가 설치되어 있고, 진해 일대에는 '진해특정경비사령부', 그리고 수도권에는 '수도방위사령부' 등이 설치되어 있다.

4. 통합방위사태 관련 조치

(1) 통제구역 설정 및 퇴거명령

> **통합방위법 제16조【통제구역 등】** ① 시 · 도지사 또는 시장 · 군수 · 구청장은 다음 각 호의 어느 하나에 해당하면 대통령령으로 정하는 바에 따라 인명 · 신체에 대한 위해를 방지하기 위하여 필요한 통제구역을 설정하고, 통합방위작전 또는 경계태세 발령에 따른 군 · 경 합동작전에 관련되지 아니한 사람에 대하여는 출입을 금지 · 제한하거나 그 통제구역으로부터 퇴거할 것을 명할 수 있다.
> 1. 통합방위사태가 선포된 경우
> 2. 적의 침투 · 도발 징후가 확실하여 경계태세 1급이 발령된 경우
> ② 제1항에 따른 통제구역의 설정 기준 · 절차 및 공고 방법 등에 관하여 필요한 사항은 대통령령으로 정한다.
> [2018 경간] 시장 · 군수 · 구청장도 통제구역을 설정하여 출입을 금지 · 제한하거나 퇴거명령을 할 수 있다. (○)
>
> **통합방위법 제24조【벌칙】** ① 제16조 제1항의 출입 금지 · 제한 또는 퇴거명령을 위반한 사람은 1년 이하의 징역 또는 1천만원 이하의 벌금에 처한다.

(2) 대피명령

> **통합방위법 제17조【대피명령】** ① 시 · 도지사 또는 시장 · 군수 · 구청장은 통합방위사태가 선포된 때에는 인명 · 신체에 대한 위해를 방지하기 위하여 즉시 작전지역에 있는 주민이나 체류 중인 사람에게 대피할 것을 명할 수 있다. [2019 승진(경감)]
> ② 제1항에 따른 대피명령(이하 "대피명령"이라 한다)은 방송 · 확성기 · 벽보, 그 밖에 대통령령으로 정하는 방법에 따라 공고하여야 한다.
> ③ 안전대피방법과 대피명령의 실시방법 · 절차 등에 관하여 필요한 사항은 대통령령으로 정한다.
> [2017 채용2차] [2020 실무 1 유사] 시 · 도경찰청장 또는 경찰서장은 통합방위사태가 선포된 때에는 인명 · 신체에 대한 위해를 방지하기 위하여 즉시 작전지역에 있는 주민이나 체류 중인 사람에게 대피할 것을 명하여야 한다. (×)
>
> **통합방위법 제24조【벌칙】** ② 제17조 제1항의 대피명령을 위반한 사람은 300만원 이하의 벌금에 처한다. [2018 경간]

(3) 검문소의 운용

> **통합방위법 제18조【검문소의 운용】** ① 시 · 도경찰청장, 지방해양경찰청장(대통령령으로 정하는 해양경찰서장을 포함한다. 이하 같다), 지역군사령관 및 함대사령관은 관할구역 중에서 적의 침투가 예상되는 곳 등에 검문소를 설치 · 운용할 수 있다. 다만, 지방해양경찰청장이 검문소를 설치하는 경우에는 미리 관할 함대사령관과 협의하여야 한다.
> ② 검문소의 지휘 · 통신체계 및 운용 등에 필요한 사항은 대통령령으로 정한다.

5. 통합방위기구

(1) 통합방위본부

> **통합방위법 제8조 【통합방위본부】** ① 합동참모본부에 통합방위본부를 둔다.
> ② 통합방위본부에는 본부장과 부본부장 1명씩을 두되, 통합방위본부장은 합동참모의장이 되고 부본부장은 합동참모본부에서 군사작전에 대한 기획 등 작전업무를 총괄하는 참모부서의 장이 된다. [2018 실무 1] [2020 승진(경감)]

(2) 중앙 통합방위협의회

> **통합방위법 제4조 【중앙 통합방위협의회】** ① 국무총리 소속으로 중앙 통합방위협의회(이하 "중앙협의회"라 한다)를 둔다.
> ② 중앙협의회의 의장은 국무총리가 되고, 위원은 … (행정각부 장관들) … 국무조정실장, 국가보훈처장, 법제처장, 식품의약품안전처장, 국가정보원장 및 통합방위본부장과 그 밖에 대통령령으로 정하는 사람이 된다. [2019 승진(경감)] [2020 승진(경감)]
> [2017 채용2차] 대통령 소속으로 중앙 통합방위협의회를 둔다. (×)

(3) 지역 통합방위협의회

> **통합방위법 제5조 【지역 통합방위협의회】** ① 특별시장·광역시장·특별자치시장·도지사·특별자치도지사(이하 "시·도지사"라 한다) 소속으로 특별시·광역시·특별자치시·도·특별자치도 통합방위협의회(이하 "시·도 협의회"라 한다)를 두고, 그 의장은 시·도지사가 된다. [2020 승진(경감)]
> ② 시장·군수·구청장(자치구의 구청장을 말한다. 이하 같다) 소속으로 시·군·구 통합방위협의회를 두고, 그 의장은 시장·군수·구청장이 된다.

(4) 직장 통합방위협의회

> **통합방위법 제6조 【직장 통합방위협의회】** ① 직장에는 직장 통합방위협의회(이하 "직장협의회"라 한다)를 두고, 그 의장은 직장의 장이 된다.
> ② 직장협의회를 두어야 하는 직장의 범위와 직장협의회의 운영 등에 필요한 사항은 대통령령으로 정한다.

03 경찰 비상업무 규칙

1. 목적 및 정의

> **훈령 경찰 비상업무 규칙 제1조 【목적】** 이 훈령은 「경찰공무원 복무규정」 제2조 제2항(➔ 경찰 비상소집) 및 「국가공무원 복무규칙」 제39조 제3항(➔ 중앙행정기관 장의 비상근무 발령)의 규정에 따라 치안상의 비상상황에 대한 지역별, 기능별 경찰력의 운용과 활동체계를 규정함으로써 비상상황에 효율적으로 대응함을 목적으로 한다.

┃ 경찰공무원 복무규정 제14조 【비상소집】
① 경찰기관의 장은 비상사태에 대처하기 위하여 필요하다고 인정할 때에는 소속경찰공무원을 긴급히 소집(이하 "비상소집"이라 한다)하거나 일정한 장소에 대기하게 할 수 있다.
② 제1항의 규정에 의한 비상소집의 요건·종류·절차등에 관하여 필요한 사항은 경찰청장 또는 해양경찰청장이 정한다.

훈령 경찰 비상업무 규칙 제2조 【정의】 이 훈령에서 사용하는 용어의 정의는 다음과 같다.

1. **"비상상황"**이라 함은 대간첩·테러, 대규모 재난 등의 긴급 상황이 발생하거나 발생할 우려가 있는 경우 또는 다수의 경력을 동원해야 할 치안수요가 발생하여 치안활동을 강화할 필요가 있는 때를 말한다. [2013 채용2차] [2015 실무 1]

2. **"지휘선상 위치 근무"**라 함은 비상연락체계를 유지하며 유사시 1시간 이내에 현장지휘 및 현장근무가 가능한 장소에 위치하는 것을 말한다. [2012 실무 1] [2015 승진(경감)] [2019 승진(경위)] [2021 승진(실무종합)]

3. **"정위치 근무"**라 함은 감독순시·현장근무 및 사무실 대기 등 관할구역 내에 위치하는 것을 말한다. [2013 채용2차] [2015 실무 1] [2015 승진(경감)] [2018 채용2차]

4. **"정착근무"**라 함은 사무실 또는 상황과 관련된 현장에 위치하는 것을 말한다. [2017 실무 1] [2018 채용2차] [2021 승진(실무종합)]

5. **"필수요원"**이라 함은 전 경찰공무원 및 일반직공무원(이하 "경찰관 등"이라 한다) 중 경찰기관의 장이 지정한 자로 비상소집 시 1시간 이내에 응소하여야 할 자를 말한다. [2018 채용3차] [2019 승진(경위)] [2021 채용1차]

6. **"일반요원"**이라 함은 필수요원을 제외한 경찰관 등으로 비상소집 시 2시간 이내에 응소하여야 할 자를 말한다. [2021 채용1차]

7. **"가용경력"**이라 함은 총원에서 휴가·출장·교육·파견 등을 제외하고 실제 동원될 수 있는 모든 인원을 말한다. [2015 실무 1] [2018 채용2차] [2019 승진(경위)] [2021 승진(실무종합)]

8. **"소집관"**이라 함은 비상근무발령권자로부터 권한을 위임받아 비상근무발령에 따른 비상소집을 지휘·감독하는 주무 참모 또는 상황관리관(상황관리관의 임무를 수행하는 자를 포함한다. 이하 같다)을 말한다.

9. **"작전준비태세"**라 함은 '경계강화'단계를 발령하기 이전에 별도의 경력동원 없이 경찰작전부대의 출동태세 점검, 지휘관 및 참모의 비상연락망 구축 및 신속한 응소체제를 유지하며, 작전상황반을 운영하는 등 필요한 작전 사항을 미리 조치하는 것을 말한다.

[2013 채용2차] [2015 실무 1 유사] [2017 실무 1] [2018 실무 1] [2018 승진(경위)] "지휘선상 위치 근무"라 함은 비상연락체계를 유지하며 유사시 2시간 이내에 현장지휘 및 현장근무가 가능한 장소에 위치하는 것을 말한다. (×)
[2018 채용3차] "지휘선상 위치 근무"라 함은 감독순시·현장근무 및 사무실 대기 등 관할구역 내에 위치하는 것을 말한다. (×)
[2012 실무 1] [2018 실무 1] [2018 승진(경위)] 정착근무는 감독순시, 현장근무 및 사무실 대기 등 관할구역 내에 위치하는 것이다. (×)
[2021 승진(실무종합)] "일반요원"이란 필수요원을 포함한 경찰관 등으로 비상소집시 2시간 이내에 응소하여야 할 자를 말한다. (×)
[2015 승진(경감)] [2018 실무 1] [2018 승진(경위)] [2020 승진(경위)] 가용경력이라 함은 휴가·출장·교육·파견 등을 포함한 총원을 의미한다. (×)
[2018 채용2차] [2019 승진(경위)] "작전준비태세"라 함은 "경계강화"단계를 발령하기 이전에 별도의 경력을 동원하여 경찰작전부대의 출동태세 점검, 지휘관 및 참모의 비상연락망 구축 및 신속한 응소체제를 유지하며, 작전상황반을 운영하는 등 필요한 작전사항을 미리 조치하는 것을 말한다. (×)

2. 비상근무

(1) 비상근무의 발령상황

훈령 경찰 비상업무 규칙 제3조 【근무방침】 ① 비상근무는 비상상황 하에서 업무 수행의 효율화를 도모하기 위해서 발령한다.

② 비상근무 대상은 경비·작전·안보·수사·교통 또는 재난관리 업무와 관련한 비상상황에 국한한다. 다만, 두 종류 이상의 비상상황이 동시에 발생한 경우에는 긴급성 또는 중요도가 상대적으로 더 큰 비상상황(이하 "주된 비상상황"이라 한다)의 비상근무로 통합·실시한다. [2017 실무 1] [2018 실무 1] [2018 승진(경위)] [2020 승진(경위)]

③ 적용지역은 전국 또는 일정지역(시·도경찰청 또는 경찰서 관할)으로 구분한다. 다만, 2개 이상의 지역에 관련되는 상황은 바로 위의 상급 기관에서 주관하여 실시한다.

(2) 비상근무의 종류·등급

> **훈령** 경찰 비상업무 규칙 제4조【비상근무의 종류 및 등급】① 비상근무는 비상상황의 유형에 따라 다음 각 호와 같이 구분하여 발령한다.
> 1. 경비 소관: 경비, 작전비상
> 2. 안보 소관: 안보비상
> 3. 수사 소관: 수사비상
> 4. 교통 소관: 교통비상
> 5. 치안상황 소관: 재난비상
> ② 기능별 상황의 긴급성 및 중요도에 따라 비상등급을 다음과 같이 구분하여 실시한다.
> 1. 갑호 비상 / 2. 을호 비상 / 3. 병호 비상 / 4. 경계 강화 / 5. 작전준비태세(작전비상시 적용)
>
> [2021 채용1차] 비상근무는 경비 소관의 경비, 작전비상, 안보 소관의 안보비상, 수사 소관의 수사비상, 교통 소관의 교통비상, 생활안전 소관의 생활안전비상으로 구분하여 발령한다. (×)

⊕ **심화** 비상근무의 종류별 정황(경찰 비상업무 규칙 별표 1) [2020 승진(경감)] [2022 승진(실무종합)]

경비비상		
갑호	• 계엄이 선포되기 전의 치안상태 • 대규모 집단사태·테러 등의 발생으로 치안질서가 극도로 혼란하게 되었거나 그 징후가 현저한 경우 [2020 승진(경감)] • 국제행사·기념일 등을 전후하여 치안수요의 급증으로 가용경력을 100% 동원할 필요가 있는 경우		
을호	• 대규모 집단사태·테러 등의 발생으로 치안질서가 혼란하게 되었거나 그 징후가 예견되는 경우 [2020 승진(경감)] • 국제행사·기념일 등을 전후하여 치안수요가 증가하여 가용경력의 50%를 동원할 필요가 있는 경우		
병호	• 집단사태·테러 등의 발생으로 치안질서의 혼란이 예견되는 경우 • 국제행사·기념일 등을 전후하여 치안수요가 증가하여 가용경력의 30%를 동원할 필요가 있는 경우		
작전비상		
갑호	대규모 적정이 발생하였거나 발생 징후가 현저한 경우 [2020 승진(경감)]		
을호	적정이 발생하였거나 일부 적의 침투가 예상되는 경우		
병호	정·첩보에 의해 적 침투에 대비한 고도의 경계강화가 필요한 경우		
안보비상		
갑호	간첩 또는 정보사범 색출을 위한 경계지역 내 검문검색 필요시 [2020 승진(경감)]		
을호	상기 상황하에서 특정지역·요지에 대한 검문검색 필요시		
수사비상		
갑호	사회이목을 집중시킬만한 중대범죄 발생시 [2020 승진(경감)]		
을호	중요범죄 사건발생시		

▍ **통합방위사태**
• **갑종사태:** 대규모 병력·대량살상 무기
• **을종사태:** 일부·여러 지역 적침, 단기간 내 치안회복 불가
• **병종사태:** 적침예상·소규모 침투, 단기간 내 치안회복 가능

▍ **적정(敵情)**
적의 특별한 움직임

교통비상	
갑호	농무, 풍수설해 및 화재로 극도의 교통혼란 및 사고발생시
을호	상기 징후가 예상될 시
재난비상	
갑호	대규모 재난의 발생으로 치안질서가 극도로 혼란하게 되었거나 그 징후가 현저한 경우
을호	대규모 재난의 발생으로 치안질서가 혼란하게 되었거나 그 징후가 예견되는 경우
병호	재난의 발생으로 치안질서의 혼란이 예견되는 경우
경계강화(기능 공통)	
'병호'비상보다는 낮은 단계, 별도의 경력동원 없이 평상시보다 치안활동을 강화할 필요가 있을 경우	
작전준비태세(작전비상시 적용)	
'경계강화'를 발령하기 이전, 별도의 경력동원 없이 필요한 작전사항을 미리 조치할 필요가 있을 경우	

[2022 승진(실무종합)] 농무, 풍수설해 및 화재로 극도의 교통혼란 및 사고발생시는 교통비상 을호가 발령된다. (×)

(3) 비상근무의 발령권자

> **훈령** 경찰 비상업무 규칙 제5조 【발령】 ① 비상근무의 발령권자는 다음과 같다.
> 1. 전국 또는 2개 이상 시·도경찰청 관할지역: 경찰청장
> 2. 시·도경찰청 또는 2개 이상 경찰서 관할지역: 시·도경찰청장
> 3. 단일 경찰서 관할지역: 경찰서장
> ⑥ 비상근무를 발령할 경우에는 정황의 특수성을 감안하여 비상근무의 목적이 원활히 달성될 수 있도록 적정한 인원, 계급, 부서를 동원하여 불필요한 동원이 없도록 하여야 한다.
> [2018 채용3차] 비상근무를 발령할 경우에는 정황의 특수성을 감안하여 비상근무의 목적이 원활히 달성될 수 있도록 가용경력을 최대한 동원하여야 한다. (×)

(4) 비상근무의 근무요령

▌지휘관
제7조의 경우 **지구대장, 파출소장**은 지휘관에 준한다.

▌연가
공무원휴가의 종류 중 하나로, 정신적·육체적 휴양을 취해 근무능률 유지하고 사생활 편의를 위해 사용하는 휴가를 말한다.

> **훈령** 경찰 비상업무 규칙 제7조 【근무요령】 ① 비상근무 발령권자는 비상상황을 판단하여 다음의 기준에 따라 비상근무를 실시한다. [2012 실무 1] [2016 승진(경감)] [2021 채용1차]

등급	경력동원	근무기준
갑호비상	• 연가를 중지하고, • 가용경력 100%까지 동원할 수 있다.	지휘관과 참모는 정착 근무원칙 [2016 승진(경감)] [2017 실무 1]
을호비상	• 연가를 중지하고, • 가용경력 50%까지 동원할 수 있다.	지휘관과 참모는 정위치 근무원칙
병호비상	• 부득이한 경우 제외, 연가를 억제하고, • 가용경력 30%까지 동원할 수 있다.	지휘관과 참모는 정위치 근무 또는 지휘선상 위치 근무원칙
경계강화	별도의 경력동원 없이 특정분야의 근무를 강화한다.	• 지휘관과 참모는 지휘선상 위치 근무원칙 [2012 실무 1] [2016 승진(경감)] • 경찰관 등은 비상연락체계를 유지 • 경찰작전부대는 상황발생시 즉각 출동이 가능하도록 출동대기태세를 유지

	별도의 경력동원 없이	• 경찰관서 지휘관 및 참모의 비상연락망을 구축하고 신속한 응소체제를 유지
작전준비태세		• 경찰작전부대는 상황발생시 즉각 출동이 가능하도록 출동태세 점검을 실시
		• 유관기관과의 긴밀한 연락체계를 유지하고, 필요시 작전상황반을 유지

② 비상근무발령권자는 비상근무에 동원된 경찰관 등을 비상근무의 목적과 인원 등을 감안하여 현장배치, 대기근무 등으로 편성하여 운용한다.

③ 비상근무가 장기간 유지될 경우에는 비상근무의 목적과 기간 등을 종합적으로 판단하여 지휘관과 참모 및 동원된 경찰관 등은 기본근무 복귀 또는 귀가하여 비상연락체제를 갖추도록 할 수 있다.

④ 비상등급별로 연가를 중지 또는 억제하되 경조사 휴가, 공가, 병가, 출산휴가 등 특별한 사유가 있는 경우에는 그러하지 아니하다.

(5) 연습상황의 부여금지

> **[훈령]** 경찰 비상업무 규칙 제8조【연습상황의 부여금지】 비상근무기간 중에는 비상근무 발령자의 지시 또는 승인 없이 연습상황을 부여하여서는 아니 된다. 다만, 경계강화, 작전준비태세의 경우에는 그러하지 아니하다.

3. 비상소집

(1) 소집방법

> **[훈령]** 경찰 비상업무 규칙 제10조【비상소집】 ① 정상근무시간이 아닌 때에 제5조의 규정에 의하여 비상근무를 발령하고자 할 경우 비상근무발령권자는 이를 상황관리관에게 지시하여 신속히 해당 기능 및 산하경찰기관 등에 연락하도록 한다.
> ② 제1항의 연락을 받은 해당 기관의 상황관리관 또는 당직 근무자는 즉시 지휘관에게 보고 후 경찰관 등의 전부 또는 일부를 지역별 또는 계급별, 기능별로 구분하여 소집되도록 연락하여야 한다.
> ③ 비상소집을 명할 때에는 비상근무발령서에 의하되, 비상소집 자동전파장치, 유·무선 전화, 팩스, 방송 기타 신속한 방법을 사용한다.
> ④ 비상근무발령권자가 아닌 경찰기관(경찰청과 그 소속기관 직제 제2조 제1항 및 제2항의 소속기관을 말한다. ➜ 경찰대학, 경찰인재개발원, 중앙경찰학교, 경찰수사연수원, 경찰병원)의 장은 자체 비상상황의 발생으로 소속 경찰관 등을 비상소집하여야 할 필요가 있다고 판단되는 경우 해당 기관의 소속 경찰관 등을 비상소집할 수 있다.

(2) 응소

> **훈령** **경찰 비상업무 규칙 제12조【응소】** ① 경찰기관의 장은 별지 제3호 서식의 응소자 명부를 작성, 비치하여야 한다.
> ② 비상소집명령을 전달받은 자와 이를 알게 된 경찰관 등은 소집 장소로 응소하되, 필수요원은 1시간 이내에 일반요원은 2시간 이내에 응소함을 원칙으로 한다. 다만, 교통수단이 두절되거나 없을 때에는 가까운 경찰서에 응소 후 지시에 따른다.
> ③ 소집관은 응소자의 복장 및 휴대품을 점검하고 시차제에 의거 출동, 기타 필요한 조치를 강구하여야 한다.
> ④ 비상소집을 실시한 경찰기관의 장은 당해 기관의 비상소집결과를 별지 제4호 서식의 비상소집결과보고서에 의하여 상급기관의 장에게 보고하여야 한다.

4. 지휘본부

(1) 설치

> **훈령** **경찰 비상업무 규칙 제17조【설치】** ① 비상상황에서 경찰청, 시·도경찰청, 경찰서 등에 경찰지휘본부를 둘 수 있다.
> ② 경찰지휘본부는 당해 지휘본부장이 필요하다고 인정할 때에 설치하며 경찰청 및 시·도경찰청은 치안상황실에 설치함을 원칙으로 한다. [2013 채용2차]
> ③ 각종 상황 발생 시 상황의 효율적인 관리를 위해 필요한 경우 현장 인근에 현장지휘본부를 설치할 수 있다.

(2) 구성

> **훈령** **경찰 비상업무 규칙 제18조【구성】** ① 지휘본부는 본부장과 참모 및 본부요원으로 구성한다.
> ② 경찰청 지휘본부의 본부장은 경찰청장이, 시·도경찰청장과 경찰서의 본부장은 당해 시·도경찰청장 및 경찰서장이 된다.
> ③ 참모는 지휘본부 소속 국장(부장)·과장이 된다.
> ④ 본부장은 소속 직원 중에서 본부요원 약간인을 배치하고 지휘본부의 서무에 종사하게 한다.

주제 10 청원경찰

01 청원경찰 개설

1. 청원경찰의 의미

> **청원경찰법 제2조【정의】** 이 법에서 "청원경찰"이란 다음 각 호의 어느 하나에 해당하는 기관의 장 또는 시설·사업장 등의 경영자가 경비(이하 "청원경찰경비"라 한다)를 부담할 것을 조건으로 경찰의 배치를 신청하는 경우 그 기관·시설 또는 사업장 등의 경비를 담당하게 하기 위하여 배치하는 경찰을 말한다.
> 1. 국가기관 또는 공공단체와 그 관리하에 있는 중요 시설 또는 사업장
> 2. 국내 주재 외국기관
> 3. 그 밖에 행정안전부령으로 정하는 중요 시설, 사업장 또는 장소

💡 **청원경찰**
- 주변에서 쉽게 찾아볼 수 있는 민간 은행의 경비를 담당하는 분들은 '청원경찰'이 아닌 경비업법의 적용대상인 일반경비원이다.
- 일반경비원과 혼동하는 경우가 많아 서울시 등 일부 기관은 대외직명으로 **'공공안전관'**이라는 명칭을 사용한다.
- 2020년 말 기준, 13,704명의 배치 청원경찰 중 10,083명이 국가기관이나 지방자치단체에 배치되어 있다.

2. 청원경찰의 신분

1962년 청원경찰제도가 최초 시행될 당시에는 국가공무원 신분을 부여받았으나, 이후 법 개정으로 형법, 공무원연금법이나 국가배상법의 적용 등 일정한 경우에만 공무원과 유사한 처우를 받는다(국가 및 지방자치단체가 임용한 경우).

> ⚖️ **요지판례** Ⅰ
>
> 국가나 지방자치단체에서 근무하는 청원경찰은 국가공무원법이나 지방공무원법상 공무원은 아니지만 다른 청원경찰과는 달리 임용권자가 행정기관의 장이고, 국가나 지방자치단체에게서 보수를 받으며, 산업재해보상보험법이나 근로기준법이 아닌 공무원연금법에 따른 재해보상과 퇴직급여를 지급받고, 직무상 불법행위에 대하여도 민법이 아닌 국가배상법이 적용되는 등 특징이 있으며, 그 외 임용자격, 직무, 복무의무 내용 등을 종합하여 볼 때, 그 근무관계를 사법상 고용계약관계로 보기는 어렵다(대판 1993.7. 13, 92다47564).
>
> [2022 경간] 국가나 지방자치단체에 근무하는 청원경찰의 근무관계는 사법상의 고용계약관계이다. (×)

02 청원경찰의 배치와 임용

> **배치 및 임용절차** [2020 실무 1]
> (Pre) 청원주의 배치신청 ➡ 시·도경찰청장의 배치결정 및 통보 ➡ (30일 내) 청원주의 임용승인신청 ➡ 시·도경찰청장의 임용승인 ➡ 청원주의 임용 ➡ (10일 내) 청원주의 보고

1. 배치의 신청과 결정·통보

청원경찰법 제4조 【청원경찰의 배치】 ① 청원경찰을 배치받으려는 자는 대통령령으로 정하는 바에 따라 관할 시·도경찰청장에게 청원경찰 배치를 신청하여야 한다. ➜ 배치를 원하는 자가 신청

② 시·도경찰청장은 제1항의 청원경찰 배치 신청을 받으면 지체 없이 그 배치 여부를 결정하여 신청인에게 알려야 한다.

③ 시·도경찰청장은 청원경찰 배치가 필요하다고 인정하는 기관의 장 또는 시설·사업장의 경영자에게 청원경찰을 배치할 것을 요청할 수 있다. ➜ 시·도경찰청장이 배치하라고 요청 [2017 승진(경위)]

[2019 승진(경위)] 청원경찰을 배치받으려는 자는 대통령령으로 정하는 바에 따라 관할 경찰서장에게 청원경찰 배치를 신청하여야 한다. (×)
[2018 실무 1] 시·도경찰청장은 청원경찰 배치가 필요하다고 인정하는 기관의 장 또는 시설·사업장의 경영자에게 청원경찰을 배치할 것을 요청해야 한다. (×)
[2022 경간] 시·도경찰청장은 청원경찰 배치가 필요하다고 인정하는 기관의 장 또는 시설사업장의 경영자에게 청원경찰을 배치할 것을 명령할 수 있다. (×)

대통령령 청원경찰법 시행령 제6조 【배치 및 이동】 ① 청원주는 청원경찰을 신규로 배치하거나 이동배치하였을 때에는 배치지(이동배치의 경우에는 종전의 배치지)를 관할하는 경찰서장에게 그 사실을 통보하여야 한다. [2020 채용1차]

② 제1항의 통보를 받은 경찰서장은 이동배치지가 다른 관할구역에 속할 때에는 전입지를 관할하는 경찰서장에게 이동배치한 사실을 통보하여야 한다.

2. 임용

(1) 임용승인신청

대통령령 청원경찰법 시행령 제4조 【임용방법 등】 ① 법 제4조 제2항에 따라 청원경찰의 배치 결정을 받은 자(이하 "청원주"라 한다)는 법 제5조 제1항에 따라 그 배치 결정의 통지를 받은 날부터 30일 이내에 배치 결정된 인원수의 임용예정자에 대하여 청원경찰 임용승인을 시·도경찰청장에게 신청하여야 한다.

(2) 임용승인과 임용

국가공무원법상 결격사유
• 국적 관련 문제
• 자유로운 법률행위 불가(피성년후견 등)
• 일반범죄 저지른 자
• 비난가능성 큰 특수범죄 저지른 자 (공무원, 성폭력, 미성년)
• 파면·해임 전직 공무원

청원경찰 임용 신체조건(시행규칙 제4조)
• 신체가 건강하고 팔다리가 완전할 것
• 시력(교정시력 포함) 양쪽 눈 0.8 이상일 것

청원경찰법 제5조 【청원경찰의 임용 등】 ① 청원경찰은 청원주가 임용하되, 임용을 할 때에는 미리 시·도경찰청장의 승인을 받아야 한다. [2014 채용1차] [2015 채용2차] [2016 경간]

② 「국가공무원법」 제33조 각 호의 어느 하나의 결격사유에 해당하는 사람은 청원경찰로 임용될 수 없다.

③ 청원경찰의 임용자격·임용방법·교육 및 보수에 관하여는 대통령령으로 정한다.

[2019 승진(경위)] 청원경찰은 청원주의 신청에 따라 시·도경찰청장이 임용한다. (×)
[2020 실무 1] 청원경찰은 경찰서장이 임용하되, 임용을 할 때에는 미리 시·도경찰청장의 승인을 받아야 한다. (×)
[2013 채용2차] 청원경찰은 청원주가 임용하되, 임용을 할 때에는 미리 경찰서장의 승인을 받아야 한다. (×)

대통령령 청원경찰법 시행령 제3조 【임용자격】 법 제5조 제3항에 따른 청원경찰의 임용자격은 다음 각 호와 같다.

1. 18세 이상인 사람
2. 행정안전부령으로 정하는 신체조건에 해당하는 사람

[2012 실무 1] 임용자격은 19세 이상의 자로 남·여 제한이 없다. (×)
[2012 경간 유사] [2016 경간 유사] [2017 채용2차] 청원경찰의 임용자격은 19세 이상인 사람이며, 남자의 경우에는 군복무를 마쳤거나 군복무가 면제된 사람으로 한정된다. (×)

과거 남성의 경우 군복무를 필하였거나 면제자일 것을 요구하였으나 2021.8. 시행령 개정으로 삭제되었다.

(3) 임용사항보고

> **대통령령** 청원경찰법 시행령 제4조【임용방법 등】② 청원주가 법 제5조 제1항에 따라 청원경찰을 임용하였을 때에는 임용한 날부터 10일 이내에 그 임용사항을 관할 경찰서장을 거쳐 시·도경찰청장에게 보고하여야 한다. 청원경찰이 퇴직하였을 때에도 또한 같다.

3. 배치의 폐지

> 청원경찰법 제10조의5【배치의 폐지 등】① 청원주는 청원경찰이 배치된 시설이 폐쇄되거나 축소되어 청원경찰의 배치를 폐지하거나 배치인원을 감축할 필요가 있다고 인정하면 청원경찰의 배치를 폐지하거나 배치인원을 감축할 수 있다. 다만, …
> ② 제1항에 따라 청원주가 청원경찰을 폐지하거나 감축하였을 때에는 청원경찰 배치 결정을 한 경찰관서의 장에게 알려야 하며, 그 사업장이 제4조 제3항에 따라 시·도경찰청장이 청원경찰의 배치를 요청한 사업장일 때에는 그 폐지 또는 감축 사유를 구체적으로 밝혀야 한다. [2012 실무 1]

03 청원경찰의 직무·의무·징계 및 감독

1. 직무

> 청원경찰법 제3조【청원경찰의 직무】청원경찰은 청원주와 배치된 기관·시설 또는 사업장 등의 구역을 관할하는 경찰서장의 감독을 받아 그 경비구역만의 경비를 목적으로 필요한 범위에서「경찰관 직무집행법」에 따른 경찰관의 직무를 수행한다. [2013 채용2차]
> [2014 채용1차] [2015 채용2차] [2017 승진(경위)] [2021 경간]
> [2017 채용2차] 청원경찰은 청원주와 배치된 기관·시설 또는 사업장 등의 구역을 관할하는 경찰서장의 감독을 받아 그 경비구역만의 경비를 목적으로 필요한 범위에서「국가경찰과 자치경찰의 조직 및 운영에 관한 법률」에 따른 경찰관의 직무를 수행한다. (×)
> [2012 경간] 청원경찰은 정규경찰이 아니므로 경찰관직무집행법(불심검문, 보호조치, 위험발생의 방지, 범죄의 예방 제지등)에 의한 직무를 수행할 수 없다. (×)
> **행정안전부령** 청원경찰법 시행규칙 제21조【주의사항】① 청원경찰이 법 제3조에 따른 직무를 수행할 때에는 경비 목적을 위하여 필요한 최소한의 범위에서 하여야 한다.
> ② 청원경찰은「경찰관 직무집행법」에 따른 직무 외의 수사활동 등 사법경찰관리의 직무를 수행해서는 아니 된다.

2. 의무

> 청원경찰법 제5조【청원경찰의 임용 등】④ 청원경찰의 복무에 관하여는「국가공무원법」제57조(➡ 복종의무), 제58조 제1항(➡ 직장이탈금지), 제60조(➡ 비밀엄수) 및「경찰공무원법」제24조(➡ 거짓보고금지)를 준용한다.
> 청원경찰법 제9조의4【쟁의행위의 금지】청원경찰은 파업, 태업 또는 그 밖에 업무의 정상적인 운영을 방해하는 일체의 쟁의행위를 하여서는 아니 된다.

청원경찰법 제10조【직권남용 금지 등】 ① 청원경찰이 직무를 수행할 때 직권을 남용하여 국민에게 해를 끼친 경우에는 6개월 이하의 징역이나 금고에 처한다. [2012 경간] [2018 실무 1]

② 청원경찰 업무에 종사하는 사람은 「형법」이나 그 밖의 법령에 따른 벌칙을 적용할 때에는 공무원으로 본다.

[2014 채용1차] [2016 경간] [2017 승진(경위)] 청원경찰이 직무를 수행할 때 직권을 남용하여 국민에게 해를 끼친 경우에는 1년 이하 징역이나 금고에 처한다. (×)

3. 징계

▌경찰공무원 징계

중징계	
파면	신분 박탈
해임	신분 박탈
강등	• 1계급 아래로 • 3개월 정직
정직	1~3개월 정직
경징계	
감봉	1~3개월 보수 1/3 감액
견책	훈계 및 경고

청원경찰법 제5조의2【청원경찰의 징계】 ① 청원주는 청원경찰이 다음 각 호의 어느 하나에 해당하는 때에는 대통령령으로 정하는 징계절차를 거쳐 징계처분을 하여야 한다.
1. 직무상의 의무를 위반하거나 직무를 태만히 한 때
2. 품위를 손상하는 행위를 한 때
② 청원경찰에 대한 징계의 종류는 파면, 해임, 정직, 감봉 및 견책으로 구분한다. ➜ 강등이 없다(청원경찰은 계급 ×). [2013 채용2차] [2020 채용1차]

[2017 채용2차] 관할 경찰서장은 청원경찰이 직무상에 의무를 위반하거나 직무를 태만히 할 때 징계처분을 하여야 한다. (×)
[2022 경간] 청원경찰이 직무상의 의무 등을 위반하는 경우에는 청원주 및 관할 감독 경찰서장은 대통령령이 정하는 징계절차를 거쳐 징계처분을 하여야 한다. (×)
[2012 경간] [2015 채용2차] [2016 경간] [2018 실무 1] 청원경찰에 대한 징계는 파면, 해임, 강등, 정직, 감봉, 견책이 있다. (×)

4. 감독

청원경찰법 제9조의3【감독】 ① 청원주는 항상 소속 청원경찰의 근무 상황을 감독하고, 근무 수행에 필요한 교육을 하여야 한다.
② 시·도경찰청장은 청원경찰의 효율적인 운영을 위하여 청원주를 지도하며 감독상 필요한 명령을 할 수 있다. [2013 채용2차]

[2012 경간] 청원경찰에 대한 직무상 감독권자는 경찰청장이다. (×)

대통령령 **청원경찰법 시행령 제17조【감독】** 관할 경찰서장은 매달 1회 이상 청원경찰을 배치한 경비구역에 대하여 다음 각 호의 사항을 감독하여야 한다. [2012 실무 1] [2017 채용2차] [2020 실무 1]
1. 복무규율과 근무 상황
2. 무기의 관리 및 취급 사항

[2018 실무 1] 관할 경찰서장은 매달 1회 이상 청원경찰을 배치한 경비구역을 감독할 수 있다. (×)

04 청원경찰의 권리

1. 제복착용권

청원경찰법 제8조【제복 착용과 무기 휴대】① 청원경찰은 근무 중 제복을 착용하여야 한다. [2017 승진(경위)]

[2019 승진(경위)] 청원경찰의 '근무 중 제복 착용 의무'가 법률에 명시적으로 규정되어 있지는 않다. (×)

대통령령 **청원경찰법 시행령 제14조【복제】**① 청원경찰의 복제는 제복·장구 및 부속물로 구분한다.

③ 청원경찰이 그 배치지의 특수성 등으로 특수복장을 착용할 필요가 있을 때에는 청원주는 시·도경찰청장의 승인을 받아 특수복장을 착용하게 할 수 있다. [2020 채용1차]

▎**청원경찰의 장구(시행규칙 제9조)**
허리띠, **경찰봉**, 호루라기 및 **포승**

▎**경찰장구**
수갑·포승·호송용포승·경찰봉·호신용경봉·전자충격기·방패 및 전자방패 ➡ 전·방·수·포·봉

2. 무기휴대권

청원경찰법 제8조【제복 착용과 무기 휴대】② 시·도경찰청장은 청원경찰이 직무를 수행하기 위하여 필요하다고 인정하면 청원주의 신청을 받아 관할 경찰서장으로 하여금 청원경찰에게 무기를 대여하여 지니게 할 수 있다. [2012 실무 1] [2014 채용1차] [2015 채용2차] [2020 실무 1]

③ 청원경찰의 복제와 무기 휴대에 필요한 사항은 대통령령으로 정한다.

[2016 경간] 시·도경찰청은 청원경찰이 직무를 수행하기 위하여 필요하다고 인정하면 청원주의신청을 받아 관할 경찰서장으로 하여금 청원경찰에게 무기를 대여하여 지니게 하여야 한다. (×)

[2021 경간] 청원경찰은 근무 중 제복을 착용하여야 하며 경찰청장은 청원경찰이 직무를 수행하기 위하여 필요하다고 인정하면 청원주의 신청을 받아 관할 시·도경찰청장으로 하여금 청원경찰에게 무기를 대여하여 지니게 할 수 있다. (×)

대통령령 **청원경찰법 시행령 제16조【무기 휴대】**① 청원주가 법 제8조 제2항에 따라 청원경찰이 휴대할 무기를 대여받으려는 경우에는 관할 경찰서장을 거쳐 시·도경찰청장에게 무기대여를 신청하여야 한다.

② 제1항의 신청을 받은 시·도경찰청장이 무기를 대여하여 휴대하게 하려는 경우에는 청원주로부터 국가에 기부채납된 무기에 한정하여 관할 경찰서장으로 하여금 무기를 대여하여 휴대하게 할 수 있다.

③ 제1항에 따라 무기를 대여하였을 때에는 관할 경찰서장은 청원경찰의 무기관리 상황을 수시로 점검하여야 한다.

④ 청원주 및 청원경찰은 행정안전부령으로 정하는 무기관리수칙을 준수하여야 한다.

05 청원경찰의 책임

청원경찰법 제10조의2【청원경찰의 불법행위에 대한 배상책임】청원경찰(국가기관이나 지방자치단체에 근무하는 청원경찰은 제외한다)의 직무상 불법행위에 대한 배상책임에 관하여는 「민법」의 규정을 따른다. ➡ 국가기관이나 지방자치단체에 근무하는 청원경찰의 경우에는 국가배상법이 적용된다고 본다.

[2020 채용1차] 청원경찰(국가기관이나 지방자치단체에 근무하는 청원경찰을 포함한다)의 직무상 불법행위에 대한 배상책임에 관하여는 「민법」의 규정을 따른다. (×)

[2022 경간] 청원경찰은 「형법」이나 그 밖의 법령에 따른 벌칙을 적용할 때에는 공무원으로 보기 때문에 청원경찰의 불법행위에 대한 배상책임에 관하여는 「국가배상법」의 규정을 적용한다. (×)

제4장 / 교통경찰

주제 1 교통경찰 개설

01 교통과 교통경찰

1. 교통

교통이란 인간·화물·정보 등의 공간적 장소변화 또는 장소이동을 말하며, 그 중에서 정보를 제외한 인간과 화물의 공간적 장소변화·장소이동을 **일반교통**이라고 하고, 일반교통 중에서 도로를 이용하지 않는 철도·항공·해상교통을 제외한 교통을 **도로교통**이라고 한다.

2. 교통경찰

(1) 의미

교통경찰이란 도로에서 일어나는 교통상의 모든 위험과 장해를 방지하고 제거하여 안전하고 원활한 교통을 확보함을 목적으로 하는 경찰을 말한다.

(2) 교통경찰의 주요임무

교통경찰은 ① 교통정리를 위한 지시나 신호, ② 긴급한 위험방지를 위한 일시적 교통 내지 통행의 금지·제한, ③ 교통의 혼잡 완화를 위한 필요조치, ④ 어린이·노인·장애인 등 교통약자의 교통안전을 위한 적절한 조치, ⑤ 교통법규 위반에 대한 단속, ⑥ 교통사고의 처리와 같은 임무를 수행한다.

02 교통경찰활동의 법적 근거

1. 교통단속·위해방지에 대한 일반규정

> **경찰법 제3조【경찰의 임무】** 경찰의 임무는 다음 각 호와 같다.
> 6. 교통의 단속과 위해의 방지
>
> **경찰관 직무집행법 제2조【직무의 범위】** 경찰관은 다음 각 호의 직무를 수행한다.
> 5. 교통 단속과 교통 위해의 방지

2. 교통경찰권한에 대한 일반법

> **도로교통법 제1조【목적】** 이 법은 도로에서 일어나는 교통상의 모든 위험과 장해를 방지하고 제거하여 안전하고 원활한 교통을 확보함을 목적으로 한다.

3. 교통안전에 관한 일반법

> **교통안전법 제1조 【목적】** 이 법은 교통안전에 관한 국가 또는 지방자치단체의 의무·추진체계 및 시책 등을 규정하고 이를 종합적·계획적으로 추진함으로써 교통안전 증진에 이바지함을 목적으로 한다.

4. 교통사고 관련 법률

> **교통사고처리 특례법 제1조 【목적】** 이 법은 업무상과실 또는 중대한 과실로 교통사고를 일으킨 운전자에 관한 형사처벌 등의 특례를 정함으로써 교통사고로 인한 피해의 신속한 회복을 촉진하고 국민생활의 편익을 증진함을 목적으로 한다.

이 외에도 형법이나 특정범죄 가중처벌 등에 관한 법률 등도 교통사고와 관련된 법률들이다.

주제 2 도로교통의 기본요소

01 이동수단

1. 차마, 자동차 및 인접개념

> **도로교통법 제2조 【정의】** 이 법에서 사용하는 용어의 뜻은 다음과 같다.
> 17. **"차마"**란 다음 각 목의 차와 우마를 말한다.
>   가. **"차"**란 다음의 어느 하나에 해당하는 것을 말한다.

구분	내용
자동차	철길이나 가설된 선을 이용하지 아니하고 원동기를 사용하여 운전되는 차(견인되는 자동차도 자동차의 일부로 본다)로서 다음 각 목의 차를 말한다. [2012 경간] 가. 자동차관리법 제3조에 따른 다음의 자동차. 단, 원동기장치자전거는 제외 <table><tr><td>승용자동차</td><td>10인 이하를 운송하기에 적합하게 제작된 자동차</td></tr><tr><td>승합자동차</td><td>11인 이상을 운송하기에 적합하게 제작된 자동차</td></tr><tr><td>화물자동차</td><td>화물을 운송하기에 적합한 화물적재공간을 갖춘 자동차</td></tr><tr><td>특수자동차</td><td>다른 자동차를 견인하거나 구난작업 또는 특수한 용도로 사용하기에 적합하게 제작된 자동차</td></tr><tr><td>이륜자동차</td><td>1~2인의 사람을 운송하기에 적합하게 제작된 이륜의 자동차</td></tr></table>

우마
교통이나 운수에 사용되는 가축을 말한다.

나. 건설기계관리법 제26조 제1항 단서에 따른 건설기계 ➡ 자동차인
　　 건설기계 10종

아스팔트 (2)	아스팔트살포기
	아스팔트콘크리트재생기
콘크리트 (3)	콘크리트믹서트럭
	콘크리트믹서트레일러
	콘크리트펌프
도로 (2)	도로보수트럭
	노상안정기
그 외 (3)	덤프트럭
	천공기(트럭적재식)
	3t 미만 지게차

[2022 경간] 자동차란 철길이나 가설된 선을 이용하지 아니하고 원동기를 사용하여 운전되는 차로서 승용자동차, 승합자동차, 화물자동차, 특수자동차, 이륜자동차, 원동기장치자전거와 건설기계를 말한다. (×)

건설기계	• 건설기계관리법 시행령 [별표 1]의 건설기계 27종 중 자동차가 아닌 것 • 불도저, 굴삭기, 기중기, 타워크레인 등 ➡ 건설기계조종사면허 필요
원동기장치 자전거	• 이륜자동차 가운데 배기량 125시시 이하의 이륜자동차 • 전기동력 이륜자동차 가운데 최고정격출력 11킬로와트 이하의 이륜자동차 • 배기량 125시시 이하의 원동기를 단 차 • 전기를 동력으로 하는 경우에는 최고정격출력 11킬로와트 이하의 원동기를 단 차 • 전기자전거 및 실외 이동로봇은 제외 [2017 실무 1] "원동기장치자전거"란 「자동차관리법」 제3조에 따른 이륜자동차 가운데 배기량 125시시 이하(전기를 동력으로 하는 경우에는 최고정격출력 11킬로와트 미만)의 이륜자동차 등을 말한다. (×)
자전거	자전거 및 전기자전거
기타	• 사람 또는 가축의 힘이나 그 밖의 동력으로 도로에서 운전되는 것 　예 경운기, (농업용) 트랙터 등 • 단, 철길이나 가설된 선을 이용하여 운전되는 것, 유모차, 보행보조용의자차, 노약자용 보행기, 실외 이동로봇 등 행정안전부령으로 정하는 기구·장치는 제외한다. ➡ 행정안전부령으로 제외: 어린이 놀이기구, 무동력 손수레, 이륜자동차나 자전거 등을 내려서 끌고가는 경우

21. **"자동차등"**이란 자동차와 원동기장치자전거를 말한다.
[2012 경간] 원동기장치자전거는 "자동차"에 해당한다. (×)

▌농업기계
• 농업기계화 촉진법에 따른 농림축산물의 생산 등에 사용되는 기계를 말한다. 예 농업용 트랙터, 경운기 등
• 경운기와 트랙터는 동력으로 도로에서 운전되는 것이므로 '차'에는 해당한다.
• 단, '**자동차**'에는 해당하지 아니하므로, 무면허운전이나 음주운전금지의 대상은 아니다.

2. 긴급자동차

(1) 의미 및 종류

도로교통법 제2조【정의】 이 법에서 사용하는 용어의 뜻은 다음과 같다.
22. **"긴급자동차"**란 다음 각 목의 자동차로서 그 본래의 긴급한 용도로 사용되고 있는 자동차를 말한다. [2016 경간]
　　 가. 소방차 / 나. 구급차 / 다. 혈액 공급차량
　　 라. 그 밖에 대통령령으로 정하는 자동차

대통령령 도로교통법 시행령 제2조 【긴급자동차의 종류】 ① 「도로교통법」(이하 "법"이라 한다) 제2조 제22호 라목에서 "대통령령으로 정하는 자동차"란 긴급한 용도로 사용되는 다음 각 호의 어느 하나에 해당하는 자동차를 말한다. 다만, 제6호부터 제11호까지의 자동차는 이를 사용하는 사람 또는 기관 등의 신청에 의하여 시·도경찰청장이 지정하는 경우로 한정한다.

구분	내용
도로교통법상	소방차, 구급차, 혈액 공급차량
시행령 제2조 제1항 본문, 법정긴급자동차 (제1호~제5호)	• 경찰용 자동차 중 범죄수사, 교통단속, 그 밖의 긴급한 경찰업무 수행에 사용되는 자동차 • 수사기관의 자동차 중 범죄수사를 위하여 사용되는 자동차 • 교도기관의 자동차 중 도주자의 체포 또는 수용자, 보호관찰 대상자의 호송·경비를 위하여 사용되는 자동차 • 국군 및 주한 국제연합군용 자동차 중 군 내부의 질서유지나 부대의 질서 있는 이동을 유도하는 데 사용되는 자동차 • 국내외 요인에 대한 경호업무 수행에 공무로 사용되는 자동차
시행령 제2조 제1항 단서, 지정긴급자동차 (제6호~제11호)	• 전기사업, 가스사업, 그 밖의 공익사업을 하는 기관에서 위험방지를 위한 응급작업에 사용되는 자동차 • 민방위업무를 수행하는 기관에서 긴급예방 또는 복구를 위한 출동에 사용되는 자동차
시행령 제2조 제2항, 준긴급자동차	• 경찰용 긴급자동차에 의하여 유도되고 있는 자동차 • 국군 및 주한 국제연합군용의 긴급자동차에 의하여 유도되고 있는 국군 및 주한 국제연합군의 자동차 • 생명이 위급한 환자 또는 부상자나 수혈을 위한 혈액을 운송 중인 자동차

(2) 긴급자동차의 우선통행

도로교통법 제29조 【긴급자동차의 우선 통행】 ① 긴급자동차는 제13조 제3항(➡ 차마의 우측통행)에도 불구하고 긴급하고 부득이한 경우에는 도로의 중앙이나 좌측 부분을 통행할 수 있다. ➡ 중앙선 침범이 가능하다! [2012 실무 1] [2015 경간] [2020 지능범죄]
② 긴급자동차는 이 법이나 이 법에 따른 명령에 따라 정지하여야 하는 경우에도 불구하고 긴급하고 부득이한 경우에는 정지하지 아니할 수 있다. [2012 실무 1]
③ 긴급자동차의 운전자는 제1항이나 제2항의 경우에 교통안전에 특히 주의하면서 통행하여야 한다.
④ 교차로나 그 부근에서 긴급자동차가 접근하는 경우에는 차마와 노면전차의 운전자는 교차로를 피하여 일시정지하여야 한다. ➡ 교차로: 일시정지
⑤ 모든 차와 노면전차의 운전자는 제4항에 따른 곳 외의 곳에서 긴급자동차가 접근한 경우에는 긴급자동차가 우선통행할 수 있도록 진로를 양보하여야 한다.
➡ 교차로 외: 진로양보
⑥ 제2조 제22호 각 목의 자동차(➡ 긴급자동차) 운전자는 해당 자동차를 그 본래의 긴급한 용도로 운행하지 아니하는 경우에는 「자동차관리법」에 따라 설치된 경광등을 켜거나 사이렌을 작동하여서는 아니 된다. 다만, 대통령령으로 정하는 바에 따라 범죄 및 화재 예방 등을 위한 순찰·훈련 등을 실시하는 경우에는 그러하지 아니하다.
[2015 경간] 긴급자동차는 교통이 빈번한 교차로에서 반드시 일시정지해야 할 필요가 없다. (○)
[2020 지능범죄] 교차로나 그 부근에서 긴급자동차가 접근하는 경우 차마와 노면전차의 운전자는 긴급자동차가 우선통행할 수 있도록 진로를 양보하여 서행하여야 한다. (×)

도로교통법 제158조의2 【형의 감면】 긴급자동차(제2조 제22호 가목부터 다목까지의 자동차(➡ 소방차, 구급차, 혈액 공급차량)와 대통령령으로 정하는 경찰용 자동차만 해당한다)의 운전자가 그 차를 본래의 긴급한 용도로 운행하는 중에 교통사고를 일으킨 경우에는 그 긴급활동의 시급성과 불가피성 등 정상을 참작하여 제151조(➡ 건조물·재물손괴. 즉, 물피사고),「교통사고처리 특례법」제3조 제1항(➡ 업무상 과실·중과실치사상. 즉, 인피사고) 또는「특정범죄 가중처벌 등에 관한 법률」제5조의13(➡ 어린이보호구역 가중처벌)에 따른 형을 감경하거나 면제할 수 있다.

[2015 경간] 긴급자동차가 긴급하고 부득이한 때 도로의 중앙이나 좌측부분을 통행하다가 교통사고가 발생하여도 긴급자동차의 특례로 인정받아 처벌이 면제된다. (×)

(3) 긴급자동차에 대한 특례

도로교통법 제30조 【긴급자동차에 대한 특례】 긴급자동차에 대하여는 다음 각 호의 사항을 적용하지 아니한다. 다만, 제4호부터 제12호까지의 사항은 긴급자동차 중 제2조 제22호 가목부터 다목까지의 자동차(➡ 소방차, 구급차, 혈액 공급차량)와 대통령령으로 정하는 경찰용 자동차에 대해서만 적용하지 아니한다.

구분		소방·구급·혈액 + 경찰	그 외의 긴급자동차
제1호	자동차등의 속도제한*	적용 ×	적용 ×
제2호	앞지르기의 금지	적용 ×	적용 ×
제3호	끼어들기의 금지	적용 ×	적용 ×
제4호	신호위반	적용 ×	적용 ○
제5호	보도 침범	적용 ×	적용 ○
제6호	중앙선 침범	적용 ×	적용 ○
제7호	횡단 등의 금지	적용 ×	적용 ○
제8호	안전거리 확보 등	적용 ×	적용 ○
제9호	앞지르기방법 등	적용 ×	적용 ○
제10호	정차 및 주차의 금지	적용 ×	적용 ○
제11호	주차금지	적용 ×	적용 ○
제12호	고장 등의 조치	적용 ×	적용 ○

* 제1호 속도제한의 경우, 법 제17조에 따라 긴급자동차에 대하여 속도를 제한한 경우에는 같은 조의 규정을 적용한다.

💡 적용의 유불리
적용하지 않는 것이 긴급자동차 입장에서 유리하다!

(4) 긴급자동차 교통안전교육

1) 교육대상

도로교통법 제73조 【교통안전교육】 ④ 긴급자동차의 운전업무에 종사하는 사람으로서 대통령령으로 정하는 사람은 대통령령으로 정하는 바에 따라 정기적으로 긴급자동차의 안전운전 등에 관한 교육을 받아야 한다. [2020 실무 1]

대통령령 도로교통법 시행령 제38조의2 【긴급자동차 운전자에 대한 교통안전교육】 ① 법 제73조 제4항에서 "대통령령으로 정하는 사람"이란 다음 각 호의 어느 하나에 해당하는 사람을 말한다.
1. 법 제2조 제22호 가목부터 다목까지의 규정에 해당하는 자동차의 운전자
   ➡ 소방차, 구급차, 혈액 공급차량
2. 제2조 제1항 각 호에 해당하는 자동차의 운전자 ➡ 법정긴급자동차 ○, 지정긴급자동차 ○, 준긴급자동차 ×

2) 교육의 종류

> **대통령령** 도로교통법 시행령 제38조의2 【긴급자동차 운전자에 대한 교통안전교육】 ②
> 법 제73조 제4항에 따른 긴급자동차의 안전운전 등에 관한 교육(이하 "긴급자동차 교통안전교육"이라 한다)은 다음 각 호의 구분에 따라 실시한다.
> 1. **신규 교통안전교육**: 최초로 긴급자동차를 운전하려는 사람을 대상으로 실시하는 교육 ➡ 신규 교통안전교육은 3시간 이상 실시한다.
> 2. **정기 교통안전교육**: 긴급자동차를 운전하는 사람을 대상으로 3년마다 정기적으로 실시하는 교육. 이 경우 직전에 긴급자동차 교통안전교육을 받은 날부터 기산하여 3년이 되는 날이 속하는 해의 1월 1일부터 12월 31일 사이에 교육을 받아야 한다. ➡ 정기 교통안전교육은 2시간 이상 실시한다.
> [2021 승진(실무종합)] 긴급자동차 교통안전교육 중 신규 교통안전교육은 긴급자동차를 운전하는 사람을 대상으로 3년마다 정기적으로 실시하는 교육이다. (×)
> [2020 실무 1] 긴급자동차를 운전하는 사람을 대상으로 실시하는 정기 교통안전교육은 2년마다 2시간 이상 실시한다. (×)

3. 자전거 등(자전거 + 개인형 이동장치)

(1) 의미

> 도로교통법 제2조 【정의】 이 법에서 사용하는 용어의 뜻은 다음과 같다.
> 19의2. **"개인형 이동장치"**란 제19호 나목의 원동기장치자전거 중 시속 25킬로미터 이상으로 운행할 경우 전동기가 작동하지 아니하고 차체 중량이 30킬로그램 미만인 것으로서 행정안전부령으로 정하는 것을 말한다.
> 20. **"자전거"**란 「자전거 이용 활성화에 관한 법률」 제2조 제1호 및 제1호의2에 따른 자전거 및 전기자전거를 말한다.
> 21의2. **"자전거등"**이란 자전거와 개인형 이동장치를 말한다.

▌**개인형 이동장치(전동킥보드)**
- '자전거등'의 정의에 포함된다.
- 11킬로와트 이하 이륜자동차로서 '원동기장치자전거'에 속하므로 '자동차등'의 정의에도 포함된다.
- 결론적으로 전동킥보드와 같은 개인형 이동장치는 '자동차등', '자전거등'에 모두 해당한다.

(2) 자전거 등의 통행방법

1) 원칙적 통행방법 – 자전거도로 · 도로 우측 가장자리 · 길가장자리구역

> 도로교통법 제13조의2 【자전거등의 통행방법의 특례】 ① 자전거등의 운전자는 자전거도로(제15조 제1항에 따라 자전거만 통행할 수 있도록 설치된 전용차로를 포함한다. 이하 이 조에서 같다)가 따로 있는 곳에서는 그 자전거도로로 통행하여야 한다.
> ② 자전거등의 운전자는 자전거도로가 설치되지 아니한 곳에서는 도로 우측 가장자리에 붙어서 통행하여야 한다. [2018 실무 1] [2020 지능범죄]
> ③ 자전거등의 운전자는 길가장자리구역(안전표지로 자전거등의 통행을 금지한 구간은 제외한다)을 통행할 수 있다. 이 경우 자전거등의 운전자는 보행자의 통행에 방해가 될 때에는 서행하거나 일시정지하여야 한다. [2018 경간]
> [2018 실무 1] 자전거의 운전자는 자전거도로(「도로교통법」 제15조 제1항에 따라 자전거만 통행할 수 있도록 설치된 전용차로를 포함한다)가 따로 있는 곳에서는 그 자전거도로로 통행할 수 있다. (×)
> [2018 경간] 자전거의 운전자는 자전거도로가 설치되지 아니한 곳에서는 도로 좌측 가장자리에 붙어서 통행하여야 한다. (×)

💡 **길가장자리구역**

보도와 차도가 구분되지 아니한 도로에서 보행자의 안전을 확보하기 위하여 안전표지 등으로 경계를 표시한 도로의 가장자리 부분

2) 자전거 등의 보도통행

> **도로교통법 제13조의2 【자전거등의 통행방법의 특례】** ④ 자전거등의 운전자는 제1항 및 제13조 제1항에도 불구하고 다음 각 호의 어느 하나에 해당하는 경우에는 보도를 통행할 수 있다. 이 경우 자전거등의 운전자는 보도 중앙으로부터 차도 쪽 또는 안전표지로 지정된 곳으로 서행하여야 하며, 보행자의 통행에 방해가 될 때에는 일시정지하여야 한다.
> 1. 어린이, 노인, 그 밖에 행정안전부령으로 정하는 신체장애인이 자전거를 운전하는 경우. 다만, 「자전거 이용 활성화에 관한 법률」 제2조 제1호의2에 따른 전기자전거의 원동기를 끄지 아니하고 운전하는 경우는 제외한다.
> 2. 안전표지로 자전거등의 통행이 허용된 경우
> 3. 도로의 파손, 도로공사나 그 밖의 장애 등으로 도로를 통행할 수 없는 경우

3) 자전거 등의 병진금지 · 도로횡단

> **도로교통법 제13조의2 【자전거등의 통행방법의 특례】** ⑤ 자전거등의 운전자는 안전표지로 통행이 허용된 경우를 제외하고는 2대 이상이 나란히 차도를 통행하여서는 아니 된다. [2013 채용2차] [2018 경간] [2018 실무 1] [2024 승진]
> ⑥ 자전거등의 운전자가 횡단보도를 이용하여 도로를 횡단할 때에는 자전거등에서 내려서 자전거등을 끌거나 들고 보행하여야 한다. [2018 실무 1]
> [2013 채용2차] [2018 경간] 자전거의 운전자가 횡단보도를 이용하여 도로를 횡단할 때에는 보행자의 통행에 방해가 되지 않도록 서행하여야 한다. (×)

(3) 자전거 등의 준수사항

> **도로교통법 제21조 【앞지르기 방법 등】** ① 모든 차의 운전자는 다른 차를 앞지르려면 앞차의 좌측으로 통행하여야 한다.
> ② 자전거등의 운전자는 서행하거나 정지한 다른 차를 앞지르려면 제1항에도 불구하고 앞차의 우측으로 통행할 수 있다. 이 경우 자전거등의 운전자는 정지한 차에서 승차하거나 하차하는 사람의 안전에 유의하여 서행하거나 필요한 경우 일시정지하여야 한다.
> [2024 승진] 자전거 운전자는 서행하거나 정지한 다른 차를 앞지르려면 앞차의 좌측으로만 통행하여야 한다. (×)
>
> **도로교통법 제44조 【술에 취한 상태에서의 운전 금지】** ① 누구든지 술에 취한 상태에서 자동차등 … 노면전차 또는 자전거를 운전하여서는 아니 된다. [2013 채용2차]
>
> **도로교통법 제156조 【벌칙】** 다음 각 호의 어느 하나에 해당하는 사람은 20만원 이하의 벌금이나 구류 또는 과료에 처한다.
> 11. 제44조 제1항을 위반하여 술에 취한 상태에서 자전거등을 운전한 사람
> 12. 술에 취한 상태에 있다고 인정할 만한 상당한 이유가 있는 사람으로서 제44조 제2항에 따른 경찰공무원의 측정에 응하지 아니한 사람(자전거등을 운전한 사람으로 한정한다)

┃즉결심판에 관한 절차법 제2조 【즉결심판의 대상】
지방법원, 지원 또는 시 · 군법원의 판사(이하 "판사"라 한다)는 즉결심판절차에 의하여 피고인에게 20만원 이하의 벌금, 구류 또는 과료에 처할 수 있다.

참고 자전거등(자전거 + 개인형이동장치) 음주운전 관련 범칙금

	음주운전	측정거부
자전거	3만원	10만원
개인형이동장치	10만원	13만원

[2024 승진] 술에 취한 상태에서 자전거를 운전했을 경우의 범칙금은 3만원이며, 술에 취한 상태에 있다고 인정할 만한 상당한 이유가 있는 자전거 운전자가 경찰공무원의 호흡조사 측정에 불응한 경우의 범칙금은 10만원에 해당된다. (O)

도로교통법 제50조 【특정 운전자의 준수사항】 ④ 자전거등의 운전자는 자전거도로 및 「도로법」에 따른 도로를 운전할 때에는 행정안전부령으로 정하는 인명보호 장구를 착용하여야 하며, 동승자에게도 이를 착용하도록 하여야 한다.
⑦ 자전거등의 운전자는 행정안전부령으로 정하는 크기와 구조를 갖추지 아니하여 교통안전에 위험을 초래할 수 있는 자전거등을 운전하여서는 아니 된다.
⑧ 자전거등의 운전자는 약물의 영향과 그 밖의 사유로 정상적으로 운전하지 못할 우려가 있는 상태에서 자전거등을 운전하여서는 아니 된다.
⑨ 자전거등의 운전자는 밤에 도로를 통행하는 때에는 전조등과 미등을 켜거나 야광띠 등 발광장치를 착용하여야 한다. [2018 경간]

도로교통법 제11조 【어린이 등에 대한 보호】 ③ 어린이의 보호자는 도로에서 어린이가 자전거를 타거나 행정안전부령으로 정하는 위험성이 큰 움직이는 놀이기구(➡ 킥보드, 롤러스케이트, 인라인스케이트, 스케이트보드 등)를 타는 경우에는 어린이의 안전을 위하여 행정안전부령으로 정하는 인명보호 장구를 착용하도록 하여야 한다. [2013 채용2차] [2018 경간]

(4) 개인형 이동장치 특이사항

도로교통법 제11조 【어린이 등에 대한 보호】 ④ 어린이의 보호자는 도로에서 어린이가 개인형 이동장치를 운전하게 하여서는 아니 된다. ➡ 도로교통법상 어린이: 13세 미만의 사람

[2022 경간] 어린이의 보호자는 어린이가 행정안전부령으로 정하는 인명보호 장구를 착용한 경우를 제외하고 도로에서 개인형 이동장치를 운전하게 하여서는 아니된다. (×)

도로교통법 제50조 【특정 운전자의 준수사항】 ⑩ 개인형 이동장치의 운전자는 행정안전부령으로 정하는 승차정원을 초과하여 동승자를 태우고 개인형 이동장치를 운전하여서는 아니 된다.

행정안전부령 **도로교통법 시행규칙 제33조의3 【개인형 이동장치의 승차정원】** 법 제50조 제10항에서 "행정안전부령으로 정하는 승차정원"이란 다음 각 호의 구분에 따른 인원을 말한다.
1. 전동킥보드 및 전동이륜평행차의 경우: 1명
2. 전동기의 동력만으로 움직일 수 있는 자전거의 경우: 2명

도로교통법 제156조 【벌칙】 다음 각 호의 어느 하나에 해당하는 사람은 20만원 이하의 벌금이나 구류 또는 과료에 처한다.
13. 제43조를 위반하여 제80조에 따른 원동기장치자전거를 운전할 수 있는 운전면허를 받지 아니하거나(원동기장치자전거를 운전할 수 있는 운전면허의 효력이 정지된 경우를 포함한다) 국제운전면허증 중 원동기장치자전거를 운전할 수 있는 것으로 기재된 국제운전면허증을 발급받지 아니하고(운전이 금지된 경우와 유효기간이 지난 경우를 포함한다) 개인형 이동장치를 운전한 사람

💡 **개인형 이동장치면허**
- 과거에는 전동킥보드 등 개인형 이동장치운전에 따로 운전면허를 요구하지 않았으나, 이용자가 급증하면서(2017년 약 9만 8천대 ➡ 2019년 19만 6천대)사고도 함께 급증하였다.
- 이에 지난 2021.5.부터, '제2종 원동기장치 자전거면허' 이상의 운전면허를 보유하는 경우에만 개인형 이동장치를 운전할 수 있도록 법이 개정되었다.

4. 어린이통학버스

(1) 의미

> **도로교통법 제2조【정의】** 이 법에서 사용하는 용어의 뜻은 다음과 같다.
> 23. "어린이통학버스"란 다음 각 목의 시설 가운데 어린이(13세 미만인 사람을 말한다. 이하 같다)를 교육 대상으로 하는 시설에서 어린이의 통학 등에 이용되는 자동차와 「여객자동차 운수사업법」 제4조 제3항에 따른 여객자동차운송사업의 한정면허를 받아 어린이를 여객대상으로 하여 운행되는 운송사업용 자동차를 말한다. [2018 승진(경위)]

(2) 어린이통학버스의 특별보호

13세 미만인 사람

■ 도로교통법상 영유아
6세 미만인 사람

> **도로교통법 제51조【어린이통학버스의 특별보호】** ① 어린이통학버스가 도로에 정차하여 어린이나 영유아가 타고 내리는 중임을 표시하는 점멸등 등의 장치를 작동 중일 때에는 어린이통학버스가 정차한 차로와 그 차로의 바로 옆 차로로 통행하는 차의 운전자는 어린이통학버스에 이르기 전에 일시정지하여 안전을 확인한 후 서행하여야 한다. [2018 승진(경위)]
> ② 제1항의 경우 중앙선이 설치되지 아니한 도로와 편도 1차로인 도로에서는 반대방향에서 진행하는 차의 운전자도 어린이통학버스에 이르기 전에 일시정지하여 안전을 확인한 후 서행하여야 한다.
> ③ 모든 차의 운전자는 어린이나 영유아를 태우고 있다는 표시를 한 상태로 도로를 통행하는 어린이통학버스를 앞지르지 못한다. [2012 실무 1] [2013 채용1차] [2022 승진(실무종합)]
> [2012 실무 1] 어린이 통학버스가 도로에 정차하여 점멸등 등 어린이가 타고 내리는 중임을 표시하는 장치를 가동 중인 때에는 중앙선이 설치되지 아니한 도로의 반대방향에서 진행하는 차의 운전자는 어린이 통학버스에 이르기 전에 서행하여야 한다. (×)
> [2018 승진(경위)] 모든 차의 운전자는 어린이나 영유아를 태우고 있다는 표시를 한 상태로 도로를 통행하는 어린이통학버스를 앞지를 때 과도하게 속도를 올리는 등 행위를 자제하여야 한다. (×)

(3) 어린이통학버스의 신고 등

> **도로교통법 제52조【어린이통학버스의 신고 등】** ① 어린이통학버스(「여객자동차 운수사업법」 제4조 제3항에 따른 한정면허를 받아 어린이를 여객대상으로 하여 운행되는 운송사업용 자동차는 제외한다)를 운영하려는 자는 행정안전부령으로 정하는 바에 따라 미리 관할 경찰서장에게 신고하고 신고증명서를 발급받아야 한다. [2013 채용1차]
> ② 어린이통학버스를 운영하는 자는 어린이통학버스 안에 제1항에 따라 발급받은 신고증명서를 항상 갖추어 두어야 한다.

(4) 운전자 및 운영자의 의무

💡 '어린이나 영유아를 태우고 있다'는 표시(어린이 보호표지)

어린이보호

• 청색바탕 노란글씨
• 40cm × 15cm

> **도로교통법 제53조【어린이통학버스 운전자 및 운영자 등의 의무】** ① 어린이통학버스를 운전하는 사람은 어린이나 영유아가 타고 내리는 경우에만 제51조 제1항에 따른 점멸등 등의 장치를 작동하여야 하며, 어린이나 영유아를 태우고 운행 중인 경우에만 제51조 제3항에 따른 표시(➡ 어린이나 영유아를 태우고 있다는 표시)를 하여야 한다.

② 어린이통학버스를 운전하는 사람은 어린이나 영유아가 어린이통학버스를 탈 때에는 승차한 모든 어린이나 영유아가 좌석안전띠(어린이나 영유아의 신체구조에 따라 적합하게 조절될 수 있는 안전띠를 말한다)를 매도록 한 후에 출발하여야 하며, 내릴 때에는 보도나 길가장자리구역 등 자동차로부터 안전한 장소에 도착한 것을 확인한 후에 출발하여야 한다. 다만, 좌석안전띠 착용과 관련하여 질병 등으로 인하여 좌석안전띠를 매는 것이 곤란하거나 행정안전부령으로 정하는 사유가 있는 경우에는 그러하지 아니하다.

③ 어린이통학버스를 운영하는 자는 어린이통학버스에 어린이나 영유아를 태울 때에는 성년인 사람 중 어린이통학버스를 운영하는 자가 지명한 보호자를 함께 태우고 운행하여야 하며, 동승한 보호자는 어린이나 영유아가 승차 또는 하차하는 때에는 자동차에서 내려서 어린이나 영유아가 안전하게 승하차하는 것을 확인하고 운행 중에는 어린이나 영유아가 좌석에 앉아 좌석안전띠를 매고 있도록 하는 등 어린이 보호에 필요한 조치를 하여야 한다.

④ 어린이통학버스를 운전하는 사람은 어린이통학버스 운행을 마친 후 어린이나 영유아가 모두 하차하였는지를 확인하여야 한다.

⑤ 어린이통학버스를 운전하는 사람이 제4항에 따라 어린이나 영유아의 하차 여부를 확인할 때에는 행정안전부령으로 정하는 어린이나 영유아의 하차를 확인할 수 있는 장치(이하 "어린이 하차확인장치"라 한다)를 작동하여야 한다.

[2013 채용1차] 어린이통학버스를 운전하는 사람은 어린이나 유아가 어린이통학버스를 탈 때에는 어린이나 유아가 좌석에 앉았는지 확인한 후에 출발하여야 하며, 내릴 때에는 보도나 길가장자리구역 등 자동차로부터 안전한 장소에 도착한 것을 확인한 후에 출발하여야 한다. (×)

(5) 안전교육

> 도로교통법 제53조의3【어린이통학버스 운영자 등에 대한 안전교육】① 어린이통학버스를 운영하는 사람과 운전하는 사람 및 제53조 제3항에 따른 보호자는 어린이통학버스의 안전운행 등에 관한 교육(이하 "어린이통학버스 안전교육"이라 한다)을 받아야 한다. [2013 채용1차]

⊕심화 어린이보호구역

1 지정 및 관리

> 도로교통법 제12조【어린이 보호구역의 지정·해제 및 관리】① 시장등은 교통사고의 위험으로부터 어린이를 보호하기 위하여 필요하다고 인정하는 경우에는 다음 각 호의 어느 하나에 해당하는 시설이나 장소의 주변도로 가운데 일정 구간을 어린이 보호구역으로 지정하여 자동차등과 노면전차의 통행속도를 시속 30킬로미터 이내로 제한할 수 있다. ➡ 유치원, 초등학교 또는 특수학교, 어린이집 등
>
> ③ 차마 또는 노면전차의 운전자는 어린이 보호구역에서 제1항에 따른 조치를 준수하고 어린이의 안전에 유의하면서 운행하여야 한다.
>
> ④ 시·도경찰청장, 경찰서장 또는 시장등은 제3항을 위반하는 행위 등의 단속을 위하여 어린이 보호구역의 도로 중에서 행정안전부령으로 정하는 곳에 우선적으로 제4조의2에 따른 무인 교통단속용 장비를 설치하여야 한다.

행정안전부령 어린이 · 노인 및 장애인 보호구역의 지정 및 관리에 관한 규칙 제3조 【보호구역의 지정】 ⑥ 시장등은 제4항에 따른 조사 결과 보호구역으로 지정 · 관리할 필요가 인정되는 경우에는 관할 시 · 도경찰청장 또는 경찰서장과 협의하여 해당 보호구역 지정대상 시설 또는 장소의 주(主) 출입문(출입문이 없는 장소의 경우에는 해당 장소를 말한다. 이하 같다)을 기준으로 반경 300미터 이내의 도로 중 일정구간을 보호구역으로 지정한다. 다만, 시장등은 해당 지역의 교통여건 및 효과성 등을 면밀히 검토하여 필요한 경우 보호구역 지정대상 시설 또는 장소의 주 출입문을 기준으로 반경 500미터 이내의 도로에 대해서도 보호구역으로 지정할 수 있다. [2022 승진(실무종합)]

2 보호구역 내 필요조치

행정안전부령 어린이 · 노인 및 장애인 보호구역의 지정 및 관리에 관한 규칙 제9조 【보호구역에서의 필요한 조치】 ① 시 · 도경찰청장이나 경찰서장은 「도로교통법」 제12조 제1항 또는 제12조의2 제1항에 따라 보호구역에서 구간별 · 시간대별로 다음 각 호의 조치를 할 수 있다.
1. 차마의 통행을 금지하거나 제한하는 것
2. 차마의 정차나 주차를 금지하는 것
3. 운행속도를 시속 30킬로미터 이내로 제한하는 것
4. 이면도로(도시지역에 있어서 간선도로가 아닌 도로로서 일반의 교통에 사용되는 도로를 말한다)를 일방통행로로 지정 · 운영하는 것
② 시 · 도경찰청장이나 경찰서장이 제1항에 따른 조치를 하려는 경우에는 그 뜻을 표시하는 안전표지를 설치하여야 한다.
[2022 승진(실무종합)] 「어린이 · 노인 및 장애인 보호구역의 지정 및 관리에 관한 규칙」상 시 · 도경찰청장이나 경찰서장은 「도로교통법」 제12조 제1항 또는 제12조의2 제1항에 따라 보호구역에서 구간별 · 시간대별로 도시지역의 간선도로를 일방통행로로 지정 · 운영할 수 있다. (×)
[2012 실무 1] 어린이 보호구역 내에서의 규제속도는 매시 40km 이내로 한다. (×)

3 어린이 보호구역 내 일시정지

도로교통법 제27조 【보행자의 보호】 ⑦ 모든 차 또는 노면전차의 운전자는 제12조 제1항에 따른 어린이 보호구역 내에 설치된 횡단보도 중 신호기가 설치되지 아니한 횡단보도 앞(정지선이 설치된 경우에는 그 정지선을 말한다)에서는 보행자의 횡단 여부와 관계없이 일시정지하여야 한다. <시행일: 2022.7.12.>

4 구역 내 법규위반시 2배 가중(도로교통법 시행령 제88조 제4항, 별표 10)
• 교통약자보호구역인 어린이보호구역, 노인보호구역, 장애인보호구역에서는 법규위반시 과태료, 범칙금, 벌점을 2배로 부과한다.
• 휴일과 공휴일 관계없이 오전 8시부터 오후 8시까지 매일 적용한다. [2012 채용2차]

02 도로

1. 도로의 종류

💡 **도로법상 도로의 종류**
• **고속도로**: 경부고속도로(1), 중부내륙지선(451)
• **국도**: 77번국도(서해 · 남해), 7번국도(동해)
• **특별시도**: 올림픽대로(88), 강변북로(70), 동부간선도로(61)
• **광역시도**: 부산 번영로(11), 대구 신천대로(11), 광주 금남로

도로교통법 제2조 【정의】 이 법에서 사용하는 용어의 뜻은 다음과 같다.
1. "도로"란 다음 각 목에 해당하는 곳을 말한다.

구분	내용
도로법에 따른 도로	고속국도(고속국도의 지선 포함), 일반국도(일반국도의 지선 포함), 특별시도 · 광역시도, 지방도, 시도, 군도, 구도
유료도로법에 따른 유료도로	통행료 또는 사용료를 받는 도로

농어촌도로 정비법에 따른 농어촌도로	도로법에 규정되지 아니한 도로(읍 또는 면 지역의 도로만 해당)로서 농어촌지역 주민의 교통 편익과 생산·유통활동 등에 공용되는 공로 중 고시된 도로
기타	그 밖에 현실적으로 불특정 다수의 사람 또는 차마(車馬)가 통행할 수 있도록 공개된 장소로서 안전하고 원활한 교통을 확보할 필요가 있는 장소 예 차단기가 설치된 유료주차장 내·아파트 지하주차장·대학교 구내·학교 운동장 등은 도로가 아니라고 본다.

[2012 경간] [2018 실무 1] 도로란 「도로법」에 따른 도로, 「유료도로법」에 따른 유료도로, 「농어촌도로 정비법」에 따른 도로에 한정된다. (×)

2. "**자동차전용도로**"란 자동차만 다닐 수 있도록 설치된 도로를 말한다. [2014 채용2차]
[2015 채용3차] [2016 지능범죄]

3. "**고속도로**"란 자동차의 고속 운행에만 사용하기 위하여 지정된 도로를 말한다.
[2015 채용3차] [2016 경간]

8. "**자전거도로**"란 안전표지, 위험방지용 울타리나 그와 비슷한 인공구조물로 경계를 표시하여 자전거 및 개인형 이동장치가 통행할 수 있도록 설치된 「자전거 이용 활성화에 관한 법률」 제3조 각 호의 도로를 말한다.

31. "**보행자전용도로**"란 보행자만 다닐 수 있도록 안전표지나 그와 비슷한 인공구조물로 표시한 도로를 말한다.

31의2. "**보행자우선도로**"란 「보행안전 및 편의증진에 관한 법률」 제2조 제3호에 따른 보행자우선도로를 말한다.

⚖️ 요지판례 l

구 도로교통법상 도로의 정의 중 '그 밖의 일반교통에 사용되는 모든 곳'은 현실적으로 불특정의 사람이나 차량의 통행을 위하여 공개된 장소로서 교통질서 유지 등을 목적으로 하는 일반 교통경찰권이 미치는 공공성이 있는 곳을 의미하고, 특정인들 또는 그들과 관련된 특정한 용건이 있는 자들만이 사용할 수 있고 자주적으로 관리되는 장소는 이에 포함되지 않는다(대판 2010.9.9, 2010도6579). ➡ 왕복 4차선의 외부도로와 직접 연결되어 있고, 외부차량의 통행에 제한이 없으며, 별도의 주차관리인이 없는 아파트 단지 내 통행로는 도로교통법상 도로에 해당된다. [2015 승진(경위)] [2019 승진(경위)]

---

2. 도로의 부분·시설물

도로교통법 제2조 【정의】 이 법에서 사용하는 용어의 뜻은 다음과 같다.

4. "**차도**"란 연석선(차도와 보도를 구분하는 돌 등으로 이어진 선을 말한다. 이하 같다), 안전표지 또는 그와 비슷한 인공구조물을 이용하여 경계를 표시하여 모든 차가 통행할 수 있도록 설치된 도로의 부분을 말한다. [2017 실무 1]

5. "**중앙선**"이란 차마의 통행 방향을 명확하게 구분하기 위하여 도로에 황색 실선이나 황색 점선 등의 안전표지로 표시한 선 또는 중앙분리대나 울타리 등으로 설치한 시설물을 말한다. 다만, 제14조 제1항 후단에 따라 가변차로가 설치된 경우에는 신호기가 지시하는 진행방향의 가장 왼쪽에 있는 황색 점선을 말한다.

6. "**차로**"란 차마가 한 줄로 도로의 정하여진 부분을 통행하도록 차선으로 구분한 차도의 부분을 말한다.

💡 **중앙선·차로·차선**

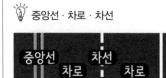

7. **"차선"**이란 차로와 차로를 구분하기 위하여 그 경계지점을 안전표지로 표시한 선을 말한다. [2014 채용2차] [2016 지능범죄]

9. **"자전거횡단도"**란 자전거 및 개인형 이동장치가 일반도로를 횡단할 수 있도록 안전표지로 표시한 도로의 부분을 말한다. [2016 지능범죄] [2017 채용2차]

10. **"보도"**란 연석선, 안전표지나 그와 비슷한 인공구조물로 경계를 표시하여 보행자(유모차, 보행보조용 의자차, 노약자용 보행기 등 행정안전부령으로 정하는 기구·장치를 이용하여 통행하는 사람 및 제21호의3에 따른 실외 이동로봇을 포함한다. 이하 같다)가 통행할 수 있도록 한 도로의 부분을 말한다. [2018 실무 1]

11. **"길가장자리구역"**이란 보도와 차도가 구분되지 아니한 도로에서 보행자의 안전을 확보하기 위하여 안전표지 등으로 경계를 표시한 도로의 가장자리 부분을 말한다. [2016 경간] [2017 실무 1] [2022 경간]

12. **"횡단보도"**란 보행자가 도로를 횡단할 수 있도록 안전표지로 표시한 도로의 부분을 말한다.

13. **"교차로"**란 '십'자로, 'T'자로나 그 밖에 둘 이상의 도로(보도와 차도가 구분되어 있는 도로에서는 차도를 말한다)가 교차하는 부분을 말한다. [2013 채용2차] [2017 채용2차]

13의2. **"회전교차로"**란 교차로 중 차마가 원형의 교통섬(차마의 안전하고 원활한 교통처리나 보행자 도로횡단의 안전을 확보하기 위하여 교차로 또는 차도의 분기점 등에 설치하는 섬 모양의 시설을 말한다)을 중심으로 반시계방향으로 통행하도록 한 원형의 도로를 말한다.

14. **"안전지대"**란 도로를 횡단하는 보행자나 통행하는 차마의 안전을 위하여 안전표지나 이와 비슷한 인공구조물로 표시한 도로의 부분을 말한다. [2015 채용3차]

[2016 지능범죄] "차로"란 연석선(차도와 보도를 구분하는 돌 등으로 이어진 선을 말한다. 이하 같다), 안전표시 또는 그와 비슷한 인공구조물을 이용하여 경계(境界)를 표시하여 설치하여 모든 차가 통행할 수 있도록 설치된 도로의 부분을 말한다. (×)

[2013 채용2차] "보도"란 보행자만 다닐 수 있도록 안전표지나 그와 비슷한 인공구조물로 표시한 도로를 말한다. (×)

[2016 경간] [2022 경간] "보도"란 연석선, 안전표지나 그와 비슷한 인공구조물로 경계를 표시하여 보행자(유모차, 보행보조용 의자차, 노약자용 보행기 등 행정안전부령으로 정하는 기구·장치를 이용하여 통행하는 사람을 제외한다)가 통행할 수 있도록 한 도로의 부분을 말한다. (×)

[2014 채용2차] [2015 채용3차] [2017 채용2차] [2018 실무 1] 길가장자리구역이란 보도와 차도가 구분된 도로에서 보행자의 안전을 확보하기 위하여 안전표지 등으로 경계를 표시한 도로의 가장자리 부분을 말한다. (×)

3. 교통안전시설

(1) 신호기

> **도로교통법 제2조 【정의】** 이 법에서 사용하는 용어의 뜻은 다음과 같다.
> 15. **"신호기"**란 도로교통에서 문자·기호 또는 등화를 사용하여 진행·정지·방향전환·주의 등의 신호를 표시하기 위하여 사람이나 전기의 힘으로 조작하는 장치를 말한다. [2013 채용2차]

(2) 안전표지

> **도로교통법 제2조 【정의】** 이 법에서 사용하는 용어의 뜻은 다음과 같다.
> 16. **"안전표지"**란 교통안전에 필요한 주의·규제·지시 등을 표시하는 표지판이나 도로의 바닥에 표시하는 기호·문자 또는 선 등을 말한다. [2017 채용2차]

행정안전부령 도로교통법 시행규칙 제8조【안전표지】① 법 제4조 제1항에 따른 안전표지는 다음 각 호와 같이 구분한다. ➡ 지·보·노·주·규 [2014 승진(경위)]

구분	내용
주의표지	도로상태가 위험하거나 도로 또는 그 부근에 위험물이 있는 경우에 필요한 안전조치를 할 수 있도록 이를 도로사용자에게 알리는 표지 예 낙석도로표지, 도로공사중표지
규제표지	도로교통의 안전을 위하여 각종 제한·금지 등의 규제를 하는 경우에 이를 도로사용자에게 알리는 표지 예 통행금지표지 진입금지표지 정차·주차금지표지
지시표지	도로의 통행방법·통행구분 등 도로교통의 안전을 위하여 필요한 지시를 하는 경우에 도로사용자가 이에 따르도록 알리는 표지 예 일방통행표지 자동차전용도로표지 어린이보호표지
보조표지	주의표지·규제표지 또는 지시표지의 주기능을 보충하여 도로사용자에게 알리는 표지 예 기상상태표지, 노면상태표지
노면표시	도로교통의 안전을 위하여 각종 주의·규제·지시 등의 내용을 노면에 기호·문자 또는 선으로 도로사용자에게 알리는 표지 예 (지그재그형태)서행표지, (마름모형태)횡단보도예고표시

[2020 채용1차] 보조표지 – 도로상태가 위험하거나 도로 또는 그 부근에 위험물이 있는 경우에 필요한 안전조치를 할 수 있도록 이를 도로사용자에게 알리는 표지이다. (×)

03 운전

1. 운전의 의미

도로교통법 제2조【정의】이 법에서 사용하는 용어의 뜻은 다음과 같다.

26. "운전"이란 도로(제27조 제6항 제3호, 제44조·제45조·제54조 제1항·제148조·제148조의2 및 제156조 제10호의 경우에는 도로 외의 곳을 포함한다)에서 차마 또는 노면전차를 그 본래의 사용방법에 따라 사용하는 것(조종 또는 자율주행시스템을 사용하는 것을 포함한다)을 말한다.

27. "초보운전자"란 처음 운전면허를 받은 날(처음 운전면허를 받은 날부터 2년이 지나기 전에 운전면허의 취소처분을 받은 경우에는 그 후 다시 운전면허를 받은 날을 말한다)부터 2년이 지나지 아니한 사람을 말한다. 이 경우 원동기장치자전거면허만 받은 사람이 원동기장치자전거면허 외의 운전면허를 받은 경우에는 처음 운전면허를 받은 것으로 본다.

[2015 승진(경위)] 학교 운동장에서 운전면허를 취득하기 위해 운전연습을 하다가 신고를 통해 적발된 경우 경찰관은 이를 단속할 수 없다. (○)
[2012 경간] "초보운전자"란 처음 운전면허를 받은 날부터 1년이 지나지 아니한 사람을 말한다. (×)

도로 외의 곳에서 운전으로 인정되는 경우
- 제27조 제6항 제3호: 운전자의 보행자 보호의무
- 제44조: 음주운전
- 제45조: 과로·질병·약물운전
- 제54조 제1항: 교통사고 후 조치
- 제148조의2: 음주운전 등 벌칙
- 제148조: 사고 후 미조치로 인한 벌칙
- 제156조: 보행자 보호의무 및 주·정차된 차량 손괴 후 인적사항 미제공 벌칙

- 도로교통법 제2조 제26호는 '운전'이라 함은 도로에서 차를 그 본래의 사용 방법에 따라 사용하는 것을 말한다고 규정하고 있는바, 여기에서 말하는 운전의 개념은 그 규정의 내용에 비추어 목적적 요소를 포함하는 것이므로 고의의 운전행위만을 의미하고 자동차 안에 있는 사람의 의지나 관여 없이 자동차가 움직인 경우에는 운전에 해당하지 않는다(대판 2004.4.23, 2004도109). ➡ 자동차를 움직이게 할 의도 없이 다른 목적을 위하여 자동차의 원동기(모터)의 시동을 걸었는데, 실수로 기어 등 자동차의 발진에 필요한 장치를 건드려 원동기의 추진력에 의하여 자동차가 움직이거나 또는 불안전한 주차상태나 도로여건 등으로 인하여 자동차가 움직이게 된 경우는 자동차의 운전에 해당하지 아니한다. [2012 승진(경감)] [2016 채용2차] [2022 채용1차] [2023 채용1차]

  [2015 채용3차] 자동차를 움직이게 할 의도 없이 다른 목적을 위하여 자동차의 원동기(모터)의 시동을 걸었는데, 실수로 기어 등 자동차의 발진에 필요한 장치를 건드려 원동기의 추진력에 의하여 자동차가 움직인 경우 자동차의 운전에 해당한다. (×)

- 자동차를 절취할 생각으로 자동차의 조수석문을 열고 들어가 시동을 걸려고 시도하는 등 차 안의 기기를 이것저것 만지다가 핸드브레이크를 풀게 되었는데 그 장소가 내리막길인 관계로 시동이 걸리지 않은 상태에서 약 10미터 전진하다가 가로수를 들이받는 바람에 멈추게 되었다면 절도의 기수에 해당한다고 볼 수 없을 뿐 아니라 도로교통법 제2조 제26호 소정의 자동차의 운전에 해당하지 아니한다(대판 1994.9.9, 94도1522). [2015 실무 1]

2. 운전 관련 주요행위

(1) 주 · 정차

1) 의미

> 도로교통법 제2조【정의】이 법에서 사용하는 용어의 뜻은 다음과 같다.
> 24. "**주차**"란 운전자가 승객을 기다리거나 화물을 싣거나 차가 고장 나거나 그 밖의 사유로 차를 계속 정지 상태에 두는 것 또는 운전자가 차에서 떠나서 즉시 그 차를 운전할 수 없는 상태에 두는 것을 말한다. [2013 채용2차]
> 25. "**정차**"란 운전자가 5분을 초과하지 아니하고 차를 정지시키는 것으로서 주차 외의 정지 상태를 말한다. [2012 경간] [2014 채용2차] [2017 실무 1]
>
> [2018 실무 1] '정차'란 운전자가 10분을 초과하지 아니하고 차를 정지시키는 것으로서 주차 외의 정지 상태를 말한다. (×)

2) 주 · 정차금지장소 ➡ 정차가 금지되면 주차는 당연히 금지!

> 도로교통법 제32조【정차 및 주차의 금지】모든 차의 운전자는 다음 각 호의 어느 하나에 해당하는 곳에서는 차를 정차하거나 주차하여서는 아니 된다. 다만, 이 법이나 이 법에 따른 명령 또는 경찰공무원의 지시를 따르는 경우와 위험방지를 위하여 일시정지하는 경우에는 그러하지 아니하다. [2017 경간]
> 1. 교차로 · 횡단보도 · 건널목이나 보도와 차도가 구분된 도로의 보도(「주차장법」에 따라 차도와 보도에 걸쳐서 설치된 노상주차장은 제외한다)
> 2. 교차로의 가장자리나 도로의 모퉁이로부터 5미터 이내인 곳
> 3. 안전지대가 설치된 도로에서는 그 안전지대의 사방으로부터 각각 10미터 이내인 곳

💡 안전지대

4. 버스여객자동차의 정류지임을 표시하는 기둥이나 표지판 또는 선이 설치된 곳으로부터 10미터 이내인 곳. 다만, 버스여객자동차의 운전자가 그 버스여객자동차의 운행시간 중에 운행노선에 따르는 정류장에서 승객을 태우거나 내리기 위하여 차를 정차하거나 주차하는 경우에는 그러하지 아니하다.
5. 건널목의 가장자리 또는 횡단보도로부터 10미터 이내인 곳 [2017 실무 1]
6. 다음 각 목의 곳으로부터 5미터 이내인 곳 [2017 채용1차] [2017 실무 1]
   가. 「소방기본법」 제10조에 따른 소방용수시설 또는 비상소화장치가 설치된 곳
   나. 「소방시설 설치 및 관리에 관한 법률」 제2조 제1항 제1호에 따른 소방시설로서 대통령령으로 정하는 시설이 설치된 곳
7. 시·도경찰청장이 도로에서의 위험을 방지하고 교통의 안전과 원활한 소통을 확보하기 위하여 필요하다고 인정하여 지정한 곳
8. 시장등이 제12조 제1항에 따라 지정한 어린이 보호구역

☑ KEY POINT | 주·정차금지장소 [2020 승진(경위)]

금지	5m 이내 금지	10m 이내 금지
교차로	교차로 가장자리	–
횡단보도	–	횡단보도로부터
건널목	–	건널목 가장자리
보도	도로 모퉁이	–
• 어린이 보호구역 • 시·도경찰청장 지정	소방용수시설·비상소화장치· 소방시설	• 안전지대 사방 • 버스정류지 기둥 등

[2017 실무 1 변형] 비상소화장치로부터 5m 이내인 곳은 주차금지장소이다. (×)

3) 주차금지장소

도로교통법 제33조【주차금지의 장소】 모든 차의 운전자는 다음 각 호의 어느 하나에 해당하는 곳에 차를 주차해서는 아니 된다.
1. 터널 안 및 다리 위 [2017 채용1차]
2. 다음 각 목의 곳으로부터 5미터 이내인 곳
   가. 도로공사를 하고 있는 경우에는 그 공사 구역의 양쪽 가장자리 [2022 승진(실무종합)]
   나. 「다중이용업소의 안전관리에 관한 특별법」에 따른 다중이용업소의 영업장이 속한 건축물로 소방본부장의 요청에 의하여 시·도경찰청장이 지정한 곳
3. 시·도경찰청장이 도로에서의 위험을 방지하고 교통의 안전과 원활한 소통을 확보하기 위하여 필요하다고 인정하여 지정한 곳

[2017 실무 1] 터널 안 및 다리 위에서는 주·정차를 할 수 없다. (×)
[2018 실무 1] 터널 안, 다리 아래는 도로교통법상 주차금지장소에 해당한다. (×)
[2016 채용1차] 비상소화장치 등이 설치된 곳으로부터 5미터 이내인 곳은 「도로교통법」상 주차금지장소에 해당한다. (×)
[2017 채용1차] 도로공사를 하고 있는 경우에는 그 공사구역의 양쪽 가장자리로부터 10미터 이내인 곳은 「도로교통법」상 '주차금지장소'에 해당한다. (×)
[2020 승진(경위)] 도로공사를 하고 있는 경우 그 공사구역의 양쪽 가장자리로부터 5m 이내인 곳은 주·정차금지구역에 해당한다. (×)

(2) 앞지르기

  1) 의미

> **도로교통법 제2조【정의】** 이 법에서 사용하는 용어의 뜻은 다음과 같다.
>   29. "앞지르기"란 차의 운전자가 앞서가는 다른 차의 옆을 지나서 그 차의 앞으로 나가는 것을 말한다.

  2) 앞지르기의 방법

> **도로교통법 제21조【앞지르기 방법 등】** ① 모든 차의 운전자는 다른 차를 앞지르려면 앞차의 좌측으로 통행하여야 한다.
>   ③ 제1항과 제2항의 경우 앞지르려고 하는 모든 차의 운전자는 반대방향의 교통과 앞차 앞쪽의 교통에도 주의를 충분히 기울여야 하며, 앞차의 속도·진로와 그 밖의 도로상황에 따라 방향지시기·등화 또는 경음기를 사용하는 등 안전한 속도와 방법으로 앞지르기를 하여야 한다.
>   ④ 모든 차의 운전자는 제1항부터 제3항까지 또는 제60조 제2항(➡ 갓길 통행 금지 등)에 따른 방법으로 앞지르기를 하는 차가 있을 때에는 속도를 높여 경쟁하거나 그 차의 앞을 가로막는 등의 방법으로 앞지르기를 방해하여서는 아니 된다.

  3) 앞지르기금지의 시기·장소

> **도로교통법 제22조【앞지르기 금지의 시기 및 장소】** ① 모든 차의 운전자는 다음 각 호의 어느 하나에 해당하는 경우에는 앞차를 앞지르지 못한다. ➡ 앞지르기 금지상황
> 1. 앞차의 좌측에 다른 차가 앞차와 나란히 가고 있는 경우
> 2. 앞차가 다른 차를 앞지르고 있거나 앞지르려고 하는 경우
> ② 모든 차의 운전자는 다음 각 호의 어느 하나에 해당하는 다른 차를 앞지르지 못한다. ➡ 앞지르기가 금지되는 차
> 1. 이 법이나 이 법에 따른 명령에 따라 정지하거나 서행하고 있는 차
> 2. 경찰공무원의 지시에 따라 정지하거나 서행하고 있는 차
> 3. 위험을 방지하기 위하여 정지하거나 서행하고 있는 차
> ③ 모든 차의 운전자는 다음 각 호의 어느 하나에 해당하는 곳에서는 다른 차를 앞지르지 못한다. ➡ 앞지르기금지장소
> 1. 교차로
> 2. 터널 안
> 3. 다리 위
> 4. 도로의 구부러진 곳, 비탈길의 고갯마루 부근 또는 가파른 비탈길의 내리막 등 시·도경찰청장이 도로에서의 위험을 방지하고 교통의 안전과 원활한 소통을 확보하기 위하여 필요하다고 인정하는 곳으로서 안전표지로 지정한 곳

(3) 서행 · 일시정지

> 도로교통법 제2조【정의】이 법에서 사용하는 용어의 뜻은 다음과 같다.
>
> 28. "서행"이란 운전자가 차 또는 노면전차를 즉시 정지시킬 수 있는 정도의 느린 속도로 진행하는 것을 말한다.
> 30. "일시정지"란 차 또는 노면전차의 운전자가 그 차 또는 노면전차의 바퀴를 일시적으로 완전히 정지시키는 것을 말한다.

주제 3 운전면허

01 운전면허 개설

1. 운전면허제도

자동차의 운전에 따라 발생할 수 있는 도로에서의 위험을 방지하고 교통질서를 유지하기 위하여, 부적격자가 운전하는 일이 없도록 하기 위한 제도로서 운전면허제도를 두고 있다.

2. 운전면허

(1) 의의

운전면허란 무자격자의 자동차등 운전에 따라 도로에서 발생할 수 있는 위험을 방지하기 위해 일반적 · 상대적으로 금지해 둔 운전행위를, 일정한 자격을 갖춘 자에 한하여 적법하게 할 수 있도록 허가하는 것을 말한다.

(2) 법적 성질

운전면허는 경찰허가, 그중에서도 대인적 허가의 성격을 가지고 있다.

3. 사전 교통안전교육

> 도로교통법 제73조【교통안전교육】① 운전면허를 받으려는 사람은 대통령령으로 정하는 바에 따라 제83조 제1항 제2호와 제3호에 따른 시험(➡ 법령지식, 자동차 관리방법 및 안전운전 등에 대한 학과시험)에 응시하기 전에 다음 각 호의 사항에 관한 교통안전교육을 받아야 한다. 다만, 제2항 제1호에 따라 특별교통안전 의무교육을 받은 사람 또는 제104조 제1항에 따른 자동차운전 전문학원에서 학과교육을 수료한 사람은 그러하지 아니하다.
> 1. 운전자가 갖추어야 하는 기본예절
> 2. 도로교통에 관한 법령과 지식
> 3. 안전운전 능력
> ...

⑤ 75세 이상인 사람으로서 운전면허를 받으려는 사람은 제83조 제1항 제2호와 제3호에 따른 시험에 응시하기 전에, 운전면허증 갱신일에 75세 이상인 사람은 운전면허증 갱신기간 이내에 각각 다음 각 호의 사항에 관한 교통안전교육을 받아야 한다.
[2021 경간]

1. 노화와 안전운전에 관한 사항
2. 약물과 운전에 관한 사항
3. 기억력과 판단능력 등 인지능력별 대처에 관한 사항
4. 교통관련 법령 이해에 관한 사항

대통령령 도로교통법 시행령 제37조 【교통안전교육】 ① 법 제73조 제1항에 따른 교통안전교육(이하 "교통안전교육"이라 한다)은 같은 항 각 호의 사항에 관하여 시청각교육 등의 방법으로 1시간 실시한다.

[2021 승진(실무종합)] 교통안전교육은 운전면허를 받고자 하는 사람이 학과시험 응시 전 받아야 하는 1시간의 교통안전교육으로, 자동차운전 전문학원에서 학과교육을 수료한 사람은 제외된다. (○)

⊕ 심화 여러 가지 교통안전교육

1 특별교통안전 의무교육

도로교통법 제73조 【교통안전교육】 ② 다음 각 호의 어느 하나에 해당하는 사람은 대통령령으로 정하는 바에 따라 특별교통안전 의무교육을 받아야 한다. 이 경우 제2호부터 제5호까지에 해당하는 사람으로서 부득이한 사유가 있으면 대통령령으로 정하는 바에 따라 의무교육의 연기를 받을 수 있다. [2021 승진(실무종합)]

1. 운전면허 취소처분을 받은 사람 … 으로서 운전면허를 다시 받으려는 사람
2. … 운전면허효력 정지처분을 받게 되거나 받은 사람으로서 그 정지기간이 끝나지 아니한 사람
3. 운전면허 취소처분 또는 운전면허효력 정지처분 …이 면제된 사람으로서 면제된 날부터 1개월이 지나지 아니한 사람
4. 운전면허효력 정지처분을 받게 되거나 받은 초보운전자로서 그 정지기간이 끝나지 아니한 사람
5. … 어린이 보호구역에서 운전 중 어린이를 사상하는 사고를 유발하여 … 벌점을 받은 날부터 1년 이내의 사람

2 특별교통안전 권장교육

도로교통법 제73조 【교통안전교육】 ③ 다음 각 호의 어느 하나에 해당하는 사람이 시·도경찰청장에게 신청하는 경우에는 대통령령으로 정하는 바에 따라 특별교통안전 권장교육을 받을 수 있다. 이 경우 권장교육을 받기 전 1년 이내에 해당 교육을 받지 아니한 사람에 한정한다.

[2021 승진(실무종합)]

1. 교통법규 위반 등 제2항 제2호 및 제4호에 따른 사유 외의 사유로 인하여 운전면허효력 정지처분을 받게 되거나 받은 사람
2. 교통법규 위반 등으로 인하여 운전면허효력 정지처분을 받을 가능성이 있는 사람
3. 제2항 제2호부터 제4호까지에 해당하여 제2항에 따른 특별교통안전 의무교육을 받은 사람
4. 운전면허를 받은 사람 중 교육을 받으려는 날에 65세 이상인 사람

3 긴급자동차 안전운전교육

도로교통법 제73조 【교통안전교육】 ④ 긴급자동차의 운전업무에 종사하는 사람으로서 대통령령으로 정하는 사람은 대통령령으로 정하는 바에 따라 정기적으로 긴급자동차의 안전운전 등에 관한 교육을 받아야 한다.

④ 어린이통학버스 운영자 등에 대한 안전교육

> 도로교통법 제53조의3【어린이통학버스 운영자 등에 대한 안전교육】① 어린이통학버스를 운영
> 하는 사람과 운전하는 사람 및 제53조 제3항에 따른 보호자는 어린이통학버스의 안전운행
> 등에 관한 교육(이하 "어린이통학버스 안전교육"이라 한다)을 받아야 한다.

02 운전면허의 종류

1. 일반적인 경우

> 도로교통법 제80조【운전면허】① 자동차등을 운전하려는 사람은 시·도경찰청장으로부
> 터 운전면허를 받아야 한다. 다만, 제2조 제19호 나목의 원동기를 단 차 중 「교통약자의
> 이동편의 증진법」 제2조 제1호에 따른 교통약자가 최고속도 시속 20킬로미터 이하로
> 만 운행될 수 있는 차를 운전하는 경우에는 그러하지 아니하다.
> ② 시·도경찰청장은 운전을 할 수 있는 차의 종류를 기준으로 다음 각 호와 같이
> 운전면허의 범위를 구분하고 관리하여야 한다. 이 경우 운전면허의 범위에 따라 운전
> 할 수 있는 차의 종류는 행정안전부령으로 정한다.
> 1. 제1종 운전면허
>   가. 대형면허
>   나. 보통면허
>   다. 소형면허
>   라. 특수면허(대형견인차면허, 소형견인차면허, 구난차면허)
> 2. 제2종 운전면허
>   가. 보통면허
>   나. 소형면허
>   다. 원동기장치자전거면허
> 3. 연습운전면허
>   가. 제1종 보통연습면허
>   나. 제2종 보통연습면허

- '자동차등'이란 자동차 + 원동기장치자전거를 말하는 것으로(도로교통법 제2조 제21호), 다음과 같은 것들이다.

- 운전면허의 종별에 따라 운전할 수 있는 개별 차량(자동차등)의 범위는 다음과 같다(도로교통법 시행규칙 별표 18). [2018 채용2차] [2018 승진(경감)] [2024 채용 1차]

종별	구분	승용차	승합차	화물차	특수차 그 외	특수차 대견·소견·구난	건설기계 (자동차)	이륜차	원장자
제1종	대형	O	O	O	O	×	O	×	O
	보통	O	O (15인 이하)	O (12t 미만)	O (10t 미만)	×	3t 미지	×	O
	소형	×	×	×	×	×	×	×	O
	특수	O	O (10인 이하)	O (4t 이하)	O (3.5t 이하)	O (3.5t 이하 소견)	×	×	O
제2종	보통	O	O (10인 이하)	O (4t 이하)	O (3.5t 이하)	×	×	×	×
	소형	×	×	×	×	×	×	O	×
	원동기	×	×	×	×	×	×	×	O
연습	제1종 보통	O	O (15인 이하)	O (12t 미만)	×	×	×	×	×
	제2종 보통	O	O (10인 이하)	O (4t 이하)	×	×	×	×	×

* 축약용어
- 승용차: 승용자동차
- 화물차: 화물자동차
- 특수차: 특수자동차
- 대견: 대형견인차 / 소견: 소형견인차 / 구난: 구난차
- 이륜차: 이륜자동차(운반차 포함)
- 원장자: 원동기장치자전거
- 3t 미지: 도로를 운행하는 3톤 미만 지게차

* 건설기계(자동차인 건설기계)

아스팔트 (2)	아스팔트살포기
	아스팔트콘크리트재생기
콘크리트 (3)	콘크리트믹서트럭
	콘크리트믹서트레일러
	콘크리트펌프
도로 (2)	도로보수트럭
	노상안정기
그 외 (3)	덤프트럭
	천공기(트럭적재식)
	3t 미만 지게차

[2016 채용1차] 제1종 보통면허로 총 중량 10톤 미만의 특수자동차(견인차 및 구난차를 포함한다)를 운전할 수 있다. (×)
[2018 실무 1] 제1종 보통면허로 도로보수트럭, 3톤 미만의 지게차를 운전할 수 있다. (×)
[2019 채용2차] 제1종 보통면허를 소지한 甲이 구난차 등이 아닌 10톤의 특수자동차를 운전한 경우 이는 무면허운전으로 볼 수 없다. (×)
[2017 승진(경위)] 제2종 보통면허로 승차정원 12명인 승합자동차를 운전할 수 있다. (×)
[2018 채용3차] 제2종 보통면허로 승차정원 10인의 승합자동차는 운전할 수 있으나 적재중량 4톤의 화물자동차는 운전할 수 없다. (×)
[2021 채용1차] 제2종 보통연습면허로 총 중량 3.5톤 이하의 견인형 특수자동차를 운전할 수 있다. (×)

⊕심화 소형면허(제1종·제2종)

1 제2종 소형면허

- 제2종 소형면허는 한마디로, 이륜자동차(125cc 초과 고성능 오토바이, Motorcycle) 전용면허로 이해할 수 있다.
- 제2종 소형면허로는 이륜자동차의 하위 호환인 원동기장치자전거(125cc 이하 오토바이, Moped)를 제외하고는 다른 어떤 자동차도 운전할 수 없다.

2 제1종 소형면허

- 제1종 소형면허는 삼륜자동차 전용면허라고 볼 수 있는데, 1970년대 이후로 더 이상 우리나라에 삼륜자동차가 생산되고 있지 않기 때문에 현실에서는 거의 사라진 면허로 볼 수 있다(2021년 기준, 총 33,729,806명의 운전면허 소지자 중 제1종 소형면허는 단 8명에 불과).
- 제1종 소형면허로도 삼륜자동차의 하위 호환인 원동기장치자전거를 운전할 수 있으나, 원동기장치자전거면허를 취득하는 것이 훨씬 쉽기때문에 삼륜자동차면허를 딸 이유도 없다.

3 소형면허로 운전할 수 있는 차 [2017 승진(경위)]

제2종 소형면허	• 이륜자동차(운반차 포함) • 원동기장치자전거
제1종 소형면허	• 3륜화물자동차 • 3륜승용자동차 • 원동기장치자전거

2. 자동차 개조의 경우

자동차관리법에 따라 자동차의 형식이 변경승인되거나 자동차의 구조 또는 장치가 변경승인된 경우에는 다음의 구분에 따른 기준에 따라 운전면허를 적용한다(도로교통법 시행규칙 별표 18, 비고 1).

개조상황		보유해야 할 운전면허
자동차 형식변경	차종변경 승차정원·적재중량 증가	변경승인 후의 차종이나 승차정원 또는 적재중량 기준
	차종변경 없이 승차정원·적재중량 감소	변경승인 전의 승차정원 또는 적재중량 기준
자동차구조·장치변경		변경승인 전의 승차정원 또는 적재중량 기준

03 운전면허의 발급 등

1. 운전면허의 발급

도로교통법 제85조 【운전면허증의 발급 등】① 운전면허를 받으려는 사람은 운전면허시험에 합격하여야 한다.

② 시·도경찰청장은 운전면허시험에 합격한 사람에 대하여 행정안전부령으로 정하는 운전면허증을 발급하여야 한다.

⑤ 운전면허의 효력은 본인 또는 대리인이 제2항부터 제4항까지에 따른 운전면허증을 발급받은 때부터 발생한다. 이 경우 …

행정안전부령 도로교통법 시행규칙 제77조 【운전면허증의 발급 등】① 법 제85조에 따라 운전면허시험에 합격한 사람은 그 합격일부터 30일 이내에 운전면허시험을 실시한 경찰서장 또는 도로교통공단으로부터 운전면허증을 발급받아야 하며, 운전면허증을 발급받지 아니하고 운전하여서는 아니된다.

⚖ 요지판례 |

운전면허의 효력은 운전면허신청인이 운전면허시험에 합격하기만 하면 발생한다고는 할 수 없지만, 지방경찰청장으로부터 운전면허증을 현실적으로 교부받아야만 발생하는 것은 아니고, 운전면허증이 작성권자인 지방경찰청장에 의하여 작성되어 운전면허신청인이 이를 교부받을 수 있는 상태가 되면 운전면허의 효력이 발생한다고 보아야 하며, 그 경우에 운전면허신청인이 운전면허증을 교부받을 수 있는 상태가 되었는지의 여부는 특별한 사정이 없는 한 운전면허증에 기재된 교부일자를 기준으로 결정함이 상당하다(대판 1997.1.21, 96다40127).

2. 운전면허의 결격사유

도로교통법 제82조 【운전면허의 결격사유】① 다음 각 호의 어느 하나에 해당하는 사람은 운전면허를 받을 수 없다.
1. 18세 미만(원동기장치자전거의 경우에는 16세 미만)인 사람 [2021 경간]
2. 교통상의 위험과 장해를 일으킬 수 있는 정신질환자 또는 뇌전증 환자로서 대통령령으로 정하는 사람 [2012 채용3차] [2017 채용2차]
3. 듣지 못하는 사람(제1종 운전면허 중 대형면허 · 특수면허만 해당한다), 앞을 보지 못하는 사람(한쪽 눈만 보지 못하는 사람의 경우에는 제1종 운전면허 중 대형면허 · 특수면허만 해당한다)이나 그 밖에 대통령령으로 정하는 신체장애인 [2012 채용3차] [2017 채용2차]
4. 양쪽 팔의 팔꿈치관절 이상을 잃은 사람이나 양쪽 팔을 전혀 쓸 수 없는 사람. 다만, 본인의 신체장애 정도에 적합하게 제작된 자동차를 이용하여 정상적인 운전을 할 수 있는 경우에는 그러하지 아니하다.
5. 교통상의 위험과 장해를 일으킬 수 있는 마약 · 대마 · 향정신성의약품 또는 알코올 중독자로서 대통령령으로 정하는 사람
6. 제1종 대형면허 또는 제1종 특수면허를 받으려는 경우로서 19세 미만이거나 자동차(이륜자동차는 제외한다)의 운전경험이 1년 미만인 사람 [2012 채용3차] [2017 채용2차]
7. 대한민국의 국적을 가지지 아니한 사람 중 「출입국관리법」 제31조에 따라 외국인등록을 하지 아니한 사람(외국인등록이 면제된 사람은 제외한다)이나 「재외동포의 출입국과 법적 지위에 관한 법률」 제6조 제1항에 따라 국내거소신고를 하지 아니한 사람

[2012 채용2차] [2017 채용2차] 19세 미만(원동기장치자전거의 경우 16세 미만)인 사람은 운전면허 결격사유에 해당한다. (×)
[2012 채용3차] 18세 이하(원동기장치자전거의 경우에는 16세 이하)인 사람은 운전면허를 받을 수 없다. (×)

✓ KEY POINT | 운전면허의 결격사유 정리(법률상)

유형	사유	비고
국적	외국인 등록 ×, 국내거소신고 ×, 외국인	전체 결격
나이	19세 미만, 이륜차 제외 운전경험 1년 미만	제1종대형, 제1종특수만 결격
	18세 미만	16세 이상이면 원장자 면허 가능
	16세 미만	전체 결격
정신 장애	정신질환자, 뇌전증 환자	전체 결격
	마약·알코올 등 중독자	전체 결격
신체 장애	앞을 못보는 사람	전체 결격
	한쪽 눈만 못보는 사람	제1종대형, 제1종특수만 결격
	듣지 못하는 사람	제1종대형, 제1종특수만 결격
	양쪽 팔에 일정수준 이상 장애	전체 결격, 특수제작차 예외

3. 운전면허의 발급제한기간

도로교통법 제82조【운전면허의 결격사유】 ② 다음 각 호의 어느 하나의 경우에 해당하는 사람은 해당 각 호에 규정된 기간이 지나지 아니하면 운전면허를 받을 수 없다. 다만, 다음 각 호의 사유로 인하여 벌금 미만의 형이 확정되거나 선고유예의 판결이 확정된 경우 또는 기소유예나「소년법」제32조에 따른 보호처분의 결정이 있는 경우에는 각 호에 규정된 기간 내라도 운전면허를 받을 수 있다.

1. 무면허운전금지를 위반하여 자동차등을 운전한 경우에는 그 위반한 날(운전면허효력 정지기간에 운전하여 취소된 경우에는 그 취소된 날을 말하며, 이하 이 조에서 같다)부터 1년(원동기장치자전거면허를 받으려는 경우에는 6개월로 하되, 공동위험행위금지를 위반한 경우에는 그 위반한 날부터 1년). 다만, 사람을 사상한 후 사고발생시의 조치·신고를 하지 아니한 경우에는 그 위반한 날부터 5년으로 한다.

2. 무면허운전금지를 3회 이상 위반하여 자동차등을 운전한 경우에는 그 위반한 날부터 2년 [2020 승진(경위)]

3. 다음 각 목의 경우에는 운전면허가 취소된 날(무면허운전금지를 함께 위반한 경우에는 그 위반한 날을 말한다)부터 5년
   가. 음주운전금지, 과로운전금지 또는 공동위험행위금지를 위반(무면허운전금지를 함께 위반한 경우도 포함한다)하여 운전을 하다가 사람을 사상한 후 사고발생시의 조치·신고를 하지 아니한 경우 [2012 채용2차]
   나. 음주운전금지를 위반(무면허운전금지를 함께 위반한 경우도 포함한다)하여 운전을 하다가 사람을 사망에 이르게 한 경우

4. 무면허운전금지, 음주운전금지, 과로운전금지, 공동위험행위금지까지의 규정에 따른 사유가 아닌 다른 사유로 사람을 사상한 후 사고발생시의 조치·신고를 하지 아니한 경우에는 운전면허가 취소된 날부터 4년

5. 음주운전금지를 위반(무면허운전금지를 함께 위반한 경우도 포함한다)하여 운전을 하다가 2회 이상 교통사고를 일으킨 경우에는 운전면허가 취소된 날(무면허운전금지를 함께 위반한 경우에는 그 위반한 날을 말한다)부터 3년, 자동차등을 이용하여 범죄행위를 하거나 다른 사람의 자동차등을 훔치거나 빼앗은 사람이 무면허운전금지를 위반하여 그 자동차등을 운전한 경우에는 그 위반한 날부터 3년

💡 도로교통법 제82조 제2항의 경우 조문의 복잡성을 고려하여 ① 조문 내 재인용조항과 일부 표현을 수정(단순화)하였으며, ② 조문에서 무면허운전금지는 국제운전면허의 무면허도 포함하고, ③ 음주운전금지는 측정거부도 포함하는 의미이다.

▌**과로운전금지**
술에 취한 경우를 제외하고, 과로·질병·약물(마약, 대마, 향정 등) 등으로 정상적인 운전을 하기 어려운 상태에서 운전하는 것을 말한다.

▌**공동위험행위(폭주족)**
(개인형 이동장치 제외) 도로에서 **2명 이상**이 **2대 이상**의 자동차등으로 앞뒤·좌우로 줄지어 통행하며 다른 사람에게 위해를 끼치거나 교통상 위험을 발생하게 하는 것을 말한다.

6. 다음 각 목의 경우에는 운전면허가 취소된 날(무면허운전금지를 함께 위반한 경우에는 그 위반한 날을 말한다)부터 2년
   가. 음주운전금지를 2회 이상 위반(무면허운전금지를 함께 위반한 경우도 포함한다)한 경우
   나. 음주운전금지를 위반(무면허운전금지를 함께 위반한 경우도 포함한다)하여 운전을 하다가 교통사고를 일으킨 경우
   다. 공동위험행위금지를 2회 이상 위반(무면허운전금지를 함께 위반한 경우도 포함한다)한 경우
   라. 제93조 제1항 제8호(➡ 결격자가 운전면허 받은경우, 운전면허효력의 정지기간 중 운전면허증 또는 운전면허증을 갈음하는 증명서를 발급받은 사실이 드러난 경우) · 제12호(➡ 다른 사람 자동차 훔치거나 빼앗은 경우) 또는 제13호(➡ 운전면허시험 대신 응시)의 사유로 운전면허가 취소된 경우
7. 제1호부터 제6호까지의 규정에 따른 경우가 아닌 다른 사유로 운전면허가 취소된 경우에는 운전면허가 취소된 날부터 1년(원동기장치자전거면허를 받으려는 경우에는 6개월로 하되, 공동위험행위금지를 위반하여 운전면허가 취소된 경우에는 1년). 다만, 제93조 제1항 제9호의 사유로 운전면허가 취소된 경우에는 그러하지 아니하다. <시행일: 2022.7.12.>
8. 운전면허효력 정지처분을 받고 있는 경우에는 그 정지기간
9. 제96조에 따른 국제운전면허증 또는 상호인정외국면허증으로 운전하는 운전자가 운전금지 처분을 받는 경우 그 금지기간

☑ KEY POINT | 운전면허의 발급제한기간 [2012 채용1차] [2013 채용1차] [2014 채용2차] [2017 경간]

1️⃣ 기본 4대행위(무면허 · 음주 · 과로 · 공동위험) 관련

기본행위	결합행위	기산점	제한기간
무면허운전금지	–	위반한 날	1년
	정지기간 중 운전으로 취소	취소된 날	1년
	무면허운전금지 3회 이상	위반한 날	2년
	자동차이용범죄 · 자동차 절도 등	위반한 날	3년
	인피사고 후 미조치 · 미신고	위반한 날	5년
음주운전금지	–	취소된 날	1년
	음주운전 2회 이상	취소된 날	2년
	교통사고	취소된 날	2년
	음주교통사고 2회 이상	취소된 날	3년
	인피사고 후 미조치 · 미신고	취소된 날	5년
	사망사고	취소된 날	5년
과로운전금지	–	취소된 날	1년
	인피사고 후 미조치 · 미신고	취소된 날	5년
공동위험행위금지	–	취소된 날	1년
	공동위험행위 2회 이상	취소된 날	2년
	인피사고 후 미조치 · 미신고	취소된 날	5년

* 기본 4대행위(무면허 · 음주 · 과로 · 공동위험)에 인피사고 후 미조치 · 미신고 결합하면 5년, 기본 4대행위 아닌 인피사고 후 미조치 · 미신고의 경우 4년
* 상기 표에서 발급제한기간 1년으로 된 사유들은, 원동기장치자전거 면허를 재발급하려고 하는 경우에 한하여 6개월의 제한기간 적용된다. 단, 공동위험행위로 면허취소된 경우에는 원래대로 1년의 제한기간 적용
* 상기 표에서 무면허운전금지는 국제운전면허와 관련된 무면허운전금지도 포함하는 것이고, 음주운전금지는 측정거부도 포함하는 의미이다.

② 기본 4대행위 이외의 경우

사유	기간점	기간
• 결격자가 운전면허 받아 운전면허취소 • 운전면허효력의 정지기간 중 운전면허증 등 발급받은 사실이 드러나 취소 • 다른 사람 자동차 훔치거나 빼앗아 운전면허취소 • 운전면허시험 대신 응시하여 운전면허취소	취소된 날	2년
상기사유에 해당하지 않는 다른 사유로 운전면허취소	취소된 날	1년
적성검사 받지 않거나 적성검사 불합격으로 운전면허취소	즉시	

③ 부정행위자에 대한 응시제한

> **도로교통법 제84조의2【부정행위자에 대한 조치】** ① 경찰청장은 제106조에 따른 전문학원의 강사자격시험 및 제107조에 따른 기능검정원 자격시험에서, 시 · 도경찰청장 또는 도로교통공단은 제83조에 따른 운전면허시험에서 부정행위를 한 사람에 대하여는 해당 시험을 각각 무효로 처리한다.
> ② 제1항에 따라 시험이 무효로 처리된 사람은 그 처분이 있는 날부터 2년간 해당 시험에 응시하지 못한다. [2021 경간]

4. 운전면허증의 반납

> **도로교통법 제95조【운전면허증의 반납】** ① 운전면허증을 받은 사람이 다음 각 호의 어느 하나에 해당하면 그 사유가 발생한 날부터 7일 이내(제4호 및 제5호의 경우 새로운 운전면허증을 받기 위하여 운전면허증을 제출한 때)에 주소지를 관할하는 시 · 도경찰청장에게 운전면허증을 반납하여야 한다. [2020 승진(경위)]
> 1. 운전면허 취소처분을 받은 경우
> 2. 운전면허효력 정지처분을 받은 경우
> 3. 운전면허증을 잃어버리고 다시 발급받은 후 그 잃어버린 운전면허증을 찾은 경우
> 4. 연습운전면허증을 받은 사람이 제1종 보통면허증 또는 제2종 보통면허증을 받은 경우
> 5. 운전면허증 갱신을 받은 경우
> ② 경찰공무원은 제1항을 위반하여 운전면허증을 반납하지 아니한 사람이 소지한 운전면허증을 직접 회수할 수 있다.
> ③ 시 · 도경찰청장이 제1항 제2호에 따라 운전면허증을 반납받거나 제2항에 따라 제1항 제2호에 해당하는 사람으로부터 운전면허증을 회수하였을 때에는 이를 보관하였다가 정지기간이 끝난 즉시 돌려주어야 한다.

04 임시운전증명서

1. 발급사유

> **도로교통법 제91조 【임시운전증명서】** ① 시·도경찰청장은 다음 각 호의 어느 하나의 경우에 해당하는 사람이 임시운전증명서 발급을 신청하면 행정안전부령으로 정하는 바에 따라 임시운전증명서를 발급할 수 있다. 다만, 제2호의 경우에는 소지하고 있는 운전면허증에 행정안전부령으로 정하는 사항을 기재하여 발급함으로써 임시운전증명서 발급을 갈음할 수 있다.
> 1. 운전면허증을 받은 사람이 제86조(➡ 분실·훼손 등에 의한 재발급)에 따른 재발급 신청을 한 경우
> 2. 제87조에 따른 정기 적성검사 또는 운전면허증 갱신 발급 신청을 하거나 제88조에 따른 수시 적성검사를 신청한 경우
> 3. 제93조에 따른 운전면허의 취소처분 또는 정지처분 대상자가 운전면허증을 제출한 경우 예 음주운전 단속된 경우, 통상 1주일 내 관할 경찰서에서 조사를 받고 면허증 반납 후 임시운전증명서를 받게 된다.
> ② 제1항의 임시운전증명서는 그 유효기간 중에는 운전면허증과 같은 효력이 있다.
> [2019 승진(경위)]

2. 유효기간

> 행정안전부령 **도로교통법 시행규칙 제88조 【임시운전증명서】** ① 법 제91조 제1항에 따른 임시운전증명서는 별지 제79호 서식에 의한다.
> ② 제1항에 따른 임시운전증명서의 유효기간은 20일 이내로 하되, 법 제93조에 따른 운전면허의 취소 또는 정지처분 대상자의 경우에는 40일 이내로 할 수 있다. 다만, 경찰서장이 필요하다고 인정하는 경우에는 그 유효기간을 1회에 한하여 20일의 범위에서 연장할 수 있다. [2012 승진(경위)]
>
> [2020 승진(경감)] 임시운전증명서의 유효기간은 20일 이내로 하되, 운전면허의 취소 또는 정지처분 대상자의 경우 40일 이내로 할 수 있다. 다만, 시·도경찰청장이 필요하다고 인정하는 경우 그 유효기간을 1회에 한하여 20일의 범위 이내에서 연장할 수 있다. (×)

05 연습운전면허

1. 의의 및 종류

(1) 의의

💡 **연습면허로 운전할 수 있는 차량**
- 승용·승합·화물의 기본차량만 운전 가능하다(원동기장치자전거도 운전할 수 없다).
- 기본차량의 범위에서는 제1종·제2종의 종별로 일반면허와 운전할 수 있는 차량의 범위가 동일하다고 보면 된다.

- 연습면허는 필기시험과 장내기능시험을 통과한 자에게 운전장치 조작·교통법규 준수 능력에 대해 도로주행시험을 치르게 하기 위해 발급되는 한시적 운전면허이다.
- 연습면허의 경우에는 따로 면허정지제도가 없으나(도로교통법상 벌점관리도 없음), 교통사고 등의 경우 취소될 수는 있다.
  [2018 경채] 연습운전면허 소지자가 교통사고를 일으키거나 법규를 위반한 경우 벌점을 부과한다. (×)

(2) 종류

> **도로교통법 제80조【운전면허】** ② 시·도경찰청장은 운전을 할 수 있는 차의 종류를 기준으로 다음 각 호와 같이 운전면허의 범위를 구분하고 관리하여야 한다. …
> [2018 경채]
> 3. 연습운전면허
> 가. 제1종 보통연습면허
> 나. 제2종 보통연습면허

2. 효력

> **도로교통법 제81조【연습운전면허의 효력】** 연습운전면허는 그 면허를 받은 날부터 1년 동안 효력을 가진다. 다만, 연습운전면허를 받은 날부터 1년 이전이라도 연습운전면허를 받은 사람이 제1종 보통면허 또는 제2종 보통면허를 받은 경우 연습운전면허는 그 효력을 잃는다. [2018 경채] [2021 경간]

3. 준수사항

> **행정안전부령** **도로교통법 시행규칙 제55조【연습운전면허를 받은 사람의 준수사항】** 법 제80조 제2항 제3호에 따른 연습운전면허를 받은 사람이 도로에서 주행연습을 하는 때에는 다음 각 호의 사항을 지켜야 한다.
> 1. 운전면허(연습하고자 하는 자동차를 운전할 수 있는 운전면허에 한한다)를 받은 날부터 2년이 경과된 사람(소지하고 있는 운전면허의 효력이 정지기간 중인 사람을 제외한다)과 함께 승차하여 그 사람의 지도를 받아야 한다.
> 2. 「여객자동차 운수사업법」 또는 「화물자동차 운수사업법」에 따른 사업용 자동차를 운전하는 등 주행연습 외의 목적으로 운전하여서는 아니된다.
> 3. 주행연습 중이라는 사실을 다른 차의 운전자가 알 수 있도록 연습 중인 자동차에 별표 21의 표지(➜ '주행연습'표지)를 붙여야 한다. [2018 경채]
> [2019 승진(경위)] 연습운전면허를 발급받은 사람은 여객자동차 운수사업법 또는 화물자동차 운수사업법에 따른 사업용 자동차를 운전할 수 있다. (×)

4. 연습면허의 취소

> **도로교통법 제93조【운전면허의 취소·정지】** ③ 시·도경찰청장은 연습운전면허를 발급받은 사람이 운전 중 고의 또는 과실로 교통사고를 일으키거나 이 법이나 이 법에 따른 명령 또는 처분을 위반한 경우에는 연습운전면허를 취소하여야 한다. 다만, 본인에게 귀책사유가 없는 경우 등 대통령령으로 정하는 경우에는 그러하지 아니하다.
> **대통령령** **도로교통법 시행령 제59조【연습운전면허 취소의 예외 사유】** 법 제93조 제3항 단서에서 "대통령령으로 정하는 경우"란 다음 각 호의 어느 하나에 해당하는 경우를 말한다. ➜ 연습면허 취소하지 않는 경우
> 1. 도로교통공단에서 도로주행시험을 담당하는 사람, 자동차운전학원의 강사, 전문학원의 강사 또는 기능검정원의 지시에 따라 운전하던 중 교통사고를 일으킨 경우
> [2018 경채]
> 2. 도로가 아닌 곳에서 교통사고를 일으킨 경우
> 3. 교통사고를 일으켰으나 물적 피해만 발생한 경우

06 국제운전면허

1. 외국발급 국제운전면허증·상호인정외국면허증

(1) 발급근거 및 효력

💡 **상호인정외국면허증**

2021.10.19. 도로교통법 개정시 도입된 것으로 2022.10.20. 시행되는 조항임을 주의할 필요가 있다.

> **도로교통법 제96조【국제운전면허증 또는 상호인정외국면허증에 의한 자동차등의 운전】**
> ① 외국의 권한 있는 기관에서 제1호부터 제3호까지의 어느 하나에 해당하는 협약·협정 또는 약정에 따른 운전면허증(이하 "국제운전면허증"이라 한다) 또는 제4호에 따라 인정되는 외국면허증(이하 "상호인정외국면허증"이라 한다)을 발급받은 사람은 제80조 제1항에도 불구하고 국내에 입국한 날부터 1년 동안 그 국제운전면허증 또는 상호인정외국면허증으로 자동차등을 운전할 수 있다. 이 경우 운전할 수 있는 자동차의 종류는 그 국제운전면허증 또는 상호인정외국면허증에 기재된 것으로 한정한다. [2012 승진(경위)] [2017 실무 1] [2019 승진(경위)] [2020 승진(경감)]
> 1. 1949년 제네바에서 체결된 「도로교통에 관한 협약」
> 2. 1968년 비엔나에서 체결된 「도로교통에 관한 협약」
> 3. 우리나라와 외국 간에 국제운전면허증을 상호 인정하는 협약, 협정 또는 약정
> 4. 우리나라와 외국 간에 상대방 국가에서 발급한 운전면허증을 상호 인정하는 협약·협정 또는 약정
>
> [2012 실무 1] 외국에서 발행한 국제운전면허증은 발행한 날로부터 1년간 유효하다. (×)
> [2018 경간] 국제운전면허는 모든 국가에서 통용된다. (×)

(2) 금지행위

1) 원칙적 금지행위

> **도로교통법 제96조【국제운전면허증 또는 상호인정외국면허증에 의한 자동차등의 운전】** ② 국제운전면허증을 외국에서 발급받은 사람 또는 상호인정외국면허증으로 운전하는 사람은 「여객자동차 운수사업법」 또는 「화물자동차 운수사업법」에 따른 사업용 자동차를 운전할 수 없다. 다만, 「여객자동차 운수사업법」에 따른 대여사업용 자동차를 임차하여 운전하는 경우에는 그러하지 아니하다. 📌 외국발급 국제운전면허증으로 택시영업을 할 수는 없으나 렌트카를 운전할 수는 있다. [2017 실무 1] [2019 승진(경위)]
> ③ 제82조 제2항에 따른 운전면허 결격사유에 해당하는 사람으로서 같은 항 각 호의 구분에 따른 기간이 지나지 아니한 사람은 제1항에도 불구하고 자동차등을 운전하여서는 아니 된다.
>
> [2018 경간] 국제운전면허증을 외국에서 발급받은 사람은 「여객자동차 운수사업법」 또는 「화물자동차 운수사업법」에 따른 사업용 자동차를 운전할 수 없다. 「여객자동차 운수사업법」에 따른 대여사업용 자동차를 임차하여 운전하는 경우에도 마찬가지이다. (×)

2) 시·도경찰청장의 금지명령

> **도로교통법 제97조【자동차등의 운전 금지】** ① 제96조에 따라 국제운전면허증 또는 상호인정외국면허증을 가지고 국내에서 자동차등을 운전하는 사람이 다음 각 호의 어느 하나에 해당하는 경우에는 그 사람의 주소지를 관할하는 시·도경찰청장은 행정안전부령으로 정한 기준에 따라 1년을 넘지 아니하는 범위에서 국제운전면허증 또는 상호인정외국면허증에 의한 자동차등의 운전을 금지할 수 있다.
> 1. 제88조 제1항에 따른 적성검사를 받지 아니하였거나 적성검사에 불합격한 경우
> 2. 운전 중 고의 또는 과실로 교통사고를 일으킨 경우
> 3. 대한민국 국적을 가진 사람이 제93조 제1항 또는 제2항에 따라 운전면허가 취소되거나 효력이 정지된 후 제82조 제2항 각 호에 규정된 기간이 지나지 아니한 경우
> 4. 자동차등의 운전에 관하여 이 법이나 이 법에 따른 명령 또는 처분을 위반한 경우
> ② 제1항에 따라 자동차등의 운전이 금지된 사람은 지체 없이 국제운전면허증 또는 상호인정외국면허증에 의한 운전을 금지한 시·도경찰청장에게 그 국제운전면허증 또는 상호인정외국면허증을 제출하여야 한다.
> ③ 시·도경찰청장은 제1항에 따른 금지기간이 끝난 경우 또는 금지처분을 받은 사람이 그 금지기간 중에 출국하는 경우에는 그 사람의 반환청구가 있으면 지체 없이 보관 중인 국제운전면허증 또는 상호인정외국면허증을 돌려주어야 한다.

2. 국내발급 국제운전면허증

> **도로교통법 제98조【국제운전면허증의 발급 등】** ① 제80조에 따라 운전면허를 받은 사람이 국외에서 운전을 하기 위하여 제96조 제1항 제1호의 「도로교통에 관한 협약」에 따른 국제운전면허증을 발급받으려면 시·도경찰청장에게 신청하여야 한다.
> ② 제1항에 따른 국제운전면허증의 유효기간은 발급받은 날부터 1년으로 한다.
> ③ 제1항에 따른 국제운전면허증은 이를 발급받은 사람의 국내운전면허의 효력이 없어지거나 취소된 때에는 그 효력을 잃는다.
> ④ 제1항에 따른 국제운전면허증을 발급받은 사람의 국내운전면허의 효력이 정지된 때에는 그 정지기간 동안 그 효력이 정지된다. [2018 경간]
> ⑤ 제1항에 따른 국제운전면허증의 발급에 필요한 사항은 행정안전부령으로 정한다.
> [2017 실무 1] 국제운전면허증을 받으려면 국내면허를 받은 후 1년이 경과되어야 한다. (×)

01 무면허운전

자동차등
자동차 + 원동기장치자전거

> **도로교통법 제43조 【무면허운전 등의 금지】** 누구든지 제80조에 따라 시·도경찰청장으로 부터 운전면허를 받지 아니하거나 운전면허의 효력이 정지된 경우에는 자동차등을 운전하여서는 아니 된다.

> ⚖️ **요지판례 |**
>
> 무면허운전으로 인한 도로교통법위반죄에 있어서는 어느 날에 운전을 시작하여 다음 날까지 동일한 기회에 일련의 과정에서 계속 운전을 한 경우 등 특별한 경우를 제외하고는 사회통념상 운전한 날을 기준으로 운전한 날마다 1개의 운전행위가 있다고 보는 것이 상당하므로 운전한 날마다 무면허운전으로 인한 도로교통법위반의 1죄가 성립한다고 보아야 할 것이고, 비록 계속적으로 무면허운전을 할 의사를 가지고 여러 날에 걸쳐 무면허운전행위를 반복하였다 하더라도 이를 포괄하여 일죄로 볼 수는 없다(대판 2002.7.23, 2001도6281).
>
> [2015 채용3차] 무면허운전으로 인한 도로교통법위반죄에 있어서는 어느 날에 운전을 시작하여 다음 날까지 동일한 기회에 일련의 과정에서 계속 운전을 한 경우 등 특별한 경우를 제외하고는 사회통념상 운전한 날을 기준으로 운전한 날마다 1개의 운전행위가 있다고 보는 것은 상당하지 않다. (×)

02 음주운전

1. 음주운전의 금지

차
자동차 + 자동차인 건설기계 + 원동기장치자전거 + 자전거

자동차
- 승용자동차
- 승합자동차
- 화물자동차
- 특수자동차
- 이륜자동차
- 자동차인 건설기계

> **도로교통법 제44조 【술에 취한 상태에서의 운전 금지】** ① 누구든지 술에 취한 상태에서 자동차등(「건설기계관리법」 제26조 제1항 단서에 따른 건설기계 외의 건설기계를 포함한다. …), 노면전차 또는 자전거를 운전하여서는 아니 된다. [2019 채용1차] [2020 경간]
>
> **도로교통법 제2조 【정의】** 이 법에서 사용하는 용어의 뜻은 다음과 같다.
>   26. "운전"이란 도로(제44조 … 의 경우에는 도로 외의 곳을 포함한다)에서 차마 또는 노면전차를 그 본래의 사용방법에 따라 사용하는 것 … 을 말한다.
>
> [2019 채용1차] 도로가 아닌 곳에서 술에 취한 상태로 자동차등을 운전하더라도 음주단속의 대상이 된다. (○)
> [2021 승진(실무종합)] 주차장, 학교 경내 등 도로교통법상 도로가 아닌 곳에서의 음주운전, 약물운전, 사고 후 미조치에 대하여 형사처벌이 가능하다. (○)

- 술에 취한 상태에서 운전을 하여서는 안 되는 대상은 ① 자동차등(자동차와 원동기장치자전거, 단, 음주운전에 있어서는 자동차가 아닌 건설기계도 포함된다), ② 노면전차, ③ 자전거이다. ➜ 즉, 모든 건설기계가 음주단속의 대상이 된다.
- 경운기·(농업용)트랙터 등은 농업기계로서 도로교통법상의 '자동차'가 아니므로, 음주운전금지의 대상이 되지 않는다. [2020 경간]

⚖️ 요지판례 l

■ '경운기'는 농업기계화 촉진법 제2조의 '농업기계'의 일종일 뿐, 도로교통법상 '자동차'에 해당하지 않으므로, 도로교통법 제43조(무면허운전 등의 금지)와 제44조(술에 취한 상태에서의 운전금지)에 위반되지 않는다(대판 1985.7.9, 84도2884).
[2017 실무 1] 경운기를 사설주차장에서 도로까지 약 20m 주취운전한 경우 「도로교통법」상 주취운전으로 처벌할 수 있다. (×)

■ 무면허인데다가 술이 취한 상태에서 오토바이를 운전한 행위는 법적 평가를 떠나 사회관념상 행위가 사물자연의 상태로서 1개로 평가되는 것이고, 따라서 무면허운전죄와 음주운전죄는 형법 제40조의 상상적 경합관계에 있다고 할 것이다(대판 1987.2.24, 86도2731). [2021 승진(실무종합)]
[2019 채용1차] 무면허인 자가 술에 취한 상태에서 자동차 등을 운전한 경우, 무면허운전죄와 음주운전죄는 실체적 경합관계에 있다. (×)

■ 음주로 인한 특정범죄가중처벌 등에 관한 법률 위반(위험운전치사상)죄와 도로교통법 위반(음주운전)죄는 입법 취지와 보호법익 및 적용영역을 달리하는 별개의 범죄이므로, 양 죄가 모두 성립하는 경우 두 죄는 실체적 경합관계에 있다(대판 2008.11.13, 2008도7143). [2020 승진(경감)]

■ 피고인이 사고 직전에 비정상적인 주행을 하였다거나 비정상적인 주행 때문에 사고가 발생하였다고 보기 어렵고, 피고인이 보인 사고 직후의 태도와 경찰서까지 가게 된 경위 및 경찰 조사에서의 진술 내용 등에 비추어 사고 당시 피고인의 주의력이나 판단력이 저하되어 있었다고 보기도 어려우며, 또한 주취운전자 정황진술보고서에 따르더라도 피고인의 주취상태가 심하였다고 보기 어렵다면 결국 이 사건 사고 당시 피고인이 '음주의 영향으로 정상적인 운전이 곤란한 상태'에 있었다고 단정하기 어렵다. 따라서 이와 같은 경우에는 음주로 인한 특정범죄 가중처벌 등에 관한 법률 위반(위험운전치사상)이 아니라 도로교통법 위반(음주운전)으로 처벌해야 한다(대판 2018.1.25, 2017도15519). ➡ 음주로 인한 특정범죄 가중처벌 등에 관한 법률 위반(위험운전치사상)죄는 도로교통법 위반(음주운전)죄의 경우와는 달리 형식적으로 혈중알코올농도의 법정 최저기준치를 초과하였는지 여부와는 상관없이 운전자가 '음주의 영향으로 실제 정상적인 운전이 곤란한 상태'에 있어야만 한다(피고인은 차에서 내려 피해자에게 '왜 와서 들이받냐'라는 말을 하기도 한 사실, 피고인은 피해자의 신고로 출동한 경찰관에게 '동네 사람끼리 한번 봐 달라'고 하였지만, 그럴 수는 없으니 경찰서에 가자는 경찰관의 지시에 순순히 응하여 순찰차에 스스로 탑승하여 경찰서까지 갔고, 경찰서에서 조사받으면서 사고 당시 상황에 대한 자신의 주장을 정확하게 진술한 사실, 경찰관이 작성한 주취운전자 정황진술보고서에는 '언행상태'란에 '발음 약간 부정확', '보행상태'란에 '비틀거림이 없음', '운전자 혈색'란에 '안면 홍조 및 눈 충혈'이라고 기재되어 있었던 사례) [2022 채용2차]

2. 음주 여부의 측정

도로교통법 제44조【술에 취한 상태에서의 운전 금지】 ② 경찰공무원은 교통의 안전과 위험방지를 위하여 필요하다고 인정하거나 제1항을 위반하여 술에 취한 상태에서 자동차등, 노면전차 또는 자전거를 운전하였다고 인정할 만한 상당한 이유가 있는 경우에는 운전자가 술에 취하였는지를 호흡조사로 측정할 수 있다. 이 경우 운전자는 경찰공무원의 측정에 응하여야 한다. [2021 승진(실무종합)]
③ 제2항에 따른 측정 결과에 불복하는 운전자 에 대하여는 그 운전자의 동의를 받아 혈액 채취 등의 방법으로 다시 측정할 수 있다.

지침 교통단속처리지침 제30조 【음주측정 요령】 ① 단속경찰관은 자동차등의 운전자가 음주감지기에 의하여 음주한 것으로 감지되는 등 주취운전이 의심스러울 때에는 음주측정기기 또는 채혈에 의한 방법을 이용하여 주취여부를 측정한다.

② 단속경찰관이 제1항에 따라 주취운전 의심자를 호흡측정하는 때에는 피측정자의 입안의 잔류 알콜을 헹궈낼 수 있도록 음용수 200ml을 제공한다.

③ 음주측정 1회당 1개의 음주측정용 불대(Mouth Piece)를 사용한다. [2020 승진(경감)]

④ 음주측정은 단속 현장에서 즉시 측정하는 것을 원칙으로 하며 측정기가 없는 경우에는 인근에 있는 측정기를 가져오도록 하여 측정한다. 다만, 부득이한 사유로 현장에서 측정할 수 없는 경우에는 112 상황실에 이동사실 및 그 사유를 보고하고 경찰서·지역경찰관서 등으로 이동하여 측정할 수 있다.

⑤ 음주측정을 할 때에는 측정자 외에 1명 이상의 경찰관이 측정현장에 참여하여야 하며 측정 후 사용대장에 측정자 및 참여경찰관의 이름을 기록한다.

[2020 경간] 음주측정용 불대는 1인 1개를 사용함을 원칙으로 한다. (×)

지침 교통단속처리지침 제31조 【음주측정 후속조치】 ⑤ 주취운전이 의심되는 자가 다음 각호와 같이 음주측정에 불응하는 경우에는 음주측정거부자로 처리한다.

1. 명시적 의사표시로 음주측정에 불응하는 때
2. 현장을 이탈하려 하거나 음주측정을 거부하는 행동을 하는 때
3. 명시적인 의사표시를 하지 않으면서 경찰관이 음주측정 불응에 따른 불이익을 5분 간격으로 3회 이상 고지(최초 측정요구시로부터 15분 경과)했음에도 계속 음주측정에 응하지 않은 때 [2021 승진(실무종합)]

💡 **안타까운 마음 사건 (2001도5987)**

• 통상 음주감지기를 통해 음주반응이 감지되면 호흡측정기를 통한 측정요구를 하게 되고, 이 측정요구에 불응하면 측정불응죄가 성립한다.

• 다만, 이 사건의 경우에는 단속 경찰관조차도 "피고인이 별로 취해 보이지도 않았고 어차피 피고인이 불어도 낮은 수치가 나올 것 같은데 측정거부를 하는 바람에 측정거부스티커를 발부하면서도 안타까운 마음이 들었다."고 진술할 정도였다.

• 피고인에 대한 음주측정불응죄에 대해 무죄가 선고되었다.

⚖️ **요지판례 I**

<측정과정>

■ 특별한 이유 없이 호흡측정기에 의한 측정에 불응하는 운전자에게 경찰공무원이 혈액채취에 의한 측정방법이 있음을 고지하고 그 선택 여부를 물어야 할 의무는 없다 (대판 2002.10.25, 2002도4220). [2015 채용3차] [2022 채용1차]

■ 호흡측정기에 의한 음주측정을 요구하기 전에 사용되는 음주감지기 시험에서 음주반응이 나왔다고 할지라도 현재 사용되는 음주감지기가 혈중알콜농도 0.02%인 상태에서부터 반응하게 되어 있는 점을 감안하면 그것만으로 바로 운전자가 혈중알콜농도 0.05% 이상의 술에 취한 상태에 있다고 인정할 만한 상당한 이유가 있다고 볼 수는 없다(대판 2002.6.14, 2001도5987). ➜ 음주감지기에다가 운전자의 외관·태도·운전 행태 등의 객관적 사정을 종합하여 술에 취한 상태에 있다고 인정할 만한 상당한 이유가 있는지 여부를 판단하여야 할 것이다. [2015 실무 1] [2021 승진(실무종합)]

■ 물로 입 안을 헹굴 기회를 달라는 피고인의 요구를 무시한 채 호흡측정기로 측정한 혈중알코올 농도 수치가 0.05%로 나타난 사안에서, 피고인이 당시 혈중알코올 농도 0.05% 이상의 술에 취한 상태에서 운전하였다고 단정할 수 없다(대판 2006.11.23, 2005도7034).

[2015실무 1] 물로 입안을 헹굴 기회를 달라는 요구를 무시한 채 호흡측정기로 혈중알코올농도를 측정하여 음주운전 단속수치가 나왔다면 음주운전을 하였다고 단정할 수 있다. (×)

■ 운전자의 신체 이상 등의 사유로 호흡측정기에 의한 측정이 불가능 내지 심히 곤란한 경우에까지 호흡측정기에 의한 측정 방식의 측정을 요구할 수는 없으며, 이와 같은 상황이라면 경찰공무원으로서는 호흡측정기에 의한 측정의 절차를 생략하고 운전자의 동의를 얻거나 판사로부터 영장을 발부받아 혈액채취에 의한 측정으로 나아가야 할 것이다(대판 2006.1.13, 2005도7125).

■ 위드마크 공식은 운전자가 음주한 상태에서 운전한 사실이 있는지에 대한 경험법칙에 의한 증거수집 방법에 불과하다. 따라서 경찰공무원에게 위드마크 공식의 존재 및 나아가 호흡측정에 의한 혈중알코올농도가 음주운전 처벌기준 수치에 미달하였더라도 위드마크 공식에 의한 역추산 방식에 의하여 운전 당시의 혈중알코올농도를 산출할 경우 그 결과가 음주운전 처벌기준 수치 이상이 될 가능성이 있다는 취지를 운전자에게 미리 고지하여야 할 의무가 있다고 보기도 어렵다(대판 2017.9.21, 2017도661). [2018 채용1차]

■ 음주운전으로 적발된 주취운전자가 도로 밖으로 차량을 이동하겠다며 단속경찰관으로부터 보관중이던 차량열쇠를 반환받아 몰래 차량을 운전하여 가던 중 사고를 일으킨 경우, 국가배상책임이 인정된다(대판 1998.5.8, 97다54482). ➡ 경찰관의 주취운전자에 대한 권한 행사가 관계 법률의 규정 형식상 경찰관의 재량에 맡겨져 있다고 하더라도, 그러한 권한을 행사하지 아니한 것이 구체적인 상황하에서 현저하게 합리성을 잃어 사회적 타당성이 없는 경우에는 경찰관의 직무상 의무를 위배한 것으로서 위법하게 된다. [2020 채용1차]

<채혈에 의한 측정>

■ 음주운전과 관련한 도로교통법 위반죄의 범죄수사를 위하여 미성년자인 피의자의 혈액채취가 필요한 경우에도 피의자에게 의사능력이 있다면 피의자 본인만이 혈액채취에 관한 유효한 동의를 할 수 있고, 피의자에게 의사능력이 없는 경우에도 명문의 규정이 없는 이상 법정대리인이 피의자를 대리하여 동의할 수는 없다(대판 2014.11.13, 2013도1228). [2018 채용1차] [2020 채용1차]

[2022 채용1차] 음주운전과 관련한 도로교통법 위반죄의 범죄수사를 위하여 미성년자인 피의자의 혈액채취가 필요한 경우에도 피의자에게 의사능력이 있다면 피의자 본인만이 혈액채취에 관한 유효한 동의를 할 수 있고, 피의자에게 의사능력이 없는 경우 명문의 규정이 없더라도 법정대리인이 피의자를 대리하여 동의할 수 있다. (×)

■ 경찰관이 음주운전 단속시 운전자의 요구에 따라 곧바로 채혈을 실시하지 않은 채 호흡측정기에 의한 음주측정을 하고 1시간 12분이 경과한 후에야 채혈을 하였다는 사정만으로는 위 행위가 법령에 위배된다거나 객관적 정당성을 상실하여 운전자가 음주운전 단속과정에서 받을 수 있는 권익이 현저하게 침해되었다고 단정하기 어렵다(대판 2008.4.24, 2006다32132). [2016 채용2차]

■ 피고인이 운전 중 교통사고를 내고 의식을 잃은 채 병원 응급실로 호송되자, 출동한 경찰관이 영장 없이 의사로 하여금 채혈을 하도록 한 사안에서, 위 혈액을 이용한 혈중알콜농도에 관한 감정서 등의 증거능력을 부정하여 피고인에 대한 도로교통법위반(음주운전)의 공소사실을 무죄로 판단함이 타당하다(대판 2011.4.28, 2009도2109). [2015실무 1]

■ 호흡측정기에 의한 음주측정치와 혈액검사에 의한 음주측정치가 다른 경우에 어느 음주측정치를 신뢰할 것인지는 법관의 자유심증에 의한 증거취사선택의 문제라고 할 것이나, 특별한 사정이 없는 한 혈액검사에 의한 음주측정치가 호흡측정기에 의한 음주측정치보다 측정 당시의 혈중알콜농도에 더 근접한 음주측정치라고 보는 것이 경험칙에 부합한다(대판 2004.2.13, 2003도6905). [2015 실무 1] [2020 승진(경감)]

■ 위드마크 공식
• 운전자가 사고 당시 마신 술의 종류, 운전자의 체중, 성별 등의 자료에 의해 운전 당시의 혈중알코올농도를 계산하는 방법
• 실제 음주운전시간과 실제 단속시간에 차이가 있을 경우 역추산해 운전 당시 음주상태를 추정

3. 음주단속의 기준

> **도로교통법 제44조【술에 취한 상태에서의 운전 금지】** ④ 제1항에 따라 운전이 금지되는 술에 취한 상태의 기준은 운전자의 혈중알코올농도가 0.03퍼센트 이상인 경우로 한다.
> [2014 실무 1] 술에 취한 상태의 기준은 혈중알코올농도 0.3% 이상이다. (×)

4. 음주운전에 대한 처리

(1) 형사처벌

■ 개인형 이동장치 음주운전
- 앞서 본 바와 같이 개인형 이동장치는 '자동차등', '자전거등'에 모두 해당한다.
- 실제 과거에는 개인형 이동장치 음주운전이 '자동차등'의 음주운전에 해당하여 상당히 높은 수준의 처벌을 받았다.
- 이는 이륜자동차(오토바이)와의 관계에서 불합리하다는 지적에 따라, 2020.6. 법 개정으로 "개인형 이동장치를 운전하는 경우는 제외한다."라는 부분이 추가되었고, 이에 현재는 도로교통법 제156조 제11호에 따라 '자전거등 음주운전'으로 처리된다(20만원 이하 벌금·구류·과료).

> **도로교통법 제148조의2【벌칙】** ① 제44조 제1항(➜ 음주운전) 또는 제2항(➜ 측정거부)을 위반(자동차등 또는 노면전차를 운전한 경우로 한정한다. 다만, 개인형 이동장치를 운전한 경우는 제외한다.)하여 벌금 이상의 형을 선고받고 그 형이 확정된 날부터 10년 내에 다시 같은 조 제1항 또는 제2항을 위반한 사람(형이 실효된 사람도 포함한다)은 다음 각 호의 구분에 따라 처벌한다.
> 1. 제44조 제2항을 위반한 사람(➜ 측정거부자)은 1년 이상 6년 이하의 징역이나 500만원 이상 3천만원 이하의 벌금에 처한다.
> 2. 제44조 제1항(➜ 음주운전)을 위반한 사람 중 혈중알코올농도가 0.2퍼센트 이상인 사람은 2년 이상 6년 이하의 징역이나 1천만원 이상 3천만원 이하의 벌금에 처한다.
> 3. 제44조 제1항(➜ 음주운전)을 위반한 사람 중 혈중알코올농도가 0.03퍼센트 이상 0.2퍼센트 미만인 사람은 1년 이상 5년 이하의 징역이나 500만원 이상 2천만원 이하의 벌금에 처한다.
> ② 술에 취한 상태에 있다고 인정할 만한 상당한 이유가 있는 사람으로서 제44조 제2항에 따른 경찰공무원의 측정(➜ 호흡조사에 의한 측정 ○, 혈액채취 ×)에 응하지 아니하는 사람(자동차등 또는 노면전차를 운전하는 사람으로 한정한다)은 1년 이상 5년 이하의 징역이나 500만원 이상 2천만원 이하의 벌금에 처한다. [2014 실무 1] [2015 채용1차] [2020 실무 1] [2021 승진(실무종합)]
> ③ 제44조 제1항을 위반하여 술에 취한 상태에서 자동차등 또는 노면전차를 운전한 사람은 다음 각 호의 구분에 따라 처벌한다.
> 1. 혈중알코올농도가 0.2퍼센트 이상인 사람은 2년 이상 5년 이하의 징역이나 1천만원 이상 2천만원 이하의 벌금 [2014 실무 1]
> 2. 혈중알코올농도가 0.08퍼센트 이상 0.2퍼센트 미만인 사람은 1년 이상 2년 이하의 징역이나 500만원 이상 1천만원 이하의 벌금 [2015 채용1차] [2020 실무 1]
> 3. 혈중알코올농도가 0.03퍼센트 이상 0.08퍼센트 미만인 사람은 1년 이하의 징역이나 500만원 이하의 벌금
> **도로교통법 제156조【벌칙】** 다음 각 호의 어느 하나에 해당하는 사람은 20만원 이하의 벌금이나 구류 또는 과료에 처한다.
> 11. 제44조 제1항을 위반하여 술에 취한 상태에서 자전거등을 운전한 사람

1 초범의 경우

위반행위	징역	벌금
0.2% 이상	2년 이상 5년 이하	1천만원 이상 2천만원 이하
1회 측정불응	1년 이상 5년 이하	500만원 이상 2천만원 이하
0.08% 이상 0.2% 미만	1년 이상 2년 이하	500만원 이상 1천만원 이하
0.03% 이상 0.08% 미만	1년 이하	500만원 이하

[2020 실무 1] 최초 위반시 혈중알코올농도가 0.04 퍼센트인 경우 6개월 이하의 징역이나 500만원 이하의 벌금에 처한다. (×)
[2014 실무 1] [2015 채용1차] 1회 위반시 혈중알코올농도가 0.08% 이상 0.2% 미만인 사람은 1년 이상 3년 이하의 징역이나 500만원 이상 1천만원 이하의 벌금에 처한다. (×)
[2018 실무 1] 최초 위반시 혈중알코올농도가 0.09%인 경우 1년 이상 2년 이하 징역이나 500만원 이상 2천만원 이하의 벌금에 처한다. (×)
[2020 승진(경감)] 음주운전 최초 위반시 혈중알코올농도가 0.15퍼센트인 경우 2년 이상 5년 이하의 징역이나 1천만원 이상 2천만원 이하의 벌금에 처한다. (×)

2 재범의 경우(가중처벌)

음주운전 또는 측정거부로 벌금 이상 형을 선고받고 형이 확정된 날부터 10년 이내 다시 아래와 같응 위반행위를 한 경우 다음과 같이 가중처벌된다.

위반행위	징역	벌금
0.2% 이상	2년 이상 6년 이하	1천만원 이상 3천만원 이하
측정불응	1년 이상 6년 이하	500만원 이상 3천만원 이하
0.03% 이상 0.2% 미만	1년 이상 5년 이하	500만원 이상 2천만원 이하

💡 **2회 이상 음주운전 위헌결정**

• 헌법재판소는 2021.11.25. 음주운전 금지규정을 2회 이상 위반한 사람을 가중처벌하는 도로교통법 제148조의2 제1항 관련 부분에 대하여, 과거 위반행위와 처벌대상인 재범 음주운전 사이에 아무런 시간적 제한이 없다는 이유로 단순 위헌결정을 하였다(헌재 2021.11.25, 2019헌바446).

• 이후 벌금 이상 형 확정된 날부터 10년 내 다시 위반한 사람을 가중처벌하는 내용의 도로교통법 규정이 2023.1.3. 개정되어 2023.4.4.부터 시행되었다.

🔨 **요지판례 |**

<측정불응죄가 인정된 사안>

■ 도로교통법 제148조의2 제2항에서 말하는 '경찰공무원의 측정에 응하지 아니한 경우'란 전체적인 사건의 경과에 비추어 술에 취한 상태에 있다고 인정할 만한 상당한 이유가 있는 운전자가 음주측정에 응할 의사가 없음이 객관적으로 명백하다고 인정되는 때를 의미한다. 경찰공무원이 운전자에게 음주 여부를 확인하기 위하여 음주측정기에 의한 측정의 전 단계에 실시되는 음주감지기에 의한 시험을 요구하는 경우 그 시험 결과에 따라 음주측정기에 의한 측정이 예정되어 있고, 운전자가 그러한 사정을 인식하였음에도 음주감지기에 의한 시험에 불응함으로써 음주측정을 거부하겠다는 의사를 표명한 것으로 볼 수 있다면, 음주감지기에 의한 시험을 거부한 행위도 음주측정기에 의한 측정에 응할 의사가 없음을 객관적으로 명백하게 나타낸 것으로 볼 수 있다(대판 2017.6.8, 2016도16121). [2020 채용1차]

■ 운전자가 경찰공무원으로부터 음주측정을 요구받고 호흡측정기에 숨을 내쉬는 시늉만 하는 등 형식적으로 음주측정에 응하였을 뿐 경찰공무원의 거듭된 요구에도 불구하고 호흡측정기에 음주측정수치가 나타날 정도로 숨을 제대로 불어넣지 아니하였다면 이는 실질적으로 음주측정에 불응한 것과 다를 바 없다(대판 2000.4.21, 99도5210). ➡ 운전자가 정당한 사유 없이 호흡측정기에 의한 음주측정에 불응한 이상 그로써 음주측정불응의 죄는 성립하는 것이며, 그 후 경찰공무원이 혈액채취 등의 방법으로 음주 여부를 조사하지 아니하였다고 하여 달리 볼 것은 아니다. [2022 채용1차]
[2021 승진(실무종합)] 여러 차례에 걸쳐 호흡측정기의 빨대를 입에 물고 형식적으로 숨을 부는 시늉만 하였을 뿐 숨을 제대로 불지 아니하여 호흡측정기에 음주측정수치가 나타나지 아니하도록 한 행위는 음주측정불응죄에 해당하지 않는다. (×)

제4편 분야별 경찰활동 4장

- 피고인의 음주와 음주운전을 목격한 참고인이 있는 상황에서 경찰관이 음주 및 음주운전 종료로부터 약 5시간 후 집에서 자고 있는 피고인을 연행하여 음주측정을 요구한 데에 대하여 피고인이 불응한 경우, 도로교통법상의 음주측정불응죄가 성립한다(대판 2001.8.24, 2000도6026). ➔ 식당에서 술을 마시다 사소한 시비로 식당기물을 파손하며 난동을 부리고 화물차를 타고 도주한 피고인을, 식당주인의 신고로 자택에서 검거한 다음 파출소에서 음주측정을 요구한 사안 [2020 경간] [2023 채용1차]

  [2016 채용2차] 피고인의 음주와 음주운전을 목격한 참고인이 있는 상황에서 경찰관이 음주 및 음주운전 종료로부터 약 5시간 후 집에서 자고 있는 피고인을 연행하여 음주 측정을 요구한 데에 대하여 피고인이 불응한 경우, 도로교통법상의 음주측정불응죄가 성립하지 않는다. (×)

- 경찰관이 술에 취한 상태에서 자동차를 운전한 것으로 보이는 피고인을 경찰관 직무집행법 제4조 제1항에 따른 보호조치 대상자로 보아 경찰관서로 데려온 직후 음주측정을 요구하였는데 피고인이 불응하여 구 도로교통법상 음주측정불응죄로 기소된 사안에서, 위법한 보호조치 상태를 이용하여 음주측정 요구가 이루어졌다는 등의 특별한 사정이 없는 한 피고인의 행위는 음주측정불응죄에 해당한다(대판 2012.2.9, 2011도4328). ➔ 편도 2차로의 도로 중 1차로에서 차량에 시동을 켠 채 그대로 잠들어 있던 피고인을 신고를 받고 출동한 경찰관이 피고인의 만취상태를 보고 경찰관 직무집행법상 보호조치로서 지구대로 데려온 사안 [2016 채용2차] [2023 채용1차]

<측정불응죄가 부정된 사안>

- 도로교통법은 "술에 취한 상태에 있다고 인정할 만한 상당한 이유가 있는 사람으로서 제44조 제2항의 규정에 의한 경찰공무원의 측정에 응하지 아니한 사람은 …"이라고 규정하고 있으므로, 위 조항에서 규정한 경찰공무원의 측정은 같은 법 제44조 제2항 소정의 호흡조사에 의한 측정만을 의미하는 것으로서 같은 법 제44조 제3항 소정의 혈액채취에 의한 측정을 포함하는 것으로 볼 수 없음은 법문상 명백하다(대판 2010.7.15, 2010도2935). ➔ 따라서 신체 이상 등의 사유로 인하여 호흡조사에 의한 측정에 응할 수 없는 운전자가 혈액채취에 의한 측정을 거부하거나 이를 불가능하게 하였다고 하더라도 이를 들어 음주측정에 불응한 것으로 볼 수는 없다(척추장애로 정상인에 비해 폐활량이 26.9%에 불과하여 호흡조사 측정이 불가능한 자가 혈액채취방법에 따른 측정을 거부한 사안). [2021 경간]

- 운전자의 신체 이상 등의 사유로 호흡측정기에 의한 측정이 불가능 내지 심히 곤란하거나 운전자가 처음부터 호흡측정기에 의한 측정의 방법을 불신하면서 혈액채취에 의한 측정을 요구하는 경우 등에는 호흡측정기에 의한 측정의 절차를 생략하고 바로 혈액채취에 의한 측정으로 나아가야 할 것이고, 이와 같은 경우라면 호흡측정기에 의한 측정에 불응한 행위를 음주측정불응으로 볼 수 없다(대판 2002.10.25, 2002도4220). [2023 채용1차]

- 교통사고로 약 8주간의 치료를 요하는 흉골 골절 등 상해를 입고 응급실에 도착한 피고인이 3시간 동안 20여 회에 걸쳐 음주측정기를 불었으나 끝내 음주측정이 되지 아니한 사안에서, 피고인의 골절부위와 정도에 비추어 음주측정 당시 통증으로 인하여 깊은 호흡을 하기 어려웠고 그 결과 음주측정이 제대로 되지 아니하였던 것으로 보이므로 피고인이 음주측정에 불응한 것이라고 볼 수는 없다(대판 2006.1.13, 2005도7125). [2021 승진(실무종합)] [2021 경간]

■ 경찰관 직무집행법상 보호조치 대상자(제4조 제1항)
- 제1호: 정신착란을 일으키거나 술에 취하여 자신 또는 다른 사람의 생명·신체·재산에 위해를 끼칠 우려가 있는 사람
- 제2호: 자살을 시도하는 사람
- 제3호: 미아, 병자, 부상자 등으로서 적당한 보호자가 없으며 응급구호가 필요하다고 인정되는 사람. 다만, 본인이 구호를 거절하는 경우는 제외한다.

■ 음주측정을 위하여 당해 운전자를 강제로 연행하기 위해서는 수사상의 강제처분에 관한 형사소송법상의 절차에 따라야 하고, 이러한 절차를 무시한 채 이루어진 강제연행은 위법한 체포에 해당한다. 이와 같은 위법한 체포 상태에서 음주측정요구가 이루어진 경우, 음주측정요구를 위한 위법한 체포와 그에 이은 음주측정요구는 주취운전이라는 범죄행위에 대한 증거 수집을 위하여 연속하여 이루어진 것으로서 개별적으로 그 적법 여부를 평가하는 것은 적절하지 않으므로 그 일련의 과정을 전체적으로 보아 위법한 음주측정요구가 있었던 것으로 볼 수밖에 없고, 운전자가 주취운전을 하였다고 인정할 만한 상당한 이유가 있다 하더라도 그 운전자에게 경찰공무원의 이와 같은 위법한 음주측정요구에 대해서까지 그에 응할 의무가 있다고 보아 이를 강제하는 것은 부당하므로 그에 불응하였다고 하여 음주측정거부에 관한 도로교통법 위반죄로 처벌할 수 없다(대판 2006.11.9, 2004도8404). ➡ 경찰관이 오토바이 안전모 미착용으로 단속된 피고인에게 얼굴이 붉고 술냄새가 난다는 이유로 파출소 동행요구를 하였으나 피고인은 거부의 의사를 밝혔음에도, 경찰관이 현행범체포나 긴급체포의 요건을 갖춤이 없이 피고인을 연행하여 음주측정을 요구한 사안 [2021 경간]

[2021 채용1차] 구 「도로교통법」 제44조 제2항 및 제148조의2 제2호 규정들이 음주측정을 위한 강제처분의 근거가 될 수 있으므로, 위와 같은 음주측정을 위하여 운전자를 강제로 연행하기 위해서는 수사상 강제처분에 관한 「형사소송법」상 절차에 따를 필요가 없다. (×)

■ 화물차 운전자인 피고인이 경찰의 음주단속에 불응하고 도주하였다가 다른 차량에 막혀 더 이상 진행하지 못하게 되자 운전석에서 내려 다시 도주하려다 경찰관에게 검거되어 지구대로 보호조치된 후 음주측정요구를 거부하였다고 하여 도로교통법 위반(음주측정거부)으로 기소된 사안에서, 제반 사정을 종합할 때 피고인을 지구대로 데려간 행위를 적법한 보호조치라고 할 수 없고, 그와 같이 위법한 체포 상태에서 이루어진 음주측정요구에 불응하였다고 하여 음주측정거부에 관한 도로교통법 위반죄로 처벌할 수는 없다(대판 2012.12.13, 2012도11162). ➡ 경찰관 직무집행법 제4조 제1항 제1호의 보호조치 요건이 갖추어지지 않았음에도, 경찰관이 실제로는 범죄수사를 목적으로 피의자에 해당하는 사람을 이 사건 조항의 피구호자로 삼아 그의 의사에 반하여 경찰관서에 데려간 행위는, 달리 현행범체포나 임의동행 등의 적법 요건을 갖추었다고 볼 사정이 없다면, 위법한 체포에 해당한다고 보아야 한다(당시 피고인의 처가 옆에 있었으므로 피고인을 제압한 이후에는 가족인 피고인의 처에게 피고인을 인계하였어야 하는데도, 피고인의 처에게 봉담지구대로 데려간다고 말한 다음 피고인 처의 의사에 반하여 그대로 봉담지구대로 데려간 점 등이 고려되었다). [2021 채용1차]

(2) 행정처분(운전면허 취소·정지)

> 도로교통법 제93조 【운전면허의 취소·정지】 ① 시·도경찰청장은 운전면허(연습운전면허는 제외한다. 이하 이 조에서 같다)를 받은 사람이 다음 각 호의 어느 하나에 해당하면 행정안전부령으로 정하는 기준에 따라 운전면허(운전자가 받은 모든 범위의 운전면허를 포함한다. 이하 이 조에서 같다)를 취소하거나 1년 이내의 범위에서 운전면허의 효력을 정지시킬 수 있다. 다만, …
> 1. 제44조 제1항을 위반하여 술에 취한 상태에서 자동차등을 운전한 경우

① 취소 · 정지기준

위반행위	처분
0.2% 이상	취소
0.08% 이상 0.2% 미만	취소
0.03% 이상 0.08% 미만	정지

• 술에 취한 상태의 기준(0.03퍼센트 이상)을 넘어서 운전을 하다가 교통사고로 사람을 죽게 하거나 다치게 한 때 ➡ 음주 + 인피교통사고: 취소
• 술에 취한 상태의 기준을 넘어 운전하거나 술에 취한 상태의 측정에 불응한 사람이 다시 술에 취한 상태(0.03퍼센트 이상)에서 운전한 때 ➡ 음주 or 측정거부 + 음주: 취소
• 술에 취한 상태에서 운전하거나 술에 취한 상태에서 운전하였다고 인정할 만한 상당한 이유가 있음에도 불구하고 경찰공무원의 측정 요구에 불응한 때 ➡ 측정거부: 면허취소

② 음주운전으로 운전면허 취소처분 또는 정지처분을 받은 경우의 감경사유 [2018 채용3차]

감경사유	감경 제외사유	
• 생계유지 • 모범운전자 3년 이상 봉사 • 서장표창(도주운전자검거)	당해 사건	• 알콜농도 0.1% 초과 • 음주 인피교통사고 • 불응 · 도주 · 폭행
	과거	• 5년 내 3회 인피교통사고 • 5년 내 음주운전

• 운전이 가족의 생계를 유지할 중요한 수단이 되거나, 모범운전자로서 처분당시 3년 이상 교통봉사활동에 종사하고 있거나, 교통사고를 일으키고 도주한 운전자를 검거하여 경찰서장 이상의 표창을 받은 사람으로서 다음의 어느 하나에 해당되는 경우가 없어야 한다.
1) 혈중알코올농도가 0.1퍼센트를 초과하여 운전한 경우
2) 음주운전 중 인적피해 교통사고를 일으킨 경우
3) 경찰관의 음주측정요구에 불응하거나 도주한 때 또는 단속경찰관을 폭행한 경우
4) 과거 5년 이내에 3회 이상의 인적피해 교통사고의 전력이 있는 경우
5) 과거 5년 이내에 음주운전의 전력이 있는 경우

▌괄호의 예외규정(도로 외의 곳에서 운전으로 인정되는 경우)
• 제27조 제6항 제3호: 운전자의 보행자 보호의무
• 제44조: 음주운전
• 제45조: 과로 · 질병 · 약물운전
• 제54조 제1항: 교통사고 후 조치
• 제148조의2: 음주운전 등 벌칙
• 제148조: 사고 후 미조치로 인한 벌칙
• 제156조: 보행자 보호의무 및 주정차된 차량 손괴 후 인적사항 미제공 벌칙

⚖ 요지판례 |

도로교통법 제2조 제26호의 '운전'은 '도로에서 차마를 그 본래의 사용방법에 따라 사용하는 것을 포함한다'고 정의하면서 괄호의 예외규정을 두어 일정한 경우에는 도로 외의 곳에서 한 운전도 '운전'에 포함하는 형식을 취하고 있다. 위 괄호의 예외 규정에는 음주운전 · 음주측정거부 등에 관한 형사처벌 규정인 도로교통법 제148조의2가 포함되어 있으나, 행정제재처분인 운전면허 취소 · 정지의 근거 규정인 도로교통법 제93조는 포함되어 있지 않기 때문에 도로 외의 곳에서의 음주운전 · 음주측정거부 등에 대해서는 형사처벌만 가능하고 운전면허의 취소 · 정지 처분은 부과할 수 없다(대판 2021.12. 10, 2018두42771). [2022 채용2차]
[2020 경간] 주차장, 학교 경내 등 「도로교통법」상 도로가 아닌 곳에서도 음주운전에 대해 「도로교통법」 적용이 가능하나, 운전면허 행정처분만 가능하고 형사처벌은 할 수 없다. (×)

03 그 외의 교통단속

1. 과로 등의 운전

도로교통법 제45조 【과로한 때 등의 운전 금지】 자동차등(개인형 이동장치는 제외한다) 또는 노면전차의 운전자는 제44조에 따른 술에 취한 상태 외에 과로, 질병 또는 약물(마약, 대마 및 향정신성의약품과 그 밖에 행정안전부령으로 정하는 것을 말한다. 이하 같다)의 영향과 그 밖의 사유로 정상적으로 운전하지 못할 우려가 있는 상태에서 자동차등 또는 노면전차를 운전하여서는 아니 된다.

도로교통법 제148조의2 【벌칙】 ④ 제45조를 위반하여 약물로 인하여 정상적으로 운전하지 못할 우려가 있는 상태에서 자동차등 또는 노면전차를 운전한 사람은 3년 이하의 징역이나 1천만원 이하의 벌금에 처한다.

[2018 경간] 약물(마약, 대마 및 향정신성의약품과 그 밖에 행정안전부령으로 정하는 것)로 인해 정상적으로 운전하지 못할 우려가 있는 상태에서의 승용자동차 운전자는 1년 이상 3년 이하의 징역이나 500만원 이상 1천만원 이하의 벌금에 처한다. (×)

2. 공동위험행위

도로교통법 제46조 【공동 위험행위의 금지】 ① 자동차등(개인형 이동장치는 제외한다. 이하 이 조에서 같다)의 운전자는 도로에서 2명 이상이 공동으로 2대 이상의 자동차등을 정당한 사유 없이 앞뒤로 또는 좌우로 줄지어 통행하면서 다른 사람에게 위해를 끼치거나 교통상의 위험을 발생하게 하여서는 아니 된다.
② 자동차등의 동승자는 제1항에 따른 공동 위험행위를 주도하여서는 아니 된다.

도로교통법 제150조 【벌칙】 다음 각 호의 어느 하나에 해당하는 사람은 2년 이하의 징역이나 500만원 이하의 벌금에 처한다.
1. 제46조 제1항 또는 제2항을 위반하여 공동 위험행위를 하거나 주도한 사람

3. 난폭운전 금지

도로교통법 제46조의3 【난폭운전 금지】 자동차등(개인형 이동장치는 제외한다)의 운전자는 다음 각 호 중 둘 이상의 행위를 연달아 하거나, 하나의 행위를 지속 또는 반복하여 다른 사람에게 위협 또는 위해를 가하거나 교통상의 위험을 발생하게 하여서는 아니 된다.
1. 신호 또는 지시 위반 / 2. 중앙선 침범 / 3. 속도의 위반 / 4. 횡단·유턴·후진 금지 위반 / 5. 안전거리 미확보, 진로변경 금지 위반, 급제동 금지 위반 / 6. 앞지르기 방법 또는 앞지르기의 방해금지 위반 / 7. 정당한 사유 없는 소음 발생 / 8. 고속도로에서의 앞지르기 방법 위반 / 9. 고속도로등에서의 횡단·유턴·후진 금지 위반

[2022 채용2차] 개인형 이동장치를 타고 신호위반, 중앙선 침범과 진로변경 금지 위반행위를 연달아 하여 다른 사람에게 위협 또는 위해를 가할 뿐 아니라 교통상의 위험을 발생하게 한 운전자에 대해 난폭운전으로 처벌할 수 있다. (×)

주제 5 교통법규 위반자에 대한 행정처분

01 운전면허의 취소와 정지

1. 운전면허의 취소 · 정지사유

> 도로교통법 제93조【운전면허의 취소 · 정지】 ① 시 · 도경찰청장은 운전면허(연습운전면 허는 제외한다. 이하 이 조에서 같다)를 받은 사람이 다음 각 호의 어느 하나에 해당 하면 행정안전부령으로 정하는 기준에 따라 운전면허(운전자가 받은 모든 범위의 운 전면허를 포함한다. 이하 이 조에서 같다)를 취소하거나 1년 이내의 범위에서 운전면 허의 효력을 정지시킬 수 있다. 다만, 제2호, 제3호, 제7호, 제8호, 제8호의2, 제9호(정 기 적성검사 기간이 지난 경우는 제외한다), 제14호, 제16호, 제17호, 제20호의 규정에 해당하는 경우에는 운전면허를 취소하여야 하고(제8호의2에 해당하는 경우 취소하여 야 하는 운전면허의 범위는 운전자가 거짓이나 그 밖의 부정한 수단으로 받은 그 운 전면허로 한정한다), 제18호의 규정에 해당하는 경우에는 정당한 사유가 없으면 관계 행정기관의 장의 요청에 따라 운전면허를 취소하거나 1년 이내의 범위에서 정지하여 야 한다.

구분	사유
필요적 취소사유	• **제2호**: 음주운전 · 측정거부자가 다시 음주운전으로 운전면허 정지사유에 해당 된 경우 • **제3호**: 술에 취한 상태에 있다고 인정할 만한 상당한 이유가 있음에도 불구하고 경찰공무원의 측정에 응하지 아니한 경우 • **제7호**: (운전면허 발급 이후) 정신적 · 신체적 장애로 인한 운전면허 결격사유에 해당된 경우 예 운전면허 발급 후 사고로 양쪽 눈 시력 상실 • **제8호**: 운전면허를 받을 수 없는 사람이 운전면허를 받거나 운전면허효력의 정지 기간 중 운전면허증 등을 발급받은 사실이 드러난 경우 • **제8호의2**: 거짓이나 그 밖의 부정한 수단으로 운전면허를 받은 경우 • **제9호**: 적성검사를 받지 아니하거나 그 적성검사에 불합격한 경우(정기적성검사 기간이 지난 경우는 제외) • **제14호**: 교통단속 임무를 수행하는 경찰공무원등 및 시 · 군공무원을 폭행한 경우 • **제16호**: 등록되지 아니하거나 임시운행허가를 받지 아니한 자동차(이륜자동차 는 제외)를 운전한 경우 • **제17호**: 제1종 보통면허 및 제2종 보통면허를 받기 전에 연습운전면허의 취소사 유가 있었던 경우 • **제20호**: 실효 목적의 운전면허 자진 반납
임의적 취소사유 (정지 또는 취소)	• **제1호**: 술에 취한 상태에서 자동차등을 운전한 경우 • **제4호**: 약물의 영향으로 인하여 정상적으로 운전하지 못할 우려가 있는 상태에서 자동차등을 운전한 경우 • **제5호**: 공동위험행위를 한 경우 • **제5의2호**: 난폭운전을 한 경우 • **제5의3호**: 최고속도보다 시속 100킬로미터를 초과한 속도로 3회 이상 자동차등 을 운전한 경우 • **제6호**: 교통사고로 사람을 사상한 후 필요한 조치 또는 신고를 하지 아니한 경우 • **제10호**: 운전 중 고의 또는 과실로 교통사고를 일으킨 경우 • **제10의2호**: 운전면허를 받은 사람이 자동차등을 이용하여 형법상 특수상해 · 특 수폭행 · 특수협박 또는 특수손괴를 위반하는 행위를 한 경우

- **제11호**: 운전면허를 받은 사람이 자동차등을 범죄의 도구나 장소로 이용하여 일정한 범죄를 저지를 경우
- **제12호**: 다른 사람의 자동차등을 훔치거나 빼앗은 경우
- **제13호**: 다른 사람이 부정하게 운전면허를 받도록 하기 위하여 운전면허시험에 대신 응시한 경우
- **제15호**: 운전면허증을 다른 사람에게 빌려주어 운전하게 하거나 다른 사람의 운전면허증을 빌려서 사용한 경우
- **제18호**: 다른 법률에 따라 관계 행정기관의 장이 운전면허의 취소처분 또는 정지처분을 요청한 경우
- **제18호의2**: 화물차 승차인원, 적재중량·용량 또는 화물추락방지조치 위반하여 화물자동차를 운전한 경우
- **제19호**: 이 법이나 이 법에 따른 명령 또는 처분을 위반한 경우

2. 운전면허 처분에 대한 불복

> **도로교통법 제94조【운전면허 처분에 대한 이의신청】** ① 제93조 제1항 또는 제2항에 따른 운전면허의 취소처분 또는 정지처분이나 같은 조 제3항에 따른 연습운전면허 취소처분에 대하여 이의가 있는 사람은 그 처분을 받은 날부터 60일 이내에 행정안전부령으로 정하는 바에 따라 시·도경찰청장에게 이의를 신청할 수 있다.
> ② 시·도경찰청장은 제1항에 따른 이의를 심의하기 위하여 행정안전부령으로 정하는 바에 따라 운전면허행정처분 이의심의위원회(이하 "이의심의위원회"라 한다)를 두어야 한다.
> ③ 제1항에 따라 이의를 신청한 사람은 그 이의신청과 관계없이 「행정심판법」에 따른 행정심판을 청구할 수 있다. 이 경우 이의를 신청하여 그 결과를 통보받은 사람(결과를 통보받기 전에 「행정심판법」에 따른 행정심판을 청구한 사람은 제외한다)은 통보받은 날부터 90일 이내에 「행정심판법」에 따른 행정심판을 청구할 수 있다.
> ④ 이의심의위원회의 위원 중 공무원이 아닌 사람은 「형법」 제129조부터 제132조까지의 규정을 적용할 때에는 공무원으로 본다.

02 벌점제도

1. 벌점제도 개설

(1) 벌점부과의 근거

> **도로교통법 제93조【운전면허의 취소·정지】** ② 시·도경찰청장은 제1항에 따라 운전면허를 취소하거나 운전면허의 효력을 정지하려고 할 때 그 기준으로 활용하기 위하여 교통법규를 위반하거나 교통사고를 일으킨 사람에 대하여는 행정안전부령으로 정하는 바에 따라 위반 및 피해의 정도 등에 따라 벌점을 부과할 수 있으며, 그 벌점이 행정안전부령으로 정하는 기간 동안 일정한 점수를 초과하는 경우에는 행정안전부령으로 정하는 바에 따라 운전면허를 취소 또는 정지할 수 있다.

(2) 벌점 관련 주요 용어[도로교통법 시행규칙 별표 28]

구분	내용
벌점	행정처분의 기초자료로 활용하기 위하여 법규위반 또는 사고야기에 대하여 그 위반의 경중, 피해의 정도 등에 따라 배점되는 점수
누산점수	위반·사고시의 벌점을 누적하여 합산한 점수에서 상계치를 뺀 점수
상계치	무위반·무사고기간 경과시에 부여되는 점수 등
처분벌점	구체적인 법규위반·사고야기에 대하여 앞으로 정지처분기준을 적용하는데 필요한 벌점으로서, 누산점수에서 이미 정지처분이 집행된 벌점의 합계치를 뺀 점수 **처분벌점** = 누산점수 − 이미 처분이 집행된 벌점의 합계치 = (매 위반·사고 시 벌점의 누적 합산치 − 상계치) − 이미 처분이 집행된 벌점의 합계치

2. 벌점의 종합관리

(1) 누산점수의 관리

- 법규위반 또는 교통사고로 인한 벌점은 행정처분기준을 적용하고자 하는 당해 위반 또는 사고가 있었던 날을 기준으로 하여 과거 3년간의 모든 벌점을 누산하여 관리한다.
- 처분벌점이 40점 미만인 경우에, 최종의 위반일 또는 사고일로부터 위반 및 사고 없이 1년이 경과한 때에는 그 처분벌점은 소멸한다.

(2) 벌점 등 초과로 인한 운전면허 취소·정지기준

1) 취소기준

1회의 위반·사고로 인한 벌점 또는 연간 누산점수가 다음 표의 벌점 또는 누산점수에 도달한 때에는 그 운전면허를 취소한다.

기간	벌점 또는 누산점수
1년간	121점 이상
2년간	201점 이상
3년간	271점 이상

2) 정지기준

운전면허 정지처분은 1회의 위반·사고로 인한 벌점 또는 처분벌점이 40점 이상이 된 때부터 결정하여 집행하되, 원칙적으로 1점을 1일로 계산하여 집행한다.

3. 벌점의 부과(인피 교통사고) [2018 실무 1]

구분	벌점	내용
사망 1명마다	90점	사고발생시부터 72시간 이내에 사망한 때
중상 1명마다	15점	3주 이상의 치료를 요하는 의사의 진단이 있는 사고
경상 1명마다	5점	3주 미만 5일 이상의 치료를 요하는 의사의 진단이 있는 사고
부상신고 1명마다	2점	5일 미만의 치료를 요하는 의사의 진단이 있는 사고

[2012 경간] 중상 1명마다 15점의 벌점이 부과되는 경우는 4주 이상의 치료를 요하는 의사진단이 있는 사고이다. (×)

03 도로교통법상의 통고처분제도

1. 개설

(1) 의의 및 효력

- (도로교통법상)**통고처분**이라 함은 경미한 교통법규위반행위에 대해 정식형사재판의 전단계로서 단속 경찰관이 직접 위반장소에서 상대방의 동의를 조건으로 벌금 또는 과료에 상당하는 금액의 납부 등을 통고하는 준사법적 행위을 말하며, 여기서 말하는 벌금 또는 과료에 상당하는 금액을 범칙금이라 한다.
- 통고처분을 이행한 경우(범칙금을 납부한 경우) 확정판결과 동일한 효력이 생긴다.

(2) 용어의 정의

> **도로교통법 제162조【통칙】** ① 이 장에서 "**범칙행위**"란 제156조 각 호 또는 제157조 각 호의 죄에 해당하는 위반행위(➜ 도로교통법 위반행위 중 20만원 이하의 벌금·구류·과료 대상인 행위)를 말하며, 그 구체적인 범위는 대통령령으로 정한다.
> ② 이 장에서 "**범칙자**"란 범칙행위를 한 사람으로서 다음 각 호의 어느 하나에 해당하지 아니하는 사람을 말한다.
> 1. 범칙행위 당시 제92조 제1항에 따른 운전면허증등 또는 이를 갈음하는 증명서를 제시하지 못하거나 경찰공무원의 운전자 신원 및 운전면허 확인을 위한 질문에 응하지 아니한 운전자
> 2. 범칙행위로 교통사고를 일으킨 사람. 다만, 「교통사고처리 특례법」 제3조 제2항 및 제4조에 따라 업무상과실치상죄·중과실치상죄 또는 이 법 제151조의 죄에 대한 벌을 받지 아니하게 된 사람은 제외한다.
> ③ 이 장에서 "**범칙금**"이란 범칙자가 제163조에 따른 통고처분에 따라 국고 또는 제주특별자치도의 금고에 내야 할 금전을 말하며, 범칙금의 액수는 범칙행위의 종류 및 차종 등에 따라 대통령령으로 정한다

❚ 경범죄 처벌법상 범칙자
범칙행위를 한 사람으로서 다음 중 어느 하나에 해당하지 않는 사람
- 상습적 범칙행위자
- 동기·수단·결과 고려, 구류처분이 적절한 사람
- 피해자 있는 경우
- 18세 미만인 사람 ➜ 훈방

2. 통고처분의 절차

(1) 통고처분

▌경범죄 처벌법상 통고하지 아니하는 사람
• 주거 또는 신원이 확실하지 아니한 사람
• 통고처분서 받기를 거부한 사람
• 그 밖에 통고처분하기가 매우 어려운 사람

도로교통법 제163조【통고처분】① 경찰서장이나 제주특별자치도지사 … 는 범칙자로 인정하는 사람에 대하여는 이유를 분명하게 밝힌 범칙금 납부통고서로 범칙금을 낼 것을 통고할 수 있다. 다만, 다음 각 호의 어느 하나에 해당하는 사람에 대하여는 그러하지 아니하다.
1. 성명이나 주소가 확실하지 아니한 사람
2. 달아날 우려가 있는 사람
3. 범칙금 납부통고서 받기를 거부한 사람
② 제주특별자치도지사가 제1항에 따라 통고처분을 한 경우에는 관할 경찰서장에게 그 사실을 통보하여야 한다.

(2) 범칙금의 납부

💡 도로교통법상 범칙금의 납무 및 불이행자의 처리 부분은 경범죄 처벌법상의 그것과 거의 동일하다.

도로교통법 제164조【범칙금의 납부】① 제163조에 따라 범칙금 납부통고서를 받은 사람은 10일 이내에 경찰청장이 지정하는 국고은행, 지점, 대리점, 우체국 또는 제주특별자치도지사가 지정하는 금융회사 등이나 그 지점에 범칙금을 내야 한다. 다만, 천재지변이나 그 밖의 부득이한 사유로 말미암아 그 기간에 범칙금을 낼 수 없는 경우에는 부득이한 사유가 없어지게 된 날부터 5일 이내에 내야 한다.
[2017 실무 1] [2020 실무 1]
② 제1항에 따른 납부기간에 범칙금을 내지 아니한 사람은 납부기간이 끝나는 날의 다음 날부터 20일 이내에 통고받은 범칙금에 100분의 20을 더한 금액을 내야 한다.
③ 제1항이나 제2항에 따라 범칙금을 낸 사람은 범칙행위에 대하여 다시 벌 받지 아니한다.

(3) 불이행자의 처리

도로교통법 제165조【통고처분 불이행자 등의 처리】① 경찰서장 또는 제주특별자치도지사는 다음 각 호의 어느 하나에 해당하는 사람에 대해서는 지체 없이 즉결심판을 청구하여야 한다. 다만, 제2호에 해당하는 사람으로서 즉결심판이 청구되기 전까지 통고받은 범칙금액에 100분의 50을 더한 금액을 납부한 사람에 대해서는 그러하지 아니하다.
1. 제163조 제1항 각 호의 어느 하나에 해당하는 사람 ➡ ① 성명·주소 불명, ② 도주우려, ③ 거부
2. 제164조 제2항에 따른 납부기간에 범칙금을 납부하지 아니한 사람 ➡ 2차 납부기간 미준수
② 제1항 제2호에 따라 즉결심판이 청구된 피고인이 즉결심판의 선고 전까지 통고받은 범칙금액에 100분의 50을 더한 금액을 내고 납부를 증명하는 서류를 제출하면 경찰서장 또는 제주특별자치도지사는 피고인에 대한 즉결심판 청구를 취소하여야 한다.
③ 제1항 각 호 외의 부분 단서 또는 제2항에 따라 범칙금을 납부한 사람은 그 범칙행위에 대하여 다시 벌 받지 아니한다.

> **대통령령** 도로교통법 시행령 제99조 【통고처분불이행자에 대한 즉결심판 청구 등】 ① 경찰서장 또는 제주특별자치도지사는 법 제165조 제1항 제2호에 해당하는 사람(이하 "통고처분불이행자"라 한다)에게 범칙금 납부기간 만료일(법 제164조 제2항에 따라 범칙금을 낼 수 있는 기간의 마지막 날을 말한다. 이하 이 조에서 같다)부터 30일 이내에 다음 각 호의 사항을 적은 즉결심판 출석통지서를 범칙금등(범칙금에 그 100분의 50을 더한 금액을 말한다. 이하 같다) 영수증 및 범칙금등 납부고지서와 함께 발송하여야 한다. 이 경우 즉결심판을 위한 출석일은 범칙금 납부기간 만료일부터 40일이 초과되어서는 아니 된다. [2020 실무 1]
> 1. 통고처분을 받은 사람의 인적사항 및 운전면허번호
> 2. 위반 내용 및 적용 법조문
> 3. 범칙금의 액수 및 납부기한
> 4. 통고처분 연월일
> 5. 즉결심판 출석 일시·장소
>
> [2020 실무 1] 마지막 범칙금 납부기간이 경과한 사람(도로교통법 제165조 제1항 제2호에 해당하는 통과처분 불이행자)에게는 납부기간 만료일부터 30일 이내에 범칙금액에 그 100분의 20을 더한 금액의 납부와 즉결심판을 위한 출석의 일시·장소 등을 알리는 즉결심판 및 범칙금 등 납부통지서를 발행하여야 한다. (×)

주제 6 교통사고

01 교통사고

1. 교통사고의 의미

- 도로교통법상 '교통사고'는 차 또는 노면전차의 운전 등 교통으로 인하여 사람을 사상하거나 물건을 손괴하는 경우를 말한다(도로교통법 제54조 제1항). ➡ '운전'이란 기본적으로 '도로'를 전제로 하는 개념이므로, 원칙적으로 **도로에서의 사고만이 도로교통법상의 사고에 해당**한다(예외 있음).

- 교통사고처리 특례법상 '교통사고'는 차의 교통으로 인하여 사람을 사상하거나 물건을 손괴하는 것을 말한다(교통사고처리 특례법 제2조 제2호). ➡ '운전'의 개념을 요구하지 않는 '교통'을 전제로 하므로, 도로가 아닌 곳에서 발생하는 사고도 당연히 교통사고처리 특례법상의 '교통사고'에 해당할 수 있다.

- 교통사고는 기본적으로 과실범이자 결과범의 성격을 갖는다. 단, 특정범죄 가중처벌 등에 관한 법률상 도주차량 운전자 가중처벌 규정의 경우와 같이 과실과 고의가 결합된 형태도 존재한다.

> **⚖ 요지판례 ┃**
>
> '교통'이란 원칙적으로 사람 또는 물건의 이동이나 운송을 전제로 하는 용어인 점 등에 비추어 보면, 화물차를 주차하고 적재함에 적재된 토마토 상자를 운반하던 중 적재된 상자 일부가 떨어지면서 지나가던 피해자에게 상해를 입힌 경우, 교통사고처리 특례법에 정한 '교통사고'에 해당하지 않는다(대판 2009.7.9, 2009도2390). ➡ 형법 제268조의 업무상 과실치상이 성립한다. [2015 채용2차] [2015 승진(경위)]

2. 교통사고 발생시의 조치

(1) 운전자등의 조치사항

> **도로교통법 제54조 【사고발생 시의 조치】** ① 차 또는 노면전차의 운전 등 교통으로 인하여 사람을 사상하거나 물건을 손괴(이하 "교통사고"라 한다)한 경우에는 그 차 또는 노면전차의 운전자나 그 밖의 승무원(이하 "운전자등"이라 한다)은 즉시 정차하여 다음 각 호의 조치를 하여야 한다.
>
> 1. 사상자를 구호하는 등 필요한 조치
> 2. 피해자에게 인적 사항(성명·전화번호·주소 등을 말한다. 이하 제148조 및 제156조 제10호에서 같다) 제공
>
> ② 제1항의 경우 그 차 또는 노면전차의 운전자등은 경찰공무원이 현장에 있을 때에는 그 경찰공무원에게, 경찰공무원이 현장에 없을 때에는 가장 가까운 국가경찰관서(지구대, 파출소 및 출장소를 포함한다. 이하 같다)에 다음 각 호의 사항을 지체 없이 신고하여야 한다. 다만, 차 또는 노면전차만 손괴된 것이 분명하고 도로에서의 위험방지와 원활한 소통을 위하여 필요한 조치를 한 경우에는 그러하지 아니하다.
>
> 1. 사고가 일어난 곳
> 2. 사상자 수 및 부상 정도
> 3. 손괴한 물건 및 손괴 정도
> 4. 그 밖의 조치사항 등
>
> ⑤ 긴급자동차, 부상자를 운반 중인 차, 우편물자동차 및 노면전차 등의 운전자는 긴급한 경우에는 동승자 등으로 하여금 제1항에 따른 조치나 제2항에 따른 신고를 하게 하고 운전을 계속할 수 있다.

⚖ 요지판례 Ⅰ

- 교통사고의 결과가 피해자의 구호 및 교통질서의 회복을 위한 조치가 필요한 상황인 이상, 구호조치의무 및 신고의무는 교통사고를 발생시킨 당해 차량의 운전자에게 그 사고발생에 있어서 고의·과실 혹은 유책·위법의 유무에 관계없이 부과된 의무라고 해석함이 상당할 것이므로, 당해 사고에 있어 귀책사유가 없는 경우에도 위 의무가 없다 할 수 없고, 또 위 의무는 신고의무에만 한정되는 것이 아니므로 타인에게 신고를 부탁하고 현장을 이탈하였다고 하여 위 의무를 다한 것이라고 말할 수는 없다(대판 2002.5.24, 2000도1731). [2019 승진(경위)]

  [2012 실무 1] 교통사고 피해자 구호의무는 교통사고 야기자에게 부과되는 것이므로 교통사고를 야기하지 않은 피해 차량의 운전자는 부상자를 구호할 의무가 있다고 볼 수 없다. (×)

- 비록 사고로 인한 피해차량의 물적 피해가 경미하고, 파편이 도로상에 비산되지도 않았다고 하더라도, 차량에서 내리지 않은 채 미안하다는 손짓만 하고 도로를 역주행하여 피해차량의 진행방향과 반대편으로 도주한 것은 교통사고 발생시의 필요한 조치를 다하였다고 볼 수 없다(대판 2009.5.14, 2009도787). → 도로교통법 제54조 제1항 위반죄가 성립한다. [2015 채용2차]

(2) 신고받은 경찰공무원 등의 조치사항

> **도로교통법 제54조【사고발생 시의 조치】** ③ 제2항에 따라 신고를 받은 국가경찰관서의 경찰공무원은 부상자의 구호와 그 밖의 교통위험 방지를 위하여 필요하다고 인정하면 경찰공무원(자치경찰공무원은 제외한다)이 현장에 도착할 때까지 신고한 운전자등에게 현장에서 대기할 것을 명할 수 있다.
> ④ 경찰공무원은 교통사고를 낸 차 또는 노면전차의 운전자등에 대하여 그 현장에서 부상자의 구호와 교통안전을 위하여 필요한 지시를 명할 수 있다.
> ⑥ 경찰공무원(자치경찰공무원은 제외한다)은 교통사고가 발생한 경우에는 대통령령으로 정하는 바에 따라 필요한 조사를 하여야 한다.

(3) 미조치시의 벌칙

> **도로교통법 제148조【벌칙】** 제54조 제1항에 따른 교통사고 발생 시의 조치를 하지 아니한 사람(주·정차된 차만 손괴한 것이 분명한 경우에 제54조 제1항 제2호에 따라 피해자에게 인적 사항을 제공하지 아니한 사람은 제외한다)은 5년 이하의 징역이나 1천500만원 이하의 벌금에 처한다.
>
> **도로교통법 제154조【벌칙】** 다음 각 호의 어느 하나에 해당하는 사람은 30만원 이하의 벌금이나 구류에 처한다.
> 4. 제54조 제2항에 따른 사고발생 시 조치상황 등의 신고를 하지 아니한 사람
>
> **도로교통법 제156조【벌칙】** 다음 각 호의 어느 하나에 해당하는 사람은 20만원 이하의 벌금이나 구류 또는 과료에 처한다.
> 10. 주·정차된 차만 손괴한 것이 분명한 경우에 제54조 제1항 제2호에 따라 피해자에게 인적 사항을 제공하지 아니한 사람
>
> **특정범죄 가중처벌 등에 관한 법률 제5조의3【도주차량 운전자의 가중처벌】** ①「도로교통법」제2조에 규정된 자동차·원동기장치자전거의 교통으로 인하여「형법」제268조의 죄(➡ 업무상 과실·중과실 치사상)를 범한 해당 차량의 운전자(이하 "사고운전자"라 한다)가 피해자를 구호하는 등「도로교통법」제54조 제1항에 따른 조치를 하지 아니하고 도주한 경우에는 다음 각 호의 구분에 따라 가중처벌한다.
> 1. 피해자를 사망에 이르게 하고 도주하거나, 도주 후에 피해자가 사망한 경우에는 무기 또는 5년 이상의 징역에 처한다.
> 2. 피해자를 상해에 이르게 한 경우에는 1년 이상의 유기징역 또는 500만원 이상 3천만원 이하의 벌금에 처한다.
>
> [2012 승진(경위)] 운전자 D가 단순 물적피해를 야기한 경우라도 도주하였다가 검거된 경우에는 특정범죄가중처벌 등에 관한 법률을 적용하여 형사입건 처리하였다. (×)

💡 **물피도주에 대한 처벌**
- 과거에는 물피도주사건에 대한 처벌의 실효성이 약했고, 물피도주는 아파트 주차장과 같이 '도로'가 아닌 곳에서 발생할 경우 처벌하지 못하는 한계가 있었다.
- 이에 2017년 도로교통법 개정으로, 물피도주사건에 대해 처벌수위를 현실화 하고, 도로가 아닌 곳에서의 물피도주도 처벌이 가능해 졌다.
- 통상 제154조 제4호(30만원 이하)는 도로에서 물피사고를 발생시켰을 때 신고 등 조치 없이 도주한 경우에 적용되고, 제156조 제10호(20만원 이하)는 주차장 등 도로가 아닌 곳에서 물피도주를 한 경우 적용된다.

- 인피사고 후 미조치로 인한 도주차량의 성립 여부에 대해서는, 개별 사안마다 여러가지 사정들이 혼재되어 있어 수험생은 물론 실무적으로도 그 판단이 결코 쉽지 않은 문제이다.
- 수험생 입장에서는 큰 틀에서 개별 사안들이 ① 피해자를 병원에 이송하는 등 구호조치와 ② 가해자의 인적사항이 제공되었는지를 중심으로 살펴보되, 어느 하나라도 미비한 점이 있으면 도주차량이 성립할 수 있다는 정도의 느낌을 갖고 개별 판례 사안들에 익숙해 질 필요가 있다.

⚖ 요지판례 ㅣ

<도주차량이 성립한 사례>

■ 특정범죄 가중처벌 등에 관한 법률 제5조의3 소정의 도주차량운전자에 대한 가중처벌규정은 자신의 과실로 교통사고를 야기한 운전자가 그 사고로 사상을 당한 피해자를 구호하는 등의 조치를 취하지 아니하고 도주하는 행위에 강한 윤리적 비난가능성이 있음을 감안하여 이를 가중처벌함으로써 교통의 안전이라는 공공의 이익의 보호뿐만 아니라 교통사고로 사상을 당한 피해자의 생명·신체의 안전이라는 개인적 법익을 보호하고자 함에도 그 입법 취지와 보호법익이 있다고 보아야 할 것인바, 위와 같은 규정의 입법취지에 비추어 볼 때 여기에서 말하는 차의 교통으로 인한 업무상과실치사상의 사고를 도로교통법이 정하는 도로에서의 교통사고의 경우로 제한하여 새겨야 할 아무런 근거가 없다(대판 2004.8.30, 2004도3600). ➡ 교회 주차장에서 사고차량 운전자가 사고차량의 운행 중 피해자에게 상해를 입히고도 구호조치 없이 도주한 행위에 대하여 특정범죄 가중처벌 등에 관한 법률 제5조의3 제1항을 적용한 조치를 정당하다고 한 사례 [2018 승진(경감)]
  [2015 승진(경위)] [2019 승진(경감)] 「특정범죄 가중처벌 등에 관한 법률」 제5조의3 도주차량죄의 교통사고는 도로교통법이 정하는 도로에서의 교통사고로 제한하여야 한다. (×)

■ 교통사고 피해자가 2주간의 치료를 요하는 경추부 염좌 등의 경미한 상해를 입었다는 사정만으로 사고 당시 피해자를 구호할 필요가 없었다고 단정하기는 곤란하다(대판 2008.7.10, 2008도1339). ➡ 특정범죄가중처벌 등에 관한 법률 제5조의3 '치상 후 도주죄'의 성립을 인정한 사례 [2019 승진(경감)]

■ 사고 운전자가 그가 일으킨 교통사고로 상해를 입은 피해자에 대한 구호조치의 필요성을 인식하고 부근의 택시 기사에게 피해자를 병원으로 이송하여 줄 것을 요청하였으나 경찰관이 온 후 병원으로 가겠다는 피해자의 거부로 피해자가 병원으로 이송되지 아니한 사이에 '피해자'의 신고를 받은 경찰관이 사고현장에 도착하였고, 피해자의 병원이송 및 경찰관의 사고현장 도착 '이전'에 사고 운전자가 사고현장을 이탈하였다면, 비록 그 후 피해자가 택시를 타고 병원에 이송되어 치료를 받았다고 하더라도 운전자는 피해자에 대한 적절한 구호조치를 취하지 않은 채 사고현장을 이탈하였다고 할 것이어서, 설령 운전자가 사고현장을 이탈하기 전에 피해자의 동승자에게 자신의 신원을 알 수 있는 자료를 제공하였다고 하더라도, 피고인의 이러한 행위는 '피해자를 구호하는 등 조치를 취하지 아니하고 도주한 때'에 해당한다(대판 2004.3.12, 2004도250).
  [2020 실무 1] 사고 운전자가 자신의 명함을 주고 택시 기사에게 피해자의 병원 이송을 의뢰하였으나 피해자가 경찰이 도착하기 전에는 병원에 가지 않겠다고 하여 이송을 못하고 있는 사이 사고 운전자가 현장을 이탈한 경우 「특정범죄 가중처벌 등에 관한 법률」 위반(도주차량)죄에 해당하지 않는다. (×)

■ 사고 운전자가 피해자를 병원에 후송하여 치료를 받게 하는 등의 구호조치는 취하였다고 하더라도, 피해자 등이 사고 운전자의 신원을 쉽게 확인할 수 없는 상태에서 피해자 등에게 자신의 신원을 밝히지 아니한 채 병원을 이탈하였다면 '도로교통법 제50조 제1항의 규정에 의한 조치'를 모두 취하였다고 볼 수 없다(대판 2006.1.26, 2005도8264).

■ 교통사고 야기자가 피해자를 병원에 후송하기는 하였으나 조사 경찰관에게 사고사실을 부인하고 자신을 목격자라고 하면서 참고인 조사를 받고 귀가한 경우, 특정범죄 가중처벌 등에 관한 법률 제5조의3 제1항 소정의 '도주'에 해당한다(대판 2003.3.25, 2002도5748).

<도주차량이 성립하지 않은 사례>

피고인이 자동차를 후진하여 운전하다가 甲을 역과하여 사망에 이르게 하고도 구호조치 등을 하지 아니하고 도주하였다고 하여 특정범죄 가중처벌 등에 관한 법률 위반(도주차량)으로 기소된 사안에서, 피고인이 사고 직후 직접 119 신고를 하였을 뿐만 아니라, 119 구급차가 甲을 후송한 후 출동한 경찰관들에게 현장 설명을 하고 인적사항과 연락처를 알려 준 다음 사고현장을 떠난 점 등 제반 사정을 종합할 때, 피고인이 사고현장이나 경찰 조사과정에서 목격자 행세를 하고 甲의 발견 경위에 관하여 사실과 다르게 진술하였다는 사정만으로는 도주의 범의로써 사고현장을 이탈한 것으로 보기 어렵다(대판 2013.12.26, 2013도9124).

⊕ 심화 교통사고 관련 주요 용어 정리

① 교통사고조사규칙(경찰청 훈령)상의 용어

1) 교통사고 관련 용어

> 1. **"교통"**이란 차를 운전하여 사람 또는 화물을 이동시키거나 운반하는 등 차를 그 본래의 용법에 따라 사용하는 것을 말한다.
> 2. **"교통사고"**란 차의 교통으로 인하여 사람을 사상하거나 물건을 손괴한 것을 말한다.
> 3. **"대형사고"**란 3명 이상이 사망(교통사고 발생일부터 30일 이내에 사망한 것을 말한다)하거나 20명 이상의 사상자가 발생한 사고를 말한다.
> [2018 실무 1] '대형사고'란 3명 이상이 사망(교통사고 발생일부터 15일 이내에 사망한 것을 말한다)하거나 20명 이상의 사상자가 발생한 사고를 말한다. (×)

2) 사고현장 관련 용어

> 5. **"스키드마크(Skid mark)"**란 차의 급제동으로 인하여 타이어의 회전이 정지된 상태에서 노면에 미끄러져 생긴 타이어 마모흔적 또는 활주흔적을 말한다.
> 6. **"요마크(Yaw mark)"**란 급핸들 등으로 인하여 차의 바퀴가 돌면서 차축과 평행하게 옆으로 미끄러진 타이어의 마모흔적을 말한다.
> [2018 경간] 요마크(Yaw mark)란 차의 급제동으로 인하여 타이어의 회전이 정지된 상태에서 노면에 미끄러져 생긴 타이어 마모흔적 또는 활주흔적을 말한다. (×)

3) 사고상황 관련 용어

> 7. **"충돌"**이란 차가 반대방향 또는 측방에서 진입하여 그 차의 정면으로 다른 차의 정면 또는 측면을 충격한 것을 말한다.
> 8. **"추돌"**이란 2대 이상의 차가 동일방향으로 주행 중 뒤차가 앞차의 후면을 충격한 것을 말한다.
> 9. **"접촉"**이란 차가 추월, 교행 등을 하려다가 차의 좌우측면을 서로 스친 것을 말한다.
> [2018 경간]
> 10. **"전도"**란 차가 주행 중 도로 또는 도로 이외의 장소에 차체의 측면이 지면에 접하고 있는 상태(좌측면이 지면에 접해 있으면 좌전도, 우측면이 지면에 접해 있으면 우전도)를 말한다.
> 11. **"전복"**이란 차가 주행 중 도로 또는 도로 이외의 장소에 뒤집혀 넘어진 것을 말한다.
> 12. **"추락"**이란 차가 도로변 절벽 또는 교량 등 높은 곳에서 떨어진 것을 말한다.
> 13. **"뺑소니"**란 교통사고를 야기한 차의 운전자가 피해자를 구호하는 등 「도로교통법」 제54조 제1항의 규정에 따른 조치를 취하지 아니하고 도주한 것을 말한다.
> [2018 경간] [2018 실무 1] 충돌이란 2대 이상의 차가 동일방향으로 주행 중 뒤차가 앞차의 후면을 충격한 것을 말한다. (×)
> [2018 실무 1] '추돌'이란 차가 반대방향 또는 측방에서 진입하여 그 차의 정면으로 다른 차의 정면 또는 측면을 충격한 것을 말한다. (×)
> [2018 경간] 전도란 차가 주행 중 도로 또는 도로 이외의 장소에 뒤집혀 넘어진 것을 말한다. (×)

2 각종 노면흔적 관련 상세용어

스킵 스키드마크	스키드마크가 진했다 엷어지는 현상으로, 경트럭 등이 공차상태에서 급제동 시 도로에 통통 튀면서 발생된 흔적
갭 스키드마크	브레이크가 중간에 풀렸다 다시 제동되면서, 한 세트의 스크드마크에서 통상 3m 내외의 중간부분이 끊어지는 현상
긁힌 흔적 (Scratch)	큰 압력 없이 미끄러진 금속물체에 의해 단단한 포장노면에 가볍게 불규칙적으로 좁게 나타나는 긁힌 자국으로, 차량 전복위치 및 충돌 진행방향을 알 수 있는 중요한 흔적
가속스카프	• 충분한 동력이 구르는 바퀴에 전달되어 도로표면에 적어도 한 번의 스핀이나 슬립이 발생되어 나타나는 흔적 • 정지된 차량에서 기어가 들어가 있는 채로 엔진이 고속으로 회전하다가 클러치 페달을 갑자기 놓아 급가속이 될 때 순간적으로 발생하는 현상
임프린트	눈, 모래, 자갈, 진흙 및 잔디와 같이 느슨한 노면 위를 타이어가 미끄러짐 없이 굴러가면서 노면상에 타이어의 접지면의 무늬모양을 그대로 새겨 놓은 흔적 [2017 실무 1]
칩(Chip)	• 마치 호미로 노면을 판 것 같이 짧고 깊게 패인 가우지(gouge) 마크로서 아스팔트 도로에서 잘 나타남 • 시멘트 콘크리트 도로는 너무 단단해서 차량의 모서리나 접합부위를 제외한 차량 자체의 무게로는 잘 발생하지 않고, 차량의 무게보다 큰 힘, 즉 차량 충돌시 충돌의 힘에 의해서 금속부분이 노면과 부딪칠 때 발생하므로 차량간의 최대 접촉시 만들어짐
찹(Chop)	• 마치 도끼로 노면을 깎아낸 것 같이 넓고 얕은 가우지(gouge) 마크로서 프레임이나 타이어림에 의해서 생성. • 아스팔트 도로에서는 찹으로 나타날 수 있는 흔적이 단단한 시멘트 콘크리트 도로에서는 스크래치로 만들어지기도 함 • 찹은 최대 접촉시 발생할 가능성이 높은데, 흔적이 발생하는 방향성은 깊고 날카로운 쪽에서 얕고 거친 쪽으로 만들어짐

02 교통사고처리 특례법

1. 교통사고처리 특례법 개설

- '교통사고'는 통상 발생하게 되면 자동차등의 재물은 물론, 자동차등을 운전하고 있던 사람의 신체에 손상을 가져오게 되고, 이는 형법상의 '업무상 과실치사상'이나 '재물손괴'에 해당하게 된다.
- 그러나 자동차의 운전이 국민생활의 기본요소가 되어있는 현실에서, 이러한 원칙의 적용만을 강조하면 수많은 전과자를 양산하는 역기능이 생길 수 있으므로, 일정한 범위의 교통사고에 대해서는 '피해자와 합의'하거나 피해에 대한 손해배상을 전액 보상하는 '보험 또는 공제에 가입'되어 있는 경우 운전자를 처벌하지 아니하도록 하는 '교통사고처리 특례법'이 1982.1.1.부터 시행되었다.

💡 다만, 교통사고처리 특례법 시행 이후 일반 국민들 사이에서 '교통사고는 범죄도 아니고, 처벌도 받지 않는다.'는 잘못된 인식이 확산되어 교통안전에 대한 경각심이 희석되었다는 비판도 있다(2018.3. '한문철의 교통법 Why?' 中)

💡 원칙

일단 사람이 안 죽었고, 물피사고인 경우 합의해 오면 기소 안한다.

2. 원칙 – 반의사불벌죄로서 교통사고 범죄

교통사고처리 특례법 제3조 【처벌의 특례】 ① 차의 운전자가 교통사고로 인하여 「형법」 제268조의 죄(➡ 업무상 과실·중과실 치사상)를 범한 경우에는 5년 이하의 금고 또는 2천만원 이하의 벌금에 처한다.

② 차의 교통으로 제1항의 죄 중 업무상과실치상죄 또는 중과실치상죄와 「도로교통법」 제151조의 죄(➡ 운전자가 타인의 건조물·재물 손괴)를 범한 운전자에 대하여는 피해자의 명시적인 의사에 반하여 공소를 제기할 수 없다. 다만, … ➡ 즉, 인피사고 중 사망이 아닌 사고, 물피사고는 반의사불벌죄에 해당한다.

[2012 승진(경위)] 운전자 A가 치사사고를 발생시켰을 경우 교통사고처리 특례법을 적용하여 형사입건 처리하였다. (○)

3. 예외 I – 사고 후 미조치·미신고(도주), 음주측정거부, 12대 중과실

예외 ①

사람이 다쳤는데 1) 구호조치 안했거나, 2) 음주사고 의심하는 경찰관의 음주측정요구를 거부하거나, 3) 사고 자체가 12개 유형의 아주 중대한 과실로 발생한 사고이면 합의해도 기소한다.

* 12개 중과실 유형

무·화·과·앞·신·음·횡·
보·승·철·중·어

교통사고처리 특례법 제3조 【처벌의 특례】 ② … 다만, 차의 운전자가 제1항의 죄 중 업무상과실치상죄 또는 중과실치상죄를 범하고도 피해자를 구호하는 등 「도로교통법」 제54조 제1항에 따른 조치를 하지 아니하고 도주하거나 피해자를 사고 장소로부터 옮겨 유기하고 도주한 경우, 같은 죄를 범하고 「도로교통법」 제44조 제2항을 위반하여 음주측정 요구에 따르지 아니한 경우(운전자가 채혈 측정을 요청하거나 동의한 경우는 제외한다)와 다음 각 호의 어느 하나에 해당하는 행위(➡ 12대 중과실)로 인하여 같은 죄를 범한 경우에는 그러하지 아니하다. [2022 승진(실무종합)]

구분	내용
무면허	• 운전면허 또는 건설기계조종사면허를 받지 아니하거나 국제운전면허증을 소지하지 아니하고 운전 • 운전면허 등의 효력이 정지 중이거나 운전의 금지 중인 때에는 운전면허 등을 받지 아니한 것으로 봄
화물추락	자동차의 화물이 떨어지지 아니하도록 필요한 조치를 하지 아니하고 운전
과속	제한속도를 시속 20킬로미터 초과하여 운전
앞지르기위반	• 앞지르기의 방법·금지시기·금지장소 또는 끼어들기의 금지위반 • 고속도로에서의 앞지르기방법위반
신호·지시 위반	• 신호기가 표시하는 신호 또는 교통정리하는 경찰공무원등의 신호위반 • 통행금지 또는 일시정지 내용으로 하는 안전표지가 표시하는 지시위반
음주·약물 운전	• 술에 취한 상태에서 운전 • 약물의 영향으로 정상적으로 운전하지 못할 우려가 있는 상태에서 운전
횡단보도	횡단보도에서의 보행자 보호의무위반
보도침범	• 보도가 설치된 도로의 보도 침범 • 보도 횡단방법을 위반하여 운전
승객추락	승객의 추락 방지의무를 위반하여 운전
철길건널목	철길건널목 통과방법위반
중앙선침범	• 중앙선 침범 • 고속도로등을 횡단하거나 유턴 또는 후진
어린이 보호구역	어린이 보호구역에서 어린이의 안전에 유의하면서 운전하여야 할 의무를 위반하여 어린이의 신체 상해

[2018 채용2차] 제한속도를 시속 10킬로미터 초과하여 운전한 경우는 「교통사고처리 특례법」 제3조(처벌의 특례) 제2항 각호에 규정된 12개 예외 항목에 해당한다. (×)

[2017 승진(경감)] 고속도로에서의 끼어들기 방법을 위반하여 운전한 경우는 「교통사고처리 특례법」 제3조 제2항 단서의 '처벌특례 항목'에 해당한다. (×)

[2015 승진(경감)] 안전거리 미확보로 인한 사고는 「교통사고처리 특례법」 제3조에 규정된 처벌의 특례 12개 조항 중 하나이다. (×)

[2016 경간] 통행우선순위 위반으로 인한 사고는 교통사고처리 특례법 제3조 제2항 단서에 규정된 처벌의 특례 12개 항목 중 하나이다. (×)

[2018 승진(경위)] [2020 경간] 교차로 통행방법을 위반하여 운전한 경우는 「교통사고처리 특례법」 제3조(처벌의 특례) 제2항 각 호에 규정된 12개 예외 항목에 해당한다. (×)

💡 예외 ②

- 사람이 안 죽었고, 물피사고의 경우인데 합의를 못해왔어도, 종합보험에 가입되어 있으면 기소 안 한다.
- 단, 사람이 다쳤는데
  1) 구호조치 안했거나,
  2) 음주사고 의심하는 경찰관의 음주측정요구를 거부하거나,
  3) 사고 자체가 12개 유형의 아주 중대한 과실로 발생한 사고이거나,
  4) 사람이 다쳐도 불구가 될 정도로 너무 심하게 다쳤거나,
  5) 보험에 문제가 생겨서 피해자에게 보험금이 안가는 경우이면 종합보험에 가입되어 있어도 기소한다.

3. 예외 Ⅱ - 사고 후 미조치 · 미신고(도주), 음주측정거부, 12대 중과실

> **교통사고처리 특례법 제4조 【보험 등에 가입된 경우의 특례】** ① 교통사고를 일으킨 차가 보험업법 … 여객자동차 운수사업법 … 또는 화물자동차 운수사업법 … 에 따른 보험 또는 공제에 가입된 경우에는 제3조 제2항 본문에 규정된 죄를 범한 차의 운전자에 대하여 공소를 제기할 수 없다. 다만, 다음 각 호의 어느 하나에 해당하는 경우에는 그러하지 아니하다.
> 1. 제3조 제2항 단서에 해당하는 경우
> 2. 피해자가 신체의 상해로 인하여 생명에 대한 위험이 발생하거나 불구가 되거나 불치 또는 난치의 질병이 생긴 경우
> 3. 보험계약 또는 공제계약이 무효로 되거나 해지되거나 계약상의 면책 규정 등으로 인하여 보험회사, 공제조합 또는 공제사업자의 보험금 또는 공제금 지급의무가 없어진 경우
> ③ 제1항의 보험 또는 공제에 가입된 사실은 보험회사, 공제조합 또는 공제사업자가 제2항의 취지를 적은 서면에 의하여 증명되어야 한다.
>
> [2012 승진(경위)] 운전자 B가 치상사고를 발생시켜 피해자가 중상해를 입은 경우 피해자와 합의가 되지 않아 교통사고처리 특례법을 적용하여 형사입건 처리하였다. (○)

4. 관련 판례

> ⚖ **요지판례 Ⅰ**
>
> **<무면허운전>**
>
> ■ '운전면허를 받지 아니하고'라는 법률문언의 통상적인 의미에 '운전면허를 받았으나 그 후 운전면허의 효력이 정지된 경우'가 당연히 포함된다고는 해석할 수 없다(대판 2011.8.25, 2011도7725). [2020 경간]
>
> ■ 연습운전면허를 받은 사람이 도로에서 주행연습을 함에 있어서 '주행연습 외의 목적으로 운전하여서는 안된다'는 준수사항을 지키지 않았다고 하더라도 준수사항을 지키지 않은 데에 따른 제재를 가할 수 있음은 별론으로 하고 그 운전을 무면허운전이라고 할 수는 없다(대판 2001.4.10, 2000도5540). [2022 채용2차]
>
> [2021 경간] 연습운전면허를 받은 사람이 운전을 함에 있어 '주행연습 외의 목적으로 운전하여서는 안 된다'는 사항을 준수해야 하며 이에 위반하여 운전한 경우 그 운전은 특례법에서 규정한 무면허운전으로 보아 처벌할 수 있다. (×)
>
> **<신호위반>**
>
> ■ 교차로와 횡단보도가 인접하여 설치되어 있고 차량용 신호기는 교차로에만 설치된 경우에 있어서는, 그 차량용 신호기는 차량에 대하여 교차로의 통행은 물론 교차로 직전의 횡단보도에 대한 통행까지도 아울러 지시하는 것이라고 보아야 할 것이고, 횡단보도의 보행등 측면에 차량보조등이 설치되어 있지 않다고 하여 횡단보도에 대한 차량용 신호등이 없는 상태라고는 볼 수 없다(대판 1997.10.10, 97도1835). ➡ 교차로 직전에 설치된 횡단보도에 따로 차량보조등이 설치되어 있지 아니한 경우, 교차로 신호가 적색이고 횡단보도의 보행자신호등이 녹색인 상태에서 우회전하기 위하여 횡단보도로 들어간 차량은 신호위반을 한 것이다.

- 자동차 운전자인 피고인이, 교차로와 연접한 횡단보도에 차량보조등은 설치되지 않았으나 보행등이 녹색이고, 교차로의 차량신호등은 적색인데도, 횡단보도를 통과하여 교차로를 우회하다가 신호에 따라 진행하던 자전거를 들이받아 운전자에게 상해를 입힌 사안에서, 교통사고처리 특례법 제3조 제1항 · 제2항 단서 제1호의 '신호위반'으로 인한 업무상과실치상죄가 성립한다(대판 2011.7.28, 2009도8222).
  [2015 채용2차] 교차로 직전의 횡단보도에 따로 차량 보조등이 설치되어 있지 아니한 경우, 교차로 차량 신호등이 적색이고 횡단보도 보행등이 녹색인 상태에서 횡단보도를 지나 우회전하다가 사람을 다치게 하였다면 「교통사고처리 특례법」상 특례조항인 신호위반에 해당하지 않는다. (×)

- 횡단보도상의 신호기는 횡단보도를 통행하고자 하는 보행자에 대한 횡단보행자용 신호기이지 차량의 운행용 신호기라고는 풀이되지 아니하므로 횡단보행자용 신호기의 신호가 보행자통행신호인 녹색으로 되었을 때 차량운전자가 그 신호를 따라 횡단보도 위를 보행하는 자를 충격하였을 경우에는 교통사고처리 특례법 제3조 제2항 단서 제6호의 보행자 보호의무를 위반한 때에 해당함은 별문제로 하고 이를 같은 조항 단서 제1호의 신호기의 신호에 위반하여 운전한 때에 해당한다고는 할 수 없다(대판 1988.8.23, 88도632).

- 택시 운전자인 피고인이 교차로에서 적색등화에 우회전하다가 신호에 따라 진행하던 피해자 운전의 승용차를 충격하여 그에게 상해를 입혔다고 하여 구 교통사고처리 특례법 위반으로 기소된 사안에서, 위 사고가 같은 법 제3조 제2항 단서 제1호에서 정한 '신호위반'으로 인한 사고에 해당하지 아니한다(대판 2011.7.28, 2011도3970).
  [2018 승진(경감)] 택시 운전자인 甲이 교차로에서 적색등화에 우회전하다가 신호에 따라 진행하던 乙의 승용차를 충격하여 乙에게 상해를 입혔다면 「교통사고처리 특례법」 제3조 제2항 단서 제1호에서 정한 신호위반으로 인한 사고에 해당한다. (×)

- 교통사고처리 특례법 제3조 제2항 단서 각 호의 예외사유에 해당하는 신호위반 등의 범칙행위로 교통사고를 일으킨 사람이 통고처분을 받아 범칙금을 납부하였다고 하더라도, 업무상과실치상죄 또는 중과실치상죄에 대하여 같은 법 제3조 제1항 위반죄로 처벌하는 것이 도로교통법 제119조 제3항에서 금지하는 이중처벌에 해당한다고 볼 수 없다(대판 2007.4.12, 2006도4322). [2019 승진(경위)] [2019 승진(경감)] [2020 실무 1]

<지시위반>

- 교차로 진입 직전에 설치된 백색실선을 교차로에서의 진로변경을 금지하는 내용의 안전표지와 동일하게 볼 수 없으므로, 교차로에서의 진로변경을 금지하는 내용의 안전표지가 개별적으로 설치되어 있지 않다면 자동차 운전자가 교차로에서 진로변경을 시도하다가 교통사고를 야기하였다고 하더라도 이를 교통사고처리 특례법 제3조 제2항 단서 제1호에서 정한 '도로교통법 제5조에 따른 통행금지를 내용으로 하는 안전표지가 표시하는 지시를 위반하여 운전한 경우'에 해당한다고 할 수 없다(대판 2015.11.12, 2015도3107).
  [2021 경간] 교차로 진입 직전에 백색실선이 설치되어 있으면, 교차로에서의 진로변경을 금지하는 내용의 안전표지가 개별적으로 설치되어 있지 않다고 하더라도 자동차 운전자가 교차로에서 진로변경을 시도하다가 교통사고를 내었다면 이는 특례법상 '통행금지를 내용으로 하는 안전표지가 지시를 위반하여 운전한 경우'에 해당한다. (×)

<음주 · 약물운전>

- 법문상 필로폰을 투약한 상태에서 운전하였다고 하여 바로 처벌할 수 있는 것은 아니고 그로 인하여 정상적으로 운전하지 못할 우려가 있는 상태에서 자동차 등을 운전한 경우에만 처벌할 수 있다고 보아야 하나, 위 법 위반죄는 이른바 위태범으로서 약물 등의 영향으로 인하여 '정상적으로 운전하지 못할 우려가 있는 상태'에서 운전을 하면 바로 성립하고, 현실적으로 '정상적으로 운전하지 못할 상태'에 이르러야만 하는 것은 아니다(대판 2010.12.23, 2010도11272).
  [2019 승진(경위)] 약물 등의 영향으로 정상적으로 운전하지 못할 우려가 있는 상태에서 자동차 등을 운전하였다고 인정하려면, 약물 등의 영향으로 인하여 현실적으로 '정상적으로 운전하지 못할 상태'에 이르러야만 한다. (×)

<승객추락 방지의무위반>

■ 교통사고처리 특례법상 승객추락 방지의무는 그것이 주된 것이든 부수적인 것이든 사람의 운송에 공하는 차의 운전자가 그 승객에 대하여 부담하는 의무라고 보는 것이 상당하다. 따라서 화물차 적재함에서 작업하던 피해자가 차에서 내린 것을 확인하지 않은 채 출발함으로써 피해자가 추락하여 상해를 입게 된 경우, 교통사고처리 특례법상 승객추락 방지의무를 위반하여 운전한 경우에 해당하지 않는다(대판 2000.2.22, 99도3716). [2021 경간]

[2012 실무 1] 화물자동차 운전자가 적재함에서 철근 적재 작업을 하던 사람이 차에서 내리는 것을 확인하지 않고 출발하여 적재함에 타고 있던 사람이 추락하여 상해를 입은 경우에는 교통사고처리 특례법 제3조 제2항 단서 제10호 승객의 추락방지의무에 위반하여 운전한 경우에 해당된다. (×)

<중앙선 침범>

■ 도로교통법이 도로의 중앙선 내지 중앙의 우측 부분을 통행하도록 하고 중앙선을 침범하여 발생한 교통사고를 처벌 대상으로 한 것은, 각자의 진행방향 차로를 준수하여 서로 반대방향으로 운행하는 차마의 안전한 운행과 원활한 교통을 확보하기 위한 것이므로, 황색 실선이나 황색 점선으로 된 중앙선이 설치된 도로의 어느 구역에서 좌회전이나 유턴이 허용되어 중앙선이 백색 점선으로 표시되어 있는 경우, 그 지점에서 좌회전이나 유턴이 허용되는 신호 상황 등 안전표지에 따라 좌회전이나 유턴을 하기 위하여 중앙선을 넘어 운행하다가 반대편 차로를 운행하는 차량과 충돌하는 교통사고를 내었더라도 이를 교통사고처리 특례법에서 규정한 중앙선 침범 사고라고 할 것은 아니다(대판 2017.1.25, 2016도18941). [2021 경간]

<기타 교통사고>

■ 교통섬이 설치되고 그 오른쪽으로 직진 차로에서 분리된 우회전차로가 설치되어 있는 교차로에서 우회전을 하고자 하는 운전자는 특별한 사정이 없는 한 도로 우측 가장자리인 우회전차로를 따라 서행하면서 우회전하여야 하고, 우회전차로가 아닌 직진 차로를 따라 교차로에 진입하는 방법으로 우회전하여서는 아니된다(대판 2012.4.12, 2011도9821). ➡ 피고인의 행위는 도로교통법상 '교차로 통행방법'에 위배된다(교특법 사안은 아님) [2015 채용2차]

[2020 경간] 교차로에 교통섬이 설치되고 그 오른쪽으로 직진 차로에서 분리된 우회전 차로가 설치된 경우, 우회전 차로가 아닌 직진 차로를 따라 우회전하는 행위를 교차로 통행방법을 위반한 것이라 볼 수 없다. (×)

⊕ 심화 특정범죄 가중처벌 등에 의한 법률의 적용

1 의의

- 피해자와 합의를 통해 처벌불원의사를 얻어내거나, 종합보험에 가입되어 있다고 하더라도 사고 후 미조치, 음주측정거부, 12대 중과실 사고의 경우에는 교통사고처리 특례법의 적용에 따라 기소할 수 있음은 앞서 본 바와 같다.
- 다만, 실제로는 이 중에서 사고 후 미조치(도주차량), 그리고 12대 중과실 중 음주·약물운전의 경우에는, 특정범죄 가중처벌 등에 관한 법률에 더 가중된 처벌을 규정하고 있으므로 이에 따라야 하는 경우가 있다.

2 CASE 1. 사고 후 미조치(도주차량) 가중처벌

> 특정범죄 가중처벌 등에 관한 법률 제5조의3 【도주차량 운전자의 가중처벌】 ① 「도로교통법」 제2조에 규정된 자동차·원동기장치자전거의 교통으로 인하여 「형법」 제268조의 죄(➡ 업무상 과실·중과실 치사상)를 범한 해당 차량의 운전자(이하 "사고운전자"라 한다)가 피해자를 구호하는 등 「도로교통법」 제54조 제1항에 따른 조치를 하지 아니하고 도주한 경우에는 다음 각 호의 구분에 따라 가중처벌한다.

1. 피해자를 사망에 이르게 하고 도주하거나, 도주 후에 피해자가 사망한 경우에는 무기 또는 5년 이상의 징역에 처한다.
2. 피해자를 상해에 이르게 한 경우에는 1년 이상의 유기징역 또는 500만원 이상 3천만원 이하의 벌금에 처한다.

③ CASE 2. 음주 등 사고(위험운전치사상) 가중처벌

> **특정범죄 가중처벌 등에 관한 법률 제5조의11 【위험운전 치사상】** 음주 또는 약물의 영향으로 정상적인 운전이 곤란한 상태에서 자동차(원동기장치자전거를 포함한다)를 운전하여 사람을 상해에 이르게 한 사람은 1년 이상 15년 이하의 징역 또는 1천만원 이상 3천만원 이하의 벌금에 처하고, 사망에 이르게 한 사람은 무기 또는 3년 이상의 징역에 처한다.

[2012 승진(경위)] 운전자 C가 필로폰을 복용하여 정상적인 운전이 곤란한 상태에서 자동차를 운전하여 사람을 상해한 경우 특정범죄가중처벌 등에 관한 법률을 적용하여 형사입건 처리하였다. (○)

03 신뢰의 원칙

1. 신뢰의 원칙 개설

(1) 의의

교통규칙을 준수하는 운전자는 다른 관여자들도 교통규칙을 준수할 것을 신뢰해도 좋다는 원칙으로서, 다른 관여자들이 교통규칙을 위반하는 경우까지 예상하여 이에 대한 방어조치를 취할 의무는 없다는 원칙을 말한다.

(2) 기능

신뢰의 원칙은 현대사회 도로교통의 사회적 의미를 고려하여, 과실범의 처벌을 완화하고 주의의무를 합리적으로 조정하여 원활한 교통을 가능하게 하는 이론이다.

(3) 적용범위와 한계

- 차대 차의 관계에서는 일반적으로 신뢰의 원칙이 적용되나, 차와 사람과의 관계에서는 신뢰의 원칙이 제한되어 적용되는 측면이 있다.
- 상대방의 규칙위반을 이미 인식하고 있거나, 미숙한 어린아이와 같이 상대방의 규칙준수를 신뢰할 수 없는 경우, 그리고 운전자가 이미 스스로 교통규칙을 위반하고 있는 경우에는 신뢰의 원칙이 적용되지 않거나 제한적으로 적용된다.

2. 판례

> **🔨 요지판례 |**
>
> **<무단횡단>**
>
> ■ 편도 5차선 도로의 1차로를 신호에 따라 진행하던 자동차 운전자에게 도로의 오른쪽에 연결된 소방도로에서 오토바이가 나와 맞은편 쪽으로 가기 위해서 편도 5차선 도로를 대각선 방향으로 가로질러 진행하는 경우까지 예상하여 진행할 주의의무는 없다(대판 2007.4.26, 2006도9216). [2014 경간]

■ 운전자가 택시를 운전하고 제한속도가 시속 40km인 왕복 6차선 도로의 1차선을 따라 시속 약 50km로 진행하던 중, 무단횡단하던 보행자가 중앙선 부근에 서 있다가 마주 오던 차에 충격당하여 택시 앞으로 쓰러지는 것을 피하지 못하고 역과시킨 경우, 업무상 과실이 없다고 단정할 수는 없다(대판 1995.12.26, 95도715). ➡ 업무상 과실이 없다고 한 원심판결은 파기환송한 사례

<횡단보도>

■ 횡단보도의 보행자 신호가 녹색신호에서 적색신호로 바뀌는 예비신호 점멸중에도 그 횡단보도를 건너가는 보행자가 흔히 있고 또 횡단도중에 녹색신호가 적색신호로 바뀐 경우에도 그 교통신호에 따라 정지함이 없이 나머지 횡단보도를 그대로 횡단하는 보행자도 있으므로 보행자 신호가 녹색신호에서 정지신호로 바뀔 무렵 전후에 횡단보도를 통과하는 자동차 운전자는 보행자가 교통신호를 철저히 준수할 것이라는 신뢰만으로 자동차를 운전할 것이 아니라 … 보행자의 안전을 위해 어느 때라도 정지할 수 있는 태세를 갖추고 자동차를 운전하여야 할 업무상의 주의의무가 있다(대판 1986.5.27, 86도549).
[2014 경간 유사] [2015 경간] 보행자신호의 녹색등이 점멸하는 때에는 보도 위에 서 있던 보행자가 갑자기 뛰기 시작하면서 보행을 시작할 수도 있다는 것까지 예상할 주의의무는 없다. (×)

■ 보행신호등의 녹색등화 점멸신호는 보행자가 준수하여야 할 횡단보도의 통행에 관한 신호일 뿐이어서, 보행신호등의 수범자가 아닌 차의 운전자가 부담하는 보행자보호의무의 존부에 관하여 어떠한 영향을 미칠 수 없다. 이에 더하여 보행자보호의무에 관한 법률규정의 입법 취지가 차를 운전하여 횡단보도를 지나는 운전자의 보행자에 대한 주의의무를 강화하여 횡단보도를 통행하는 보행자의 생명·신체의 안전을 두텁게 보호하려는 데 있는 것임을 감안하면, 보행신호등의 녹색등화의 점멸신호 전에 횡단을 시작하였는지 여부를 가리지 아니하고 보행신호등의 녹색등화가 점멸하고 있는 동안에 횡단보도를 통행하는 모든 보행자는 도로교통법 제27조 제1항에서 정한 횡단보도에서의 보행자보호의무의 대상이 된다(대판 2009.5.14, 2007도9598). [2018 승진(경감)]

> 비교≫ 피해자가 보행신호등의 녹색등화가 점멸되고 있는 상태에서 횡단보도를 횡단하기 시작하여 횡단을 완료하기 전에 보행신호등이 적색등화로 변경된 후 차량신호등의 녹색등화에 따라서 직진하던 피고인 운전차량에 충격된 경우에, 피해자는 신호기가 설치된 횡단보도에서 녹색등화의 점멸신호에 위반하여 횡단보도를 통행하고 있었던 것이어서 횡단보도를 통행중인 보행자라고 보기는 어렵다고 할 것이므로, 피고인에게 운전자로서 사고발생방지에 관한 업무상 주의의무위반의 과실이 있음은 별론으로 하고 도로교통법 제24조 제1항 소정의 보행자보호의무를 위반한 잘못이 있다고는 할 수 없다(대판 2001.10.9, 2001도2939).

■ 직진 및 좌회전신호에 의하여 좌회전하는 2대의 차량뒤를 따라 직진하는 차량의 운전사로서는 횡단보도의 신호가 적색인 상태에서 반대차선상에 정지하여 있는 차량의 뒤로 보행자가 횡단보도를 건너오지 않을 것이라고 신뢰하는 것이 당연하고 그렇지 아니할 사태까지 예상하여 그에 대한 주의의무를 다하여야 한다고는 할 수 없으며, 또 운전사가 무면허인 상태에서 제한속도를 초과하여 진행한 잘못이 있다 하더라도 그러한 잘못이 사고의 원인이 되었다고는 볼 수 없다(대판 1987.9.8, 87도1332). [2015 경간] [2020 경간]

<고속도로>

■ 일반적으로 고속도로를 운전하는 자동차운전자에게 도로상에 장애물이 나타날 것을 예견하여 제한속도 이하로 감속 서행할 주의의무가 없다는 이유로 고속도로상에서 도로를 횡단하는 피해자(5세)를 피고인이 운전하는 화물자동차로 충격하여 사망케 한 공소사실에 대하여 무죄를 선고함이 타당하다(대판 1981.12.8, 81도1808). [2014 경간] [2015 경간]
[2015 채용3차] [2015 실무 1] 고속도로를 운행하는 자동차 운전자는 고속도로를 무단횡단하는 보행자가 있을 것을 예견하여 운전한 주의의무가 있다. (×)

■ 고속도로상을 운행하는 자동차운전자는 통상의 경우 보행인이 그 도로의 중앙방면으로 갑자기 뛰어드는 일이 없으리라는 신뢰하에서 운행하는 것이지만 위 도로를 횡단하려는 피해자를 그 차의 제동거리 밖에서 발견하였다면 피해자가 반대 차선의 교행차량 때문에 도로를 완전히 횡단하지 못하고 그 진행차선쪽에서 멈추거나 다시 되돌아 나가는 경우를 예견해야 하는 것이다(대판 1981.3.24, 80도3305). [2015 경간]
[2012 실무 1] 고속도로상을 통행하는 자동차 운전자는 도로를 횡단하는 보행자를 그 차의 제동거리 밖에서 발견하였더라도 사고 위험을 예상하여 이를 방지하기 위한 제반조치를 취하여야 할 주의의무가 없다. (×)

■ 빗물로 노면이 미끄러운 고속도로에서 진행전방의 차량이 빗길에 미끄러져 비정상적으로 움직이고 있다면 앞으로의 진로를 예상할 수 없는 것이므로 그 차가 일시 중앙선을 넘어 반대차선으로 진입되었더라도 노면의 상태나 다른 차량 등 장애물과의 충돌에 의하여 원래의 차선으로 다시 미끄러져 들어올 수 있으므로 그 후방에서 진행하고 있던 차량의 운전자로서는 이러한 사태에 대비하여 속도를 줄이고 안전거리를 확보해야 할 주의의무가 있다(대판 1990.2.27, 89도777).
[2020 경간] 앞차가 빗길에 미끄러져 비정상적으로 움직일 때는 진로를 예상할 수 없으므로 뒤따라가는 차량의 운전자는 이러한 사태에 대비하여 속도를 줄이고 안전거리를 확보해야 할 주의의무가 있다. (○)

<반대차로>

■ 반대차선을 운행하는 차가 중앙선을 넘어 오리라고 예상할 만한 사정이 없는 경우에 있어서 중앙선표시가 있는 왕복 4차선 도로에서 차를 운행하는 운전자에게 반대차선을 운행하는 차가 중앙선을 넘어 동인의 차 진행차선 전방으로 갑자기 집입해 들어올 것까지를 예견하여 감속하는 등 미리 충돌을 방지할 태세를 갖추어 차를 운전하여야 할 업무상 주의의무는 없다(대판 1987.6.9, 87도995). [2015 경간]

■ 중앙선이 표시되어 있지 아니한 비포장도로라고 하더라도 승용차가 넉넉히 서로 마주보고 진행할 수 있는 정도의 너비가 되는 도로를 정상적으로 진행하고 있는 자동차의 운전자로서는, 특별한 사정이 없는 한 마주 오는 차도 교통법규를 지켜 도로의 중앙으로부터 우측부분을 통행할 것으로 신뢰하는 것이 보통이므로, 마주 오는 차가 도로의 중앙이나 좌측부분으로 진행하여 올 것까지 예상하여 특별한 조치를 강구하여야 할 업무상 주의의무는 없는 것이 원칙이다(대판 1992.7.28, 92도1137). ➡ 다만 마주 오는 차가 이미 비정상적으로 도로의 중앙이나 좌측부분으로 진행하여 오고 있는 것을 목격한 경우에는, 그 차가 그대로 도로의 중앙이나 좌측부분으로 진행하여 옴으로써 진로를 방해할 것에 대비할 업무상 주의의무가 있다. [2012 실무 1]

<야간>

■ 운전자에게 야간에 무등화인 자전거를 타고 차도를 무단횡단하는 경우까지를 예상하여 제한속력을 감속하고 잘 보이지 않는 반대차선상의 동태까지 살피면서 서행운행할 주의의무가 있다고 할 수 없다(대판 1984.9.25, 84도1695). [2015 실무 1]

■ 버스운전사에게 전날 밤에 주차해둔 버스를 그 다음 날 아침에 출발하기에 앞서 차체 밑에 장애물이 있는지 여부를 확인하여야 할 주의의무가 있다(대판 1988.9.27, 88도833). ➡ 동이 틀 무렵의 어둑어둑한 새벽시간임을 감안하더라도, 기록에 나타난 위 버스의 규격과 피해자의 신장 등을 고려해 보면 적어도 피해자의 머리부분은 위 버스의 차체 밖으로 나와 있었음을 알아보기에 어렵지 않다고 보여진다. [2014 경간]

04 기타 교통사고 관련 판례

⚖ 요지판례 Ⅰ

- 선행 교통사고와 후행 교통사고 중 어느 쪽이 원인이 되어 피해자가 사망에 이르게 되었는지 밝혀지지 않은 경우 후행 교통사고를 일으킨 사람의 과실과 피해자의 사망 사이에 인과관계가 인정되기 위해서는 후행 교통사고를 일으킨 사람이 주의의무를 게을리하지 않았다면 피해자가 사망에 이르지 않았을 것이라는 사실이 증명되어야 하고, 그 증명책임은 검사에게 있다(대판 2007.10.26, 2005도8822). [2015 승진 (경위)] [2020 실무 1]

- 운전자가 차를 세워 시동을 끄고 1단 기어가 들어가 있는 상태에서 시동열쇠를 끼워 놓은 채 11세 남짓한 어린이를 조수석에 남겨두고 차에서 내려온 동안 동인이 시동열쇠를 돌리며 악셀러레이터 페달을 밟아 차량이 진행하여 사고가 발생한 경우, 비록 동인의 행위가 사고의 직접적인 원인이었다 할지라도 그 경우 운전자로서는 위 어린이를 먼저 하차시키던가 운전기기를 만지지 않도록 주의를 주거나 손브레이크를 채운 뒤 시동열쇠를 빼는 등 사고를 미리 막을 수 있는 제반조치를 취할 업무상 주의의무가 있다 할 것이어서 이를 게을리 한 과실은 사고결과와 법률상의 인과관계가 있다고 봄이 상당하다(대판 1986.7.8, 86도1048). [2015 실무 1]

- 음주로 인한 특정범죄가중처벌 등에 관한 법률 위반(위험운전치사상)죄와 도로교통법 위반(음주운전)죄는 입법 취지와 보호법익 및 적용영역을 달리하는 별개의 범죄이므로, 양 죄가 모두 성립하는 경우 두 죄는 실체적 경합관계에 있다(대판 2008.11.13, 2008도7143). [2018 승진(경감)] [2019 승진(경감)]

제5장 / 정보경찰

주제 1 정보

01 정보 개설

1. 정보의 개념

- 일반적인 의미의 **정보**란 그 사용자에게 특정한 목적을 위해 의미 있고 가치 있는 형태로 처리된 자료를 말하는 것으로서, 군에서 사용하던 전문용어로서의 정보(적정, 즉 적국의 동정에 관하여 보고하고 알림)에서 유래한 용어이다.
- **첩보와의 관계에서 '정보'**는, 국가의 정책결정을 위하여 수집된 첩보를 평가·분석·종합 및 해석한 결과로 얻은 지식이라고 정의하고 있다. ➡ 정보기관에서 사용하는 정보의 의미

구분	첩보(Information)	정보(Intelligence)
성격	1차 정보·생(生)정보	2차 정보·가공정보
개념	• 평가·분석·해석되지 않은 부정확한 지식 • 개인의 식견에 의한 전문(傳聞)사항 • 기초적·단편적·미확인된 사실 예 관내 기업체들의 노조현황	• 수집된 첩보가 가공된 것 • 객관적으로 평가된 정확하고도 완전한 지식 • 사용목적에 부합하고 적시에 사용할 수 있도록 한 정책적 산물 예 관내 기업체 노조현황에 따른 집회·시위 발생가능성 분석 및 대응방안
특징	정확성·안전성·적시성·목적성 없음	정확성·완전성·적시성·목적성 가짐
생산과정	• 평가와 가공 여부 불문 • 단편적인 개인의 식견에 의한 지식에 불과	• 평가와 가공·검증 등 처리절차 강조 • 정보의 순환과정에서 협동작업을 통해 생산

[2021 경간] 첩보와 정보는 구분되며 첩보가 부정확한 견문이나 지식을 포함하는 데 반해 정보는 가공을 통해 객관적으로 평가된 지식이다. (○)

제프리 리첼슨 (Jeffrey T. Richelson)	정보는 외국이나 국외지역과 관련된 제반 첩보자료들을 수집 · 평가 · 분석 · 종합 · 판단의 과정을 거쳐서 생성된 산출물
마이클 허만 (Michael Herman)	정부 내에서의 조직된 지식
에이블럼 슐스키 (Abram N. Shulsky)	국가안보 이익을 극대화하고, 실제적 또는 잠재적 적대세력의 위험을 취급하는 정부의 정책 수립과 정책의 구현과 연관된 자료
마크 로웬탈 (Mark M. Lowenthal)	정보란 정책결정자의 필요에 부응하는 지식을 말하며, 이를 위해 수집 가공된 것
마이클 워너 (Michael Warner)	정보는 아측에 해악을 끼칠 수 있는 다른 국가나 다양한 적대세력의 영향을 완화시키거나, 그에 영향을 미치거나 또는 단지 그들을 이해하기 위한 노력을 지원한 비밀스러운 그 무엇
셔먼 켄트 (Sherman Kent)	정보는 국가정책 운용을 위한 지식이며 활동이고 조직 ➜ 정보의 사회 일반적 차원의 정의
노버트 위너 (Norbert Wiener)	정보란 인간이 외계에 적응하려고 행동하고 또 그 조절행동의 결과를 외계로부터 감지할 때에 외계와 교환하는 내용
칼본 클라우제비치 (Carl von Clausewitz)	적국과 그 군대에 대한 제반 첩보

[2012 승진(경위)] 에이브럼 슐스키(Abram N. Shulsky) - 정부 내에서의 조직된 지식으로 국가정책 운용을 위한 지식이며 활동이고 조직이라고 하였다. (×)
[2014 실무 3] 에이브럼 슐스키(Abram N. Shulsky) - 정보는 외국이나 국외지역과 관련된 제반 첩보자료들을 수집 · 평가 · 분석 · 종합 · 판단의 과정을 거쳐서 생성된 산출물이라 하였다. (×)

2. 정보의 질적 요건(정보가치, 양질의 정보) [2017 실무 3]

구분	내용
정확성	• 정보가 사실과 일치할 것을 요구하는 성질 • 수집경로의 다양화를 통해 정보는 정확성을 높일 수 있다.
완전성	• 시간이 허용하는 한 주제와 관련된 사항을 최대한 포함할 것을 요구하는 성질 ➜ 부분적 · 단편적 정보는 사용자의 의사결정에 도움을 주지 못함 • 정보가 특정 상황에 대한 전반적이고 체계적인 내용을 모두 전달해 줄 수 있는가에 따라 정보의 가치가 달라지는 특성이 있다. • 완전성과 적시성은 상호 충돌가능성이 높다.
적시성	• 정보는 사용자가 필요한 시기에 사용할 수 있도록 제공되어야 한다는 성질 • 적시성의 평가시점은 사용자의 사용시점이 기준이 된다.
적실성	• 정보가 정보사용자의 사용목적에 얼마나 관련된 것인가와 관련된 성질 • 현재 당면한 문제와 관련된 성질로서, 당면한 문제를 해결하기 위한 사용 권자의 의사결정에 필요한 내용을 제공할 수 있어야 한다(**필요성**).
객관성	• 정보가 생산자나 사용자의 의도에 따라 주관적으로 왜곡되어서는 안되고, 객관성을 유지해야 한다는 성질 • 정보가 객관성을 상실하여 왜곡될 경우 선호정책의 합리화 도구로 전락할 수 있다.

[2015 채용2차] 완전성은 정보가 사실과 일치되는 성질이다. (×)
[2018 실무 3] 적시성(timeliness) - 정보가 정책결정이 이루어지는 시점에 비추어 가장 적절한 시기에 존재하는 성질이다. 이를 평가할 때 그 기준이 되는 시점은 생산자의 생산시점이다. (×)
[2016 지능범죄] 객관성 - 정보는 시간이 허용하는 한 최대한의 완전한 지식이어야만 한다. (×)

3. 정보의 효용성

정보의 효용이란 질적 요건을 갖춘 정보를 어떻게 사용하면 정책결정과정에 효과적으로 기여할 수 있는가에 대한 기준을 말한다. [2012 승진(경감)]

형식
효용
	• 정보는 정보사용자의 요구에 맞는 형식(Form)과 겉모양에 부합할 때 형식효용이 높다는 평가를 받게 된다. [2012 승진(경감)]
	• 높은 수준의 정책결정자일수록 정책결정의 범위·기회 및 접하는 정보의 양이 많으므로, 주요 내용이 요약된 1장의 보고서에 알리고자 하는 정보내용이 축약되어 있어야 한다는 '보고서 1면주의'가 요구된다.
	• 전략정보와 전술정보는 형식효용에 있어 차이가 있을 수 있다.
	  – **전략정보**: 최고정책결정자 대상, 보고서 1면주의가 바람직
	  – **전술정보**: 낮은 수준의 정책결정자·실무자 대상, 비교적 상세하고 구체적일 필요

시간 효용	• 정보는 사용자가 필요로 하는 시기에 적절히 제공되어야 그 효과를 발휘할 수 있다. • 정보의 질적 요건 중 적시성과 관련이 깊다.
접근 효용	• 정보는 정보사용자가 쉽게 접근할 수 있어야 한다. 예 경찰청 정보기록실 운영 • 통제효용과 충돌할 가능성이 높으며, 통제효용을 저해하지 않는 범위 내에서 접근성을 높이는 등 양자의 조화가 필요하다.
소유 효용	• 정보는 상대적으로 많이 소유할수록 효과가 극대화된다. • "정보는 국력이다."라는 말은 정보의 소유효용을 표현한 것이다.
통제 효용	• 정보는 정보를 필요로 하는 사람들에게 필요한 만큼 제공되도록 통제되어야 한다. ➡ 보안업무 4원칙 중 알 사람만 알아야 한다는 원칙과 유사 • '차단의 원칙'이라고도 하며, 방첩활동과 밀접하게 관련되어 있다. [2012 승진(경감)]

> 💡 **전략 · 전술**
> • **전략**: 전쟁의 승리 등 목표를 전반적으로 이끌어 가는 방법 예 제갈량의 천하삼분지계
> • **전술**: 전략을 이행하기 위한 구체적 실행수단 예 손권과 동맹 맺고 형주부터 접수

> ▎**보안업무 4원칙**
> • 알 사람만 알아야 한다는 원칙
> • 부분화의 원칙
> • 적당성의 원칙
> • 보안과 업무효율 조화의 원칙

[2012 승진(경감)] 전략정보는 정책결정자가 보는 만큼 비교적 상세하고 구체적일 필요가 있으나 전술정보는 낮은 수준의 정책결정자나 실무자가 보는 만큼 중요한 요소를 축약해 놓은 형태가 바람직하다. (×)

4. 정보의 출처

(1) 공개출처와 비공개출처

> 로버트 스틸(Robert D. Steele)
>   "학생이 갈 수 있는 곳에 스파이를 보내지 마라."
> ➡ 정보수집활동은 먼저 공개출처정보 활용가능성의 판단부터 시작해야 한다는 의미

- **공개출처**(Open Source)란 첩보나 정보의 존재상태가 일반에게 공개되어 있는 출처, 특별한 보호조치가 없어 일상적인 방법으로 정보를 수집할 수 있는 출처를 말하며, 이러한 공개출처를 통해 얻어진 정보를 **공개출처정보**(OSINT ; Open Source Intelligence)라고 한다. 예 신문, 잡지, TV, 인터넷 등 매체를 통해 얻어진 정보, 정부보고서나 보도자료와 같은 공공자료
- **비공개출처**(비밀출처)란 첩보나 정보의 존재상태가 일반에게 공개되어 있지 않고 보호·보안조치 등이 되어있어 자유로운 접근이 곤란한 출처를 말한다.

(2) 정기출처와 우연출처

- **정기출처**란 정기간행물, 신문 등 일정기간 반복적으로 제공되는 첩보나 정보의 출처를 말하며, 여기에서 얻어진 정기출처정보는 우연출처정보에 비해 출처의 신빙성과 내용의 신뢰성 면에서 우위에 있다고 본다.

  [2020 승진(경위)] 정기출처정보는 정기적으로 정보를 획득할 수 있는 출처로부터 얻은 정보로 일반적으로 우연출처정보에 비해
출처의 신빙성과 내용의 신뢰성 면에서 우위를 점한다고 볼 수 없다. (×)

- **우연출처**란 우연히 첩보나 정보가 제공되는 출처로서, ① 평소의 원만한 인간관계를 통해 주변사람들로부터 자발적인 제공을 얻어내는 적극적 우연출처와, ② 사람이 많이 모인 다방(카페)나 공원, 시장과 같은 곳에서 입수하는 소극적 우연출처로 나누어진다.

(3) 근본출처와 부차적 출처

▎**근본출처와 부차적 출처의 관계**
정보의 습득 자체는 부차적 2차출처를 통해서 한 경우라 하더라도, 그 정보의 실질적인 원천은 결국 근본출처가 될 것이다.

- **근본출처**는 첩보가 존재하는 근원에서 중간기관의 개입이나 변형 없이 원형 그대로의 첩보나 정보를 제공받는 경우 그 출처를 말하며, 근본출처를 통해 얻어진 첩보나 정보인 직접정보는 신빙성·신뢰성이 높다는 장점이 있다. [2012 실무 3]

  [2020 승진(경위)] 근본출처정보는 정보출처에 대한 별다른 보호조치가 없더라도 상식적으로 정보를 획득할 것으로 기대되는 출처로
부터 얻어진 정보이다. (×)

- **부차적 출처**(2차 출처)는 근본출처에서 입수된 첩보나 정보가 정보작성기관 등 중간기관에 의하여 부분적으로 평가·요약·변형된 것을 제공받는 경우 그 출처를 말하며, 부차적 출처를 통해 얻어진 첩보나 정보인 간접정보는 신빙성·신뢰성이 떨어질 수 있고 역정보·과장정보·모략정보·조작정보가 산출될 위험이 있다.

5. 정보의 생산자와 사용자

(1) 양자의 일반적 관계

- 일반적으로 정보생산자(정보분석관)과 정보사용자(정책결정자)의 양자가 밀접한 관계를 가질수록 정보의 적실성이나 적시성을 높일 수 있다고 본다.
- 다만, 양자가 너무 밀접한 관계를 갖게 되면 정보를 사유화하고 정치화될 우려가 있다.

(2) 장애요인 [2012 실무 3] [2017 실무 3] [2020 실무 3]

정보생산자로부터의 장애요인	정보사용자로부터의 장애요인
적시성의 문제: 정책결정자의 수요에 맞추어 적시에 정보보고서를 제출할 수 있어야 하며, 완벽한 보고서를 만들기 위해 시간변수를 간과한다면 무의미한 정보보고서가 될 수 있다. **생산자:** 빨리 하라고 하면서 잘하라고 하니까 도대체 어떻게 해야 할지 …	**시간적 제약성:** 정보결정자들은 각종 정책보고에서부터 관련 설명자료·언론보도 등 수많은 정보의 홍수에 노출되어 있어, 항상 시간적 제약에 시달린다. **사용자:** 보고하라고 한지가 언제인데 아직도? 안 그래도 볼게 많아서 바빠 죽겠구만 …
적합성의 문제: 정책결정자의 소요요청에 부합되지 않는다면 정책수립에 도움되지 않는 무의미한 보고가 될 수 있다. **생산자:** 제대로 말도 안 해주시면서 도대체 뭘 알고 싶으신건지 …	**선호정보:** 정책결정자는 선호정책을 뒷받침할 수 있는 정보를 원한다. **사용자:** 조금만 생각해보면 이걸 왜 보고하라는건지 알아야지 일일이 설명해줄거면 내가 하지 …
판단의 불명확성: 정보속성상 정보는 애매하고 불명확한 사안을 다루고 있어 여러 가능성을 언급하는 경우가 많다. **생산자:** 내가 무당도 아니고 앞으로 어떻게 될지 어떻게 알아? 나중에 문제될 수도 있으니까 가능성 있는건 일단 다 넣고 보자.	**정책결정자의 자존심:** 정책결정자가 가지게 되는 자기분야에서의 최고라는 자신감이 자신의 견해를 반대한 정보들을 비현실적이고 잘 알지 못한 데 따른 것이라며 무시한다. **사용자:** 나름 열심히는 써왔는데 경험이 부족하니 쓸데없는 내용이 많군.
편향적 분석의 문제: 정보분석관의 객관적 분석의 결여와 더불어, 정보기관의 집단적 편견도 정보실패의 주요 원인이다. **생산자:** 이건 맨날 하던거 뻔하네. 이건 뭐 보나마나 이런 내용이지.	**판단정보의 소외:** 정책결정자들은 현용정보를 가장 높이 평가하며, 판단정보는 그보다 낮게 평가한다. **생산자:** 그건 네 생각이고 … 네 생각이 궁금한게 아니고, 지금 상황이 어떻게 돌아가고 있냐고?
다른 정보와의 경쟁: 신문·방송 및 인터넷 등을 통해 수많은 정보들이 실시간으로 전파되고 있으며, 기업 정보부서·증권가 등의 사설정보지 등 자료와도 경쟁관계에 놓여있다. **생산자:** 내가 찾을 수 있는 건 서장님도 이미 다 아시는 내용일거 같은데 … 다른 일도 많은데 직접 조사하러 나갈 수도 없고 …	**정보에 대한 과도한 기대:** 정책결정자들은 정보가 문제에 대한 비밀스런 대답과 지침을 주기를 기대하나, 그 기대가 충족되지 못할 경우에는 정보불신으로 이어지게 된다. **사용자:** 이거 뭐 다 뻔한 내용인데 좀 참신한 거 없나? 이래가지고 김순경한테 일을 계속 시키겠나?

[2012 실무 3] 신문·방송 및 인터넷 등을 통해 수많은 정보들이 거의 실시간으로 전파되고 있으며, 기업 정보부서, 증권가 등의 사설정보지 등에 의해서도 정보의 생산·배포가 이루어지고 있다는 것은 정보사용자로부터의 장애요인에 해당한다. (×)
[2017 실무 3] 판단정보의 소외는 정보생산자로부터의 장애요인으로 볼 수 있다. (×)
[2020 실무 3] 판단의 불명확성은 정보사용자로부터의 장애요인으로 볼 수 있다. (×)

02 정보의 분류

1. 사용수준에 따른 분류 [2014 실무 3] [2017 실무 3]

(1) 전략정보

- 국가 전체에 영향을 미치는 차원과 수준의 정보로서, 국가가 사용주체가 되는 국가 정보를 말한다.
- 평시에는 국가의 안전과 관련된 정책결정의 기초가 되며, 전시에는 군사작전계획의 기초로 사용된다. 예 국가정보원장이 수립한 '국가정보목표 우선순위(PNIO ; Priority of National Intelligence Objectives)

(2) 전술정보

전략정보의 기본적인 방침하에 이를 구체적으로 수행하기 위한 세부적이고 부분적인 정보로서, 각 부처가 사용주체가 되는 부문 정보를 말한다. 예 PINO가 국군정보사령부 · 경찰정보국 · 검찰공안부 등 부문정보기관에 하달되면, 이를 수행하기 위한 각 부문기관의 세부업무와 관련된 정보(예컨대 경찰의 대공수사와 관련된 정보 등)

2. 사용목적에 따른 분류 [2021 경간]

(1) 적극정보

국가의 경찰기능에 필요한 정보 이외의 모든 정보를 말하며, 국가이익을 증대하기 위한 정책의 입안과 계획수립, 정책계획의 수행에 있어서 필요한 정보를 말한다.

(2) 소극정보(보안정보 · 안전정보) [2017 경간]

국가의 경찰기능을 위한 정보. 즉, 방첩에 필요한 국가적 취약점의 분석과 판단에 필요한 정보를 말한다. 예 간첩 · 내란혐의자 색출이나 태업 및 전복에 대비할 국가적 취약점 분석 · 판단정보, 산업스파이의 첨단기술 해외유출 방지를 위한 정보

[2014 승진(경위)] 정보의 사용목적에 따라 전략정보, 전술정보로 분류할 수 있다. (×)
[2012 실무 3] 국가안전보장을 위태롭게 하는 간첩활동, 태업 및 전복에 대비할 국가적 취약점의 분석과 판단에 관한 정보는 사용목적에 따른 분류 중 적극정보에 대한 설명이다. (×)

3. 수집활동에 따른 분류 [2017 실무 3]

(1) 인간정보(HUMINT ; Human Intelligence)

- 인적 수단을 사용하여 수집한 정보를 말하며, 정보관 · 정보원 활용이 대표적인 예이다.
- 인간정보의 출처들은 자신의 공적을 과장 · 왜곡 · 조작하는 경우가 있을 수 있으므로, 정보의 신뢰성 검증이 필요한 경우가 많다.

(2) 기술정보(TECHINT ; Technical Intelligence)

기술적 수단을 사용하여 수집한 정보를 말하며, 앞서 살펴본 비공개출처정보 중 영상정보나 신호정보가 여기에 해당할 수 있다. [2012 실무 3]

4. 분석형태에 따른 분류 [2014 실무 3] [2015 실무 3] [2017 실무 3] [2018 경채]

기본정보 (과거)	• 모든 사상(事象)의 정적인 상태를 기술한 정보 • 과거에 대한 기본적·서술적 또는 일반자료적인 유형의 정보 • 매일의 변화 의미를 해석하는 기초가 되며, 장래의 예측이 그것 없이는 무의미하게 될 기초가 되는 정보 예 2022.5.6.자 관내 112신고접수 건수
현용정보 (현재)	• 모든 사상의 동적인 상태를 현재의 시점에서 객관적으로 기술한 정보로서, 시사정보·현황정보·현상정보 등으로 부르기도 함 • 의사결정자에게 그때그때의 상황을 알리기 위한 정보로서, 현재 시점에서 활용가능한 현상보고적 정보이며, 대표적으로 경찰의 '중요정보상황 보고' 등이 있다. 예 2022년도 유형별 관내 112신고접수 추이
판단정보 (미래)	• 과거와 현재를 바탕으로 특정문제를 체계적이고 실증적으로 연구, 미래에 있을 어떤 상태를 추리·평가한 정보로서, 미래에 대한 예측·평가 또는 보고의 기능을 가짐 • 기본정보와 현용정보를 기초로 미래의 상황을 추측·판단한 정보로서 사용자(정책결정자)에게 정책결정에 필요한 적당한 사전지식을 주는 것을 주목적으로 하며, 정보생산자의 능력과 재능을 가장 많이 필요로 하는 정보 [2017 경간] • 가장 정선된 형태의 정보이며, 기획정보라고도 함 예 112 출동시간 단축을 위한 관내 순찰자원 배분방안 보고

[2020 실무 3] 기본정보는 과거의 사실이나 사건들에 대한 정적인 상태를 기술하여 놓은 정보로서 종합적인 분석과 과학적 추론을 필요로 하므로 가장 정선된 형태의 정보라고 할 수 있다. (×)

5. 기타 분류

- **정보요소**에 따라 정치정보·경제정보·사회정보·문화정보·군사정보·과학정보· 산업정보 등으로 나눌 수 있다. [2017 실무 3]
- **경찰업무분야**에 따라 일반정보·안보정보·범죄정보·외사정보·교통정보 등으로 나눌 수 있다.

[2018 실무 3] 정보요소에 따른 분류에 따르면 기본정보, 현용정보 판단정보로 분류된다. (×)

03 정보의 순환과정

> 정보요구 ➡ 첩보수집 ➡ 정보생산 ➡ 정보배포

1. 정보순환의 의의

- 정보활동은 사용자의 정보요구에 따라 이러한 요구를 충족시키기 위해 첩보수집 및 수집된 첩보의 평가·분석·종합·해석을 통한 정보생산, 그리고 생산된 정보를 사용자에게 배포하는 4단계가 계속하여 순환하면서 이루어진다.
- 이러한 정보과정은 일방적·계속적·반복적인 순환과정으로서, 개별과정이 단계적으로 연속해서 이루어지는 연속성을 가지며, 경우에 따라 개별과정이 동시에 진행되는 동시성을 가지기도 한다.

[2012 실무 3] 정보생산의 소순환과정은 항상 순차적으로 이루어진다. (×)

> 💡 **정보순환의 동시성**
>
> 예컨대 첩보를 수집하는 동시에 이미 입수한 첩보를 가공하여 정보를 생산·보고하고 이에 대한 정보사용자의 피드백을 받으면서 첩보수집경로의 다양화, 정보생산 방향의 변경 및 재보고 등의 과정이 동시에 일어나는 경우이다.

- 이러한 정보순환과정은 각 단계마다 개별적인 소순환과정을 가지고 있으며, 이들이 전체적으로 전체 순환과정을 구성하게 된다.

☑ **KEY POINT | 소순환과정을 포함한 정보의 전체적 순환과정** [2012 실무 3]

순환과정	정보요구	첩보수집	정보생산	정보배포
소순환과정	1. 기본요소 결정 2. 첩보수집계획서 작성 3. 수집명령 · 하달 4. 수집활동에 대한 조정 · 감독	1. 첩보수집 계획 2. 출처의 개척 3. 첩보의 수집 4. 첩보의 전달	1. 선택 2. 기록 3. 평가 4. 분석 5. 종합 6. 해석	-

2. 정보활동의 우선순위(정보요구의 방법) [2014 채용2차]

정보순환과정의 첫 번째 단계인 정보요구에 있어, 이러한 정보활동에 투입할 수 있는 자원은 한정되어 있기 때문에, 어떤 정보요구를 우선하여 자원을 투입할지 결정할 수 있는 판단기준이 필요하게 된다.

💡 **PNIO의 실제**

"PNIO를 사법 체계에 비유하자면 거의 '헌법'적 위치에 상응하는 '뼈대'이자 큰 틀입니다. 국정원이 수립한 '기본지침'이 부문기관으로 하달되면, 국가정보 및 방첩 활동의 방향이 설정된 것이므로 그 영향력은 가히 짐작하기 어렵습니다. 대한민국의 가장 큰 안보 위협인 북한의 대남적화공작과 파괴 전복활동을 막아야 하는 것이 바로 '국가정보목표우선순위(PNIO)'의 최우선 목표입니다."(2020.7. 전 국정원 간부 인터뷰 中, 서울신문)

국가정보목표 우선순위 (PNIO)	• Priority National Intelligence Objective • 국가안전보장이나 정책에 관련된 국가의 1년간의 기본정보 운영지침을 말하며, 작성주체는 국가정보원이다. • 국가정책의 수립자와 수행자의 질문에 대한 응답을 위하여 선정된 우선적인 정보목표이다. • 국가의 전 정보기관활동의 기본방침으로서, 경찰청과 같은 정보기관의 첩보활동에 있어 우선순위를 결정하는 가장 중요한 기준이 된다. [2018 경간] • PNIO가 작성되면 각 부분기관에 대한 세부적인 수집임무가 부여되며 각 부문 정보기관들은 첩보기본요소(EEI)를 작성하여 첩보수집에 임하게 된다.
첩보기본요소 (EEI)	• Essential Elements of Information • EEI는 각 정보부서에 맡고 있는 정책을 수행함에 있어서 필요한 일반적 · 포괄적 요소를 말하며, 통상 첩보수집계획서라 하면 EEI계획서를 의미한다. • 정보기관 첩보활동의 기본지침으로서 '전체적인 의미를 가진 일반적인 내용', '우선적 필요가 있는 가장 기본적 사항'이라고 표현하기도 한다. [2014 실무 3] [2017 실무 3] • EEI에 따라 광범위한 지역에 걸쳐 계속적 · 반복적으로 첩보수집이 요구된다. [2018 실무 3] [2019 승진(경감)] • EEI는 통계표와 같이 공개적인 것이 많고 문서화되어 있는 것이 대부분이다. [2018 실무 3] • EEI와 관련하여서는 사전에 반드시 첩보수집요구계획서를 작성하여야 한다(사전서면원칙). ➡ 즉, 첩보수집요구계획서 작성에 있어 EEI가 핵심이 된다! [2014 실무 3] [2018 경간] [2019 승진(경감)]

특정첩보요구 (SRI)	• Special Requirements for Information • 수시로 발생할 수 있는 특정한 돌발상황의 해결에 필요한 한도 내에서 임시적 · 단편적 · 단기적 첩보를 요구하는 것을 말한다. [2014 실무 3] [2017 실무 3] [2018 경간] [2020 승진(경감)] • 일상적 경찰업무에 활용되는 정보요구는 주로 SRI에 의해 이루어지며, 이는 정보경찰의 통상적 활동이기도 하다. 예 외국 농산물 수입반대 집회가 예정되어 있는 경우 각 시 · 도청에 시위참여 가능성이 있는 농민단체 현황파악을 지시하는 경우 • 돌발상황에서 첩보가 요구되는 것이므로 성질상 첩보수집요구계획서가 작성되지 않는다.
기타 정보요구 (OIR)	• Other Intelligence Requirement • 급변하는 정세변화에 따라 불가피하게 정책수정이 요구되거나 이를 위한 자료가 절실히 요구될 때, PNIO에 우선하여 이를 충족시키기 위한 정보요구를 말한다. • 통상 OIR은 PNIO에 포함되어 있지 않거나 포함되어 있더라도 후순위에 있는 경우가 많기 때문에, OIR의 설정은 PNIO의 우선순위를 변경하는 효력을 갖게 되어 따라서 OIR로 책정되는 정보는 PNIO에 우선하여 작성된다.

[2018 실무 3] [2019 승진(경감)] 정보기관의 활동은 주로 첩보기본요소(EEI)에 의한다. (×)
[2012 실무 3] 국가정책의 수립자와 수행자의 질문에 대한 응답을 위하여 선정된 우선적인 정보목표일 뿐만 아니라 국가의 전 정보기관 활동의 기본방침이 되는 정보의 요구방법은 첩보기본요소(EEI)이다. (×)
[2014 실무 3] [2018 경간] SRI의 경우 사전첩보수집계획서가 필요하다. (×)
[2017 실무 3] SRI는 전체적인 의미를 가진 일반적인 내용으로 계속적 · 반복적으로 요구된다. (×)

3. 정보순환의 구체적 과정

(1) 정보의 요구

• 정보의 사용자가 첩보의 수집활동을 집중 지시하는 단계로서, 정보순환과정 중에서 최초의 단계이며 기초가 되는 중요한 단계이다.
• 첩보수집활동의 적정성을 위해 정보 요구자의 지속적인 지시 · 감독이 필요하다.
[2012 실무 3] 정보의 순환과정 중 정보요구단계는 정보사용자가 필요로 하는 정보내용이 무엇인지를 파악하고 각급 사용자가 필요로 하는 시기에 정확한 정보가 제공될 수 있도록 적절한 운용계획을 수립하여 수집기관에 첩보의 수집을 명령, 지시하는 단계를 말한다. (○)

(2) 첩보의 수집

• 정보기관(첩보수집기관)이 사용자의 정보요구에 따라 필요한 자료를 획득하여 사용자에게 제공하는 단계로, 정보순환과정 중 가장 중요하고 어려운 단계이며 협조자가 필요한 단계이다.
• 첩보수집의 우선순위를 결정하기 위한 기준은 다음과 같은 것들이 있다.

고이용정보 우선의 원칙	이용가치(중요도)가 높은 정보부터 수집해야 함
참신성의 원칙	이제까지 알려지지 않은 정보부터 수집해야 함
수집가능성의 원칙	수집가능성이 있는 정보부터 수집해야 함
긴급성의 원칙	긴급한 정보부터 수집해야 함
경제성의 원칙	경제성이 있는 정보부터 수집해야 함

(3) 정보의 생산

- 정보사용자의 요구에 맞도록 수집·전달된 첩보를 선택·기록·평가·분석·종합·해석하여 정보화하는 것을 말하며, 학문적 성격이 가장 많이 지배하는 단계이다.
- 정보의 생산은 다음과 같은 소순환과정을 거치게 된다.

<table>
<tr>
<td>첩보의
선택</td>
<td colspan="2">
• 각종 첩보 중에서 긴급성·유용성·신뢰성·적용가능성 등을 1차적으로 평가하여 필요한 정보를 가려내는 초기과정이다.
• 첩보수집자의 주관적 의사가 개입될 가능성을 배제시켜 과학적 원리와 사회통념에 가장 타당한 첩보자료를 선택할 것이 요구된다(객관성).
</td>
</tr>
<tr>
<td>첩보의
기록</td>
<td colspan="2">서식이나 도표양식으로 첩보를 요약하고, 관련된 여러 가지 첩보를 종합하는 과정으로 정보내용의 손실을 방지하기 위해 면밀한 기록이 요구된다.</td>
</tr>
<tr>
<td rowspan="4">첩보의
평가</td>
<td colspan="2">첩보의 내용을 파악하여 첩보의 정합성, 출처의 신뢰성, 내용의 정확성 등을 검토한다.</td>
</tr>
<tr>
<td>적절성</td>
<td>현재나 장래에 그 첩보가 어느 정도 유용한지 검토</td>
</tr>
<tr>
<td>신뢰성</td>
<td>해당 자료를 제공한 출처나 기관의 신뢰성을 검토</td>
</tr>
<tr>
<td>가망성</td>
<td>내용이 얼마나 충실하고 전후 모순이 없는지(견실성), 보고내용이 얼마나 내용을 상세히 포함하는지(상세성), 평가자의 기 보유정보로 보아 얼마나 타당성이 있는지(타당성), 타출처에서 입수된 첩보와 얼마나 내용이 일치하는지(일치성) 등을 검토</td>
</tr>
<tr>
<td colspan="3">[2012 실무 3] 평가의 단계에서는 정보요구를 해결하기 위한 가설들을 논리적으로 검증하는 과정이다. (×)</td>
</tr>
<tr>
<td rowspan="4">첩보의
분석</td>
<td colspan="2">
• 평가된 첩보를 구성요소별로 세분화하고 세분화된 요소들의 인과성·패턴·경향·상관관계 등을 논리적으로 검토하여 재평가하는 과정이다.
• 자료위주의 분석방법은 현안에 대해 가능한 모든 첩보를 종합하여 결론을 제시하는 방법으로 분석보다는 첩보수집에 우선을 두는 분석형태를 말한다.
• 개념위주의 분석방법은 자료위주의 분석방법에 대한 대안으로 등장한 분석방법으로, 세부적으로 다음과 같이 나누어진다. [2020 실무 3]
</td>
</tr>
<tr>
<td>상황논리
분석방법</td>
<td>• 구체적인 사실들과 해당 지역·시간·이해관계 등(즉, 상황)의 특수성에서 출발하여
• 그러한 상황이 논리적으로 어떻게 전개될지 결론을 도출
• 정보분석에서 가장 일반적으로 사용되는 방법</td>
</tr>
<tr>
<td>이론적용
분석방법</td>
<td>현안과 관련된 보편적인 이론들을 먼저 검토 후, 가장 적합한 이론에서 제시하는 결론에 충실한 전망을 도출하는 방법</td>
</tr>
<tr>
<td>역사적 상황
비교분석법</td>
<td>• 현재의 분석대상이 과거사례들과 비교할 수 있는 유사성이 있는지 우선 검토 후,
• 유사사안이라는 판단이 가능한 경우 현안에 관하여 과거 사례에서 발견된 요소들을 대입</td>
</tr>
<tr>
<td colspan="3">[2020 실무 3] 자료위주의 분석방법의 대안으로 등장한 상황논리적 분석방법의 종류에는 개념위주의 분석방법, 이론적용의 분석방법, 역사적 상황과의 비교에 의한 분석방법이 있다. (×)</td>
</tr>
<tr>
<td>첩보의
종합</td>
<td colspan="2">부여된 주제에 대한 정보를 생산하기 위하여 동류의 것끼리 분류된 사실을 하나의 통일체로 결합하는 과정이다.</td>
</tr>
<tr>
<td>첩보의
해석</td>
<td colspan="2">평가·분석·종합된 새 정보에 대하여 의의와 중요성을 결정하고 건전한 결론을 도출할 수 있게 하는 과정이다.</td>
</tr>
</table>

▎**신뢰성과 가망성**
출처의 신뢰성도 가망성의 평가요소가 될 수는 있으나, 예컨대 그동안 정확한 정보만 제공했던 정보원도 이번에는 부정확한 정보를 제공할 수도 있고, 반대로 거의 부정확한 정보만 제공했던 정보원이 이번에 제공한 정보는 정확한 정보일 수도 있으므로, 가망성과 신뢰성은 서로 독립하여 검토되어야 한다. [2012 실무 3]

(4) 정보의 배포

1) 의의

- 생산된 정보를 필요로 하는 정보를 필요로 하는 개인이나 기관 등 사용자에게 적합한 형태와 내용을 갖추어서 적시에 전파하는 것으로, 정책입안자 또는 정책결정자가 정보를 바탕으로 건전한 정책결정에 이르도록 하는 기능을 한다.
  [2019 채용2차] 정보의 배포란 정보를 필요로 하는 개인이나 기관에게 적합한 내용을 적당한 시기에 제공하는 과정을 말하는 것으로, 적합한 형태를 갖출 필요는 없다. (×)
- 정보가 효과적으로 이용될 수 있도록 하기 위해서는 어떤 부서가 어떤 방법으로 언제 배포할지 등과 같은, 정보생산 외적인 사항에 대한 고민이 필요하다.

2) 정보배포의 원칙 [2020 지능범죄]

필요성	알 필요가 있는 대상자에게만 알려야 하고 알 필요가 없는 대상자에게 알려서는 안 된다는 원칙으로, 차단의 원칙이라고도 한다. → 정보의 효용성 중 '통제효용'과 관련 [2024 채용 1차]
적당성	정보는 사용자의 능력과 상황에 맞추어서 적당한 양을 조절하여 필요한 만큼만 적절한 전파수단을 통해 전달되어야 한다.
적시성	• 정보는 정보사용자가 필요로 하는 시기에 맞추어 배포되어야 한다. • 사용자가 필요로 하는 시기에 배포되어야 하므로, 먼저 생산된 정보가 아니라 사용자에게 긴급한 정보가 우선적으로 배포되어야 한다. [2024 채용 1차]
보안성	정보연구 및 판단이 누설됨으로써 초래될 수 있는 결과를 예방하기 위해 보안대책을 강구해야 한다. → 구두배포의 보안성이 가장 우수하다. [2019 채용2차] [2024 채용 1차]
계속성	특정정보가 필요한 정보사용자에게 배포되었다면, 그 정보의 내용이 변화되었거나 관련 내용이 추가적으로 입수된 경우 계속 배포되어야 한다. [2019 채용2차] [2024 채용 1차]

[2019 채용2차] [2024 채용1차] 적시성의 원칙에 따라, 먼저 생산된 정보를 우선적으로 배포한다. (×)
[2020 승진(경감)] 정보배포의 원칙으로 필요성, 적당성, 보안성, 적시성, 계속성이 있다. (○)

▌**보안업무 4원칙 중 '적당성의 원칙'**
사용자가 요구하는 것 이상으로 불필요한 정보를 제공하는 것은 보안상 문제를 야기할 수 있다는 것이다.

3) 정보배포의 수단

- 어떤 배포수단을 사용할 지 결정함에 있어 고려되어야 할 사항으로는, ① 정보내용의 형태와 양, ② 정보의 긴급성, ③ 비밀등급, ④ 이용가능한 전달방법, ⑤ 정보의 사용목적, ⑥ 요구되는 부수, ⑦ 수수기관의 형태 등이 있다.
- 보고서 형태의 정보배포의 수단은 다음과 같은 것들이 있다.

보고서	• 일반적으로 가장 많이 활용되는 방법이다. • 생산된 정보의 내용을 보고문서형태로 정보수요자에게 배포된다.
일일정보 보고서	• 매일 24시간에 걸친 정치·경제·사회·문화 등 제반 정세의 변화를 망라한 보고서이다. [2020 실무 3] • 대부분이 현용정보이므로 신속한 배포 필요하며, 제한된 범위에서 배포된다.
특별 보고서	누적된 정보가 다수의 사람이나 기관에게 이해관계가 있거나 가치가 있을 때 사용되는 보고서이다.
지정된 연구과제 보고서	• 정보사용자 또는 어떤 기관이 요청한 문제(연구과제)에 대하여 비교적 심층적인 분석을 통해 작성되는 장문의 보고서이다. • 주로 판단정보를 다룬다.

▌**분석형태에 따른 정보**
- **기본정보**: 정적인 상태를 기술한 기본적인 정보
- **현용정보**: 동적인 상태를 현재 시점에서 객관적으로 기술한 정보
- **판단정보**: 미래에 있을 상태까지 추리·평가한 정보

연구참고용 보고서	정보사용자들에게는 배포되지 않는 보고서로서 분석관 상호간의 연구를 돕기 위하여 작성되고 배포된다. [2020 실무 3]
메모	• 정보분석관이 가장 많이 활용하는 방법으로, 정기간행물에 포함시키기거나 정직 보고서 양식을 갖추기에 적절하지 못한 긴급한 경우에 내용을 요약하여 서면기록을 전달하는 방법이다. [2020 실무 3] • 현용정보를 전달하는데 주로 사용되며 신속성이 중요하다. • 분석된 내용에 대한 요약이나 결론을 위주로 언급하기 때문에 정확도가 타수단에 비하여 떨어진다. ➡ 완전성보다 적시성을 중시!

[2020 실무 3] 지정된 연구과제 보고서는 통상 광범위한 배포를 위하여 출판되며 방대한 정보를 수록하고 있고, 공인된 사용자가 가장 최근의 중요한 진행상황을 알 수 있도록 하는 배포수단이다. (×)

• 구두로 이루어지는 정보배포의 수단은 다음과 같은 것들이 있다.

브리핑	• 정보사용자나 다수인원에 대하여 정보담당관이 내용을 요약(Brief)한 구두설명이다. • 통상 강연식이나 문답식으로 진행한다. [2020 실무 3] • 특히 현용정보의 배포수단으로서 많이 활용된다.
비공식적 방법	통상 개인적인 대화의 형태로 이루어지며, 질문에 대한 답변이나 토의 형태로 직접 전달하는 방법이다. [2020 실무 3]
전화(전신)	• 돌발적이고 신속·긴급을 요하는 정보의 배포를 위하여 제1차적으로 이용된다. • 흔히 해외주재기관 등에 전달하는 데 효과적, 보안유지가 특히 요구되는 방법이다.

• 책자 형태의 정보배포의 수단은 다음과 같은 것들이 있다.

정기간행물	• 통상 광범위한 배포를 위하여 주·월간 등으로 발행된다. • 방대한 정보를 수록하고 있고, 공인된 사용자가 가장 최근의 중요한 진행상황을 알 수 있도록 하는 배포수단이다.
서적	정보가 다수인의 참고나 교범으로 이용될 필요가 있는 경우에 활용된다.

• 그 외 보조적 형태의 정보배포의 수단은 다음과 같은 것들이 있다.

도표 및 사진	• 내용을 쉽게 이해하는데 효과적이며 통상 다른 배포수단의 설명을 보충하거나 요약하기 위하여 이용된다. • 시각적으로 증명하거나 체계적으로 이해할 수 있도록 하는 효과를 기대할 수 있다.
필름	반복하여 계속적인 전달이 요구되는 경우 이용되며, 특히 교육적 전달 방법으로 이용된다.
문자메시지	• 정보사용자가 공식회의·행사 등에 참석하여 물리적인 접촉이 용이하지 않은 경우나 사실확인 차원의 단순보고에 활용된다. • 최근 활용도가 점차 높아지고 있는 배포수단이다. • 일시에 다수를 대상으로 배포하는데 활용되기도 한다.

[2020 실무 3] 통상 다른 배포수단의 설명을 보충하거나 요약하기 위해 이용하는 수단으로, 시각적으로 증명하거나 체계적으로 이해할 수 있도록 하는 효과가 있는 수단은 서적이다. (×)

4) 정보배포와 보안

정보배포의 원칙 중 보안성의 원칙과 관련하여, 구체적으로는 다음과 같은 조치가 취해질 수 있다.

정보의 분류조치	정보를 여러 등급으로 분류하여 각각의 등급에 따라 비밀임을 표시하거나 열람자격 등을 규정할 수 있다. 예 비밀표시, 열람자격제한, 배포범위제한, 문서파기 등
인사 보안조치	민감한 정보를 취급할 가능성이 있는 공무원을 채용하고 관리함에 있어, 보안심사·보안서약·보안교육 등 방법으로 해당 정보들이 공무원이 될 자 또는 공무원에 의해 유출될 가능성을 차단할 수 있다.
물리적 보안조치	정보부서의 소재지나 정보가 소재하는 시설물 등에 대해 보호구역을 지정하여 관리할 수 있다. 예 보호구역설정, 시설보안분야로 분류 등
통신 보안조치	• 정보의 배포수단으로 전선·전파 또는 컴퓨터 네트워크를 이용할 경우 정보유출을 방지하기 위한 각종 보안조치이다. • 컴퓨터 네트워크에 대한 보안조치는 오늘날 통신보안의 가장 중요한 분야에 해당한다.

[2018 실무 3] [2018 승진(경감)] 문서에 비밀임을 표시하거나 열람하는 자격을 제한하는 등의 조치, 관련 문서의 배포범위를 제한하거나 폐기대상인 문서를 파기하는 등의 관리방법은 물리적 보안조치에 대한 설명이다. (×)

[2020 승진(경감)] 관련 문서의 배포범위를 제한하거나 폐기대상인 문서를 파기하는 등의 관리방법은 물리적 보안조치에 해당한다. (×)

주제 2 정보경찰

01 정보경찰 개설

1. 정보경찰의 의의 및 특징

- **정보경찰**이란 국가의 안전을 침해하는 개인이나 단체의 모든 불법행위를 예방하기 위하여, 그 전제가 되는 공공안녕에 대한 위험의 예방과 대응을 위한 정보의 수집·작성·배포와 이에 수반되는 사실을 확인하는 경찰을 말한다.
- 정보경찰은 국가안전보장과 공공의 안녕질서유지를 1차적 목적으로 하면서, 이에 대한 위험이나 장해가 발생하기 이전에 그 원인을 제거하는 활동을 주로 한다는 점에서 예방경찰의 특징을 가지고 있다.
- 한편, 정보경찰이 이미 위험이 실현되어 진행 중인 장해를 직접 제거하거나 범죄수사를 하는 것은 아니지만, 이러한 진압경찰활동이 효과적으로 이루어 질 수 있도록 도움을 주는 역할도 하게 된다.

▌예방경찰·진압경찰
- **예방경찰**: 경찰상 위해발생을 사전에 방지하기 위한 비권력적 또는 권력적 작용
- **진압경찰**: 이미 위험이 실현되어 진행 중인 장해를 제거하거나 범죄를 수사하는 권력적 작용

2. 정보경찰활동의 법적 근거와 한계

(1) 일반적 근거

┃치안정보
- 과거에는 정보경찰의 수집 등 대상이 되는 정보가 '치안정보'로 규정되어 있었으나, 이 치안정보의 명확한 정의가 없어 정보경찰의 과도한 활동의 근거가 된다는 비판이 있어 왔다.
- 이에 2020.12.22. 법 개정으로, '공공안녕에 대한 위험 예방과 대응을 위한 정보'로 개정이 되었다.

> **경찰법 제3조【경찰의 임무】** 경찰의 임무는 다음 각 호와 같다.
> 5. 공공안녕에 대한 위험의 예방과 대응을 위한 정보의 수집 · 작성 및 배포
>
> **경찰관 직무집행법 제2조【직무의 범위】** 경찰관은 다음 각 호의 직무를 수행한다.
> 4. 공공안녕에 대한 위험의 예방과 대응을 위한 정보의 수집 · 작성 및 배포

(2) 개별적 근거

> **경찰관 직무집행법 제8조의2【정보의 수집 등】** ① 경찰관은 범죄 · 재난 · 공공갈등 등 공공안녕에 대한 위험의 예방과 대응을 위한 정보의 수집 · 작성 · 배포와 이에 수반되는 사실의 확인을 할 수 있다.
> ② 제1항에 따른 정보의 구체적인 범위와 처리 기준, 정보의 수집 · 작성 · 배포에 수반되는 사실의 확인 절차와 한계는 대통령령으로 정한다.
>
> `대통령령` **경찰관의 정보수집 및 처리 등에 관한 규정 제1조【목적】** 이 영은 「경찰관 직무집행법」 제8조의2에 따라 경찰관이 수집 · 작성 · 배포할 수 있는 공공안녕에 대한 위험의 예방과 대응을 위한 정보의 구체적인 범위와 처리 기준, 정보의 수집 · 작성 · 배포에 수반되는 사실의 확인 절차 및 한계에 관하여 규정함을 목적으로 한다.
>
> `훈령` **정보경찰 활동규칙 제1조【목적】** 이 규칙은 「경찰관 직무집행법」 제8조의2, 「경찰관의 정보수집 및 처리 등에 관한 규정」(이하 "영"이라 한다)에서 정한 사항 이외에 경찰청 공공안녕정보국장의 업무지휘를 받고 있는 정보부서 소속 경찰공무원(이하 "정보관"이라 한다)의 정보활동에 필요한 세부사항을 규정함을 목적으로 한다.

(3) 법적 한계

💡 **정보경찰 폐지요구**
- 전통적으로는 정보경찰이 경찰 내 핵심 실세부서라는 인식이 있었고, 이러한 인식은 경찰조직이 보유하고 있는 막대한 정보와 이러한 정보를 여러 방식으로 활용해온 방식에서 기인한 측면이 있었다.
- 이러한 정보경찰의 모습에 대해 과거부터 시민사회나 일부 정치권에서 꾸준한 폐지요구가 있어 왔고, 특히 최근의 수사권 조정문제와 더불어 수사권이 경찰에 집중되는 상황이니만큼 정보경찰기능은 폐지하자는 목소리가 높아지고 있는 상황이다.

- 정보경찰의 활동은 임의수단 내지 사실행위에 속하지만, 수집 · 처리하는 정보의 대상이 광범위하고 특히 개인의 사생활에 대한 정보나 정치정보 등 민감한 부분도 포함하고 있다는 점에서 법적 한계를 넘지 않도록 특히 주의할 필요가 있다.
- 정보경찰의 법적 한계는 ① **헌법**상 사생활의 비밀과 자유 침해금지(헌법 제17조), 그리고 기본권 제한의 한계조항(헌법 제37조 제2항), ② **경찰법**과 **경찰관 직무집행법**상의 일반적 권한남용 금지조항(국민의 자유와 권리 · 불가침의 인권 보호, 경찰 직권의 필요최소한 범위 내 행사 및 남용 금지), ③ **개인정보 보호법**상의 민감정보 처리금지조항 포함 각종 개인정보처리자의 준수사항들, ④ **경찰권 행사의 조리상 한계**(일반원칙)로서 적합성의 원칙, 필요성의 원칙, 상당성의 원칙 등이 있다.

02 정보경찰활동

1. 일반적 정보활동

(1) 정보경찰활동의 기본원칙

> **대통령령** 경찰관의 정보수집 및 처리 등에 관한 규정 제2조 【정보활동의 기본원칙 등】 ①
> 공공안녕에 대한 위험의 예방과 대응을 위한 정보의 수집·작성·배포와 이에 수
> 반되는 사실의 확인을 위해 경찰관이 수행하는 활동(이하 "정보활동"이라 한다)
> 은 국민의 자유와 권리를 보호하는 것을 목적으로 해야 하며, 필요 최소한의 범
> 위에 그쳐야 한다.
> ② 경찰관은 정보활동과 관련하여 다음 각 호의 행위를 해서는 안 된다.
> 1. 정치에 관여하기 위해 정보를 수집·작성·배포하는 행위
> 2. 법령의 직무 범위를 벗어나 개인의 동향 등을 파악하기 위해 사생활에 관한
>   정보를 수집·작성·배포하는 행위
> 3. 상대방의 명시적 의사에 반해 자료 제출이나 의견 표명을 강요하는 행위
> 4. 부당한 민원이나 청탁을 직무 관련자에게 전달하는 행위
> 5. 직무상 알게 된 정보를 누설하거나 개인의 이익을 위해 사용하는 행위
> 6. 직무와 무관한 비공식적 직함을 사용하는 행위
> ③ 경찰청장 또는 해양경찰청장은 정보활동이 적법하게 이루어지도록 현장점
> 검·교육 강화 방안 등을 수립·시행해야 한다.

> **대통령령** 경찰관의 정보수집 및 처리 등에 관한 규정 제6조 【정보의 작성】 경찰관은 수집
> 한 정보를 작성할 때 객관적 사실에 기초해 중립적으로 작성해야 하며, 정치에
> 관여하는 등 특정한 목적을 가지고 그 내용을 왜곡해서는 안 된다.

> **대통령령** 경찰관의 정보수집 및 처리 등에 관한 규정 제7조 【수집·작성한 정보의 처리】
> ① 경찰관은 수집·작성한 정보를 그 목적 외의 용도로 사용해서는 안 된다.
> ② 경찰관은 공공안녕에 대한 위험의 예방과 대응을 위해 필요한 경우에는 수
> 집·작성한 정보를 관계 기관 등에 통보할 수 있다.
> ③ 경찰관은 수집·작성한 정보가 그 목적이 달성되어 불필요하게 되었을 때에
> 는 지체 없이 그 정보를 폐기해야 한다. 다만, 다른 법령에 따라 보존해야 하는
> 경우는 제외한다.

> **대통령령** 경찰관의 정보수집 및 처리 등에 관한 규정 제8조 【위법한 지시의 금지 및 거부】
> ① 누구든지 정보활동과 관련하여 경찰관에게 이 영과 그 밖의 법령에 반하여
> 지시해서는 안 된다.
> ② 경찰관은 명백히 위법한 지시라고 판단되는 경우에는 그 집행을 거부할 수
> 있다.
> ③ 경찰관은 명백히 위법한 지시를 거부했다는 이유로 인사·직무 등과 관련한
> 어떠한 불이익도 받지 않는다.

 정보경찰의 비공식 직함

실제 2020년대에 들어서기 전까지만
하더라도, 정보경찰들이 'OO사 전무',
'OO사 부회장', 'OO단체 이사'와 같은
비공식적 명함을 활용하였다.

(2) 수집대상 정보의 범위

> **대통령령** 경찰관의 정보수집 및 처리 등에 관한 규정 제3조【수집 등 대상 정보의 구체적인 범위】경찰관이「경찰관 직무집행법」(이하 "법"이라 한다) 제8조의2 제1항에 따라 수집·작성·배포할 수 있는 정보의 구체적인 범위는 다음 각 호와 같다.
> 1. 범죄의 예방과 대응에 필요한 정보
> 2.「형의 집행 및 수용자의 처우에 관한 법률」제126조의2 또는「보호관찰 등에 관한 법률」제55조의3에 따라 통보되는 정보의 대상인 수형자·가석방자의 재범방지 및 피해자의 보호에 필요한 정보
> 3. 국가중요시설의 안전 및 주요 인사의 보호에 필요한 정보
> 4. 방첩·대테러활동 등 국가안전을 위한 활동에 필요한 정보
> 5. 재난·안전사고 등으로부터 국민안전을 확보하기 위한 정보
> 6. 집회·시위 등으로 인한 공공갈등과 다중운집에 따른 질서 및 안전 유지에 필요한 정보
> 7. 국민의 생명·신체·재산의 보호와 공공안녕에 대한 위험의 예방과 대응을 위한 정책에 관한 정보(해당 정책의 입안·집행·평가를 위해 객관적이고 필요한 사항에 관한 정보로 한정하며, 이와 직접적·구체적으로 관련이 없는 사생활·신조 등에 관한 정보는 제외한다)
> 8. 도로 교통의 위해 방지·제거 및 원활한 소통 확보를 위한 정보
> 9.「보안업무규정」제45조 제1항에 따라 경찰청장이 위탁받은 신원조사 또는「공공기관의 정보공개에 관한 법률」제2조 제3호에 따른 공공기관의 장이 법령에 근거하여 요청한 사실의 확인을 위한 정보
> 10. 그 밖에 제1호부터 제9호까지에서 규정한 사항에 준하는 정보

💡 정책정보와 신원조사
- 현재의 정책정보와 신원조사에 관한 근거규정은 과거 정보경찰의 과오를 시정하는 의미에서 시민단체나 학계의 의견이 상당부분 반영되기는 하였다.
- 그러나 최근에도 국가인권위회가 정책정보·신원조사는 정보경찰의 활동에서 제외되어야 한다고 권고하는 등, 여전히 이 부분에 대한 논란은 진행 중인 상태이다.

(3) 정보수집·사실확인의 활동

> **대통령령** 경찰관의 정보수집 및 처리 등에 관한 규정 제4조【정보의 수집 및 사실의 확인 절차】① 경찰관은 법 제8조의2 제1항에 따라 정보를 수집하거나 정보의 수집·작성·배포에 수반되는 사실을 확인하려는 경우에는 상대방에게 자신의 신분을 밝히고 정보 수집 또는 사실 확인의 목적을 설명해야 한다. 이 경우 강제적인 방법을 사용해서는 안 된다.
> ② 제1항 전단에도 불구하고 다음 각 호의 어느 하나에 해당하는 경우에는 같은 항 전단에서 규정한 절차를 생략할 수 있다.
> 1. 국민의 생명·신체의 안전이나 국가안보에 긴박한 위험이 발생할 우려가 있는 경우
> 2. 범죄의 대응을 위한 정보활동에 현저한 지장을 초래할 우려가 있는 경우
> ③ 경찰관은 정보를 제공하거나 사실을 확인해 준 자가 신분이나 처우와 관련하여 불이익을 받지 않도록 비밀유지 등 필요한 조치를 해야 한다.
>
> [2021 경간] '정보경찰 활동규칙'에 따라 정보관이 정보를 수집할 때에는 모든 상황에서 신분을 밝히고 목적을 설명하여야 하며, 임의적인 방법을 사용하여야 한다. (×)
>
> **훈령** 정보경찰 활동규칙 제3조【사실의 확인 방법】정보관은 정보활동을 위해 필요한 경우 관계자의 의견을 청취하거나 자료를 제공받을 수 있다.
>
> **대통령령** 경찰관의 정보수집 및 처리 등에 관한 규정 제5조【정보 수집 등을 위한 출입의 한계】경찰관은 다음 각 호의 장소에 상시적으로 출입해서는 안 되며, 정보활동을 위해 필요한 경우에 한정하여 일시적으로만 출입해야 한다.
> 1. 언론·교육·종교·시민사회 단체 등 민간단체

▎ 정보관
경찰청 공공안녕정보국장의 업무지휘를 받고 있는 정보부서 소속 경찰공무원을 말한다.

2. 민간기업

3. 정당의 사무소

훈령 정보경찰 활동규칙 제4조【정보수집을 위한 출입의 한계】소속이 다른 정보관은 동일한 기관에 같은 목적으로 중복하여 출입하지 아니 한다. 다만, 집회·시위와 관련한 업무 또는 국가기관, 지방자치단체, 기타 공공기관의 협조 요청에 따른 업무를 수행하는 경우에는 그러하지 아니 한다.

⊕ **심화** 대화경찰관제도

1 의의

- 대화경찰관제는 별도 식별표식을 부착한 대화경찰관을 집회 현장에 배치해 집회 참가자나 주최자, 일반 시민들이 집회와 관련해 경찰의 조치와 도움이 필요할 경우 언제든지 쉽게 찾을 수 있도록 쌍방향 소통채널을 마련한 것으로, 집회시위 자유를 보장함과 동시에 시민과 경찰간 상호 신뢰 형성을 돕는 제도이다.
- 그간 정보경찰이 비공개적으로 수행했던 집회 주최 측과 소통 및 갈등 완화·해소활동을 공개적으로 전환하고자 하는 것이 목적이다. [2020 실무 3]

2 대화경찰의 역할

- 집회 前 또는 현장에서 경찰과 집회 참가자 사이의 갈등이나 문제를 조정·중재
- 인근 주민·상인들의 불만·요구도 청취하여 이들의 기본권과 집회의 자유가 조화를 이루도록 대화를 통한 해결방안을 모색 [2020 실무 3]
- 집회 종료 후 해산과정에서 참가자들이 무사히 귀가하도록 안내자 역할을 수행 및 집회 종료 후 해산과 안전사고 예방활동도 병행 [2020 실무 3]
- 집회 참가자들이 제기하는 제도적인 문제해결을 위해 요구사항을 관할 부처에 전달
- 대화경찰은 상황을 설명하는 역할보다는 상대방의 이야기를 들어주는 적극적 경청 역할에 집중해야 한다.
  [2020 실무 3] 대화경찰은 상대방이 말하고자 하는 것을 정확히 이해하기 상황을 설명하는 '친절한 설명'에 보다 집중해야 한다. (✕)

3 대화경찰관제도를 통한 변화 기대사항

구분	기존	향후
기능	**기능분산**: 정보기능 소속 정보관과 경비기능 소속 현장소통팀이 별도로 활동	**기능통합**: 현장 정보관이 주최 측·참가자와 형성한 대화채널에 경비경찰(현장소통팀)도 참여
역할	불법집회 관리에 중점	갈등중재 확대에 중점
인식	• 경찰은 집회시위 관리주체 • 시민들이 경찰을 경계해야 할 외부자로 인식	• 경찰은 집회시위 조력자 • 시민들이 경찰을 집회시위 평화적 개최 위한 조력자로 인식

| 대화경찰관제도

- 스웨덴 사례를 벤치마킹하여 2018년 도입된 제도로서, 기존 정보관들이 집회현장에서 사복차림으로 활동하여 발생하였던 민간인사찰 논란을 불식시키는데 도움이 된다는 평가를 받는다(대화경찰은 현장에서 '대화경찰'조끼를 입고 근무). [2022 채용1차]
- 2020년 기준 전국에 약 1,400명 정도의 대화경찰관이 활동하고 있다.

---

2. 각종 정보보고서

(1) 종류

정보상황 보고서	• 일반적으로 '상황속보' 또는 '속보'로 불리며, 사회갈등이나 집단시위 상황 등에 대해 전파하는 보고서이다. • 주로 집회·시위상항 및 갈등상항 등에 대해 작성하여 전파되는데, 필요할 경우 관련부처 등 경찰 외부에까지 전파되기도 한다. • 신속성을 생명으로 한다.

중요상황 보고서	• 일반적으로 '중보'라고 불린다. • 매일 전국의 사회갈등이나 집회·시위 상황을 정리하여 그 다음 날 아침에 경찰 내부와 정부 각 기관에 전파하는 보고서이다. [2019 승진(경위)]
정책정보 보고서	• 정부정책의 문제점을 파악하고 그 개선책을 보고하는데 주안점을 두는 보고서로, '예방적 상황정보'의 성격을 갖는다. [2019 승진(경위)] • 경찰의 정책정보는 사회갈등이나 집회시위와 관련한 분야에 특화되어 있다는 점에서 다른 정부부처에서 생산하는 일반적 정책보고서와 구분된다. [2018 실무 3] • 국민여론 동향을 보고하는 '민심정보'도 정책정보에 포함된다. 예 서울시내 시속 50km 속도제한정책에 대한 민심을 파악하고 관련 문제점 및 대책에 대한 보고서를 작성하는 경우
정보판단 (대책)서	• 신고된 집회계획 또는 정보관들이 입수한 미신고 집회 개최계획 등을 파악하고 종합하여 이 중 경찰력 동원과 같은 지휘관의 상황조치를 필요로 하는 중요 집회에 대하여 작성되는 보고서이다. [2018 실무 3] [2019 승진(경위)] • 작성된 정보판단서는 경비·수사 등 관련 기능에 전파되며, 이렇게 만들어진 정보판단서를 집휘시위대책 또는 정보대책이라고 한다. 예 관내 주민들이 인근에 건설예정 중인 골프장과 관련하여 집회을 계획 중이라는 첩보에 따라 정보과에 근무하는 B경사는 관련 동향 및 보고서를 작성하였다면 이는 정보판단서에 해당한다.
견문 보고서	• 경찰관이 오관의 작용을 통해 공사생활을 중 보고 들은 국내외의 정치·경제·사회·문화 등 제 분야에 관한 각종 보고자료를 말한다. [2018 실무 3] [2019 승진(경위)] • 경찰관은 견문을 수집하여 보고할 의무가 있다.

[2018 실무 3] [2019 승진(경위)] '정보상황보고'란 매일 전국의 사회갈등이나 집회시위상황을 정리하여 그 다음 날 아침에 경찰 내부와 정부 각 기관에 전파하는 보고서이다. (×)

(2) 정보보고서의 판단용어

판단됨	어떤 징후가 나타나거나 상황이 전개될 것이 거의 확실시 되는 근거가 있는 경우
예상됨	첩보 등을 분석한 결과 단기적으로 어떤 상황이 전개될 것이 비교적 확실한 경우
전망됨	과거의 움직임이나 현재 동향, 미래의 계획 등으로 미루어 장기적으로 활동이 어떠하리라는 윤곽을 예측할 경우
추정됨	구체적인 근거는 없이 현재 나타난 동향의 원인·배경 등을 다소 막연히 추측할 경우
우려됨	구체적인 징후는 없으나 전혀 그 가능성을 배제하기 곤란하여 최소한의 대비가 필요한 경우

[2018 실무 3] 판단됨 - 과거의 움직임이나 현재 동향, 미래의 계획 등으로 미루어 장기적으로 활동의 윤곽이 어떠하리라는 예측을 할 경우에 사용한다. (×)
[2015 실무 3] 확실함 - 구체적인 징후는 없으나 그 가능성을 완전히 배제하기 곤란하여 최소한의 대비조차 필요 없는 경우를 말한다. (×)

⊕ 심화 정보기록

1 정보기록의 의의

- 정보기록이란 정보활동의 결과로 얻은 제반 자료를 경찰목적에 사용할 수 있도록 문서화한 것을 말한다.
- 기록된 정보는 필요한 시기에 적절하게 사용할 수 있도록 관리되어야 하고, 보안유지에 유의하여야 한다.

2 정보기록의 방법

조직적인 관리	문서관리 · 작성의 체계화 · 표준화 · 전문화 · 간소화 · 합리화
인원의 확보	기록인원 충원 · 교육
예산의 확보	적절한 예산확보를 통한 기록업무 능률화
집중관리	경찰청, 시 · 도경찰청 등에서 집중관리를 통해 기록의 체계적 관리와 안전성을 동시에 추구할 수 있다.
정보기록실 위치	폭파 · 손괴 · 화재 등에 대비할 수 있는 안전한 곳에 위치

[2020 실무 3] 정보기록을 일정한 장소에 집중적으로 보관할 경우 체계적인 관리가 가능하지만, 안전성이 취약하다는 단점이 있다. (×)

주제 3 집회 및 시위에 관한 법률

01 집회의 자유

1. 집회 · 옥외집회 및 시위

> **집회 및 시위에 관한 법률 제2조【정의】** 이 법에서 사용하는 용어의 뜻은 다음과 같다.
> 1. "옥외집회"란 천장이 없거나 사방이 폐쇄되지 아니한 장소에서 여는 집회를 말한다. [2016 채용1차]
> 2. "시위"란 여러 사람이 공동의 목적을 가지고 도로, 광장, 공원 등 일반인이 자유로이 통행할 수 있는 장소를 행진하거나 위력 또는 기세를 보여, 불특정한 여러 사람의 의견에 영향을 주거나 제압을 가하는 행위를 말한다. [2012 채용3차] [2016 채용1차]
> [2013 채용1차] '옥외집회'란 천장이 있고 사방이 폐쇄된 장소에서 여는 집회를 말한다. (×)
> [2019 승진(경감)] '집회'란 여러 사람이 공동의 목적을 가지고 도로, 광장, 공원 등 일반인이 자유로이 통행할 수 있는 장소를 행진하거나 위력 또는 기세를 보여, 불특정한 여러 사람의 의견에 영향을 주거나 제압을 가하는 행위를 말한다. (×)

- **집회**는 특정 · 불특정 다수인이 자신들의 어떤 목적을 표출하고 그 목적을 달성하기 위해 일정한 장소에서 모임을 가지는 것을 의미하는데, 이는 판례를 통해 정립된 개념으로 집회 및 시위에 관한 법률에서는 따로 정의를 하고 있지 않은 용어이다.
- **옥외집회**는 천장이 없거나 사방이 폐쇄되지 아니한 장소, 즉 개방된 장소에서 여는 집회를 말한다. 예 올림픽주경기장은 사방은 폐쇄되어 있으나 천장이 없는 장소로서 여기서의 집회도 옥외집회에 해당한다.
- **시위**는 다수인이 공동의 목적을 갖고 도로 등 일반인이 자유롭게 통행할 수 있는 장소를 행진하거나 위력 · 기세를 보여 타인의 의견에 영향을 주는 등의 행위로서, 움직이는 집회를 말한다.

⚖️ 요지판례 |

■ 집회 및 시위에 관한 법률에 의하여 보장 및 규제의 대상이 되는 집회란 '특정 또는 불특정 다수인이 공동의 의견을 형성하여 이를 대외적으로 표명할 목적 아래 일시적으로 일정한 장소에 모이는 것'을 말하고, 모이는 장소나 사람의 다과에 제한이 있을 수 없으므로, 2인이 모인 집회도 위 법의 규제대상이 된다고 보아야 한다(대판 2012.5.24, 2010도11381). [2014 실무 3] [2021 승진(실무종합)] [2022 승진(실무종합)]

■ 외형상 기자회견이라는 형식을 띠었지만 용산 철거를 둘러싸고 철거민의 입장을 옹호하면서 정부의 태도를 비판하는 내용의 공동 의견을 형성하여 이를 대외적으로 표명할 목적 아래 일시적으로 일정한 장소에 모인 것으로서 집시법 제6조 제1항에 따라 사전 신고하여야 하는 옥외집회에 해당한다(대판 2013.1.24, 2011도4460). [2021 승진(실무종합)]

■ 집시법 제2조 제2호의 "시위"는 다수인이 공동목적을 가지고 (1) 도로·광장·공원 등 공중이 자유로이 통행할 수 있는 장소를 진행함으로써 불특정다수인의 의견에 영향을 주거나 제압을 가하는 행위와 (2) 위력 또는 기세를 보여 불특정다수인의 의견에 영향을 주거나 제압을 가하는 행위를 말한다고 풀이되므로, 위 (2)의 경우에는 "공중이 자유로이 통행할 수 있는 장소"라는 장소적 제한개념은 시위라는 개념의 요소라고 볼 수 없다(헌재 1994.4.28, 91헌바14).
[2021 승진(실무종합)] 집회 및 시위에 관한 법률 제2조 제2호가 규정한 '시위'에 해당하려면 '공중이 자유로이 통행할 수 있는 장소'라는 요건을 반드시 충족하여야 한다. (×)

■ 장례에 관한 집회 참가자들이 망인에 대한 추모의 목적과 그 범위 내에서 이루어지는 노제 등을 위한 이동·행진의 수준을 넘어서서 그 기회를 이용하여 다른 공동의 목적으로 시위에 나아간 경우, 집회 및 시위에 관한 법률상 사전신고를 요하는 것이다(대판 2012.4.26, 2011도6294). [2022 승진(실무종합)]

■ 피켓을 직접 든 1인 외에 그 주변에 있는 사람들이 별도로 구호를 외치거나 전단을 배포하는 등의 행위를 하지 않았다는 형식적 이유만으로 신고대상이 되지 아니하는 이른바 '1인 시위'에 해당한다고 볼 수 없다(대판 2011.9.29, 2009도2821). ➡ 다시 말해 순수한 1인 시위는 집시법의 규제대항이 아니다. 다만, 사안의 경우는 피켓은 1인만 들었으나 복수의 다른 사람들이 그 주변에 서서 사람들의 시선을 모으는 역할을 하였고, 일행임을 알 수 있을 정도로 근접한 장소에 위치하고 있었다.
[2021 승진(실무종합)] 집회 및 시위에 관한 법률은 옥외집회와 시위를 구분하여 개념을 규정하고 있고, 순수한 1인 시위는 동법의 적용대상에 해당하지 않는다. (○)

2. 집회의 자유와 집회 및 시위에 관한 법률

> **헌법 제21조** ① 모든 국민은 언론·출판의 자유와 집회·결사의 자유를 가진다.
>
> **집회 및 시위에 관한 법률 제1조【목적】** 이 법은 적법한 집회 및 시위를 최대한 보장하고 위법한 시위로부터 국민을 보호함으로써 집회 및 시위의 권리 보장과 공공의 안녕질서가 적절히 조화를 이루도록 하는 것을 목적으로 한다.
>
> **집회 및 시위에 관한 법률 제15조【적용의 배제】** 학문, 예술, 체육, 종교, 의식, 친목, 오락, 관혼상제 및 국경행사에 관한 집회에는 제6조부터 제12조까지의 규정을 적용하지 아니한다. ➡ 신고대상이 아니다.
> [2018 채용2차] 학문, 예술, 체육, 종교, 의식, 친목, 오락, 관혼상제 및 국경행사에 관한 집회에는 확성기 등 사용의 제한에 관한 규정을 적용하지 아니한다. (×)

▌학문·예술 등 관련 집회에 적용될 수 있는 주요 규제 [2020 경간]
- 질서유지선 설정(제13조)
- 확성기등 사용 제한(제14조)
- 주최자의 준수사항(제16조)
- 질서유지인의 준수사항(제17조)
- 참가인의 준수사항(제18조)

- 우리 헌법은 집회의 자유를 기본권으로 보장하고 있으며, 집회 및 시위에 관한 법률은 국민의 기본권인 집회의 자유를 보장하면서도 위법한 시위로 인해 발생할 수 있는 피해로부터 일반 국민을 보호하기 위한 목적으로 제정된 법률이다.
- 집회 및 시위에 관한 법률은 집회에 대해서는 최소한의 규제를 하면서 그 자유를 최대한 보장하고 보호해 주는 반면, 공공의 안녕과 질서에 위해를 끼칠 가능성이 높은 옥외집회와 시위에 대해서는 사전신고제 등 여러 가지 규제를 두는 방식으로 규정되어 있다.

⚖️요지판례 |

- 집회의 자유는 집회를 통하여 형성된 의사를 집단적으로 표현하고 이를 통하여 불특정 다수인의 의사에 영향을 줄 자유를 포함하므로 이를 내용으로 하는 시위의 자유 또한 집회의 자유를 규정한 헌법 제21조 제1항에 의하여 보호되는 기본권이다(헌재 2005.11.24, 2004헌가17). [2014 실무 3]
- 집회의 자유에 의하여 보호되는 것은 단지 '평화적' 또는 '비폭력적' 집회이다. 집회의 자유는 민주국가에서 정신적 대립과 논의의 수단으로서, 평화적 수단을 이용한 의견의 표명은 헌법적으로 보호되지만, 폭력을 사용한 의견의 강요는 헌법적으로 보호되지 않는다(헌재 2003.10.30, 2000헌바67). [2024 승진]
- 집회의 자유는 집회의 시간, 장소, 방법과 목적을 스스로 결정할 권리를 보장한다. 집회의 자유에 의하여 구체적으로 보호되는 주요행위는 집회의 준비 및 조직, 지휘, 참가, 집회장소·시간의 선택이다. 따라서 집회의 자유는 개인이 집회에 참가하는 것을 방해하거나 또는 집회에 참가할 것을 강요하는 국가행위를 금지할 뿐만 아니라, 예컨대 집회장소로의 여행을 방해하거나, 집회장소로부터 귀가하는 것을 방해하거나, 집회참가자에 대한 검문의 방법으로 시간을 지연시킴으로써 집회장소에 접근하는 것을 방해하는 등 집회의 자유행사에 영향을 미치는 모든 조치를 금지한다(헌재 2003.10.30, 2000헌바67). [2014 실무 3]
- 집회 및 시위에 관한 법률에 의하여 금지되어 그 주최 또는 참가행위가 형사처벌의 대상이 되는 위법한 집회·시위가 장차 특정지역에서 개최될 것이 예상된다고 하더라도, 이와 시간적·장소적으로 근접하지 않은 다른 지역에서 그 집회·시위에 참가하기 위하여 출발 또는 이동하는 행위를 함부로 제지하는 것은 경찰관 직무집행법 제6조의 행정상 즉시강제인 경찰관의 제지의 범위를 명백히 넘어 허용될 수 없다. 따라서 이러한 제지 행위는 공무집행방해죄의 보호대상이 되는 공무원의 적법한 직무집행이 아니다(대판 2008.11.13, 2007도9794). ➡ 집회·시위 예정시간으로부터 약 5시간 30분 전에 그 예정장소로부터 약 150㎞ 떨어진 곳에서 이루어진 제지행위는 위법하다. [2014 승진(경감)]

경찰관 직무집행법 제6조【범죄의 예방과 제지】

경찰관은 범죄행위가 목전에 행하여지려고 하고 있다고 인정될 때에는 이를 예방하기 위하여 관계인에게 필요한 **경고**를 하고, 그 행위로 인하여 사람의 생명·신체에 위해를 끼치거나 재산에 중대한 손해를 끼칠 우려가 있는 **긴급한 경우**에는 그 행위를 제지할 수 있다.

3. 집회의 보호

집회 및 시위에 관한 법률 제3조【집회 및 시위에 대한 방해 금지】 ① 누구든지 폭행, 협박, 그 밖의 방법으로 평화적인 집회 또는 시위를 방해하거나 질서를 문란하게 하여서는 아니 된다.
② 누구든지 폭행, 협박, 그 밖의 방법으로 집회 또는 시위의 주최자나 질서유지인의 이 법의 규정에 따른 임무 수행을 방해하여서는 아니 된다.

③ 집회 또는 시위의 주최자는 평화적인 집회 또는 시위가 방해받을 염려가 있다고 인정되면 관할 경찰관서에 그 사실을 알려 보호를 요청할 수 있다. 이 경우 관할 경찰관서의 장은 정당한 사유 없이 보호 요청을 거절하여서는 아니 된다. [2013 채용2차] [2017 승진(경위)]

[2020 실무 3] 「집회 및 시위에 관한 법률」 제3조 제2항은 누구든지 폭행, 협박, 그 밖의 방법으로 집회 또는 시위의 주최자나 질서유지인, 연락책임자의 이 법의 규정에 따른 임무 수행을 방해하여서는 아니 된다고 규정하고 있다. (×)

[2020 실무 3] 주최자의 평화적 집회·시위 보호요청에 대해 관할 경찰관서의 장이 정당한 사유 없이 거절할 경우, 「집회 및 시위에 관한 법률」에 처벌규정이 있다. (×)

집회 및 시위에 관한 법률 제22조【벌칙】 ① 제3조 제1항 또는 제2항을 위반한 자는 3년 이하의 징역 또는 300만원 이하의 벌금에 처한다. 다만, 군인·검사 또는 경찰관이 제3조 제1항 또는 제2항을 위반한 경우에는 5년 이하의 징역에 처한다. [2016 경간]

[2019 채용1차] 군인·검사·경찰관이 폭행, 협박, 그 밖의 방법으로 평화적인 집회 또는 시위를 방해한 경우 3년 이하의 징역에 처한다. (×)

[2016 지능범죄] 군인·검사·판사·경찰관이 폭행, 협박, 그 밖의 방법으로 평화적인 집회 또는 시위를 방해한 경우 5년 이하의 징역에 처한다. (×)

[2020 실무 3] 「집회 및 시위에 관한 법률」 제22조 제1항은 군인·검사 또는 경찰관이 제3조 제1항 또는 제2항을 위반한 경우에는 5년 이하의 징역 또는 500만원 이하의 벌금에 처한다고 규정하고 있다. (×)

4. 금지·제한대상 집회

(1) 해산정당의 목적을 달성하기 위한 집회나 폭력집회 - 금지

집회 및 시위에 관한 법률 제5조【집회 및 시위의 금지】 ① 누구든지 다음 각 호의 어느 하나에 해당하는 집회나 시위를 주최하여서는 아니 된다. [2015 채용1차]
1. 헌법재판소의 결정에 따라 해산된 정당의 목적을 달성하기 위한 집회 또는 시위 [2019 채용1차]
2. 집단적인 폭행, 협박, 손괴, 방화 등으로 공공의 안녕 질서에 직접적인 위협을 끼칠 것이 명백한 집회 또는 시위 [2017 실무 3]
② 누구든지 제1항에 따라 금지된 집회 또는 시위를 할 것을 선전하거나 선동하여서는 아니 된다.

(2) 시간적 제한에 위반된 집회 - 금지

집회 및 시위에 관한 법률 제10조【옥외집회와 시위의 금지 시간】 누구든지 해가 뜨기 전이나 해가 진 후에는 옥외집회 또는 시위를 하여서는 아니 된다. 다만, 집회의 성격상 부득이하여 주최자가 질서유지인을 두고 미리 신고한 경우에는 관할경찰관서장은 질서 유지를 위한 조건을 붙여 해가 뜨기 전이나 해가 진 후에도 옥외집회를 허용할 수 있다.

[2022 경간] 주최자가 질서유지인을 두고 부득이 새벽 1시에 집회를 하겠다고 미리 신고한 경우에는 집회의 성격상 부득이하다면 관할 경찰관서장은 질서유지를 위한 조건을 붙여 옥외집회를 허용할 수 있다. (×)

(3) 장소적 제한에 위반된 집회 - 금지

집회 및 시위에 관한 법률 제11조【옥외집회와 시위의 금지 장소】 누구든지 다음 각 호의 어느 하나에 해당하는 청사 또는 저택의 경계 지점으로부터 100미터 이내의 장소에서는 옥외집회 또는 시위를 하여서는 아니 된다.
1. 국회의사당. 다만, 다음 각 목의 어느 하나에 해당하는 경우로서 국회의 기능이나 안녕을 침해할 우려가 없다고 인정되는 때에는 그러하지 아니하다. [2012 채용1차]
    가. 국회의 활동을 방해할 우려가 없는 경우

정당해산 사례
- 대한민국 헌정상상 등록취소나 쿠데타 또는 정당법상 요건 미비로 여러 차례 정당이 해산된 바 있다.
- 다만, 헌법재판소의 결정에 따라 정당이 해산된 사례는 2014년 통합진보당이 해산된 사례가 유일하다.

야간집회·시위에 대한 제한
- 2009년과 2014년의 두 번에 걸쳐 헌법재판소가 집시법 제10조 야간집회 금지조항에 대해 위헌결정(헌법불합치, 한정위헌)을 하였음에도, 2022년 현재까지 해당 조항은 개정이 이루어지지 않고 있다(법적 공백상태).
- 2016년 집시법 개정 당시 경찰청 입장은 24시~07시까지를 야간집회로 금지하자는 입장이었으나 법안이 통과되지 못했고, 현재도 연구용역 발주 등으로 입법화를 위한 노력을 하고 있는 것으로 보인다.
- 결론적으로 야간집회에 대해서는 법적인 금지가 없는 상태이고(전면 허용), 야간시위에 대해서는 24시 이후~일출시까지를 제외하고는 법적인 금지가 없는 상태이다(밤 12시 이전까지만 허용).

나. 대규모 집회 또는 시위로 확산될 우려가 없는 경우

2. 각급 법원, 헌법재판소. 다만, 다음 각 목의 어느 하나에 해당하는 경우로서 각급 법원, 헌법재판소의 기능이나 안녕을 침해할 우려가 없다고 인정되는 때에는 그러하지 아니하다.
   가. 법관이나 재판관의 직무상 독립이나 구체적 사건의 재판에 영향을 미칠 우려가 없는 경우
   나. 대규모 집회 또는 시위로 확산될 우려가 없는 경우

3. 대통령 관저, 국회의장 공관, 대법원장 공관, 헌법재판소장 공관 ➡ 대통령관저·국회의장 공관 부분은 2024. 6. 기준 효력을 상실하였다.

4. 국무총리 공관. 다만, 다음 각 목의 어느 하나에 해당하는 경우로서 국무총리 공관의 기능이나 안녕을 침해할 우려가 없다고 인정되는 때에는 그러하지 아니하다.
   가. 국무총리를 대상으로 하지 아니하는 경우
   나. 대규모 집회 또는 시위로 확산될 우려가 없는 경우

5. 국내 주재 외국의 외교기관이나 외교사절의 숙소. 다만, 다음 각 목의 어느 하나에 해당하는 경우로서 외교기관 또는 외교사절 숙소의 기능이나 안녕을 침해할 우려가 없다고 인정되는 때에는 그러하지 아니하다.
   가. 해당 외교기관 또는 외교사절의 숙소를 대상으로 하지 아니하는 경우
   나. 대규모 집회 또는 시위로 확산될 우려가 없는 경우
   다. 외교기관의 업무가 없는 휴일에 개최하는 경우

[헌법불합치, 2018헌바48 2018헌바48,2019헌가1(병합), 집회 및 시위에 관한 법률 제11조 제3호 중 '대통령 관저(官邸)' 부분 및 제23조 제1호 중 제11조 제3호 가운데 '대통령 관저(官邸)'에 관한 부분은 헌법에 합치되지 아니한다. 위 법률조항은 2024.5.31.을 시한으로 개정될 때까지 계속 적용된다]

[헌법불합치, 2021헌가1, 2023.3.23, 1. 집회 및 시위에 관한 법률 제11조 제3호 중 '국회의장 공관'에 관한 부분 및 제23조 제3호 중 제11조 제3호 가운데 '국회의장 공관'에 관한 부분은 헌법에 합치되지 아니한다. 위 법률조항은 2024.5.31.을 시한으로 개정될 때까지 계속 적용된다]

[2022 경간] 대통령 관저, 국회의장 공관, 대법원장 공관, 헌법재판소장 공관, 전직 대통령이 현재 거주하는 사저의 경계 지점으로부터 100미터 이내의 장소에서는 옥외집회 또는 시위가 금지된다. (×)

[2017 승진(경위)] 헌법재판소의 경계 지점으로부터 200미터 이내의 장소에서는 옥외집회 또는 시위를 하여서는 아니 된다. (×)

💡 2023. 3. 선고된 헌법재판소의 헌법불합치결정들에 따라 개전시한이 24024. 5. 31. 임에도 불구하고, 2024. 6. 현재 개정되지 않고 있는 상태이다.

☑ KEY POINT ┃ 집회금지장소

1 집회금지장소의 구조

• 기본적으로 5대 헌법기관(**국회, 정부, 법원, 헌법재판소, 선거관리위원회**) 중 선거관리위원회를 제외한 나머지 헌법기관을 중심으로 설정되어 있다.

• 4대 집회금지기관(**국회, 정부, 법원, 헌법재판소**)의 실제 업무가 이루어지는 공간인 국회의사당, 정부종합청사, 각급 법원, 헌법재판소 중 **정부종합청사는 제외**된다.

• 4대 집회금지기관의 수장이 쉬는 공간인 대통령 관저, 국회의장 공관, 대법원장 공관, 헌법재판소장 공관에다가, 대통령 보좌이자 행정각부를 통할하는 국무총리 공관을 포함한다.

• 수장이 쉬는 공간은 집회개최 가능 **예외사유를 두지 않는다.** 단, 국무총리 공관만 예외로 한다 (국무총리는 수장이 아닌 2인자).

• 외국과 관계에서 외교문제가 발생할 수 있는 외교기관과 외교사설 숙소를 포함하되, 집회개최 가능 **예외사유를 둔다.**

• 위 장소들의 청사 또는 자택의 경계지점으로부터 100미터 이내 장소에는 옥외집회 · 시위가 금지된다.

구분		예외적 집회가능 여부
업무공간	국회의사당	○
	각급 법원	○
	헌법재판소	○
수장의 휴식공간	대통령 관저[효력상실]	×
	국회의장 공관[효력상실]	×
	대법원장 공관	×
	헌법재판소장 공관	×
	국무총리 공관	○
외교문제	외교기관	○
	외교사절 숙소	○

(4) 교통불편 우려집회 – 금지 또는 제한

> **집회 및 시위에 관한 법률 제12조【교통 소통을 위한 제한】** ① 관할경찰관서장은 대통령령으로 정하는 주요 도시의 주요 도로에서의 집회 또는 시위에 대하여 교통 소통을 위하여 필요하다고 인정하면 이를 금지하거나 교통질서 유지를 위한 조건을 붙여 제한할 수 있다.
> ② 집회 또는 시위의 주최자가 질서유지인을 두고 도로를 행진하는 경우에는 제1항에 따른 금지를 할 수 없다. 다만, 해당 도로와 주변 도로의 교통 소통에 장애를 발생시켜 심각한 교통 불편을 줄 우려가 있으면 제1항에 따른 금지를 할 수 있다. [2014 채용2차]

> **⚖ 요지판례 |**
>
> 집회 또는 시위가 신고된 범위 내에서 행해졌거나 신고된 내용과 다소 다르게 행해졌어도 신고된 범위를 현저히 일탈하지 않는 경우에는, 그로 인하여 도로의 교통이 방해를 받았다고 하더라도 특별한 사정이 없는 한 형법 제185조의 일반교통방해죄가 성립한다고 볼 수 없다. 그러나 그 집회 또는 시위가 당초 신고된 범위를 현저히 일탈하거나 구 집회 및 시위에 관한 법률 제12조에 의한 조건을 중대하게 위반하여 도로 교통을 방해함으로써 통행을 불가능하게 하거나 현저하게 곤란하게 하는 경우에는 일반교통방해죄가 성립한다(대판 2008.11.13, 2006도755). ➜ 전국민주노동조합총연맹 준비위원회가 주관한 도로행진시위가 사전에 구 집회 및 시위에 관한 법률에 따라 옥외집회신고를 마쳤어도, 신고의 범위와 위 법률 제12조에 따른 제한을 현저히 일탈하여 주요도로 전차선을 점거하여 행진 등을 함으로써 교통소통에 현저한 장해를 일으켰다면, 일반교통방해죄를 구성한다.

(5) 기타 사유

이 외에도 경찰의 ① 신고서 보완요청에 따른 보완을 이행하지 아니하거나, ② 인근 거주자 등의 요청이 있는 경우, ③ 시간 · 장소가 중복되는 경우에는 금지 또는 제한의 대상이 된다.

02 사전신고제도

1. 사전신고제도의 의의

집회 및 시위에 관한 법률은 <u>신고절차만 밟으면 일반적·원칙적으로 옥외집회 및 시위</u>를 할 수 있도록 보장하고 있으며, 따라서 옥외집회나 신고를 관리하는 경찰관서는 이러한 사전신고제도가 실질적으로 허가제처럼 운영되지 않도록 주의할 필요가 있다.

[2024 승진] 헌법에 따르면 집회에 대한 허가제는 인정되지 아니한다. (○)

<aside>옥외집회나 시위가 아닌 '집회'는 사전신고의 대상이 아니다. 즉, 별다른 신고 없이 개최하여도 위법한 집회가 아니다.</aside>

⚖️ 요지판례 |

<집시법상 신고의 법적 성격>

■ 집회시위법의 사전신고는 경찰관청 등 행정관청으로 하여금 집회의 순조로운 개최와 공공의 안전보호를 위하여 필요한 준비를 할 수 있는 시간적 여유를 주기 위한 것으로서, 협력의무로서의 신고이다(헌재 2014.1.28, 2011헌바174).

■ 집회의 자유가 가지는 헌법적 가치와 기능, 집회에 대한 허가 금지를 선언한 헌법정신, 신고제도의 취지 등을 종합하여 보면, <u>신고는 행정관청에 집회에 관한 구체적인 정보를 제공함으로써 공공질서의 유지에 협력하도록 하는 데에 그 의의가 있는 것이지 집회의 허가를 구하는 신청으로 변질되어서는 아니 되므로, 신고를 하지 아니하였다는 이유만으로 그 옥외집회 또는 시위를 헌법의 보호 범위를 벗어나 개최가 허용되지 않는 집회 내지 시위라고 단정할 수 없다</u>(헌재 2014.1.28, 2011헌바174 등).

<신고내용과 실제의 불일치>

■ 집회 및 시위에 관한 법률 하에서는 <u>옥외집회 또는 시위가 그 신고사항에 미비점이 있었다거나 신고의 범위를 일탈하였다고 하더라도 그 신고내용과 동일성이 유지되어 있는 한 신고를 하지 아니한 것이라고 볼 수는 없으므로</u>, 관할 경찰관서장으로서는 단순히 신고사항에 미비점이 있었다거나 신고의 범위를 일탈하였다는 이유만으로 곧바로 당해 옥외집회 또는 시위 자체를 해산하거나 저지하여서는 아니될 것이고, 옥외집회 또는 시위 당시의 구체적인 상황에 비추어 볼 때 옥외집회 또는 시위의 신고사항 미비점이나 신고범위 일탈로 인하여 타인의 법익 기타 공공의 안녕질서에 대하여 직접적인 위험이 초래된 경우에 비로소 그 위험의 방지·제거에 적합한 제한조치를 취할 수 있되, 그 조치는 법령에 의하여 허용되는 범위 내에서 필요한 최소한도에 그쳐야 할 것이다(대판 2001.10.9, 98다20929). [2022 승진(실무종합)]

■ 집시법은 옥외집회나 시위에 대하여는 사전신고를 요구하고 나아가 그 신고범위의 일탈행위를 처벌하고 있지만, 옥내집회에 대하여는 신고하도록 하는 규정 자체를 두지 않고 있다. 따라서 당초 옥외집회를 개최하겠다고 신고하였지만 신고 내용과 달리 아예 옥외집회는 개최하지 아니한 채 신고한 장소와 인접한 건물 등에서 옥내집회만을 개최한 경우에는, 그것이 건조물침입죄 등 다른 범죄를 구성함은 별론으로 하고, <u>신고한 옥외집회를 개최하는 과정에서 그 신고범위를 일탈한 행위를 한 데 대한 집시법 위반죄로 처벌할 수는 없다</u>(대판 2013.7.25, 2010도14545).

■ 피고인들이 이미 신고한 행진 경로를 따라 행진로인 하위 1개 차로에서 2회에 걸쳐 약 15분 동안 연좌하였다는 사실 외에 이미 신고한 집회방법의 범위를 벗어난 사항은 없고, 약 3시간 30분 동안 이루어진 집회시간 동안 연좌시간도 약 15분에 불과한 사안에서, 위 옥외집회 등 주최행위가 신고한 범위를 뚜렷이 벗어나는 경우에 해당하지 아니한다(대판 2010.3.11, 2009도10425). [2022 승진(실무종합)]

[2020 실무 3] 신고한 행진경로를 따라 행진하면서 하위 1개 차로에서 2회에 걸쳐 약 15분 동안 연좌한 경우 신고한 범위를 뚜렷이 벗어나는 경우에 해당한다. (×)

■ 건설업체 노조원들이 '임·단협 성실교섭 촉구 결의대회'를 개최하면서 차도의 통행 방법으로 신고하지 아니한 삼보일배 행진을 하여 차량의 통행을 방해한 사안에서, 그 시위방법이 장소, 태양, 내용, 방법과 결과 등에 비추어 사회통념상 용인될 수 있는 다소의 피해를 발생시킨 경우에 불과하고, 집회 및 시위에 관한 법률)에 정한 신고제도의 목적 달성을 심히 곤란하게 하는 정도에 이른다고 볼 수 없어, 사회상규에 위배되지 않는 정당행위에 해당한다(대판 2009.7.23, 2009도840).

<small>[2020 실무 3] 신고내용에 포함되지 않은 삼보일배 행진을 한 것은 신고제도의 목적 달성을 심히 곤란하게 하는 정도에 이른다고 볼 수 있다. (×)</small>

2. 사전신고의 절차 및 방법

(1) 주최 측의 신고

> 집회 및 시위에 관한 법률 제6조【옥외집회 및 시위의 신고 등】① 옥외집회나 시위를 주최하려는 자는 그에 관한 다음 각 호의 사항 모두를 적은 신고서를 옥외집회나 시위를 시작하기 720시간 전부터 48시간 전에 관할 경찰서장에게 제출하여야 한다. 다만, 옥외집회 또는 시위 장소가 두 곳 이상의 경찰서의 관할에 속하는 경우에는 관할 시·도경찰청장에게 제출하여야 하고, 두 곳 이상의 시·도경찰청 관할에 속하는 경우에는 주최지를 관할하는 시·도경찰청장에게 제출하여야 한다.
>
> <small>[2015 경간] [2016 경간] [2017 실무 3] [2017 승진(경감)] [2018 승진(경위)] [2020 승진(경감)]</small>
>
> 1. 목적
> 2. 일시(필요한 시간을 포함한다)
> 3. 장소
> 4. 주최자(단체인 경우에는 그 대표자를 포함한다), 연락책임자, 질서유지인에 관한 다음 각 목의 사항
>   가. 주소 / 나. 성명 / 다. 직업 / 라. 연락처
> 5. 참가 예정인 단체와 인원
> 6. 시위의 경우 그 방법(진로와 약도를 포함한다)
>
> <small>[2019 승진(경위)] 옥외집회나 시위를 주최하려는 자는 신고서를 옥외집회나 시위를 시작하기 720시간 전부터 24시간 전에 관할 경찰서장에게 제출하여야 한다. (×)</small>

☑ KEY POINT | 신고접수기관

구분	구체적 신고접수기관
원칙적 신고기관	관할 경찰서장
2곳 이상 경찰서 관할	관할 시·도경찰청장
2곳 이상 시·도경찰청 관할	주최지 관할 시·도경찰청장

<small>[2012 채용3차 유사] [2014 채용1차] [2018 채용3차] 옥외집회 또는 시위장소가 두 곳 이상의 경찰서의 관할에 속하는 경우에는 관할 시·도경찰청장에게 제출하여야 하고, 두 곳 이상의 시·도경찰청 관할에 속하는 경우에는 경찰청장에게 제출하여야 한다. (×)</small>
<small>[2020 채용1차] 옥외집회 또는 시위장소가 두 곳 이상의 경찰서의 관할에 속하는 경우에는 주최지를 관할하는 경찰서장에게 신고서를 제출하여야 한다. (×)</small>
<small>[2018 승진(경감)] 甲단체가 A공원(전북군산경찰서 관할)에서 옥외집회를 갖고, B광장(충남서산경찰서 관할)까지 행진을 하려는 경우 甲단체의 대표자이자 주최자인 乙은 경찰청장에게 집회신고서를 제출하여야 한다. (×)</small>

(2) 경찰의 신고접수·보완요청

1) 신고접수·보완요청의 시기

> **집회 및 시위에 관한 법률 제6조【옥외집회 및 시위의 신고 등】**② 관할 경찰서장 또는 시·도경찰청장(이하 "관할경찰관서장"이라 한다)은 제1항에 따른 신고서를 접수하면 신고자에게 접수 일시를 적은 접수증을 즉시 내주어야 한다.
> [2018 실무 3] [2024 승진]
> [2013 채용2차 유사] [2017 채용2차] [2019 승진(경위)] 관할 경찰서장 또는 시·도경찰청장은 신고서를 접수하면 신고자에게 접수 일시를 적은 접수증을 12시간 이내에 내주어야 한다. (×)
>
> **집회 및 시위에 관한 법률 제7조【신고서의 보완 등】**① 관할경찰관서장은 제6조 제1항에 따른 신고서의 기재 사항에 미비한 점을 발견하면 접수증을 교부한 때부터 12시간 이내에 주최자에게 24시간을 기한으로 그 기재 사항을 보완할 것을 통고할 수 있다. [2013 채용1차] [2014 채용2차] [2015 채용2차] [2015 경간] [2017 승진(경감)]
> [2018 승진(경위)] [2019 채용1차] [2019 승진(경위)] [2019 승진(경감)] [2020 승진(경감)] [2021 승진(실무종합)]
> [2014 채용1차] [2014 승진(경위)] [2015 채용1차] [2016 지능범죄] [2016 경간] [2017 실무 3] [2024 승진] 관할경찰관서장은 신고서의 기재 사항에 미비한 점을 발견하면 접수증을 교부한 때부터 24시간 이내에 주최자에게 12시간을 기한으로 그 가게 사항을 보완할 것을 통고할 수 있다. (×)
> [2020 채용1차] 관할경찰관서장은 신고서의 기재 사항에 미비한 점을 발견하면 접수증을 교부한 때부터 12시간 이내에 주최자에게 24시간을 기한으로 그 기재 사항을 보완할 것을 통고하여야 한다. (×)
> [2020 승진(경위)] 관할경찰관서장은「집회 및 시위에 관한 법률」제6조 제1항에 따른 신고서의 기재 사항에 미비한 점을 발견하면 접수증을 교부한 때부터 12시간 이내에 주최자 또는 질서유지인에게 24시간을 기한으로 그 기재 사항을 보완할 것을 통고할 수 있다. (×)

2) 신고접수·보완요청의 방법

> **집회 및 시위에 관한 법률 제7조【신고서의 보완 등】**② 제1항에 따른 보완 통고는 보완할 사항을 분명히 밝혀 서면으로 주최자 또는 연락책임자에게 송달하여야 한다. [2020 승진(경위)]
> [2024 승진] 관할경찰관서장이 신고서의 보완 통고를 할 때에는 보완할 사항을 분명히 밝혀 서면 또는 구두로 주최자 또는 연락책임자에게 통보해야 한다. (×)
> [2021 승진(실무종합)] 보완통고는 보완할 사항을 분명히 밝혀 서면 또는 문자 메시지(SMS)로 주최자 또는 연락책임자에게 전달하여야 한다. (×)

⚖ 요지판례 ∣

집회의 자유에 있어서는 다른 기본권 조항들과는 달리 '허가'의 방식에 의한 제한은 허용되지 아니하는 점을 고려하면, 관할 경찰관서장은 신고서의 기재가 누락되었다거나 명백한 흠결이 있는 경우에만 형식적인 내용에 관하여 보완통고를 할 수 있고, 그 이외의 사항에 관하여는 보완요구할 수 없다고 보아야 할 것이다(부산지방법원 2016.4.1, 2015구합24643). ➡ 시청 후문 앞 인도 부분에 관하여 옥외집회신고를 하였으나, 관할 경찰서장이 화단으로 조성된 시청 청사부지에서는 집회를 개최할 수 없으니 장소를 변경하여 재신고하도록 보완통고를 한 사례 [2018 승진(경감)]

(3) 경찰의 금지 또는 제한통고

1) 금지되는 집회·시위에 해당하거나 보완미비로 인한 금지통고

> **집회 및 시위에 관한 법률 제8조【집회 및 시위의 금지 또는 제한 통고】**① 제6조 제1항에 따른 신고서를 접수한 관할경찰관서장은 신고된 옥외집회 또는 시위가 다음 각 호의 어느 하나에 해당하는 때에는 신고서를 접수한 때부터 48시간 이내에 집회 또는 시위를 금지할 것을 주최자에게 통고할 수 있다. 다만,

---

▌신고서 보완요청 예시
- 경찰이 신고자에게 2022.5.2. 13:30 접수증 교부
- 경찰은 신고서를 신속히 검토하여 미비한 점 있으면 2022.5.3. 01:30 (접수증 교부한 때로부터 12시간 이내)까지 주최자에게 보완통고 가능
- 경찰이 보완통고를 위 기한 내인 2022.5.2. 17:00에 하는 경우, 주최자에게는 2022.5.3. 17:00까지 보완하도록 할 수 있음(통고시점으로부터 24시간 내)

▌보완·금지사유가 없는 경우
별도의 통지를 하지 않는다(집회신고는 수리를 요하는 신고나 허가가 아니기 때문이다). [2014 승진(경위)]

집회 또는 시위가 집단적인 폭행, 협박, 손괴, 방화 등으로 공공의 안녕 질서에 직접적인 위험을 초래한 경우에는 남은 기간의 해당 집회 또는 시위에 대하여 신고서를 접수한 때부터 48시간이 지난 경우에도 금지 통고를 할 수 있다. [2015 경간] [2021 승진(실무종합)]

1. 제5조 제1항(➜ 해산정당 목적달성, 폭력집회), 제10조(➜ 시간적 제한위반) 본문 또는 제11조(➜ 장소적 제한위반)에 위반된다고 인정될 때
2. 제7조 제1항에 따른 신고서 기재 사항을 보완하지 아니한 때
3. 제12조(➜ 심각한 교통불편 우려)에 따라 금지할 집회 또는 시위라고 인정될 때

[2019 채용1차] 집회신고서를 접수한 때로부터 48시간이 경과한 이후에도 남은 기간의 집회시위에 대해 금지통고를 할 수 있는 경우가 있다. (○)

2) 인근 거주자 등의 요청에 따른 금지·제한통고

집회 및 시위에 관한 법률 제8조 【집회 및 시위의 금지 또는 제한 통고】 ⑤ 다음 각 호의 어느 하나에 해당하는 경우로서 그 거주자나 관리자가 시설이나 장소의 보호를 요청하는 경우에는 집회나 시위의 금지 또는 제한을 통고할 수 있다. 이 경우 집회나 시위의 금지 통고에 대하여는 제1항을 준용한다.

1. 제6조 제1항의 신고서에 적힌 장소(이하 이 항에서 "신고장소"라 한다)가 다른 사람의 주거지역이나 이와 유사한 장소로서 집회나 시위로 재산 또는 시설에 심각한 피해가 발생하거나 사생활의 평온을 뚜렷하게 해칠 우려가 있는 경우
2. 신고장소가 「초·중등교육법」 제2조에 따른 학교의 주변 지역으로서 집회 또는 시위로 학습권을 뚜렷이 침해할 우려가 있는 경우
3. 신고장소가 「군사기지 및 군사시설 보호법」 제2조 제2호에 따른 군사시설의 주변 지역으로서 집회 또는 시위로 시설이나 군 작전의 수행에 심각한 피해가 발생할 우려가 있는 경우

[2021 승진(실무종합)] 관할경찰관서장은 「집회 및 시위에 관한 법률」 제8조 제5항 각호의 어느 하나에 해당하는 경우로서 거주자나 관리자가 시설이나 장소의 보호를 요청하는 경우에는 집회나 시위의 금지 또는 제한을 통고할 수 있으며, 제한통고의 경우 시한에 대한 규정은 없다. (○)

[2014 승진(경위)] [2019 승진(경감)] 타인의 주거지역이나 이와 유사한 장소 또는 학교·군사시설, 상가밀집지역의 주변지역에서의 집회 또는 시위의 경우 그 거주자 또는 관리자가 시설이나 장소의 보호를 요청하는 때에는 집회 또는 시위의 금지 또는 제한을 통고할 수 있다. (×)

유령집회신고

* 유령집회란 신고만 하고 실제 개최는 하지 않는 집회로 자신들과 상반된 단체의 집회를 개최하지 못하게 할 목적을 가지고 있다.
* 대표적으로 대기업에서 본사 앞 노조의 집회를 막기 위해 1년 365일 24시간 본사 앞 광장에 집회신고를 해두는 경우가 있었다.
* 2016년 집시법이 개정되기 전에는 총 1,363,320건의 접수신고 중 44,464건만이 실제 개최되어(2014 기준), 유령집회가 96.7%에 이를 정도로 심각하였다.
* 이에 2016년 집시법이 개정되어, 이러한 유령집회에 대해 과태료를 부과함으로써 어느 정도는 유령집회의 문제가 해소되었다.

3) 시간·장소가 중복되는 경우

집회 및 시위에 관한 법률 제8조 【집회 및 시위의 금지 또는 제한 통고】 ② 관할경찰관서장은 집회 또는 시위의 시간과 장소가 중복되는 2개 이상의 신고가 있는 경우 그 목적으로 보아 서로 상반되거나 방해가 된다고 인정되면 각 옥외집회 또는 시위 간에 시간을 나누거나 장소를 분할하여 개최하도록 권유하는 등 각 옥외집회 또는 시위가 서로 방해되지 아니하고 평화적으로 개최·진행될 수 있도록 노력하여야 한다. [2018 실무 3]
③ 관할경찰관서장은 제2항에 따른 권유가 받아들여지지 아니하면 뒤에 접수된 옥외집회 또는 시위에 대하여 제1항에 준하여 그 집회 또는 시위의 금지를 통고할 수 있다. [2015 채용1차]
④ 제3항에 따라 뒤에 접수된 옥외집회 또는 시위가 금지 통고된 경우 먼저 신고를 접수하여 옥외집회 또는 시위를 개최할 수 있는 자는 집회 시작 1시간 전에 관할경찰관서장에게 집회 개최 사실을 통지하여야 한다.

[2014 채용2차] [2016 경간] 관할경찰관서장은 집회 또는 시위의 시간과 장소가 중복되는 2개 이상의 신고가 있는 경우 그 목적으로 보아 서로 상반되거나 방해가 된다고 인정되면 뒤에 접수된 집회 또는 시위에 대하여 그 집회 또는 시위의 금지를 통고하여야 한다. (×)

⚖️ 요지판례 ｜

집회의 신고가 경합할 경우 특별한 사정이 없는 한 관할경찰관서장은 집시법 제8조 제2항의 규정에 의하여 신고 순서에 따라 뒤에 신고된 집회에 대하여 금지통고를 할 수 있지만, 먼저 신고된 집회의 참여예정인원, 집회의 목적, 집회개최장소 및 시간, 집회신고인이 기존에 신고한 집회 건수와 실제로 집회를 개최한 비율 등 먼저 신고된 집회의 실제 개최 가능성 여부와 양 집회의 상반 또는 방해가능성 등 제반 사정을 확인하여 먼저 신고된 집회가 다른 집회의 개최를 봉쇄하기 위한 허위 또는 가장 집회신고에 해당함이 객관적으로 분명해 보이는 경우에는, 뒤에 신고된 집회에 다른 집회금지 사유가 있는 경우가 아닌 한, 관할경찰관서장이 단지 먼저 신고가 있었다는 이유만으로 뒤에 신고된 집회에 대하여 집회 자체를 금지하는 통고를 하여서는 아니 되고, 설령 이러한 금지통고에 위반하여 집회를 개최하였다고 하더라도 그러한 행위를 집시법상 금지통고에 위반한 집회개최행위에 해당한다고 보아서는 아니 된다(대판 2014.12.11, 2011도13299).

[2022 채용2차] 집회의 신고가 경합할 경우, 먼저 신고된 집회의 목적, 장소 및 시간, 참여예정인원, 집회 신고인이 기존에 신고한 집회 건수와 실제로 집회를 개최한 비율 등 먼저 신고된 집회의 실제 개최 가능성 여부와 양 집회의 상반 또는 방해가능성 등 제반 사정을 확인하여 먼저 신고된 집회가 다른 집회의 개최를 봉쇄하기 위한 허위 또는 가장 집회신고에 해당함이 객관적으로 분명해 보이는 경우라도 관할 경찰관서장이 뒤에 신고된 집회에 대하여 금지통고를 했다면, 이러한 금지통고에 위반하여 집회를 개최한 행위는 「집회 및 시위에 관한 법률」에 위배된다. (×)

(4) 집회의 철회신고

집회 및 시위에 관한 법률 제6조【옥외집회 및 시위의 신고 등】 ③ 주최자는 제1항에 따라 신고한 옥외집회 또는 시위를 하지 아니하게 된 경우에는 신고서에 적힌 집회 일시 24시간 전에 그 철회사유 등을 적은 철회신고서를 관할경찰관서장에게 제출하여야 한다. [2017 채용2차] [2017 승전(경감)] [2018 승진(경감)]

④ 제3항에 따라 철회신고서를 받은 관할경찰관서장은 제8조 제3항에 따라 금지통고를 한 집회나 시위(➡ 중복신고 중 나중에 신고된 집회·시위)가 있는 경우에는 그 금지 통고를 받은 주최자에게 제3항에 따른 사실을 즉시 알려야 한다. 예 원래 집회하기로 한 단체가 안한다고 하니 그쪽에서 하세요.

⑤ 제4항에 따라 통지를 받은 주최자는 그 금지 통고된 집회 또는 시위를 최초에 신고한 대로 개최할 수 있다. 다만, 금지 통고 등으로 시기를 놓친 경우에는 일시를 새로 정하여 집회 또는 시위를 시작하기 24시간 전에 관할경찰관서장에게 신고서를 제출하고 집회 또는 시위를 개최할 수 있다.

[2018 실무 3] 주최자는 신고한 옥외집회 또는 시위를 하지 아니하게 된 경우에는 즉시 그 철회사유 등을 적은 철회신고서를 관할경찰관서장에게 제출하여야 한다. (×)
[2019 승진(경위)] [2020 승진(경감)] [2020 채용2차] 주최자는 신고한 옥외집회 또는 시위를 하지 아니하게 된 경우에는 신고서에 적힌 집회 일시 12시간 전에 관할경찰관서장에게 철회신고서를 제출해야 한다. (×)

집회 및 시위에 관한 법률 제26조【과태료】 ① 제8조 제4항에 해당하는 먼저 신고된 옥외집회 또는 시위의 주최자(➡ 같은 장소·일시에서 집회·시위를 개최하고자 하는 있는 경우)가 정당한 사유 없이 제6조 제3항을 위반한 경우(➡ 유령집회 개최한 경우. 즉 철회신고 하지 않은 경우)에는 100만원 이하의 과태료를 부과한다.

② 제1항에 따른 과태료는 대통령령으로 정하는 바에 따라 시·도경찰청장 또는 경찰서장이 부과·징수한다.

[2018 승진(경감)] 정당한 사유 없이 철회신고서를 관할경찰관서장에게 제출하지 아니한 모든 옥외집회 또는 시위의 주최자에 대해서는 100만원 이하의 과태료를 부과한다. (×)

▍철회신고를 하지 않아 과태료가 부과되는 경우

- 철회신고를 하지 않았다고 하여 항상 과태료가 부과되는 것은 아니다.
- 즉, 같은 장소·일시에 중복신청이 있었던 경우로서, 먼저 신고한 자가 집회를 하지 않게 된 경우임에도 철회신고를 하지 않아 후발신고자에게 집회개최 기회가 돌아가지 않은 경우에 한하여 과태료가 부과된다.

(5) 금지통고에 대한 이의신청

집회 및 시위에 관한 법률 제9조【집회 및 시위의 금지 통고에 대한 이의 신청 등】①
집회 또는 시위의 주최자는 제8조에 따른 금지 통고를 받은 날부터 10일 이내에
해당 경찰관서의 바로 위의 상급경찰관서의 장에게 이의를 신청할 수 있다. [2014
채용1차] [2014 채용2차] [2015 채용2차] [2015 경간] [2016 경간] [2020 경간]
[2020 채용2차] 집회 또는 시위의 주최자는 금지통고를 받은 날부터 7일 이내에 해당 경찰관서의 바로 위의 상급경찰관서의
장에게 이의를 신청할 수 있다. (×)
[2016 지능범죄] 집회 또는 시위의 주최자는 금지통고를 받은 날로부터 10일 이내에 해당 경찰관서의 바로 위 상급경찰관서
의 장에게 이의를 신청하여야 한다. (×)
[2012 채용1차] [2012 채용3차] 집회 또는 시위의 주최자는 집회 또는 시위의 금지통고를 받은 날부터 10일 이내 해당
경찰관서의 장에게 이의를 신청할 수 있다. (×)

대통령령 집회 및 시위에 관한 법률 시행령 제8조【이의 신청의 통지 및 답변서 제출】①
법 제9조 제1항에 따른 이의 신청을 받은 경찰관서장은 즉시 집회 또는 시위의
금지를 통고한 경찰관서장에게 이의 신청의 취지와 이유(이의 신청시 증거서류
나 증거물을 제출한 경우에는 그 요지를 포함한다)를 알리고, 답변서의 제출을
명하여야 한다.
② 제1항에 따른 답변서에는 금지 통고의 근거와 이유를 구체적으로 밝히고 이의
신청에 대한 답변을 적되 필요한 증거서류나 증거물이 있으면 함께 제출하여야
한다.
[2020 채용2차] 집회 또는 시위 금지통고에 대해 이의신청을 받은 경찰관서장은 24시간 이내에 금지를 통고한 경찰관서장에
게 이의신청의 취지와 이유를 알리고, 답변서의 제출을 명하여야 한다. (×)

(6) 이의신청에 대한 재결

집회 및 시위에 관한 법률 제9조【집회 및 시위의 금지 통고에 대한 이의 신청 등】②
제1항에 따른 이의 신청을 받은 경찰관서의 장은 접수 일시를 적은 접수증을 이
의 신청인에게 즉시 내주고 접수한 때부터 24시간 이내에 재결을 하여야 한다.
이 경우 접수한 때부터 24시간 이내에 재결서를 발송하지 아니하면 관할경찰관
서장의 금지 통고는 소급하여 그 효력을 잃는다.
③ 이의 신청인은 제2항에 따라 금지 통고가 위법하거나 부당한 것으로 재결되
거나 그 효력을 잃게 된 경우 처음 신고한 대로 집회 또는 시위를 개최할 수 있
다. 다만, 금지 통고 등으로 시기를 놓친 경우에는 일시를 새로 정하여 집회 또는
시위를 시작하기 24시간 전에 관할경찰관서장에게 신고함으로써 집회 또는 시위
를 개최할 수 있다.
[2012 채용3차] 금지통고에 따른 이의신청을 받은 경찰관서의 장은 접수일시를 적은 접수증을 이의신청인에게 즉시 내주고
접수한 때부터 12시간 이내에 재결을 하여야 한다. (×)
[2018 실무 3] 금지통고 등으로 시기를 놓친 경우에는 일시를 새로 정하여 집회 또는 시위를 시작하기 24시간 전에 상급경찰
관서의 장에게 신고함으로써 집회 또는 시위를 개최할 수 있다. (×)

03 경찰의 현장관리

1. 질서유지선

(1) 질서유지선의 의미

> **집회 및 시위에 관한 법률 제2조 【정의】** 이 법에서 사용하는 용어의 뜻은 다음과 같다.
> 5. **"질서유지선"**이란 관할 경찰서장이나 시·도경찰청장이 적법한 집회 및 시위를 보호하고 질서유지나 원활한 교통 소통을 위하여 집회 또는 시위의 장소나 행진 구간을 일정하게 구획하여 설정한 띠, 방책, 차선 등의 경계 표지를 말한다.
> [2017 승진(경위)]
> [2015 실무 1] 「집회 및 시위에 관한 법률」상 질서유지선은 띠를 의미하며 목책, 바리케이드, 차벽, 인벽은 포함되지 않는다. (×)

> 💡 **폴리스 라인**
> - 노란 표지판 또는 노란색 비닐 띠 등을 활용하여 설정하는 선으로, 질서유지선을 실무상에서는 폴리스라인이라고 부른다.
> - 집회나 시위현장 외에도, 사건현장에서 현장보존을 위해 출입을 통제하는 용도로 사용되기도 한다.

> ⚖️ **요지판례 Ⅰ**
>
> ■ 질서유지선은 띠, 방책, 차선 등과 같이 경계표지로 기능할 수 있는 물건 또는 도로교통법상 안전표지라고 봄이 타당하므로, 경찰관들이 집회 또는 시위가 이루어지는 장소의 외곽이나 그 장소 안에서 줄지어 서는 등의 방법으로 사실상 질서유지선의 역할을 수행한다고 하더라도 이를 가리켜 집시법에서 정한 질서유지선이라고 할 수는 없다(대판 2019.1.10, 2016도21311). ➡ 경찰관들의 대열(사람의 대열)을 질서유지선으로 볼 수 없다. [2022 채용2차]
>
> ■ 경찰버스로 이루어진 차벽을 '질서유지선'이라고 공표하거나 '질서유지선'이라고 기재해 두었다 하여 경찰이 차벽을 집시법상의 질서유지선으로 사용할 의사였다거나 설치된 차벽이 객관적으로 질서유지선의 역할을 한 것으로 보이지는 아니한다는 원심(서울고등법원)의 결론은 수긍할 수 있다(대판 2017.5.31, 2016도21077).
> [2017 승진(경감)] 질서유지선으로 사람의 대열, 버스 등 차량은 사용할 수 있으나, 인도경계석·차선 등 지상물은 사용할 수 없다. (×)
>
> ■ 질서유지선의 설정에 관한 집시법 및 집시법 시행령의 관련 규정에 비추어 볼 때, 집시법에서 정한 질서유지선은 집회 및 시위의 보호와 공공의 질서 유지를 위하여 필요하다고 인정되는 경우로서 집시법 시행령 제13조 제1항에서 정한 사유에 해당한다면 반드시 집회 또는 시위가 이루어지는 장소 외곽의 경계지역뿐만 아니라 집회 또는 시위의 장소 안에도 설정할 수 있다고 봄이 타당하나, 이러한 경우에도 그 질서유지선은 집회 및 시위의 보호와 공공의 질서 유지를 위하여 필요하다고 인정되는 최소한의 범위를 정하여 설정되어야 하고, 질서유지선이 위 범위를 벗어나 설정되었다면 이는 집시법 제13조 제1항에 위반되어 적법하다고 할 수 없다(대판 2019.1.10, 2016도21311). [2022 채용2차]

(2) 설정사유

> **집회 및 시위에 관한 법률 제13조 【질서유지선의 설정】** ① 제6조 제1항에 따른 신고를 받은 관할경찰관서장은 집회 및 시위의 보호와 공공의 질서 유지를 위하여 필요하다고 인정하면 최소한의 범위를 정하여 질서유지선을 설정할 수 있다. [2015 실무 1]
> [2015 승진(경감)] [2018 실무 3] [2021 채용1차] [2023 승진(실무종합)]
> [2017 경간] [2019 승진(경감)] [2021 채용1차] 집회·시위의 신고를 받은 관할경찰관서장은 집회·시위의 보호와 공공의 질서유지를 위해 최대한의 범위를 정하여 질서유지선을 설정할 수 있다. (×)
> [2022 경간] 옥외집회나 시위를 주최하려는 자가 집시법이 규정하는 각 호의 사항 모두를 적은 신고서를 옥외집회나 시위를 시작하기 72시간 전부터 48시간 전에 관할 경찰서장에게 제출한 경우, 집회 또는 시위의 주최자가 질서유지인을 두고 도로를 행진하는 경우에는 질서유지선을 설정할 수 없다. (×)

> **대통령령** 집회 및 시위에 관한 법률 시행령 제13조 【질서유지선의 설정·고지 등】① 관할 경찰관서장은 집회 및 시위의 보호와 공공의 질서 유지를 위하여 다음 각 호의 어느 하나에 해당하는 경우에는 법 제13조 제1항에 따라 질서유지선을 설정할 수 있다.
> 1. 집회·시위의 장소를 한정하거나 집회·시위의 참가자와 일반인을 구분할 필요가 있을 경우
> 2. 집회·시위의 참가자를 일반인이나 차량으로부터 보호할 필요가 있을 경우 [2017 경간]
> 3. 일반인의 통행 또는 교통 소통 등을 위하여 필요할 경우
> 4. 다음 각 목의 어느 하나의 시설 등에 접근하거나 행진하는 것을 금지하거나 제한할 필요가 있을 경우
>   가. 법 제11조에 따른 집회 또는 시위가 금지되는 장소
>   나. 통신시설 등 중요시설
>   다. 위험물시설
>   라. 그 밖에 안전 유지 또는 보호가 필요한 재산·시설 등
> 5. 집회·시위의 행진로를 확보하거나 이를 위한 임시횡단보도를 설치할 필요가 있을 경우
> 6. 그 밖에 집회·시위의 보호와 공공의 질서 유지를 위하여 필요할 경우

(3) 설정사실의 고지

> 집회 및 시위에 관한 법률 제13조 【질서유지선의 설정】② 제1항에 따라 경찰관서장이 질서유지선을 설정할 때에는 주최자 또는 연락책임자에게 이를 알려야 한다.
> [2015 실무 1] [2015 승진(경감)] [2018 실무 3] [2020 승진(경위)] [2023 승진(실무종합)]
> [2017 경간] 경찰관서장이 질서유지선을 설정할 때에는 사전에 질서유지인에게 이를 서면으로 고지하여야 한다. (×)
>
> **대통령령** 집회 및 시위에 관한 법률 시행령 제13조 【질서유지선의 설정·고지 등】② 법 제13조 제2항에 따른 질서유지선의 설정 고지는 서면으로 하여야 한다. 다만, 집회 또는 시위 장소의 상황에 따라 질서유지선을 새로 설정하거나 변경하는 경우에는 집회 또는 시위의 장소에 있는 경찰공무원이 구두로 알릴 수 있다. [2018 실무 3]
> [2015 승진(경감) 유사] [2021 채용1차] 경찰관서장이 질서유지선을 설정할 때에는 주최자 또는 연락책임자에게 이를 서면으로 고지하여야 하며, 이러한 과정을 통해 설정·고지된 질서유지선은 추후에 변경할 수 없다. (×)
> [2020 승진(경위)] [2023 승진(실무종합)] 질서유지선의 설정 고지는 구두 또는 서면으로 할 수 있다. 다만 집회 또는 시위 장소의 상황에 따라 질서유지선을 새로 설정하거나 변경하는 경우에는 집회 또는 시위의 장소에 있는 경찰공무원이 서면으로 알려야 한다. (×)

(4) 질서유지선 효용침해에 대한 벌칙

> 집회 및 시위에 관한 법률 제24조 【벌칙】 다음 각 호의 어느 하나에 해당하는 자는 6개월 이하의 징역 또는 50만원 이하의 벌금·구류 또는 과료에 처한다. [2015 승진(경감)] [2016 경간] [2017 경간] [2023 승진(실무종합)]
> 3. 제13조에 따라 설정한 질서유지선을 경찰관의 경고에도 불구하고 정당한 사유 없이 상당 시간 침범하거나 손괴·은닉·이동 또는 제거하거나 그 밖의 방법으로 그 효용을 해친 자
> [2018 실무 3] [2021 채용1차] 경찰관의 경고에도 불구하고 질서유지선을 정당한 사유 없이 손괴한 자는 6개월 이하의 징역 또는 500만원 이하의 벌금·구류 또는 과료에 처한다. (×)

2. 확성기등 사용제한

집회 및 시위에 관한 법률 제14조【확성기등 사용의 제한】① 집회 또는 시위의 주최자는 확성기, 북, 징, 꽹과리 등의 기계·기구(이하 이 조에서 "확성기 등"이라 한다)를 사용하여 타인에게 심각한 피해를 주는 소음으로서 대통령령으로 정하는 기준을 위반하는 소음을 발생시켜서는 아니 된다.
② 관할경찰관서장은 집회 또는 시위의 주최자가 제1항에 따른 기준을 초과하는 소음을 발생시켜 타인에게 피해를 주는 경우에는 그 기준 이하의 소음 유지 또는 확성기 등의 사용 중지를 명하거나 확성기 등의 일시보관 등 필요한 조치를 할 수 있다.
[2015 승진(경감)]

집회 및 시위에 관한 법률 제24조【벌칙】다음 각 호의 어느 하나에 해당하는 자는 6개월 이하의 징역 또는 50만원 이하의 벌금·구류 또는 과료에 처한다.
4. 제14조 제2항에 따른 명령을 위반하거나 필요한 조치를 거부·방해한 자
[2015 승진(경감)] 경찰의 확성기 일시 보관 등의 필요한 조치를 거부 또는 방해하더라도 「집회 및 시위에 관한 법률」상 처벌규정은 존재하지 않는다. (×)

⊕ 심화 소음기준과 측정방법[시행령 별표 2]

1 **소음기준** [2012 채용2차] [2015 경간] [2016 지능범죄] [2016 실무 3] [2020 실무 1] [2023 승진(실무종합)]

[단위: dB(A)]

소음도 구분		대상 지역	시간대		
			주간 (07:00~ 해지기 전)	야간 (해진 후~ 24:00)	심야 (00:00~ 07:00)
대상 소음도	등가소음도 (Leq)	주거지역, 학교, 종합병원	65 이하	60 이하	55 이하
		공공도서관	65 이하	60 이하	
		그 밖의 지역	75 이하	65 이하	
	최고소음도 (Lmax)	주거지역, 학교, 종합병원	85 이하	80 이하	75 이하
		공공도서관	85 이하	80 이하	
		그 밖의 지역	95 이하		

💡 **등가소음도**
• 시간에 따라 변동하는 소음에 대한, 측정시간동안의 평균소음을 말한다.
• 숫자가 낮을수록 엄격한 기준이라는 의미이다.

[2015 승진(경감)] 소음을 측정할 때는 소음으로 인한 피해자가 위치한 건물 등이 (i) 주거지역, 학교, 종합병원의 경우, (ii) 공공도서관의 경우와 (iii) 그 밖의 지역일 경우로 구분하여 기준치를 적용한다. (○)
[2018 채용1차] 주거지역, 학교, 종합병원, 공공도서관에서 주간(07:00~해지기 전)에 확성기 등의 소음기준은 65dB 이하이다. (○)

2 **주요 측정방법**
• 확성기등의 소음은 관할 경찰서장(현장 경찰공무원)이 측정한다. [2018 채용1차]
• **소음 측정장소**는 피해자가 위치한 건물의 외벽에서 소음원 방향으로 1~3.5m 떨어진 지점으로 하되, 소음도가 높을 것으로 예상되는 지점의 지면 위 1.2~1.5m 높이에서 측정한다. 다만, 주된 건물의 경비 등을 위하여 사용되는 부속 건물, 광장·공원이나 도로상의 영업시설물, 공원의 관리 사무소 등은 소음 측정장소에서 제외한다. [2020 경간]
[2018 채용1차] 주된 건물의 경비 등을 위하여 사용되는 부속 건물, 광장·공원이나 도로상의 영업시설물, 공원의 관리사무소 등도 소음 측정장소로 포함된다. (×)
• 위 장소에서 확성기등의 대상소음이 있을 때 측정한 소음도를 **측정소음도**로 하고, 같은 장소에서 확성기등의 대상소음이 없을 때 5분간 측정한 소음도를 **배경소음도**로 한다. [2022 승진(실무종합)]
• 등가소음도는 10분간(소음 발생 시간이 10분 이내인 경우에는 그 발생 시간 동안을 말한다) 측정한다. 다만, ① 주거지역, 학교, 종합병원, ② 공공도서관 지역의 경우에는 등가소음도를 5분간(소음 발생 시간이 5분 이내인 경우에는 그 발생 시간 동안을 말한다) 측정한다.

- 최고소음도는 확성기등의 대상소음에 대해 매 측정 시 발생된 소음도 중 가장 높은 소음도를 측정하며, 동일한 집회·시위에서 측정된 최고소음도가 1시간 내에 3회 이상 위 표의 최고소음도 기준을 초과한 경우 소음기준을 위반한 것으로 본다. 다만, ① 주거지역, 학교, 종합병원, ② 공공도서관 지역의 경우에는 1시간 내에 2회 이상 위 표의 최고소음도 기준을 초과한 경우 소음기준을 위반한 것으로 본다.
- 다음 각 목에 해당하는 행사(중앙행정기관이 개최하는 행사만 해당한다)의 진행에 영향을 미치는 소음에 대해서는 그 행사의 개최시간에 한정하여 위 표의 주거지역의 소음기준을 적용한다.
  가. 「국경일에 관한 법률」 제2조에 따른 국경일의 행사
  나. 「각종 기념일 등에 관한 규정」 별표에 따른 각종 기념일 중 주관 부처가 국가보훈부인 기념일의 행사

[2022 승진(실무종합)] 중앙행정기관이 개최하는 국경일 행사의 경우 행사 개최시간에 한정하여 행사 진행에 영향을 미치는 소음에 대해서는, 「집회 및 시위에 관한 법률 시행령」 별표2에 따른 확성기등의 소음기준을 '그 밖의 지역'의 소음기준으로 적용한다. (×)

3. 경찰관 등 출입

집회 및 시위에 관한 법률 제19조 【경찰관의 출입】 ① 경찰관은 집회 또는 시위의 주최자에게 알리고 그 집회 또는 시위의 장소에 정복을 입고 출입할 수 있다. 다만, 옥내집회 장소에 출입하는 것은 직무 집행을 위하여 긴급한 경우에만 할 수 있다. [2013 채용2차]
② 집회나 시위의 주최자, 질서유지인 또는 장소관리자는 질서를 유지하기 위한 경찰관의 직무집행에 협조하여야 한다.

집회 및 시위에 관한 법률 제4조 【특정인 참가의 배제】 집회 또는 시위의 주최자 및 질서유지인은 특정한 사람이나 단체가 집회나 시위에 참가하는 것을 막을 수 있다. 다만, 언론사의 기자는 출입이 보장되어야 하며, 이 경우 기자는 신분증을 제시하고 기자임을 표시한 완장을 착용하여야 한다. [2012 채용2차] [2013 채용1차] [2014 채용1차] [2018 채용2차] [2018 실무 3]

04 주최 측의 준수사항

1. 주최자의 준수사항

집회 및 시위에 관한 법률 제2조 【정의】 이 법에서 사용하는 용어의 뜻은 다음과 같다.
3. "주최자"란 자기 이름으로 자기 책임 아래 집회나 시위를 여는 사람이나 단체를 말한다. 주최자는 주관자를 따로 두어 집회 또는 시위의 실행을 맡아 관리하도록 위임할 수 있다. 이 경우 주관자는 그 위임의 범위 안에서 주최자로 본다. [2013 채용1차] [2015 채용1차]
[2018 채용2차] [2020 경간 유사] 단체는 「집회 및 시위에 관한 법률」상 "주최자"가 될 수 없다. (×)
[2016 채용1차] [2017 채용2차] [2020 채용1차] "주관자"란 자기 이름으로 자기 책임 아래 집회나 시위를 여는 사람이나 단체를 말한다. 주관자는 주최자를 따로 두어 집회 또는 시위의 실행을 맡아 관리하도록 위임할 수 있다. 이 경우 주최자는 그 위임의 범위 안에서 주관자로 본다. (×)
[2014 채용1차] [2018 채용3차] '주최자'라 함은 자기 이름으로 자기 책임 아래 집회 또는 시위를 개최하는 사람 또는 단체를 말하며, 주최자는 질서유지인을 따로 두어 집회 또는 시위의 실행을 맡아 관리하도록 위임할 수 있다. (×)

집회 및 시위에 관한 법률 제16조 【주최자의 준수 사항】 ① 집회 또는 시위의 주최자는 집회 또는 시위에 있어서의 질서를 유지하여야 한다.
② 집회 또는 시위의 주최자는 집회 또는 시위의 질서 유지에 관하여 자신을 보좌하도록 18세 이상의 사람을 질서유지인으로 임명할 수 있다. [2012 채용1차]

③ 집회 또는 시위의 주최자는 제1항에 따른 질서를 유지할 수 없으면 그 집회 또는 시위의 종결을 선언하여야 한다. [2018 채용3차]

④ 집회 또는 시위의 주최자는 다음 각 호의 어느 하나에 해당하는 행위를 하여서는 아니 된다.

1. 총포, 폭발물, 도검, 철봉, 곤봉, 돌덩이 등 다른 사람의 생명을 위협하거나 신체에 해를 끼칠 수 있는 기구를 휴대하거나 사용하는 행위 또는 다른 사람에게 이를 휴대하게 하거나 사용하게 하는 행위

2. 폭행, 협박, 손괴, 방화 등으로 질서를 문란하게 하는 행위

3. 신고한 목적, 일시, 장소, 방법 등의 범위를 뚜렷이 벗어나는 행위

⑤ 옥내집회의 주최자는 확성기를 설치하는 등 주변에서의 옥외 참가를 유발하는 행위를 하여서는 아니 된다.

[2016 경간] 집회 또는 시위의 주최자는 집회 또는 시위의 질서유지에 관하여 자신을 보좌하도록 16세 이상의 사람을 질서유지인으로 임명할 수 있다. (×)

[2017 채용2차] [2018 채용3차] 집회 또는 시위의 주관자는 집회 또는 시위의 질서유지에 관하여 자신을 보좌하도록 18세 이상의 사람을 질서유지인으로 임명하여야 한다. (×)

⚖️ 요지판례 I

"주최자"라 함은 자기 명의로 자기 책임 아래 집회 또는 시위를 개최하는 사람 또는 단체를 말하는 것인바, 우연히 대학교 정문 앞에 모이게 된 다른 사람들과 함께 즉석에서 즉흥적으로 학교당국과 경찰의 제지에 대한 항의의 의미로 시위를 하게 된 것이라면, 비록 그 시위에서의 구호나 노래가 피고인들의 선창에 의하여 제창되었다고 하더라도, 그와 같은 사실만으로는 피고인들이 위 시위의 주최자라고는 볼 수 없다(대판 1991.4.9, 90도2435).

[2020 실무 3] 사전에 아무 계획이나 조직한 바 없더라도, 즉흥적으로 현장에 모인 사람들과 함께 구호와 노래를 제창한 자는 시위의 주최자라고 볼 수 있다. (×)

---

2. 질서유지인의 준수사항

집회 및 시위에 관한 법률 제2조 【정의】 이 법에서 사용하는 용어의 뜻은 다음과 같다.

4. "질서유지인"이란 주최자가 자신을 보좌하여 집회 또는 시위의 질서를 유지하게 할 목적으로 임명한 자를 말한다. ➡ 18세 이상, 임의적 [2013 채용2차] [2016 채용1차] [2017 승진(경위)]

집회 및 시위에 관한 법률 제17조 【질서유지인의 준수 사항 등】 ① 질서유지인은 주최자의 지시에 따라 집회 또는 시위 질서가 유지되도록 하여야 한다.

② 질서유지인은 제16조 제4항 각 호의 어느 하나에 해당하는 행위를 하여서는 아니 된다.

③ 질서유지인은 참가자 등이 질서유지인임을 쉽게 알아볼 수 있도록 완장, 모자, 어깨띠, 상의 등을 착용하여야 한다.

④ 관할경찰관서장은 집회 또는 시위의 주최자와 협의하여 질서유지인의 수를 적절하게 조정할 수 있다.

⑤ 집회나 시위의 주최자는 제4항에 따라 질서유지인의 수를 조정한 경우 집회 또는 시위를 개최하기 전에 조정된 질서유지인의 명단을 관할경찰관서장에게 알려야 한다.

[2016 지능범죄] 질서유지인은 참가자 등이 질서유지인임을 쉽게 알아볼 수 있도록 완장, 모자, 어깨띠, 상의 등을 착용할 수 있다. (×)

3. 참가인의 준수사항

집회 및 시위에 관한 법률 제18조 【참가자의 준수 사항】 ① 집회나 시위에 참가하는 자는 주최자 및 질서유지인의 질서 유지를 위한 지시에 따라야 한다.
② 집회나 시위에 참가하는 자는 제16조 제4항 제1호 및 제2호에 해당하는 행위를 하여서는 아니 된다.

05 집회 또는 시위의 해산

1. 해산사유

집회 및 시위에 관한 법률 제20조 【집회 또는 시위의 해산】 ① 관할경찰관서장은 다음 각 호의 어느 하나에 해당하는 집회 또는 시위에 대하여는 상당한 시간 이내에 자진 해산할 것을 요청하고 이에 따르지 아니하면 해산을 명할 수 있다. [2012 승진(경위)]
1. 제5조 제1항(➜ 해산정당 목적달성, 폭력집회), 제10조 본문(➜ 시간적 제한위반) 또는 제11조(➜ 장소적 제한위반)를 위반한 집회 또는 시위
2. 제6조 제1항에 따른 신고를 하지 아니하거나 제8조 또는 제12조에 따라 금지된 집회 또는 시위
3. 제8조 제5항(➜ 인근 거주자 등 요청)에 따른 제한, 제10조 단서(➜ 야간집회에 질서유지조건) 또는 제12조(➜ 교통질서유지조건)에 따른 조건을 위반하여 교통 소통 등 질서 유지에 직접적인 위험을 명백하게 초래한 집회 또는 시위
4. 제16조 제3항(➜ 질서유지 불가능)에 따른 종결 선언을 한 집회 또는 시위
5. 제16조 제4항 각 호(➜ 폭력집회나 신고범위 뚜렷한 일탈)의 어느 하나에 해당하는 행위로 질서를 유지할 수 없는 집회 또는 시위
③ 제1항에 따른 자진 해산의 요청과 해산 명령의 고지 등에 필요한 사항은 대통령령으로 정한다.

⚖️ **요지판례** |

■ 집회의 자유에 대한 제한은 다른 중요한 법익의 보호를 위하여 반드시 필요한 경우에 한하여 정당화되는 것이며, 특히 집회의 금지와 해산은 원칙적으로 공공의 안녕질서에 대한 직접적인 위협이 명백하게 존재하는 경우에 한하여 허용될 수 있다. 집회의 금지와 해산은 집회의 자유를 보다 적게 제한하는 다른 수단, 즉 조건을 붙여 집회를 허용하는 가능성을 모두 소진한 후에 비로소 고려될 수 있는 최종적인 수단이다(헌재 2003.10.30, 2000헌바67).
[2014 실무 3] 집회의 금지와 해산은 원칙적으로 공공의 안녕질서에 대한 위협이 잠재적으로 존재하는 경우라면 허용된다. (×)
■ 집시법이 '제10조 본문을 위반한 집회 또는 시위'와 '제6조 제1항에 따른 신고를 하지 아니한 집회 또는 시위'를 해산명령 대상으로 하면서 별도의 해산 요건을 정하고 있지 않더라도, 그 옥외집회 또는 시위로 인하여 타인의 법익이나 공공의 안녕질서에 대한 직접적인 위험이 명백하게 초래된 경우에 한하여 위 조항에 기하여 해산을 명할 수 있고, 이러한 요건을 갖춘 해산명령에 불응하는 경우에만 집시법 제24조 제5호에 의하여 처벌할 수 있다(대판 2015.6.11, 2015도4273). [2014 승진(경감)] [2022 채용2차]

■ 사전 금지 또는 제한된 집회라 하더라도 실제 이루어진 집회가 당초 신고 내용과 달리 평화롭게 개최되거나 집회 규모를 축소하여 이루어지는 등 타인의 법익 침해나 기타 공공의 안녕질서에 대하여 직접적이고 명백한 위험을 초래하지 않은 경우에는 이에 대하여 사전 금지 또는 제한을 위반하여 집회를 한 점을 들어 처벌하는 것 이외에 더 나아가 이에 대한 해산을 명하고 이에 불응하였다 하여 처벌할 수는 없다(대판 2011.10.13, 2009도13846). ➡ 사전금지·제한위반 처벌 ○ / 해산명령 불응 처벌 × [2019 승진(경위)] [2021 경간] [2024 승진]

■ 집시법 제20조 제1항 및 제20조 제2항 등 관련 규정들의 해석상 관할 경찰관서장이 위 해산명령을 할 때에는 해산사유가 집시법 제20조 제1항 각호 중 어느 사유에 해당하는지 구체적으로 고지하여야 한다(대판 2019.8.29, 2016도1869). ➡ 따라서 해산명령을 하면서 구체적인 해산사유를 고지하지 않았거나 정당하지 않은 사유를 고지하면서 해산명령을 한 경우에는, 그러한 해산명령에 따르지 아니하였다 하더라도 집시법 제20조 제2항을 위반하였다고 할 수 없다. [2021 경간]

[2014 승진(경감)] 「집회 및 시위에 관한 법률」 제20조 제1항과 「집회 및 시위에 관한 법률 시행령」이 해산명령을 할 때 그 사유를 구체적으로 고지하도록 명시적으로 규정하고 있지 아니하므로, 해산명령을 할 때 에는 해산 사유가 「집회 및 시위에 관한 법률」 제20조 제1항 각 호 중 어느 사유에 해당하는지에 관하여 구체적으로 고지하여야 하는 것은 아니다. (×)

2. 해산절차

종결선언의 요청 ➡ 자진해산의 요청 ➡ 3회 이상 해산명령 ➡ 직접해산
[2012 실무 1] [2015 실무 1] [2016 실무 1]
[2020 실무 1] [2023 승진(실무종합)] 자진해산의 요청 → 종결선언의 요청 → 해산명령 → 직접해산의 순서로 진행한다. (×)

[대통령령] 집회 및 시위에 관한 법률 시행령 제17조 【집회 또는 시위의 자진 해산의 요청 등】
법 제20조에 따라 집회 또는 시위를 해산시키려는 때에는 관할 경찰관서장 또는 관할 경찰관서장으로부터 권한을 부여받은 경찰공무원은 다음 각 호의 순서에 따라야 한다. 다만, 법 제20조 제1항 제1호 · 제2호 또는 제4호에 해당하는 집회 · 시위의 경우와 주최자 · 주관자 · 연락책임자 및 질서유지인이 집회 또는 시위 장소에 없는 경우에는 종결 선언의 요청을 생략할 수 있다.
1. **종결 선언의 요청**: 주최자에게 집회 또는 시위의 종결 선언을 요청하되, 주최자의 소재를 알 수 없는 경우에는 주관자 · 연락책임자 또는 질서유지인을 통하여 종결 선언을 요청할 수 있다. [2017 승진(경감)]
2. **자진 해산의 요청**: 제1호의 종결 선언 요청에 따르지 아니하거나 종결 선언에도 불구하고 집회 또는 시위의 참가자들이 집회 또는 시위를 계속하는 경우에는 직접 참가자들에 대하여 자진 해산할 것을 요청한다.
3. **해산명령 및 직접 해산**: 제2호에 따른 자진 해산 요청에 따르지 아니하는 경우에는 세 번 이상 자진 해산할 것을 명령하고, 참가자들이 해산명령에도 불구하고 해산하지 아니하면 직접 해산시킬 수 있다. [2020 채용2차]

[2012 승진(경위)] 종결선언은 주최자에게 요청하되, 주최자의 소재를 알 수 없는 경우에는 주관자 · 연락책임자 또는 질서유지인에게 하여야 하며 종결선언의 요청은 필요적 절차로 생략할 수 없다. (×)
[2020 실무 1] 자진해산요청은 직접 집회주최자에게 요청하여야 한다. (×)
[2017 실무 1] 해산명령은 1회로도 족하나, 자진해산요청은 반드시 3회 이상 일정한 시간적 간격을 두고 실시해야 한다. (×)

■ 해산명령 이전에 자진해산할 것을 요청하도록 한 입법 취지에 비추어 볼 때, 반드시 '자진해산'이라는 용어를 사용하여 요청할 필요는 없고, 그 때 해산을 요청하는 언행 중에 스스로 해산하도록 청하는 취지가 포함되어 있으면 된다(대판 2000.11.24, 2000도2172). [2017 승진(경감)] [2019 승진(경위)] [2020 실무 1]

[2021 경간] 해산명령은 자진해산요청에 따르지 않는 시위참가자들에게 자진해산할 의무를 부과하는 것이므로 반드시 '자신해산을 명령한다'는 용어가 사용되거나 말로 해산명령임을 표시해야 한다. (×)

■ 해산명령은 자진해산요청에 따르지 않는 시위 참가자들에게 자진 해산할 의무를 부과하는 것이므로, 자진해산을 요구하는 취지가 분명히 포함되어 있어야 한다. 이러한 해산명령이 있었는지는 시위의 진행 경과에 따라 종결선언이나 자진해산요청이 이미 있었는지 여부, 경찰 방송의 문언과 내용, 방송 당시 전광판 등 시각적 매체를 함께 사용한 경우에는 그 표시 내용과 위치, 방송의 간격과 횟수 등에 비추어 사회 평균인의 입장에서 해산명령이 있었음을 알 수 있으면 충분하다(대판 2017.12.22, 2015도8055).

■ 자진해산요청과 해산명령의 대상은 '집회 또는 시위' 자체이므로 자진 해산 요청과 해산명령의 방법은 그 대상인 집회나 시위의 참가자들 전체 무리나 집단에 고지, 전달하는 방법으로 행하여야 하고, 해산명령 불응의 죄책을 묻기 위한 요건인 '세 번 이상의 해산명령'이 있었는지 여부도 그 집회나 시위 참가자들 전체 무리나 집단에 대하여 위와 같은 방법으로 적법하게 해산을 명한 횟수를 기준으로 판단하여야 한다(대판 2019.12.13, 2017도19737). [2021 경간]

■ 옥내집회는 집시법상 사전신고 없이 개최할 수 있는 것이지만, 이 역시 다른 중요한 법익의 보호를 위하여 필요한 경우에는 그 자유가 제한될 수 있다. 따라서 타인이 관리하는 건조물에서 옥내집회를 개최하는 경우에도, 그것이 "폭행, 협박, 손괴, 방화 등으로 질서를 문란하게 하는 행위로 질서를 유지할 수 없는 집회"에 해당하는 등 집회의 목적, 참가인원, 집회 방식, 행태 등으로 볼 때 타인의 법익 침해나 기타 공공의 안녕질서에 대하여 직접적이고 명백한 위험을 초래하는 때에는 해산명령의 대상이 된다고 보아야 한다(대판 2013.7.25, 2010도14545). ➡ 설령 집회의 장소가 관공서 등 공공건조물의 옥내라 하더라도 그곳이 일반적으로 집회의 개최가 허용된 개방된 장소가 아닌 이상 이를 무단 점거하여 그 건조물의 평온을 해치거나 정상적인 기능의 수행에 위험을 초래하고 나아가 질서를 유지할 수 없는 정도에 이른 경우에는, 집회의 자유에 의하여 보장되는 활동의 범주를 넘는다 할 것이므로 그것이 해산명령의 대상이 되는 것은 마찬가지이다. [2019 승진(경위)]

3. 해산명령에 따른 해산의무와 처벌

집회 및 시위에 관한 법률 제20조【집회 또는 시위의 해산】② 집회 또는 시위가 제1항에 따른 해산 명령을 받았을 때에는 모든 참가자는 지체 없이 해산하여야 한다. [2012 승진 (경위)]

집회 및 시위에 관한 법률 제24조【벌칙】 다음 각 호의 어느 하나에 해당하는 자는 6개월 이하의 징역 또는 50만원 이하의 벌금·구류 또는 과료에 처한다.

5. 제16조 제5항(➡ 주최자의 준수사항), 제17조 제2항(➡ 질서유지인의 준수사항), 제18조 제2항(➡ 참가자의 준수사항), 또는 제20조 제2항(➡ 해산명령 불이행)을 위반한 자

> **⚖ 요지판례 ㅣ**
>
> 해산명령 불응의 죄책을 묻기 위하여는 관할 경찰관서장 등이 직접 참가자들에 대하여 자진 해산할 것을 요청하고, 이에 따르지 아니하는 경우 세 번 이상 자진해산할 것을 명령하는 등 집회 및 시위에 관한 법률 시행령 제17조에서 정한 적법한 해산명령의 절차와 방식을 준수하였음이 증명되어야 한다(대판 2005.9.28, 2005도3491). [2020 실무 3]

ㅣ 증명과 소명

- **증명**: 법관에게 확신을 가지게 하는 정도의 증거를 통해 사실을 명백히 하는 것으로, 입증이라고도 한다.
- **소명**: 법관에게 확신을 가지게 하는 정도는 아니지만, 일응 확실한 것 같다는 정도의 추측을 들게 하는 것이다.

제6장 / 안보경찰

주제 1 안보경찰활동의 개요

01 안보경찰 개설

1. 보안(안보)경찰

- 보안경찰(안보경찰)이란 국가안전보장을 위태롭게 하는 간첩활동 및 반국가활동 세력에 대비해서 국가적 대공 취약점에 대한 첩보수집·분석·판단과 보안 사범 수사를 전담하는 경찰을 말한다.
- 여기서 말하는 보안경찰은 실무상 의미의 보안경찰로서, 행정경찰의 일부로서 강학상 보안경찰과는 구분되어야 한다.

▌강학상 보안경찰
- 다른 행정작용을 동반하지 않고 오로지 경찰작용만으로 사회공공의 안녕과 질서를 유지하기 위한 경찰작용을 말한다. 예 생활안전경찰, 경비경찰, 교통경찰
- **광의의 행정경찰** = 강학상 보안경찰 + 협의의 행정경찰

2. 안보경찰활동의 대상 및 특징

- 안보경찰의 주된 대상은 대공에 관한 사항이다.
- 안보경찰활동은 직접 국가안전보장에 관련되는 범죄를 대상으로 하기 때문에 고도의 보안을 요하는 비공개활동이라는 특징을 갖는다.

02 경찰청 안보수사국과 그 임무

1. 안보수사국의 설치

> **대통령령** 경찰청과 그 소속기관 직제 제16조【국가수사본부】② 국가수사본부에 수사국, 형사국, 사이버수사국 및 안보수사국을 둔다.
>
> **대통령령** 경찰청과 그 소속기관 직제 제22조【안보수사국】① 안보수사국에 국장 1명을 둔다.
> ② 국장은 치안감 또는 경무관으로 보한다.

2. 안보수사국의 임무

> **대통령령** 경찰청과 그 소속기관 직제 제22조【안보수사국】③ 국장은 다음 사항을 분장한다. [2020 실무 3]
> 1. 안보수사경찰업무에 관한 기획 및 교육
> 2. 보안관찰 및 경호안전대책 업무에 관한 사항
> 3. 북한이탈주민 신변보호
> 4. 국가안보와 국익에 반하는 범죄에 대한 수사의 지휘·감독

5. 안보범죄정보 및 보안정보의 수집·분석 및 관리
6. 국내외 유관기관과의 안보범죄정보 협력에 관한 사항
7. 남북교류와 관련되는 안보수사경찰업무
8. 국가안보와 국익에 반하는 중요 범죄에 대한 수사

[2020 실무 3] 안보수사국의 직무범위에 '출입국자의 보안'이 포함된다. (×)

주제 2 방첩활동과 비밀공작

01 방첩활동

1. 방첩의 의미

- **방첩**이란 적의 정보활동에 대비하여 자기편을 보호하는 노력으로서 상대방이 우리측의 의도를 간파하지 못하게 하고, 우리측의 어떤 상황도 상대방에게 간파되지 않도록 해야 한다는 것을 의미한다.
- **방첩활동**이란 기밀유지·보안유지라고도 하며, 간첩·태업·전복행위 등을 미연에 방지하고 적발하기 위한 조직적·종합적 활동을 의미한다.

2. 방첩활동의 기본원칙

완전협조의 원칙	전문기관인 방첩기관과 보조기관 및 전체 국민의 완전협조가 이루어져야만 효과적인 방첩이 될 수 있다. [2015 실무 3] 예 정보조정협의회, 대통령경호 안전대책협의회, 주민신고망의 구성 등
치밀의 원칙	• 적국의 간첩활동은 치밀한 계획하에 대상물색·교육·침투 및 활동이 이루어진다. [2015 실무 3] • 우리 측의 방첩활동도 이에 대응하여 치밀한 계획과 준비하에 방첩활동이 이루어져야 한다.
계속접촉의 원칙	• 방첩기관은 간첩 등의 용의자를 발견하였다고 해서 즉시 검거하는 것이 아니라, 조직망 전체가 완전히 파악될 때까지 계속해서 유·무형의 접촉을 해야 한다는 원칙을 말한다. • 계속접촉은 다음과 같은 단계에 따른다. [2020 실무 3] 탐지 ➡ 판명 ➡ 주시 ➡ 이용 ➡ 검거(일망타진)

▌계속접촉 단계의 판단방법
- **탐지·검거**: 탐지가 시작이고 검거가 마지막임은 분명하다.
- **판명·주시·이용**: ① 주시하고 이용할 가치가 있는지 여부를 먼저 '판명'하여야 한다. ② 판명 후 주시하면서 첩보를 수집하고 수집된 정보를 이용하여 검거한다. 따라서 주시가 이용보다 앞선 단계이다.

[2015 실무 3] 간첩 등의 용의자를 발견하였을 때에는 도주방지를 위하여 즉시 검거하여야 한다. (×)

3. 방첩수단

(1) 적극적 수단

- 침투되어 있는 적과 적의 공작망을 분쇄하기 위한 공격적 수단을 말한다.
- 적에 대한 첩보수집('기록의 검토'가 가장 중요), 적의 첩보공작분석, 대상인물 감시, 침투공작 전개(대상단체·지역의 정황탐지 및 증거수집), 역이용 공작(전향된 적을 이용), 간첩에 대한 체포·검거 및 신문 등의 수단이 있다. [2018 실무 3]

(2) 소극적 수단

- 적의 비밀공작으로부터 우리측을 보호하기 위해 자체보안기능을 발휘하는 방어적 수단을 말한다.
- 인원보안의 확립 ('비밀취급인가제도', '신원조사'), 보안업무의 규정(소극적 방첩수단을 통일성 있게 통제할 수 있는 가장 효과적인 수단), 정보 및 자재보안의 확립(비밀사항에 대한 표시방법 또는 보호방법을 강구하는 것), 시설보안의 확립(시설에 대한 경비, 출입자에 대한 통제), 관련 입법의 건의 등의 수단이 있다.

(3) 기만적 수단

- 비밀이 적에게 노출될 가능성이 있는 상황 하에서 우리 측이 기도한 바를 적이 오인·판단하도록 하는 방해조치를 말한다.
- 허위정보의 유포, 유언비어의 유포, 양동간계 시위(양쪽에서 거짓이야기나 헛소문을 퍼뜨려서 이간질) 등의 방법이 있다.

☑ **KEY POINT | 방첩수단 정리** [2012 승진(경위)]

적극적 수단	첩보수집, 첩보공작 분석, 대상인물 감시, 침투공작, 역용공작, 간첩신문
소극적 수단	인원·시설보안의 확립, 정보·자재보안의 확립, 보안업무 규정화, 입법사항 건의
기만적 수단	허위정보 유포, 유언비어 유포, 양동간계시위

---

02 방첩의 대상 - 간첩 · 태업 · 전복

1. 간첩

(1) 간첩의 의미

간첩이란 타국에 대한 첩보수집행위, 태업행위, 전복행위 등을 목적으로 대상국 내에 잠입한 자 또는 이를 지원·동조하거나 협조하는 자를 말한다.

(2) 간첩의 분류

1) 임무(사명)에 의한 분류

일반간첩	일반적 정보수집 또는 태업·전복공작 등 가장 전형적인 형태의 간첩
증원간첩	간첩요원의 보충, 양민의 납치·월북 등 인적자원의 확보를 위하여 파견된 간첩
보급간첩	일정장소에서 거점을 구축하거나 공작활동에의 물적 지원을 수행하는 간첩
무장간첩	암살·파괴, 간첩의 호송·연락·안내를 위하여 특별히 훈련되어 무장한 간첩

[2014 실무 3] 간첩을 임무(사명)에 의해 분류하면 일반간첩, 고정간첩, 증원간첩, 보급간첩으로 나눌 수 있다. (×)

2) 활동방법에 의한 분류

고정간첩	• 일정 지역 내에서 정해진 기간 없이 영구적으로 간첩임무를 부여받고 활동하는 간첩 • 합법적인 신분을 유지하고 다른 생업에 종사하며, 장기적·고정적으로 활동하는 특징을 가짐
배회간첩	• 일정한 주거 없이 전국을 배회하며 임무를 수행하는 간첩 • 보통 일정한 공작기간이 있으며, 활동 중 합법적인 신분을 취득하면 고정간첩으로 변할 수 있음
공행간첩	외교관과 같은 공용 명목하에 입국하여 합법적인 신분을 유지하며, 상대국에 대한 각종 정보를 수집하는 것을 목적으로 하는 간첩

[2020 실무 3] 간첩은 임무에 의하여 일반간첩, 무장간첩, 증원간첩, 보급간첩으로 분류되고, 활동방법에 의하여 고정간첩, 배회간첩, 공행간첩으로 분류된다. (○)

3) 활동범위(인원수)에 의한 분류

대량형 간첩	• 간첩교육을 받은 다수 인원이 대상국가에 밀파, 특수한 대상의 지목 없이 광범위한 분야에서 정보를 입수하는 활동을 하는 간첩 • 주로 전시에 파견되며, 상대적으로 색출이 용이
지명형 간첩	• 특정목표와 임무를 부여받아 특수한 정보를 수집하도록 개별적으로 지명되어 파견되는 간첩 • 주로 평시에 파견, 상대적으로 색출이 곤란

(3) 간첩망

대상국의 기밀 탐지, 전복, 태업 등을 효과적으로 수행하기 위한 지하조직형태를 간첩망이라 하며, 간첩망의 형태는 아래와 같이 구분할 수 있다. [2016 채용1차]

1) 단일형(단독형) 간첩망

- 간첩이 특정목적 수행을 위해 종적·횡적인 개별적 연락을 일체 회피하고, 동조자 없이 단독으로 활동하는 점조직형태로, 대남간첩이 가장 많이 활용하는 형태로 알려져 있다. [2015 채용2차] [2015 실무 3] [2016 승진(경감)] [2017 승진(경위)]
- **장점**: 보안유지 및 신속한 활동이 가능하다.
- **단점**: 활동범위가 좁고 공작성과가 낮다.

  [2016 경간] [2017 채용1차 유사] 단일형은 특수목적을 위하여 단독으로 활동하는 형태로, 보안유지 및 신속한 활동이 가능하여 활동범위가 넓고 공작 성과가 비교적 높다. (×)

  [2012 실무 3] 단일형 - 간첩활동이 자유롭고 대중적 조직과 동원이 가능한 반면, 간첩의 정체가 폭로되었을 때 외교적 문제가 야기될 수 있다. (×)

2) 삼각형 간첩망

- 주(主, Main) 공작원인 간첩이 3명 이내의 행동공작원을 직접 지휘하면서 행동 공작원 사이의 횡적인 직접 연락은 차단하는 형태로 지하당 구축에 흔히 사용된다. [2012 실무 3] [2014 승진(경감)] [2016 채용1차] [2016 승진(경감)] [2017 승진(경위)]
- **장점**: 횡적 연락이 차단되어 보안유지에 유리하고, 일망타진의 가능성이 적다.
- **단점**: 주 공작원의 정체가 쉽게 규명되고 활동범위가 좁다.

  [2016 경간] 삼각형 간첩망 - 간첩이 주공작원 2~3명을 두고 그 밑에 각각 2~3명의 행동공작원이 있으며, 일시에 많은 공작을 입체적으로 수행 할 수 있고 활동범위가 넓은 반면, 행동의 노출이 쉽고 일망타진 가능성이 높으며 조직구성에 많은 시간이 소요된다. (×)

3) 피라미드형 간첩망

- 삼각형 간첩망이 중첩된 형태로 2~3명의 주 공작원인 간첩과 그 밑에 2~3명의 행동 공작원을 두는 조직형태이다. [2012 실무 3] [2014 승진(경위)] [2014 승진(경감)] [2015 실무 3] [2016 채용1차] [2017 승진(경위)]
- **장점**: 일시에 많은 공작을 입체적으로 수행할 수 있어 활동범위가 넓다.
- **단점**: 노출이 쉬워 일망타진 가능성이 높고, 조직구성에 많은 시간이 소요된다.

  [2015 채용2차] 피라미드형은 간첩이 3명 이내의 공작원을 포섭하여 지휘하고 포섭된 공작원간 횡적 연락을 차단하는 형태이다. (×)
  [2017 채용1차] 피라미드형은 일시에 많은 공작을 입체적으로 수행할 수 있어 활동범위가 넓고 조직 구성에 많은 시간이 소요되지 않는다는 장점이 있다. (×)
  [2016 경간] 피라미드형은 간첩활동이 자유롭게 대중적 조직과 동원이 가능한 반면, 간첩의 정체가 폭로되었을 때 외교적 문제가 야기될 수 있다. (×)

4) 써클형 간첩망

- 간첩이 합법적 신분을 이용하여 적국의 이념이나 사상에 동조토록 유도하여 공작목표를 달성하기 위한 조직형태를 말한다. [2012 실무 3] [2014 승진(경감)] [2015 채용2차] [2016 채용1차] [2016 승진(경감)] [2017 실무 3] [2018 경간]
- **장점**: 간첩활동이 자유롭고 대중적 조직 및 동원이 가능하다.
- **단점**: 폭로시에 외교문제가 제기될 수 있다.

  [2015 실무 3] 합법적인 신분을 이용하여 활동하며 대중적 조직과 동원이 용이한 형태는 삼각형이다. (×)
  [2020 실무 3] 피라미드형 조직에 있어서 간첩과 주공작원간, 행동 공작원 상호간에 연락원을 두고 종횡으로 연결하는 방식의 간첩망은 써클형 간첩망이다. (×)
  [2014 실무 3] 간첩망의 형태로 삼각형, 써클형, 단일형, 피라미드형, 레포형이 있는데 지하당 구축에 많이 사용되는 형태가 써클형이다. (×)

5) 레포형 간첩망

피라미드형 조직에 있어서 간첩과 주 공작원 간, 행동공작원 상호간에 연락원을 두고 종횡으로 연결하는 방식으로서 현재는 사용되지 않고 있다. [2014 승진(경감)] [2015 실무 3]

[2016 승진(경감)] [2017 채용1차] 레포형은 삼각형 조직에 있어서 간첩과 주공작원간, 행동공작원 상호간에 연락원을 두고 종횡으로 연결하는 방식이다. (×)

2. 태업

대상국가의 전쟁수행능력과 방위능력을 약화시키기 위하여 행하여지는 직·간접의 모든 손상 및 파괴행위를 말하며, 전복과는 구별되는 개념으로, 물리적 태업과 심리적 태업이 있다.

물리적 태업	• **방화태업**: 주요시설에 불을 지르는 행위로, 파괴력이 가장 강하고 우연한 사고로 위장하기 용이함 • **폭파태업**: 폭발물을 사용한 파괴 • **기계태업**: 열차탈선 등
심리적 태업	• **선전태업**: 유언비어 유포 등으로 국민의 사기 저하 • **경제태업**: 위조화폐 유통 • **정치태업**: 정치적 갈등이나 사회분열 유도를 통한 국민 일체감 약화

[2020 실무 3] 물리적 태업의 형태로 방화태업, 경제태업, 기계태업 등이 있다. (×)
[2014 실무 3] 물리적 태업은 방화태업, 폭파태업, 기계태업으로 분류되는데 이 중 폭파태업이 가장 파괴력이 강하고 우연한 사고로 위장이 용이하다. (×)

■ 통합진보당 이석기 의원 사건

- 1992년부터 조선로동당(민족민주혁명당) 소속으로 알려진 이석기 前 의원. 경기동부연합으로 불리는 운동권 정치집단(써클)의 핵심 세력으로 활동하였다.
- 2012년 제19대 국회의원 선거에서 통합진보당 비례대표의원으로 선출되었다.
- '북한이 침략할 경우 경찰서 등을 습격해 공권력을 무력화하고, 통신 시설 등 국가기간시설을 파괴하라'는 북한측 지령을, 서울과 수도권 등지에서 지지자들과 가진 여러 모임에서 전파해 온 사실이 2013년 8월경 국정원에 포착되었다.
- 2014년 12월, 헌정사상 처음으로 헌법재판소가 위헌정당 해산결정을 내린 계기가 되었다.

3. 전복

- 공산주의자 프롤레타리아 혁명 또는 이와 유사한 불순 정치세력에 의하여 폭력수단을 사용하는 <u>위헌적인 방법으로서 정권을 탈취하는 행위</u>를 말한다.
- 피지배자가 지배자를 타도하여 정권을 탈취하는 것을 말하는 **국가전복(혁명)**과, 동일 지배계급 내의 일부세력이 집권세력을 제압하여 권력을 차지하는 것을 말하는 **정부전복**으로 나누어진다. [2014 실무 3]

[2020 실무 3] 정부전복은 피지배자가 지배자를 타도하여 정권을 탈취하는 것을 말한다. (×)

⊕ 심화 심리전

1 심리전의 의미

심리전은 선전·선동·모략 등의 수단에 의해 직접 상대국 국민 또는 군대에 정신적 자극을 주어 사상의 혼란과 국론의 분열을 유발시킴으로써 자국의 의도대로 유도하는 **비무력전술**을 말한다.

[2017 경간] 심리전은 선전·선동·모략 등의 수단에 의해 직접 상대국 국민 또는 군대에 정신적 자극을 주어 사상의 혼란과 국론의 분열을 유발시킴으로써 자국의 의도대로 유도하는 무력전술이다. (×)

2 심리전의 유형

1) 운용에 따른 유형

전략심리전	광범위하고 장기적인 목표 하에 대상국의 **전국민을 대상**으로 실시하는 심리전 예 자유진영 국가들이 공산진영 국가의 국민들을 대상으로 전개하는 대공산권방송
전술심리전	단기적인 목표하에 즉각적인 효과를 기대하고 실시하는 심리전 예 간첩을 체포시 이를 널리 공개하는 것

[2017 경간] 심리전의 종류 중 자유진영국가들이 공산진영국가의 국민을 대상으로 전개하는 대공산권방송은 전술심리전에 해당한다. (×)
[2020 실무 3] 전단의 종류 중 전술전단은 특정 상황하에서 적측 인원의 태도와 행동에 즉각적인 영향을 가할 목적으로 사용한다. (○)

2) 목적에 따른 유형

선무심리전	• 우리 측 후방지역의 사기를 양양시키거나 수복지역 주민들의 협조를 얻고 질서를 유지하는 심리전(타협심리전) [2017 경간] • 이질적인 집단이나 개인의 심리전 주체에 대한 반발 또는 저항을 무마시키기 위해 선전·홍보·계몽 등 교화 및 설득수단으로 평화를 수호하고 승리를 거두는 것을 돕기 위한 심리전 예 북한군이 '우리는 남조선 해방군으로, 우리 적은 남한주민이 아니라 이승만과 그 일당'이라는 선무공작을 하는 것
공격적 심리전	적측에 대해 특정의 목적을 달성하기 위해 공격적으로 행하는 심리전
방어적 심리전	적측이 가해오는 공격을 와해·축소시키기 위해 방어적으로 행하는 심리전

[2017 경간] 심리전의 목적에 의한 분류는 공격적 심리전, 방어적 심리전, 공연성 심리전으로 구분된다. (×)

3 심리전의 수단

1) 선동
- 대중의 심리를 자극하여 감정을 폭발시킴으로써 그들의 이성·판단력을 마비시켜 폭력을 유발하게 하는 것으로, 직접 감정을 자극하여 감정폭발로 인한 행동을 유발시킨다.
- 주로 웅변가나 예언에 뛰어난 사람을 통해 수행된다.

2) 선전 [2020 실무 3]
- 주최 측의 일정한 사상·판단·감정·관심 등을 대중에게 일방적으로 표시하여 의식·무의식 간에 그들의 태도에 일정한 경향과 방향을 부여하는 것을 말하며, 학문적·이론적 설득으로 그 목적을 달성한다.
- 주로 분석력 있는 전문가·학자에 의해 수행된다.

백색선전	• 출처를 공개하고 행하는 선전이다.	
	• 국가 또는 공인된 기관이 공식적인 보도기관을 통하여 행하게 된다.	
	장점	주제의 선정과 용어 사용에 제한을 받지만 신뢰도가 높다.
	단점	적국 내에서 실시가 불가능하다.
흑색선전	• 출처를 위장하여 암암리에 행사하는 선전이다.	
	• 적 내부에 모순이 있음을 드러내어 조직을 분열·혼란시켜 사기를 저하시킨다.	
	장점	적국 내에서도 행할 수 있고 특정한 목표에 대해 즉각적이고 집중적인 선전을 할 수 있다.
	단점	출처 노출을 피하기 위해 많은 주의가 요구되며, 정상적인 통신망을 이용할 수 없다.
회색선전	출처를 밝히지 않고 행하는 선전이다. [2017 실무 3]	
	장점	선전이라는 선입관을 주지 않고 효과를 얻을 수 있다.
	단점	적이 회색선전이라는 것을 감지하고 역선전을 할 경우, 대항이 어렵고 출처를 은폐하면서 선전의 효과를 거두기가 곤란하다.

3) 모략

날조	근거 없는 사실이나 사건을 조작하여 상대방에게 그 책임을 전가하는 것
기만	상대방을 속이기 위하여 거짓으로 꾸미는 것
교란	공작원을 대상집단 내부에 침투시켜 관민이간, 사기저하 등을 조작하는 것
독필사용	특정한 목표대상을 모략하거나 협박하는 불온편지 또는 투서

[2020 실무 3] 모략의 형태 중 기만은 공작원을 대상집단 내부에 침투, 관민이간 또는 사기저하 등을 조장하는 행위를 말한다. (×)

4) 전단
심리전 주체가 의도한 선전내용을 간단히 문자·그림·사진 등으로 수록한 유인물

03 비밀공작

1. 의미

• **비밀공작**(Covert Action)은 방첩업무에 현저히 가치 있는 정보의 수집, 간첩·반국가단체 관련 범죄증거수집 및 범인색출과 같은 국가안전보장을 위한 활동 중 비밀리에 수행되는 비노출활동을 말한다.

[2020 실무 3] 공작이란 적의 정보활동에 대비하여 자기편을 보호하는 노력으로서 간첩·태업·전복행위 등을 사전 방지하고 적발하기 위한 조직적인 활동이다. (×)

• 비밀공작은 국가의 그 어떤 다른 활동보다도 이에 종사하는 요원의 헌신성이 요구되는 활동이며, 이 외에도 노출에 대비한 철저한 위장대책 수립을 요구하는 비밀성, 당장의 성과보다는 장기적 활동효과를 기대하는 장기성 등의 특징을 보이는 활동이다.

2. 비밀공작의 분류

(1) 운영기구에 따른 분류

통합공작 (연락공작)	둘 이상 국가의 정보기관이 상호간의 이익을 위하여 합동으로 비밀공작을 수행하는 것(연합공작)
합동공작	우방국가 정보기관들이 상호간의 이익을 위하여 개별적인 공작을 사안별로 협력하여 진행시키는 형태의 공작

예컨대 2021년 9월, 미국 상원이 '북한의 소형 핵탄두 개발과 전술핵무기 등 개발로 미국의 국가안전보장이 위협당하고 있다'고 하면서, 북한을 불량국가(rogue state)로 지정한 직후, 주한미군은 소위 'Teak Knife'라 불리는 북한 수뇌부에 대한 참수작전 훈련사진을 일부 언론에 공개하기도 하였다.

(2) 공작목적에 따른 분류 [2017 실무 3]

첩보수집 공작	• 정보분석활동에 필요한 제반 첩보를 수집하는 활동 • 주로 비공개출처에서 첩보를 입수
태업공작	비우호적인 국가나 집단에 대해 물자 · 물건 · 시설 · 생산공정이나 자연자원을 일시적 또는 항구적으로 사용하지 못하도록 적극적인 행동을 기도하는 공작
지원공작	제3국에서 아국의 정책을 해당국 정부나 국민에게 이해시키고, 적국의 정책을 폭로 · 규탄하여 국제사회의 지지를 얻는 활동
와해모략 공작	• 대상자로 하여금 자기의 진정한 목적과 신분을 노출하게 함 • 자신을 불명예스럽게 폭로 내지 행동하도록 상대방을 유혹
역용공작	검거된 간첩을 전향시키거나 자수한 간첩을 활용하여 적의 첩보를 수집하거나 다른 간첩을 검거하는 데 이용하는 공작

[2020 실무 3] 공작은 그 목적상 대북공작, 대공산권공작, 대우방공작으로 분류할 수 있다. (×)

(3) 공작대상지역에 따른 분류

북한을 대상으로 하는 **대북공작**, 공산권 국가를 대상으로 하는 **대공산권공작**, 우방국을 대상으로 하는 **대우방국공작** 등이 있다.

3. 비밀공작의 4요소 – 목표 · 주관자 · 공작원 · 공작금 [2016 지능범죄]

(1) 공작의 목표

공작목표는 공작상황에 따라 결정되며, 개괄적이고 광범위한 것부터 구체적이고 특정화된 것까지 있으나 통상 공작진행에 따라 구체화 · 세분화된다. 예 쿠데타를 통한 적국의 정권전복 ➡ 우호적 정권창출 ➡ 주요인물 포섭 또는 암살

(2) 공작의 주관자(책임자)

- 상부로부터 받은 지령을 계획하고 준비 · 수행하는 하나의 집단을 의미한다.
- 이러한 집단의 대표자를 공작관(Case Officer)이라 한다. [2020 실무 3]

(3) 공작원(Agent)

최일선에서 철저한 가장과 통제하에 지령받은 임무를 수행하는 사람을 말하며, 다음과 같은 종류가 있다.

주공작원 (principal agent)	• 공작관 밑에 위치하는 공작망의 책임자 ↔ 공작의 책임자: 공작관 • 공작관의 명령시달에 의하여 자기 공작망 산하 공작원에 대한 지휘 · 조종의 책임을 담당
행동공작원 (action agent)	• 공작목표에 대하여 실제로 첩보수집 등 공작임무를 직접 수행하는 자 • 통상 주공작원의 지휘 조종을 받아 임무 수행
지원공작원 (supporting agent)	• 비밀활동을 수행하는 공작원 · 조직체에 공작상 필요한 기술 · 물자 등을 지원하는 활동을 하는 자 • 통상 주공작원의 지휘 · 조종을 받아 임무 수행

💡 **이름 없는 별**

- 국가안보를 위해 헌신했으나 이름을 공개할 수 없는 순직 정보요원을 가리키는 말이다.
- 국가정원 중앙현관에 이들을 기리는 조형물이 설치되어 있으며, 2021년 기준 19개의 별들이 새겨져 있다.

(4) 공작금

공작활동은 비공개활동으로 막대한 공작금을 필요로 한다.

4. 공작망

(1) 직접망

최선단에서 활동하는 공작원이 직접 공작관과 연락되어 공작관의 조종 · 통제를 받는 공작조직을 말한다.

장점	• 조직이 가장 간단하고 조종 · 통제가 용이하다. • 질이 좋은 첩보를 수집할 수 있고, 보안을 유지할 수 있다. • 공작관과 공작원의 직접 접촉으로 공작원에 대한 테스트 용이하다. • 공작비가 절약된다.
단점	• 공작원이 공작관의 신원과 얼굴을 알게 되어 조직이 노출될 우려가 있다. • 공작원의 업무량이 많다. • 많은 목표를 대상으로 공작할 수 없다.

[2017 실무 3] 직접망은 공작비가 많이 든다. (×)

(2) 주공작원망

공작관으로부터 공작임무를 위임받은 주공작원이 공작망을 조종 · 통제하는 공작조직을 말한다.

장점	• 공작관의 언어상 장벽이 해소된다. • 많은 공작원을 간접적으로 조종할 수 있다. • 공작관이 노출될 염려가 없다. • 유능한 공작원의 활용으로 공작능률이 오른다.
단점	• 공작관이 직접 공작원을 통제할 수 없다. • 공작비가 많이 든다. • 공작원에 대한 공작 테스트, 가치평가가 어렵다. • 공작원 해고가 어렵다.

(3) 혼합망

직접망과 주공작원망을 혼합해서 조직하는 공작조직을 말한다.

5. 비밀공작의 순환과정 [2021 승진(실무종합)]

지령 ➡ 계획 ➡ 모집 · 훈련 ➡ 브리핑 ➡ 파견 · 귀환 ➡ 디브리핑 ➡ 보고서 작성 ➡ 해고	

지령	• 비밀공작은 상부의 지령에 의하여 수행한다. • 상부에서는 공작관의 보고서에 의하여 공작의 계속성 여부 및 공작방향을 결정하여 지령을 내린다.
계획	지령을 수행하기 위한 수단과 방법을 조직화하는 것이다.
모집	공작계획에 따라 공작을 진행할 사람을 채용하는 것이다.

훈련	임무수행에 필요한 능력을 배양시키고, 지식과 기술을 습득하게 하는 과정이다.
브리핑	• 공작에 영향을 주는 새로운 상황과 임무에 대한 상세한 지시이다. • 공작원에게 공작수행에 대한 최종적인 설명이 이루어진다.
파견·귀환	임무를 수행하기 위한 장소에 위치하게 하는 것과, 임무수행 후 다시 복귀하게 하는 것을 말한다.
디브리핑 (De-briefing)	공작임무를 마치고 귀환한 공작원이 공작관에게 공작상황을 보고하는 과정으로서 공작지에 파견되었던 공작원이 귀환하는 즉시 시작하여야 한다.
보고서 작성	보고받은 공작관이 보고내용에 따른 보고서를 작성하는 과정이다.
해고 (Dismiss)	공작임무가 끝났거나 공작활동을 계속할 필요가 없을 때 공작원을 공작에게 이탈시키는 단계로서, 해고의 경우에는 보안 및 비밀유지에 특히 유의하여야 한다.

[2021 승진(실무종합)] '보고서 작성'은 지령을 수행하기 위한 수단과 방법을 조직화하는 과정이다. (×)

주제 3 국가보안법

01 국가보안법 개설

1. 북한의 이중적 지위와 국가보안법

> 헌법 제3조 대한민국의 영토는 한반도와 그 부속도서로 한다.
> 헌법 제4조 대한민국은 통일을 지향하며, 자유민주적 기본질서에 입각한 평화적 통일 정책을 수립하고 이를 추진한다.

- 헌법 제3조에 따르면 북한은 대한민국의 영토인 한반도 중 38선 이북지역을 불법적으로 점유하고 있는 반국가단체이고, 헌법 제4조에 따르면 북한은 대한민국의 평화통일이라는 헌법적 목표를 달성하기 위한 대화와 협력의 동반자이다(북한의 이중적 지위).
- 국가보안법은 반국가단체로서 북한에 대처하기 위한 법으로, 헌법 제3조에 근거를 두고 제정된 법률이다.

> ⚖️ **요지판례 |**
>
> 북한은 조국의 평화적 통일을 위한 대화와 협력의 동반자임과 동시에 대남적화노선을 고수하면서 우리자유민주체제의 전복을 획책하고 있는 반국가단체라는 성격도 함께 갖고 있음이 엄연한 현실인 점에 비추어, 헌법 제4조가 천명하는 자유민주적 기본질서에 입각한 평화적 통일정책을 수립하고 이를 추진하는 한편 국가의 안전을 위태롭게 하는 반국가활동을 규제하기 위한 법적 장치로서, 전자를 위하여는 남북교류협력에 관한 법률 등의 시행으로써 이에 대처하고 후자를 위하여는 국가보안법의 시행으로써 이에 대처하고 있는 것이다(헌재 1993.7.29, 92헌바48).

2. 목적 및 정의

> **국가보안법 제1조 【목적등】** ① 이 법은 국가의 안전을 위태롭게 하는 반국가활동을 규제함으로써 국가의 안전과 국민의 생존 및 자유를 확보함을 목적으로 한다. [2012 채용3차]
> ② 이 법을 해석적용함에 있어서는 제1항의 목적달성을 위하여 필요한 최소한도에 그쳐야 하며, 이를 확대해석하거나 헌법상 보장된 국민의 기본적 인권을 부당하게 제한하는 일이 있어서는 아니된다.
>
> **국가보안법 제2조 【정의】** ① 이 법에서 "반국가단체"라 함은 정부를 참칭하거나 국가를 변란할 것을 목적으로 하는 국내외의 결사 또는 집단으로서 지휘통솔체제를 갖춘 단체를 말한다. [2013 채용2차] [2016 승진(경감)] [2018 실무 3]
> [2020 실무 3] 반국가단체란 국가를 참칭하거나 정부를 변란할 것을 목적으로 하는 국내 외의 결사 또는 집단으로서 지휘통솔체제를 갖춘 단체를 말한다. (×)

┃ 참칭
사전적 의미는 '(임금이 아닌 자가) 스스로를 임금이라 칭하다' 또는 '분수에 넘치는 칭호를 스스로 이르다' 이다. 예 북한: "조선민주주의인민공화국이 한반도의 유일한 합법 정부이다!"

> ⚖ **요지판례** ┃
> ■ 국가보안법 제2조에 의한 반국가단체로서의 지휘통솔체제를 갖춘 단체라 함은 2인 이상의 특정 다수인 사이에 단체의 내부질서를 유지하고, 그 단체를 주도하기 위하여 일정한 위계 및 분담 등의 체계를 갖춘 결합체를 의미한다(대판 1995.7.28, 95도1121). [2012 승진(경감)]
> ■ 국가보안법상 반국가단체나 이적단체 모두 그 궁극적인 목적은 동일한 것에 귀결되나, 반국가단체와 이적단체의 구별은 각 단체가 그 활동을 통하여 직접 달성하려고 하는 목적을 기준으로 하여, 그 단체가 정부 참칭이나 국가의 변란 자체를 직접적이고도 1차적인 목적으로 삼고 있는 때에는 반국가단체에 해당되고, 별개의 반국가단체의 존재를 전제로 하여 그 반국가단체의 활동을 찬양하는 등 방법으로 동조하는 것을 목적으로 하는 경우에는 이적단체에 해당한다고 보아야 한다(대판 1995.7.28, 95도1121).

02 국가보안법상 주요 처벌대상 행위

1. 반국가단체 구성 등

> **국가보안법 제3조 【반국가단체의 구성등】** ① 반국가단체를 구성하거나 이에 가입한 자는 다음의 구별에 따라 처벌한다.
> 1. 수괴의 임무에 종사한 자는 사형 또는 무기징역에 처한다.
> 2. 간부 기타 지도적 임무에 종사한 자는 사형·무기 또는 5년 이상의 징역에 처한다.
> 3. 그 이외의 자는 2년 이상의 유기징역에 처한다.
> ② 타인에게 반국가단체에 가입할 것을 권유한 자는 2년 이상의 유기징역에 처한다.
> ③ 제1항 및 제2항의 미수범은 처벌한다.
> ④ 제1항 제1호 및 제2호의 죄를 범할 목적으로 예비 또는 음모한 자는 2년 이상의 유기징역에 처한다.
> ⑤ 제1항 제3호의 죄를 범할 목적으로 예비 또는 음모한 자는 10년 이하의 징역에 처한다.

⚖️ 요지판례 |

- 국가보안법상 반국가단체나 이적단체 모두 그 궁극적인 목적은 동일한 것에 귀결되나, 반국가단체와 이적단체의 구별은 각 단체가 그 활동을 통하여 직접 달성하려고 하는 목적을 기준으로 하여, 그 단체가 정부 참칭이나 국가의 변란 자체를 직접적이고도 1차적인 목적으로 삼고 있는 때에는 반국가단체에 해당되고, 별개의 반국가단체의 존재를 전제로 하여 그 반국가단체의 활동을 찬양하는 등 방법으로 동조하는 것을 목적으로 하는 경우에는 이적단체에 해당한다고 보아야 한다(대판 1995.7.28, 선고 95도1121).

  [2020 실무 3] 이적단체는 별개의 반국가단체의 존재를 전제로 한다. (○)

- 국가보안법 제3조와 관련하여 "결사"라 함은 공동의 목적을 가진 2인 이상의 특정다수인의 임의적인 계속적(사실상 계속하여 존재함을 요하지 않고 계속시킬 의도하에서 결합됨으로써 족하다) 결합체라 할 것이고, "집단"이라 함은 위 결사와 같이 공동목적을 가진 특정다수인의 결합이지만 결사가 계속적인 집합체임에 대하여 집단은 일시적인 점에서 상이하고 "구성"이라 함은 결사나 집단을 창설하려는 2인 이상의 자간에 창설에 관해 의사가 합치되는 순간에 성립하는 것으로서 스스로 결사나 집단에 가입하는 의사를 가지고 단순히 외부에서 그 결성의 정신적, 물질적 지도를 맡는 것도 포함한다(대판 1982.9.28, 82도2016).

  [2020 실무 3] 결사는 계속적인 집합체임에 반하여, 집단은 일시적인 집합체인 점에서 다르다. (○)

- 국가보안법 제3조 제1항 제2호 소정의 지도적 임무에 종사한 자라 함은, 당해 반국가단체 내에 있어서의 지위 여하를 막론하고 실제에 있어서 당해 반국가단체를 위하여 중요한 역할 또는 지도적 활동을 한 자를 말하므로, 자기의 지시를 따르는 하부조직의 유무는 지도적 임무에 종사하였는지의 여부와 직접 관련이 없다(대판 1995.7.25, 95도1148). [2020 실무 3]

2. 목적수행

국가보안법 제4조【목적수행】① 반국가단체의 구성원 또는 그 지령을 받은 자가 그 목적수행을 위한 행위를 한 때에는 다음의 구별에 따라 처벌한다.

제1호	외환의 죄, 존속살해, 강도살인, 강도치사 등
제2호	간첩죄, 간첩방조죄, 국가기밀탐지 · 수집 · 누설 등의 범죄
제3호	소요, 폭발물사용, 방화, 살인 등
제4호	중요시설파괴, 약취유인, 항공기 · 무기 등의 이동 · 취거 등의 범죄
제5호	유가증권위조, 상해, 국가기밀서류 · 물품의 손괴 · 은닉 등의 범죄
제6호	선전 · 선동, 허위사실 날조 · 우표 등의 범죄

② 제1항의 미수범은 처벌한다.

③ 제1항 제1호 내지 제4호의 죄를 범할 목적으로 예비 또는 음모한 자는 2년 이상의 유기징역에 처한다.

④ 제1항 제5호 및 제6호의 죄를 범할 목적으로 예비 또는 음모한 자는 10년 이하의 징역에 처한다.

[2017 실무 3] 목적수행죄(제4조)의 주체는 반국가단체의 구성원 또는 그 지령을 받은 자이다. (○)

3. 자진지원·금품수수

국가보안법 제5조【자진지원·금품수수】 ① 반국가단체나 그 구성원 또는 그 지령을 받은 자를 지원할 목적으로 자진하여 제4조 제1항 각호에 규정된 행위를 한 자는 제4조 제1항의 예에 의하여 처벌한다. [2019 실무 3]
② 국가의 존립·안전이나 자유민주적 기본질서를 위태롭게 한다는 정을 알면서 반국가단체의 구성원 또는 그 지령을 받은 자로부터 금품을 수수한 자는 7년 이하의 징역에 처한다.
③ 제1항 및 제2항의 미수범은 처벌한다.
④ 제1항의 죄를 범할 목적으로 예비 또는 음모한 자는 10년 이하의 징역에 처한다.
[2017 경간] 국가보안법 제5조 제1항의 자진지원죄는 반국가단체 구성원이나 그 지령을 받은 자도 주체가 될 수 있다. (×)

⚖ 요지판례 Ⅰ

국가보안법 제5조 제2항의 금품수수죄는 반국가단체의 구성원이나 그 지령을 받은 자라는 정을 알면서 또는 국가의 존립, 안전이나 자유민주적 기본질서를 위태롭게 한다는 정을 알면서 반국가단체의 구성원이나 그 지령을 받은 자로부터 금품을 수수함에 의하여 성립하는 것으로서, 그 수수가액이나 가치는 물론 그 목적도 가리지 아니하고, 그 금품수수가 대한민국을 해할 의도가 있는 경우에 한하는 것도 아니다(대판 1995.9.26, 95도1624). [2012 승진(경감)]

4. 잠입·탈출

국가보안법 제6조【잠입·탈출】 ① 국가의 존립·안전이나 자유민주적 기본질서를 위태롭게 한다는 정을 알면서 반국가단체의 지배하에 있는 지역으로부터 잠입하거나 그 지역으로 탈출한 자는 10년 이하의 징역에 처한다. [2012 승진(경감)]
② 반국가단체나 그 구성원의 지령을 받거나 받기 위하여 또는 그 목적수행을 협의하거나 협의하기 위하여 잠입하거나 탈출한 자는 사형·무기 또는 5년 이상의 징역에 처한다. ➡ 특수잠입탈출죄
④ 제1항 및 제2항의 미수범은 처벌한다.
⑤ 제1항의 죄를 범할 목적으로 예비 또는 음모한 자는 7년 이하의 징역에 처한다.
⑥ 제2항의 죄를 범할 목적으로 예비 또는 음모한 자는 2년 이상의 유기징역에 처한다.
[2019 실무 3] 국가보안법 제6조 제2항의 특수 잠입·탈출죄는 국가의 존립·안전이나 자유민주적 기본질서를 위태롭게 한다는 정을 알면서 반국가단체의 지배하에 있는 지역으로부터 잠입하거나 그 지역으로 탈출함으로써 성립하는 죄이며, 주체에는 아무런 제한이 없다. (×)

5. 찬양·고무 등

> **국가보안법 제7조【찬양·고무등】** ① 국가의 존립·안전이나 자유민주적 기본질서를 위태롭게 한다는 정을 알면서 반국가단체나 그 구성원 또는 그 지령을 받은 자의 활동을 찬양·고무·선전 또는 이에 동조하거나 국가변란을 선전·선동한 자는 7년 이하의 징역에 처한다.
> ③ 제1항의 행위를 목적으로 하는 단체를 구성하거나 이에 가입한 자는 1년 이상의 유기징역에 처한다.
> ④ 제3항에 규정된 단체의 구성원으로서 사회질서의 혼란을 조성할 우려가 있는 사항에 관하여 허위사실을 날조하거나 유포한 자는 2년 이상의 유기징역에 처한다.
> ⑤ 제1항·제3항 또는 제4항의 행위를 할 목적으로 문서·도화 기타의 표현물을 제작·수입·복사·소지·운반·반포·판매 또는 취득한 자는 그 각항에 정한 형에 처한다.
> ⑥ 제1항 또는 제3항 내지 제5항의 미수범은 처벌한다.
> ⑦ 제3항의 죄를 범할 목적으로 예비 또는 음모한 자는 5년 이하의 징역에 처한다.

🔨 요지판례 |

국가보안법 제7조 제3항에 규정된 이른바 '이적단체'란 국가보안법 제2조 소정의 반국가단체 등의 활동을 찬양·고무·선전 또는 이에 동조하거나 국가의 변란을 선전·선동하는 행위를 하는 것을 그 목적으로 하여 특정 다수인에 의하여 결성된 계속적이고 독자적인 결합체를 가리키는데, 이러한 이적단체를 인정할 때에는 국가보안법 제1조에서 규정하고 있는 위 법의 목적과 유추해석이나 확대해석을 금지하는 죄형법정주의의 기본정신에 비추어서 그 구성요건을 엄격히 제한하여 해석하여야 한다(대판 2007.12.13, 2007도7257). ➡ 소위 '일심회'는 이적성은 인정되나 국가보안법 제7조 제3항이 요구하는 정도의 조직적 결합체에는 이르지 못하였으므로, 국가보안법상 이적단체에 해당하지 않는다.

[2017 실무 3] 이적단체란 정부를 참칭하거나 국가를 변란할 것을 목적으로 한다. (×)

▌일심회 사건
• 재미사업가 마이클 장(장민호) 씨를 주축으로 한 간첩단 사건으로, 수사 과정에서 민주노동당 당직자 연루가 확인되어 구속되기도 하였다.
• 당시 국정원장 김승규 씨가 돌연 사의를 표명하여 정권의 수사축소 외압 의혹이 제기되기도 하였다.

6. 회합·통신 등

> **국가보안법 제8조【회합·통신 등】** ① 국가의 존립·안전이나 자유민주적 기본질서를 위태롭게 한다는 정을 알면서 반국가단체의 구성원 또는 그 지령을 받은 자와 회합·통신 기타의 방법으로 연락을 한 자는 10년 이하의 징역에 처한다.
> ③ 제1항의 미수범은 처벌한다.

🔨 요지판례 |

국가보안법 제8조 제1항에서 '회합, 통신 기타의 방법으로 연락'이라고 함은 반국가단체 구성원 또는 그 지령을 받은 자를 직접 상대방으로 하는 경우는 물론이고 제3자를 이용하여 통신 기타의 방법으로 연락하는 것을 말한다.(대판 1997.7.16, 97도985). [2019 실무 3]

7. 편의제공

> **국가보안법 제9조【편의제공】**① 이 법 제3조 내지 제8조의 죄를 범하거나 범하려는 자라는 정을 알면서 총포·탄약·화약 기타 무기를 제공한 자는 5년 이상의 유기징역에 처한다.
> ② 이 법 제3조 내지 제8조의 죄를 범하거나 범하려는 자라는 정을 알면서 금품 기타 재산상의 이익을 제공하거나 잠복·회합·통신·연락을 위한 장소를 제공하거나 기타의 방법으로 편의를 제공한 자는 10년 이하의 징역에 처한다. 다만, 본범과 친족관계가 있는 때에는 그 형을 감경 또는 면제할 수 있다.
> ③ 제1항 및 제2항의 미수범은 처벌한다.
> ④ 제1항의 죄를 범할 목적으로 예비 또는 음모한 자는 1년 이상의 유기징역에 처한다.

형법상으로는 본조에서 정한 행위유형들은 본범에 대한 종범으로 처벌되는 경우에 해당하나, 국가보안법은 종범이 아닌 별개의 독립된 편의제공죄로 처벌하고 있다.

8. 불고지

■ 불고지 대상범죄(반·목·자)
- 반국가단체 구성
- 목적수행
- 자진지원

> **국가보안법 제10조【불고지】** 제3조(➡ 반국가단체 구성 등), 제4조(➡ 목적수행), 제5조 제1항(➡ 자진지원)·제3항(제1항의 미수범에 한한다)·제4항의 죄를 범한 자라는 정을 알면서 수사기관 또는 정보기관에 고지하지 아니한 자는 5년 이하의 징역 또는 200만원 이하의 벌금에 처한다. 다만, 본범과 친족관계가 있는 때에는 그 형을 감경 또는 면제한다. [2013 경간] [2016 실무 3] [2019 실무 3]
> [2015 실무 3 유사] [2017 실무 3] 불고지죄의 대상이 되는 범죄는 반국가단체구성죄(제3조), 목적수행죄(제4조), 자진지원죄(제5조 제1항), 편의제공죄(제9조)가 있다. (×)
> [2014 채용1차] 「국가보안법」 제10조 불고지죄는 법정형이 5년 이하의 징역 또는 300만원 이하의 벌금으로 국가보안법 중 유일하게 선택형으로 벌금형을 두고 있다. (×)
> [2012 승진(경감)] 「국가보안법」상 불고지죄는 법정형이 5년 이하의 징역 또는 200만원 이하 벌금으로 「국가보안법」상 유일하게 벌금형을 두고 있으며, 본범과 친족관계에 있는 때에는 그 형을 임의적으로 감면한다. (×)

- 불고지, 즉 '알면서도 고지하지 아니한 행위'를 처벌하는 규정으로서, 그 입법취지는 국가보안법위반 범인에 대한 불가비호성에 있다. [2017 실무 3]
- 범죄수사 자체는 국가의 권리가 아닌 의무이지만, 국가보안법을 통해 보호하고자 하는 '반국가활동으로부터의 국가안전보장'이라는 법익은 매우 중대한 법익이므로 이러한 범죄를 비호하여 범죄수사가 개시되지 못하도록 한 '불고지'행위를 범죄로 처벌하겠다는 것이다.
  [2012 실무 3] 범죄수사는 국가의 임무이나 국가보안법에 의해 보호되는 법익은 매우 중대하여 불고지를 범죄로 규정하고 있다. (○)
- 다만, 불고지죄가 성립할 수 있는 대상범죄는 국가보안법상 모든 범죄가 아니라 반국가단체 구성·목적수행 및 자진지원(미수·예비음모 포함)의 3가지 범죄이다.
- 국가보안법 중 유일하게 선택형으로 벌금을 규정하고 있다. [2012 채용1차]

9. 특수직무유기

> **국가보안법 제11조【특수직무유기】** 범죄수사 또는 정보의 직무에 종사하는 공무원이 이 법의 죄를 범한 자라는 정을 알면서 그 직무를 유기한 때에는 10년 이하의 징역에 처한다. 다만, 본범과 친족관계가 있는 때에는 그 형을 감경 또는 면제할 수 있다.
> [2018 실무 3]

10. 무고 · 날조

> **국가보안법 제12조【무고, 날조】** ① 타인으로 하여금 형사처분을 받게 할 목적으로 이 법의 죄에 대하여 무고 또는 위증을 하거나 증거를 날조 · 인멸 · 은닉한 자는 그 각조에 정한 형에 처한다.
>
> ② 범죄수사 또는 정보의 직무에 종사하는 공무원이나 이를 보조하는 자 또는 이를 지휘하는 자가 직권을 남용하여 제1항의 행위를 한 때에도 제1항의 형과 같다. 다만, 그 법정형의 최저가 2년 미만일 때에는 이를 2년으로 한다.

☑ KEY POINT | 국가보안법상 처벌대상 행위의 여러 가지 특징

① 미수 · 예비 · 음모의 원칙적 처벌

국가보안법 대상 범죄의 경우 신속한 사전 대응이 요구된다는 점에서 일부 예외를 제외하고 예비 · 음모 · 미수를 원칙적으로 처벌한다.

대상 범죄	미수처벌	예비음모처벌
제3조 ① 반국가단체의 구성	○	○
제3조 ② 반국가단체의 가입권유	○	×
제4조 목적수행	○	○
제5조 ① 자진지원	○	○
제5조 ② 금품수수	○	×
제6조 잠입 · 탈출	○	○
제7조 ① 찬양 · 고무등	○	×
제7조 ③ 이적단체구성	○	○
제7조 ④ 허위사실 날조유포	○	×
제7조 ⑤ 안보위해 문건제작	○	×
제8조 회합 · 통신등	○	×
제9조 ① 무기류 편의제공	○	○
제9조 ② 단순 편의제공	○	×
제10조 불고지	×	×
제11조 특수직무유기	×	×
제12조 무고, 날조	×	×

[2013 경간 유사] [2019 승진(경감)] 국가보안법은 고의범만 처벌하며, 일부 범죄를 제외하고 기본적으로 미수 · 예비 · 음모를 처벌한다. (○)

② 교사 · 방조 등 종범의 독립처벌

* 선전 · 선동 · 권유는 형법상 교사 · 방조의 수단으로 정범에 종속되어 처벌되지만, 국가보안법에서는 선전 · 선동행위를 별도의 범죄로 규정하여 처벌하고 있다(제4조 목적수행, 제7조 찬양고무). [2012 실무 3]
* 잠복 · 회합 등 장소제공은 형법상 종범으로서 정범의 실행행위에 종속되나 국가보안법은 독립된 편의제공죄로 처벌한다(제9조 편의제공). [2012 실무 3]
  [2018 경간] [2019 승진(경감)] 편의제공죄나 찬양 · 고무죄 등 형법상 종범의 성격을 가진 행위에 대하여 독립된 범죄로 처벌한다. (○)

대상범죄	감면규정
제9조 ② 단순 편의제공	**임의적 감면**: 본범과 친족관계가 있는 때에는 그 형을 감경 또는 면제할 수 있다.
제10조 불고지	**필요적 감면**: 본범과 친족관계가 있는 때에는 그 형을 감경 또는 면제한다.
제11조 특수직무유기	**임의적 감면**: 본범과 친족관계가 있는 때에는 그 형을 감경 또는 면제할 수 있다.

4 **행위주체의 제한**(특·허·자·목·직) [2014 채용2차] [2020 실무 3]

대상범죄	행위주체
제3조 반국가단체의 구성 등	누구든지(제한 없음)
제4조 목적수행	반국가단체구성원 또는 그 지령을 받은 자
제5조 ① 자진지원	반국가단체구성원 또는 그 지령을 받은 자를 제외한 자
제5조 ② 금품수수	누구든지(제한 없음)
제6조 잠입·탈출	누구든지(제한 없음)
제7조 ① 찬양·고무등	누구든지(제한 없음)
제7조 ③ 이적단체구성	누구든지(제한 없음)
제7조 ④ 허위사실 날조유포	이적단체 구성원
제7조 ⑤ 안보위해 문건제작	누구든지(제한 없음)
제8조 회합·통신등	누구든지(제한 없음)
제9조 편의제공	누구든지(제한 없음)
제10조 불고지	누구든지(제한 없음)
제11조 특수직무유기	범죄수사 또는 정보의 직무에 종사하는 공무원
제12조 ① 일반 무고, 날조	누구든지(제한 없음)
제12조 ② 직권남용 무고, 날조	범죄수사 또는 정보의 직무에 종사하는 공무원이나 이를 보조하는 자 또는 이를 지휘하는 자

[2017 경간] 국가보안법 제4조 제1항의 목적수행죄는 반국가단체 구성원이나 그 지령을 받은 자는 주체가 될 수 없다. (×)
[2017 경간] 국가보안법 제6조 제2항의 특수잠입·탈출죄는 반국가단체 구성원만 주체가 될 수 있다. (×)

5 **과실범 처벌 ×**
군사기밀 보호법은 과실로 인한 군사기밀 누설을 처벌하는 규정이 있으나(제14조), 국가보안법은 과실범 처벌규정이 없다.
[2017 경간] 국가보안법은 군사기밀보호법과 마찬가지로 과실범 처벌규정을 두고 있다. (×)

03 처벌상의 특례

1. 자격정지의 병과

> **국가보안법 제14조【자격정지의 병과】**이 법의 죄에 관하여 유기징역형을 선고할 때에는 그 형의 장기 이하의 자격정지를 병과할 수 있다. [2012 채용3차] [2013 채용2차] [2017 실무 3]

2. 몰수 · 추징

> **국가보안법 제15조【몰수 · 추징】** ① 이 법의 죄를 범하고 그 보수를 받은 때에는 이를 몰수한다. 다만, 이를 몰수할 수 없을 때에는 그 가액을 추징한다.
> ② 검사는 이 법의 죄를 범한 자에 대하여 소추를 하지 아니할 때에는 압수물의 폐기 또는 국고귀속을 명할 수 있다. [2012 실무 3] [2013 채용2차]
> [2018 실무 3] 이 법의 죄를 범하고 그 보수를 받은 때에는 이를 몰수한다. 다만, 이를 몰수할 수 없을 때에는 그 가액을 추징할 수 있다. (×)

3. 형의 감면

> **국가보안법 제16조【형의 감면】** 다음 각호의 1에 해당한 때에는 그 형을 감경 또는 면제한다. [2014 채용1차] [2017 경간] [2017 실무 3] [2018 경간] [2019 승진(경감)]
> 1. 이 법의 죄를 범한 후 자수한 때
> 2. 이 법의 죄를 범한 자가 이 법의 죄를 범한 타인을 고발하거나 타인이 이 법의 죄를 범하는 것을 방해한 때
> [2013 채용2차] 국가보안법의 죄를 범한 자가 동법의 죄를 범한 타인을 고발하거나 타인이 동법의 죄를 범하는 것을 방해한 때에는 그 형을 감경 또는 면제할 수 있다. (×)

▌**형법 제52조【자수, 자복】**
① 죄를 지은 후 수사기관에 **자수**한 경우에는 형을 감경하거나 면제할 수 있다.

04 형사소송절차상의 특례

1. 참고인에 대한 구인 · 유치

> **국가보안법 제18조【참고인의 구인 · 유치】** ① 검사 또는 사법경찰관으로부터 이 법에 정한 죄의 참고인으로 출석을 요구받은 자가 정당한 이유없이 2회 이상 출석요구에 불응한 때에는 관할법원판사의 구속영장을 발부받아 구인할 수 있다. [2012 채용1차] [2012 채용3차] [2013 경간] [2014 채용1차] [2015 경간]
> ② 구속영장에 의하여 참고인을 구인하는 경우에 필요한 때에는 근접한 경찰서 기타 적당한 장소에 임시로 유치할 수 있다.

2. 구속기간의 연장

> **국가보안법 제19조【구속기간의 연장】** ① 지방법원판사는 제3조 내지 제10조의 죄로서 사법경찰관이 검사에게 신청하여 검사의 청구가 있는 경우에 수사를 계속함에 상당한 이유가 있다고 인정한 때에는 형사소송법 제202조의 구속기간의 연장을 1차에 한하여 허가할 수 있다.
> ② 지방법원판사는 제1항의 죄로서 검사의 청구에 의하여 수사를 계속함에 상당한 이유가 있다고 인정한 때에는 형사소송법 제203조의 구속기간의 연장을 2차에 한하여 허가할 수 있다.
> ③ 제1항 및 제2항의 기간의 연장은 각 10일 이내로 한다.
> [**단순위헌**, 90헌마82, 1992.4.14. 국가보안법(1980.12.31. 법률 제3318호, 개정 1991.5.31. 법률 제4373호) 제19조 중 제7조 및 제10조의 죄에 관한 구속기간 연장부분은 헌법에 위반된다]
> [2018 경간] 지방법원판사는 목적수행죄에 대해 사법경찰관이 검사에게 신청하여 검사의 청구가 있는 경우에 수사를 계속함에 상당한 이유가 있다고 인정한 때에는 「형사소송법」 제202조의 구속기간의 연장을 2차에 한하여 허가할 수 있다. (×)

▌**형사소송법 제202조【사법경찰관의 구속기간】**
사법경찰관이 피의자를 구속한 때에는 10일 이내에 피의자를 검사에게 인치하지 아니하면 석방하여야 한다.

▌**형사소송법 제203조【검사의 구속기간】**
검사가 피의자를 구속한 때 또는 사법경찰관으로부터 피의자의 인치를 받은 때에는 10일 이내에 공소를 제기하지 아니하면 석방하여야 한다.

대상범죄	구속기간 연장가능 여부	비고
제3조 반국가단체의 구성등	가능	–
제4조 목적수행	가능	–
제5조 자진지원 · 금품수수	가능	–
제6조 잠입 · 탈출	가능	–
제7조 찬양 · 고무등	불가능	위헌결정에 따라 불가능
제8조 회합 · 통신등	가능	–
제9조 편의제공	가능	–
제10조 불고지	불가능	위헌결정에 따라 불가능
제11조 특수직무유기	불가능	원래 불가능
제12조 무고, 날조	불가능	원래 불가능

[2012 채용1차] 수사를 계속함에 상당한 이유가 있다고 인정될 때에는 지방법원판사의 허가를 받아 사법 경찰관은 1차, 검사는 2차에 한하여 구속기간을 연장할 수 있다(단, 불고지죄, 찬양고무죄는 제외). (×)

3. 공소보류

┃ 형법 제51조 【양형의 조건】
형을 정함에 있어서는 다음 사항을 참작하여야 한다.
1. 범인의 연령, 성행, 지능과 환경
2. 피해자에 대한 관계
3. 범행의 동기, 수단과 결과
4. 범행 후의 정황

국가보안법 제20조 【공소보류】 ① 검사는 이 법의 죄를 범한 자에 대하여 형법 제51조의 사항을 참작하여 공소제기를 보류할 수 있다. [2015 경간] [2018 실무 3]
② 제1항에 의하여 공소보류를 받은 자가 공소의 제기없이 2년을 경과한 때에는 소추할 수 없다. [2012 채용1차] [2012 채용3차] [2014 채용1차] [2015 경간]
③ 공소보류를 받은 자가 법무부장관이 정한 감시 · 보도에 관한 규칙에 위반한 때에는 공소보류를 취소할 수 있다.
④ 제3항에 의하여 공소보류가 취소된 경우에 는 형사소송법 제208조의 규정(➡ 다른 중요증거 발견 제외, 동일 범죄사실 재구속 불가)에 불구하고 동일한 범죄사실로 재구속할 수 있다.
[2014 승진(경위)] [2015 실무 3 유사] 공소보류결정을 받은 자가 공소제기 없이 1년이 경과한 때에는 소추할 수 없다. (×)
[2015 경간 유사] [2019 승진(경감)] 검사는 국가보안법의 죄를 범한 자에 대하여 공소제기를 보류할 수 있으며 공소보류가 취소된 경우에는 동일한 범죄사실로 재구속할 수 없다. (×)

- **공소보류**란 국가보안법 위반 피의자에 대해 범죄의 객관적 혐의가 충분하더라도 범행 동기와 결과 및 범행후 정황 등을 참작해 검사가 공소제기를 보류하는 것을 말한다.
- 공소보류는 국가보안법에 특유한 제도로서, 일반 형사범에 대한 기소유예와 유사하나 기소유예의 경우 공소시효가 지나야 같은 범죄로 소추되지 않지만 공소보류는 시효과 관계없이 2년이 지나면 소추되지 않는다는 점에 차이가 있다. [2015 실무 3]

05 보상과 원호

1. 상금

> **국가보안법 제21조【상금】**① 이 법의 죄를 범한 자를 수사기관 또는 정보기관에 통보하거나 체포한 자에게는 대통령령이 정하는 바에 따라 상금을 지급한다. [2018 채용1차]
> ② 이 법의 죄를 범한 자를 인지하여 체포한 수사기관 또는 정보기관에 종사하는 자에 대하여도 제1항과 같다.
> ③ 이 법의 죄를 범한 자를 체포할 때 반항 또는 교전상태하에서 부득이한 사유로 살해하거나 자살하게 한 경우에는 제1항에 준하여 상금을 지급할 수 있다.

2. 보로금

> **국가보안법 제22조【보로금】**① 제21조의 경우에 압수물이 있는 때에는 상금을 지급하는 경우에 한하여 그 압수물 가액의 2분의 1에 상당하는 범위안에서 보로금을 지급할 수 있다.
> ② 반국가단체나 그 구성원 또는 그 지령을 받은 자로부터 금품을 취득하여 수사기관 또는 정보기관에 제공한 자에게는 그 가액의 2분의 1에 상당하는 범위안에서 보로금을 지급할 수 있다. 반국가단체의 구성원 또는 그 지령을 받은 자가 제공한 때에도 또한 같다. [2018 채용1차]
> ③ 보로금의 청구 및 지급에 관하여 필요한 사항은 대통령령으로 정한다. [2018 채용1차]

3. 보상

> **국가보안법 제23조【보상】**이 법의 죄를 범한 자를 신고 또는 체포하거나 이에 관련하여 상이를 입은 자와 사망한 자의 유족은 대통령령이 정하는 바에 따라 「국가유공자 등 예우 및 지원에 관한 법률」에 따른 공상군경 또는 순직군경의 유족이나 「보훈보상대상자 지원에 관한 법률」에 따른 재해부상군경 또는 재해사망군경의 유족으로 보아 보상할 수 있다.

4. 국가보안유공자 심사위원회

> **국가보안법 제24조【국가보안유공자 심사위원회】**① 이 법에 의한 상금과 보로금의 지급 및 제23조에 의한 보상대상자를 심의·결정하기 위하여 법무부장관소속하에 국가보안유공자 심사위원회(이하 "위원회"라 한다)를 둔다. [2018 채용1차]

⊕ 심화 남북교류협력과 북한이탈주민에 대한 대책

① 남북교류협력에 관한 법률

1) 목적 및 다른 법률과의 관계

> **남북교류협력에 관한 법률 제1조 【목적】** 이 법은 군사분계선 이남지역과 그 이북지역 간의 상호 교류와 협력을 촉진하기 위하여 필요한 사항을 규정함으로써 한반도의 평화와 통일에 이바지하는 것을 목적으로 한다. [2020 실무 3]

> **남북교류협력에 관한 법률 제3조 【다른 법률과의 관계】** 남한과 북한의 왕래·접촉·교역·협력사업 및 통신 역무의 제공 등 남한과 북한 간의 상호 교류와 협력(이하 "남북교류·협력"이라 한다)을 목적으로 하는 행위에 관하여는 이 법률의 목적 범위에서 다른 법률에 우선하여 이 법을 적용한다. [2020 승진(경감)]

2) 남북한 방문 관련 승인·신고
- 통일부장관 방문승인

> **남북교류협력에 관한 법률 제9조 【남북한 방문】** ① 남한의 주민이 북한을 방문하거나 북한의 주민이 남한을 방문하려면 대통령령으로 정하는 바에 따라 통일부장관의 방문승인을 받아야 하며, 통일부장관이 발급한 증명서(이하 "방문증명서"라 한다)를 소지하여야 한다. [2016 실무 3] [2017 실무 3] [2019 채용2차]
> ② 방문증명서는 유효기간을 정하여 북한방문증명서와 남한방문증명서로 나누어 발급하며, 다음 각 호와 같이 구분한다.
> 1. 한 차례만 사용할 수 있는 방문증명서
> 2. 유효기간이 끝날 때까지 여러 차례 사용할 수 있는 방문증명서(이하 "복수방문증명서"라 한다)
> ③ 복수방문증명서의 유효기간은 5년 이내로 하며, 5년의 범위에서 연장할 수 있다. [2017 실무 3]
> ⑦ 통일부장관은 제1항 및 제6항 단서에 따라 방문승인을 받은 사람이 다음 각 호의 어느 하나에 해당하는 경우에는 그 승인을 취소할 수 있다. 다만 제1호의 경우에는 그 승인을 취소하여야 한다.
> 1. 거짓이나 그 밖의 부정한 방법으로 방문승인을 받은 경우 [2020 승진(경감)]
> 2. 제4항에 따른 조건을 위반한 경우
> 3. 남북교류·협력을 해칠 명백한 우려가 있는 경우
> 4. 국가안전보장, 질서유지 또는 공공복리를 해칠 명백한 우려가 있는 경우
>
> [2018 실무 3] 남한의 주민이 북한을 방문하려면 법무부장관의 방문승인을 받아야 하며, 법무부장관이 발급한 증명서(이하 '방문증명서'라 한다)를 소지하여야 한다. (×)
> [2018 실무 3] 복수방문증명서의 유효기간은 3년 이내로 하며, 3년의 범위에서 연장할 수 있다. (×)

> **[대통령령] 남북교류협력에 관한 법률 시행령 제12조 【방문승인 신청】** ① 법 제9조 제1항·제6항 단서 및 제8항 단서에 따라 북한을 방문하기 위하여 통일부장관의 방문승인을 받으려는 남한의 주민과 재외국민(법 제9조 제8항 각 호의 어느 하나에 해당하는 사람을 말한다. 이하 같다)은 방문 7일 전까지 방문승인 신청서에 다음 각 호의 서류를 첨부하여 통일부장관에게 제출하여야 한다. 다만, …
>
> [2020 승진(경감)] 남한 주민이 북한을 방문하고자 하는 경우 방문 10일 전까지 통일부장관에게 '방문승인 신청서'를 제출해야 한다. (×)

- 통일부장관이나 재외공관의 장에게 신고

> **남북교류협력에 관한 법률 제9조【남북한 방문】** ⑧ 다음 각 호의 어느 하나에 해당하는 사람(이하 "재외국민"이라 한다)이 외국에서 북한을 왕래할 때에는 통일부장관이나 재외공관의 장에게 신고하여야 한다. 다만, 외국을 거치지 아니하고 남한과 북한을 직접 왕래할 때에는 제1항에 따라 발급된 방문증명서를 소지하여야 한다. [2020 승진(경감)]
> 1. 외국정부로부터 영주권을 취득하였거나 이에 준하는 장기체류허가를 받은 사람
> 2. 외국에 소재하는 외국법인 등에 취업하여 업무수행의 목적으로 북한을 방문하는 사람
> [2017 실무 3] 외국정부로부터 영주권을 취득하였거나 이에 준하는 장기체류허가를 받은 사람이 외국에서 북한을 왕래할 때에는 외교부 장관이나 재외공관의 장에게 신고하여야 한다. (×)

3) 남북한 주민접촉

> **남북교류협력에 관한 법률 제9조의2【남북한 주민 접촉】** ① <u>남한의 주민이 북한의 주민과 회합·통신, 그 밖의 방법으로 접촉하려면 통일부장관에게 미리 신고하여야 한다.</u> 다만, 대통령령으로 정하는 부득이한 사유에 해당하는 경우에는 접촉한 후에 신고할 수 있다.
> [2014 실무 3] [2017 실무 3] [2019 채용2차]
> ② 방문증명서를 발급받은 사람이 그 방문 목적의 범위에서 당연히 인정되는 접촉을 하는 경우 등 대통령령으로 정하는 경우에 해당하면 제1항의 접촉신고를 한 것으로 본다.
> [2018 실무 3] 남한의 주민이 북한의 주민과 회합·통신, 그 밖의 방법으로 접촉하려면 법무부장관에게 미리 신고하여야 한다. 다만, 대통령령으로 정하는 부득이한 사유에 해당하는 경우에는 접촉한 후에 신고할 수 있다. (×)

4) 반출·반입승인

> **남북교류협력에 관한 법률 제2조【정의】** 이 법에서 사용하는 용어의 뜻은 다음과 같다.
> 3. "**반출·반입**"이란 매매, 교환, 임대차, 사용대차, 증여, 사용 등을 목적으로 하는 남한과 북한 간의 물품등의 이동(단순히 제3국을 거치는 물품등의 이동을 포함한다. 이하 같다)을 말한다.
> [2019 채용2차] 「남북교류협력에 관한 법률」상 "반출·반입"이란 매매, 교환, 임대차, 사용대차, 증여, 사용 등을 목적으로 하는 남한과 북한 간의 물품 등의 이동을 말하며, 단순히 제3국을 거치는 물품 등의 이동은 포함하지 않는다. (×)

> **남북교류협력에 관한 법률 제13조【반출·반입의 승인】** ① 물품등을 반출하거나 반입하려는 자는 대통령령으로 정하는 바에 따라 그 물품등의 품목, 거래형태 및 대금결제 방법 등에 관하여 통일부장관의 승인을 받아야 한다. 승인을 받은 사항 중 대통령령으로 정하는 주요 내용을 변경할 때에도 또한 같다.
> ② 통일부장관은 제1항의 승인 또는 변경승인을 할 때에는 중요하다고 인정되는 사항은 미리 관계 행정기관의 장과 협의하여야 한다.
> [2020 실무 3] 물품등을 반출하거나 반입하려는 자는 대통령령으로 정하는 바에 따라 그 물품등의 품목, 거래형태 및 대금결제 방법 등에 관하여 통일부장관에게 미리 신고하여야 한다. (×)

5) 협력사업승인

> **남북교류협력에 관한 법률 제2조【정의】** 이 법에서 사용하는 용어의 뜻은 다음과 같다.
> 4. "**협력사업**"이란 <u>남한과 북한의 주민(법인·단체를 포함한다)이 공동으로 하는 환경, 경제, 학술, 과학기술, 정보통신, 문화, 체육, 관광, 보건의료, 방역, 교통, 농림축산, 해양수산 등에 관한 모든 활동</u>을 말한다.

> **남북교류협력에 관한 법률 제17조【협력사업의 승인 등】** ① 협력사업을 하려는 자는 협력사업마다 다음 각 호의 요건을 모두 갖추어 통일부장관의 승인을 받아야 한다. 승인을 받은 협력사업의 내용을 변경할 때에도 또한 같다. [2020 실무 3]
> 1. 협력사업의 내용이 실현 가능하고 구체적일 것 [2014 실무 3]
> 2. 협력사업으로 인하여 남한과 북한 간에 분쟁을 일으킬 사유가 없을 것
> 3. 이미 시행되고 있는 협력사업과 심각한 경쟁을 하게 될 가능성이 없을 것
> 4. 협력사업을 하려는 분야의 사업실적이 있거나 협력사업을 추진할 만한 자본·기술·경험 등을 갖추고 있을 것 [2014 실무 3]
> 5. 국가안전보장, 질서유지 또는 공공복리를 해칠 명백한 우려가 없을 것 [2014 실무 3]

④ 통일부장관은 제1항에 따라 협력사업의 승인을 받은 자가 다음 각 호의 어느 하나에 해당하면 관계 행정기관의 장과 협의하여 6개월 이내의 기간을 정하여 협력사업의 정지를 명하거나 그 승인을 취소할 수 있다. 다만, 제1호 및 제5호의 경우에는 그 승인을 취소하여야 한다.
  1. 거짓이나 그 밖의 부정한 방법으로 협력사업의 승인을 받은 경우
  5. 협력사업 정지기간 중에 협력사업을 한 경우
  6. 제18조 제1항에 따른 조정명령을 따르지 아니한 경우
  9. 협력사업의 승인을 받고 최근 3년간 계속하여 협력사업의 실적이 없는 경우 [2020 실무 3]
  [2014 실무 3] 남북교류협력에 관한 법률에 규정되어 있는 협력사업을 하려는 자는 통일부장관에게 사전신고하여야 한다. (×)

6) 남북한 거래의 원칙

남북교류협력에 관한 법률 제12조 【남북한 거래의 원칙】 남한과 북한 간의 거래는 국가 간의 거래가 아닌 민족내부의 거래로 본다. [2016 실무 3] [2019 채용2차] ,

2 북한이탈주민의 보호 및 정착지원에 관한 법률(약칭: 북한이탈주민법)

1) 목적 및 기본원칙과 국가 등의 책무

북한이탈주민법 제1조 【목적】 이 법은 군사분계선 이북지역에서 벗어나 대한민국의 보호를 받으려는 군사분계선 이북지역의 주민이 정치, 경제, 사회, 문화 등 모든 생활 영역에서 신속히 적응·정착하는 데 필요한 보호 및 지원에 관한 사항을 규정함을 목적으로 한다.

북한이탈주민법 제4조 【기본원칙】 ① 대한민국은 보호대상자를 인도주의에 입각하여 특별히 보호한다.
② 대한민국은 외국에 체류하고 있는 북한이탈주민의 보호 및 지원 등을 위하여 외교적 노력을 다하여야 한다.
③ 보호대상자는 대한민국의 자유민주적 법질서에 적응하여 건강하고 문화적인 생활을 할 수 있도록 노력하여야 한다.
④ 통일부장관은 북한이탈주민에 대한 보호 및 지원 등을 위하여 북한이탈주민의 실태를 파악하고, 그 결과를 정책에 반영하여야 한다. [2018 경간]
[2021 경간] 대한민국은 보호대상자를 상호주의에 입각하여 특별히 보호하고 외국에 체류하고 있는 북한이탈주민의 보호 및 지원 등을 위해 외교적 노력을 다하여야 한다. (×)

북한이탈주민법 제4조의2 【국가 및 지방자치단체의 책무】 ① 국가 및 지방자치단체는 보호대상자의 성공적인 정착을 위하여 보호대상자의 보호·교육·취업·주거·의료 및 생활보호 등의 지원을 지속적으로 추진하고 이에 필요한 재원을 안정적으로 확보하기 위하여 노력하여야 한다. [2021 경간]

북한이탈주민법 제4조의3 【기본계획 및 시행계획】 ① 통일부장관은 제6조에 따른 북한이탈주민 보호 및 정착지원협의회의 심의를 거쳐 보호대상자의 보호 및 정착지원에 관한 기본계획(이하 "기본계획"이라 한다)을 3년마다 수립·시행하여야 한다. [2018 채용2차]

2) 용어의 정의

북한이탈주민법 제2조 【정의】 이 법에서 사용하는 용어의 뜻은 다음과 같다.
  1. "북한이탈주민"이란 군사분계선 이북지역(이하 "북한"이라 한다)에 주소, 직계가족, 배우자, 직장 등을 두고 있는 사람으로서 북한을 벗어난 후 외국 국적을 취득하지 아니한 사람을 말한다. [2019 승진(경위)] [2020 경간] [2021 경간] [2021 승진(실무종합)]
  2. "보호대상자"란 이 법에 따라 보호 및 지원을 받는 북한이탈주민을 말한다. [2024 승진]
  3. "정착지원시설"이란 보호대상자의 보호 및 정착지원을 위하여 제10조 제1항에 따라 설치·운영하는 시설을 말한다.
  4. "보호금품"이란 이 법에 따라 보호대상자에게 지급하거나 빌려주는 금전 또는 물품을 말한다. [2018 경간]
  [2024 승진] [2019 채용1차] [2020 채용2차] [2020 실무 3] "북한이탈주민"이란 북한에 주소, 직계가족, 배우자, 직장 등을 두고 있는 사람으로서 북한을 벗어난 후 외국 국적을 취득한 사람을 말한다. (×)
  [2018 경간] 관리대상자란 이 법에 따라 보호 및 지원을 받는 북한이탈주민을 말한다. (×)
  [2021 승진(실무종합)] "구호물품"이란 이 법에 따라 보호대상자에게 지급하거나 빌려주는 금전 또는 물품을 말한다. (×)

3) 보호기준

> **북한이탈주민법 제5조【보호기준 등】** ① 보호대상자에 대한 보호 및 지원 기준은 나이, 성별, 세대 구성, 학력, 경력, 자활 능력, 건강 상태 및 재산 등을 고려하여 합리적으로 정하여야 한다.
> ② 이 법에 따른 보호 및 정착지원은 원칙적으로 개인을 단위로 하되, 필요하다고 인정하는 경우에는 대통령령으로 정하는 바에 따라 세대를 단위로 할 수 있다. [2020 채용2차]
> ③ 보호대상자를 정착지원시설에서 보호하는 기간은 1년 이내로 하고, 거주지에서 보호하는 기간은 5년으로 한다. 다만, 특별한 사유가 있는 경우에는 제6조에 따른 북한이탈주민 보호 및 정착지원협의회의 심의를 거쳐 그 기간을 단축하거나 연장할 수 있다. [2020 채용2차]
> [2020 실무 3] 보호대상자를 정착지원시설에서 보호하는 기간은 3년 이내, 거주지에서 보호하는 기간은 5년을 원칙으로 한다. (×)

4) 보호의 신청과 결정

> **북한이탈주민법 제7조【보호신청 등】** ① 북한이탈주민으로서 이 법에 따른 보호를 받으려는 사람은 재외공관이나 그 밖의 행정기관의 장(각급 군부대의 장을 포함한다. 이하 "재외공관장등"이라 한다)에게 보호를 직접 신청하여야 한다. 다만, 보호를 직접 신청하지 아니할 수 있는 대통령령으로 정하는 사유가 있는 경우에는 그러하지 아니하다. [2018 채용2차]
> [2019 채용1차] 북한이탈주민으로서「북한이탈주민의 보호 및 정착지원에 관한 법률」에 따른 보호를 받으려는 사람은 재외공관이나 그 밖의 행정기관의 장(각급 군부대의 장은 제외한다)에게 보호를 직접 신청하여야 한다. (×)

> **북한이탈주민법 제8조【보호 결정 등】** ① 통일부장관은 제7조 제3항에 따른 통보를 받으면 협의회의 심의를 거쳐 보호 여부를 결정한다. 다만, 국가안전보장에 현저한 영향을 줄 우려가 있는 사람에 대하여는 국가정보원장이 그 보호 여부를 결정하고, 그 결과를 지체 없이 통일부장관과 보호신청자에게 통보하거나 알려야 한다. [2020 경간]
> ② 제1항 본문에 따라 보호 여부를 결정한 통일부장관은 그 결과를 지체 없이 관련 중앙행정기관의 장을 거쳐 재외공관장등에게 통보하여야 하고, 통보를 받은 재외공관장등은 이를 보호신청자에게 즉시 알려야 한다.
> [2015 경간] 통일부장관은 북한이탈주민이 국가안전보장에 현저한 영향을 줄 우려가 있는 사람인지 여부에 관하여 일차적 판단을 하여 그 보호여부를 결정하고, 그 결과를 지체 없이 보호신청자와 국가정보원장에게 통보하거나 알려야 한다. (×)
> [2019 채용1차] 통일부장관은 '북한이탈주민 보호 및 정착지원협의회'의 심의를 거쳐 북한이탈주민의 보호 여부를 결정한다. 단, 국가안보에 현저한 영향을 끼칠 우려가 있는 자의 경우 국방부장관이 보호 여부를 결정한다. (×)

- 여기서 협의회란 법 제6조에 따른 '북한이탈주민 보호 및 정착지원협의회'를 말한다.

5) 보호결격사유

> **북한이탈주민법 제9조【보호 결정의 기준】** ① 제8조 제1항 본문에 따라 보호 여부를 결정할 때 다음 각 호의 어느 하나에 해당하는 사람은 보호대상자로 결정하지 아니할 수 있다. [2020 승진(경위)]
> 1. 항공기 납치, 마약거래, 테러, 집단살해 등 국제형사범죄자
> 2. 살인 등 중대한 비정치적 범죄자
> 3. 위장탈출 혐의자 [2018 경간]
> 4. 삭제 <2020.12.8.>
> 5. 국내 입국 후 3년이 지나서 보호신청한 사람 [2015 경간] [2018 경간] [2019 승진(경위)] [2020 실무 3]
> 6. 그 밖에 국가안전보장ㆍ질서유지ㆍ공공복리에 대한 중대한 위해 발생 우려, 보호신청자의 경제적 능력 및 해외체류 여건 등을 고려하여 보호대상자로 정하는 것이 부적당하거나 보호 필요성이 현저히 부족하다고 대통령령으로 정하는 사람
> [2020 채용2차] [2021 승진(실무종합) 유사] 북한이탈주민으로서 국내 입국 후 1년이 지나서 보호신청한 사람은 보호대상자로 결정하지 않을 수 있다. (×)
> [2019 승진(경위)] 통일부장관은 북한이탈주민 대책협의회의 심의를 거쳐 보호 여부를 결정할 때, 북한이탈주민으로서 보호신청을 한 사람 중 테러 등 국제형사범죄자는 보호대상자로 결정할 수 없다. (×)
> [2018 채용2차 유사] [2020 경간] 북한이탈주민으로서 위장탈출 혐의자, 국내 입국 후 3년이 지나서 보호신청한 사람은 보호대상자로 결정될 수 없다. (×)

6) 보호의 변경

> **북한이탈주민법 제27조 【보호의 변경】** ① 통일부장관은 보호대상자가 다음 각 호의 어느 하나에 해당하는 경우에는 협의회의 심의를 거쳐 보호 및 정착지원을 중지하거나 종료할 수 있다.
> 1. 1년 이상의 징역 또는 금고의 형을 선고받고 그 형이 확정된 경우
> 2. 고의로 국가이익에 반하는 거짓 정보를 제공한 경우
> 3. 사망선고나 실종선고를 받은 경우
> 4. 북한으로 되돌아가려고 기도한 경우
> 5. 이 법 또는 이 법에 따른 명령을 위반한 경우
> 6. 그 밖에 대통령령으로 정하는 사유에 해당한 경우
> [2020 실무 3] 통일부장관은 보호대상자가 500만원의 벌금형을 선고받고 그 형이 확정된 경우 협의회의 심의를 거쳐 보호 및 정착지원을 중지하거나 종료할 수 있다. (×)

7) 신변보호

> **북한이탈주민법 제22조의2 【거주지에서의 신변보호】** ① 통일부장관은 제22조에 따라 보호대상자가 거주지로 전입한 후 그의 신변안전을 위하여 국방부장관이나 경찰청장에게 협조를 요청할 수 있으며, 협조요청을 받은 국방부장관이나 경찰청장은 이에 협조한다.
> [2018 실무 3] [2019 채용1차] [2020 경간] [2021 경간] [2024 승진]
> ② 제1항에 따른 신변보호에 필요한 사항은 통일부장관이 국방부장관, 국가정보원장 및 경찰청장과 협의하여 정한다. 이 경우 해외여행에 따른 신변보호에 관한 사항은 외교부장관과 법무부장관의 의견을 들을 수 있다. [2018 실무 3]
> ③ 제1항에 따른 신변보호기간은 5년으로 한다. 다만, 통일부장관은 보호대상자의 의사, 신변보호의 지속 필요성 등을 고려하여 협의회 심의를 거쳐 그 기간을 연장할 수 있다.

8) 특별임용

> **북한이탈주민법 제18조 【특별임용】** ① 북한에서의 자격이나 경력이 있는 사람 등 북한이탈주민으로서 공무원으로 채용하는 것이 필요하다고 인정되는 사람에 대하여는 「국가공무원법」 제28조 제2항(➡ 국가공무원 경력경쟁임용시험) 및 「지방공무원법」 제27조 제2항(➡ 지방공무원 경력경쟁임용시험)에도 불구하고 북한을 벗어나기 전의 자격·경력 등을 고려하여 국가공무원 또는 지방공무원으로 특별임용할 수 있다.
> ② 북한의 군인이었던 보호대상자가 국군에 편입되기를 희망하면 북한을 벗어나기 전의 계급, 직책 및 경력 등을 고려하여 국군으로 특별임용할 수 있다. [2016 실무 3]
> [2018 채용2차] 보호대상자 중 북한의 군인이었던 자가 국군에 편입되기를 희망하더라도 국군으로 특별임용할 수 없다. (×)

01 보안관찰법 개설

1. 보안관찰처분의 의미

보안관찰처분은 보안관찰법상의 보안관찰처분대상자 중 보안관찰해당범죄를 다시 범할 위험성이 있다고 인정되는 자에 대하여, 재범의 위험성을 예방하고 사회복귀를 촉진함으로써 국가의 안전과 사회의 안녕을 유지함을 목적으로, 보안관찰처분심의위원회의 의결을 거쳐 법무부장관이 2년을 기간으로 하여 행하는 행정처분이다(헌재 2015.11.26, 2014헌바475).

⚖️ **요지판례 |**

■ 보안관찰처분의 본질은 보안처분이라고 할 수 있다. 원래 보안처분은 형벌만으로는 행위자의 장래의 재범에 대한 위험성을 제거하기에 충분하지 못한 경우에 사회방위와 행위자의 사회복귀의 목적을 달성하기 위하여 고안된 특별예방적 목적처분으로서, 보안처분제도는 1972.12.27. 개정 헌법 이래 헌법상의 제도로 수용되어 있다. 따라서 헌법의 규정에 따라 어떠한 형태의 보안처분제도를 마련하느냐의 문제는 헌법에 위반되지 아니하는 한 입법권자의 형성의 자유에 속한다(헌재 1989.7.14, 88헌가5).

■ 보안처분은 그 본질, 추구하는 목적 및 기능에 있어 형벌과는 다른 독자적 의의를 가진 사회보호적인 처분이므로 형벌과 병과하여 선고한다고 해서 이중처벌금지원칙에 해당되지 아니한다는 것이 헌법재판소의 확립된 견해이고, 보안관찰법상 보안관찰처분 역시 그 본질이 헌법 제12조 제1항에 근거한 보안처분인 이상, 형의 집행종료 후 별도로 보안관찰처분을 명할 수 있다고 규정한 보안관찰처분 근거조항이 이중처벌금지원칙에 위배되지 아니한다(헌재 2015.11.26, 2014헌바475). [2021 경간]

---

2. 보안관찰법의 목적

보안관찰법 제1조 【목적】 이 법은 특정범죄를 범한 자에 대하여 재범의 위험성을 예방하고 건전한 사회복귀를 촉진하기 위하여 보안관찰처분을 함으로써 국가의 안전과 사회의 안녕을 유지함을 목적으로 한다.

💡 **보안관찰법의 제정목적**
- 쉽게 말해 보안관찰법은 국가보안법 위반 사범 등 사상범의 출소 후 그에 대한 감시와 통제를 위하여 만들어진 법으로 이해할 수 있다.
- 애초에 보안관찰법은 일제강점기에 일제가 제정한 '사상범보호관찰법'이 모태가 된 법이며, 이 법은 '사상 전향을 촉진 또는 확보하기 위한 것'이라고 명시적으로 밝히고 있었다.

02 보안관찰의 대상

1. 보안관찰해당범죄

> **보안관찰법 제2조 【보안관찰해당범죄】** 이 법에서 "보안관찰해당범죄"라 함은 다음 각호의 1에 해당하는 죄를 말한다. [2014 실무 3] [2020 승진(경감)] [2022 승진(실무종합)]

구분	해당범죄	해당하지 않는 범죄
형법 (제1호)	• 내란목적살인죄 • 외환유치죄 · 여적죄 · 모병이적죄 • 시설제공 · 파괴이적죄 · 물건제공이적죄 • 간첩죄 및 그 미수범과 예비 · 음모 · 선전 · 선동죄	• 내란죄 • 일반이적죄 • 전시군수계약 불이행죄
군형법 (제2호)	• 반란죄 • 반란목적 군용물탈취죄 • 군대 및 군용시설제공죄 · 군용시설파괴죄 • 간첩죄 · 일반이적죄 · 이적 목적반란불보고죄(제9조 제2항)	• 단순반란불보고죄(제9조 제1항)
국가 보안법 (제3호)	• 목적수행죄 • 금품수수죄 • 편의제공죄(무기류) • 잠입 · 탈출죄 • 자진지원죄	• 찬양 · 고무죄 • 회합 · 통신죄 • 반국가단체 구성죄 • 특수직무유기죄 • 불고지죄 • 무고날조죄

[2017 채용1차] [2018 승진(경위)] 「형법」상 내란죄는 보안관찰법상 보안관찰해당범죄이다. (×)
[2017 실무 3] 형법상의 전시군수계약불이행죄(제103조)는 보안관찰법상 보안관찰해당범죄이다. (×)
[2017 승진(경감)] 「군형법」상 단순반란불보고죄는 보안관찰법상 보안관찰해당범죄이다. (×)

2. 보안관찰처분대상자

> **보안관찰법 제3조 【보안관찰처분대상자】** 이 법에서 "보안관찰처분대상자"라 함은 보안관찰해당범죄 또는 이와 경합된 범죄로 금고 이상의 형의 선고를 받고 그 형기합계가 3년 이상인 자로서 형의 전부 또는 일부의 집행을 받은 사실이 있는 자를 말한다. ➜ 보경금선 3집 [2012 채용2차] [2013 채용1차] [2014 실무 3] [2017 채용2차] [2018 경채] [2023 채용1차]
> [2024 승진] '보안관찰처분대상자'라 함은 보안관찰해당범죄 또는 이와 경합된 범죄로 금고 이상의 형의 선고를 받고 그 형기합계가 3년 이상인 자로서 형의 전부 또는 일부의 집행을 면제받은 사실이 있는 자를 말한다. (×)
> [2014 채용2차] '보안관찰처분대상자'라 함은 보안관찰해당범죄 또는 이와 경합한 범죄로 벌금 이상의 형의 선고를 받고, 형의 전부 또는 일부의 집행을 받은 사실이 있는 자를 말한다. (×)
> [2017 승진(경위)] [2019 승진(경감)] [2020 실무 3] "보안관찰처분대상자"라 함은 보안관찰해당범죄 또는 이와 경합된 범죄로 징역 이상의 형의 선고를 받고 그 형기 합계가 3년 이상인 자로서 형의 전부 또는 일부의 집행을 받은 사실이 있는 자를 말한다. (×)
> [2014 채용1차] '보안관찰처분대상자'라 함은 보안관찰해당범죄 또는 이와 경합된 범죄로 금고 이상의 형의 선고를 받고 그 형기 합계가 2년 이상인 자로서 형의 전부 또는 일부의 집행을 받은 사실이 있는 자를 말한다. (×)
>
> **보안관찰법 제4조 【보안관찰처분】** ① 제3조에 해당하는 자중 보안관찰해당범죄를 다시 범할 위험성이 있다고 인정할 충분한 이유가 있어 재범의 방지를 위한 관찰이 필요한 자에 대하여는 보안관찰처분을 한다. [2023 채용1차]

위와 같이 보안관찰처분대상자라 하여 바로 보안관찰처분이 부과되는 것이 아니고, 보안관찰처분대상자 중 '재범의 위험성'이 있다고 인정할 충분한 이유가 있는 자에 대하여 보안관찰처분을 하게 된다.

03 보안관찰처분의 절차

1. 보안관찰처분대상자의 신고

(1) 대상자의 출소 전 신고

> **보안관찰법 제6조【보안관찰처분대상자의 신고】** ① 보안관찰처분대상자는 대통령령이 정하는 바에 따라 그 형의 집행을 받고 있는 교도소, 소년교도소, 구치소, 유치장 또는 군교도소(이하 "교도소등"이라 한다)에서 출소전에 거주예정지 기타 대통령령으로 정하는 사항을 교도소등의 장을 경유하여 거주예정지 관할경찰서장에게 신고하고, … [2013 채용1차] [2014 실무 3]
> ③ 교도소등의 장은 제3조에 해당하는 자(➡ 보안관찰처분대상자)가 생길 때에는 지체없이 보안관찰처분심의위원회와 거주예정지를 관할하는 검사 및 경찰서장에게 통고하여야 한다.

(2) 출소 후 출소사실신고

> **보안관찰법 제6조【보안관찰처분대상자의 신고】** ① 보안관찰처분대상자는 … 출소후 7일이내에 그 거주예정지 관할경찰서장에게 출소사실을 신고하여야 한다. 제20조 제3항에 해당하는 경우에는 법무부장관이 제공하는 거주할 장소(이하 "거소"라 한다)를 거주예정지로 신고하여야 한다. [2012 채용2차] [2013 채용1차] [2017 채용2차] [2018 경채] [2024 승진]
> [2020 실무 3] 보안관찰처분대상자는 출소 후 3일 이내에 거주예정지 관할경찰서장에게 출소사실을 신고해야 한다. (×)
> [2014 채용1차] 보안관찰처분대상자는 출소 후 2개월 이내에 그 거주예정지 관할경찰서장에게 출소사실을 신고하여야 한다. (×)

(3) 변동신고

> **보안관찰법 제6조【보안관찰처분대상자의 신고】** ② 보안관찰처분대상자는 교도소등에서 출소한 후 제1항의 신고사항에 변동이 있을 때에는 변동이 있는 날부터 7일이내에 그 변동된 사항을 관할경찰서장에게 신고하여야 한다. 다만, 제20조 제3항에 의하여 거소제공을 받은 자가 주거지를 이전하고자 할 때에는 미리 관할경찰서장에게 제18조 제4항 단서에 의한 신고를 하여야 한다.
> [헌법불합치, 2017헌바479, 2021.6.24, 보안관찰법(1989.6.16. 법률 제4132호로 전부개정된 것) 제6조 제2항 전문 및 제27조 제2항 중 제6조 제2항 전문에 관한 부분은 각 헌법에 합치되지 아니한다. 위 법률조항들은 2023.6.30.을 시한으로 개정될 때까지 계속 적용한다]

강용주 씨 사건

- 1980년대 '구미유학생 간첩단 사건'에 연루되어 복역 후 보안관찰처분을 받았으나 '보안관찰법은 국가권력에 순응치 않는 양심범을 창살 없는 감옥에 가두어 두는 위헌법률이다'라고 주장하며 불복종 선언 후 일체의 신고의무를 거부하였다.
- 이후 강용주 씨에 대한 보안관찰처분이 15년에 걸쳐 계속 갱신되었으나 계속하여 신고를 거부하였고, 2017년 검찰이 신고의무 위반행위를 기소하면서 소위 '강용주 사건'이 시작되었다.
- 2018.2. 제1심에서는 무죄가 선고되었다.

💡 보안관찰법 제6조 제2항에 따른 변동신고조항은 2024.6. 현재 아직 개정되지 않아 효력을 상실한 상태이다.

⚖️ **요지판례 l**

변동신고조항은 출소 후 기존에 신고한 거주예정지 등 정보에 변동이 생기기만 하면 신고의무를 부과하는바, 의무기간의 상한이 정해져 있지 아니하여, 대상자로서는 보안관찰처분을 받은 자가 아님에도 무기한의 신고의무를 부담한다. 대상자는 보안관찰처분을 할 권한이 있는 행정청이 어느 시점에 처분을 할지 모르는 불안정한 상태에 항상 놓여 있게 되는바, 이는 행정청이 대상자의 재범 위험성에 대하여 판단을 하지 아니함에 따른 부담을 오히려 대상자에게 전가한다는 문제도 있다(헌재 2021.6.24, 2017헌바479). ➡ 변동신고조항 및 위반시 처벌조항은 대상자에게 보안관찰처분의 개시 여부를 결정하기 위함이라는 공익을 위하여 지나치게 장기간 형사처벌의 부담이 있는 신고의무를 지도록 하므로, 이는 과잉금지원칙을 위반하여 청구인의 사생활의 비밀과 자유 및 개인정보자기결정권을 침해한다.

2. 검사의 보안관찰처분청구

(1) 청구 전 조사(사안인지)

보안관찰법 제9조【조사】 ① 검사는 제7조의 규정에 의한 보안관찰처분청구를 위하여 필요한 때에는 보안관찰처분대상자, 청구의 원인이 되는 사실과 보안관찰처분을 필요로 하는 자료를 조사할 수 있다.
② 사법경찰관리와 특별사법경찰관리(이하 "사법경찰관리"라 한다)는 검사의 지휘를 받아 제1항의 규정에 의한 조사를 할 수 있다.

(2) 검사의 청구 ➡ 법무부장관

보안관찰법 제7조【보안관찰처분의 청구】 보안관찰처분청구는 검사가 행한다.

보안관찰법 제8조【청구의 방법】 ① 제7조의 규정에 의한 보안관찰처분청구는 검사가 보안관찰처분청구서(이하 "처분청구서"라 한다)를 법무부장관에게 제출함으로써 행한다. [2024 승진]
③ 검사가 처분청구서를 제출할 때에는 청구의 원인이 되는 사실을 증명할 수 있는 자료와 의견서를 첨부하여야 한다. [2013 채용1차]
④ 검사는 보안관찰처분청구를 한 때에는 지체 없이 처분청구서등본을 피청구자에게 송달하여야 한다. 이 경우 송달에 관하여는 민사소송법중 송달에 관한 규정을 준용한다. [2013 채용1차]
[2012 채용3차] 검사는 보안관찰처분청구를 한 때에는 지체 없이 처분청구서사본을 피청구자에게 송달하여야 한다. (×)

(3) 피청구자의 자료제출

보안관찰법 제13조【피청구자의 자료제출등】 ① 피청구자는 처분청구서등본을 송달받은 날부터 7일 이내에 법무부장관 또는 위원회에 서면으로 자기에게 이익된 사실을 진술하고 자료를 제출할 수 있다.
② 위원회는 필요하다고 인정하는 경우에는 피청구자 및 기타 관계자를 출석시켜 심문·조사하거나 공무소 기타 공·사단체에 대하여 조회할 수 있으며, 관계자료의 제출을 요구할 수 있다.

3. 법무부장관의 심사 및 결정

(1) 심사의 주체 ➜ 법무부장관

> **보안관찰법 제10조【심사】**① 법무부장관은 처분청구서와 자료에 의하여 청구된 사안을 심사한다.
> ② 법무부장관은 제1항의 규정에 의한 심사를 위하여 필요한 때에는 법무부소속 공무원으로 하여금 조사하게 할 수 있다.
> ③ 제2항의 규정에 의하여 조사의 명을 받은 공무원은 다음 각호의 권한을 가진다.
> 1. 피청구자 기타 관계자의 소환·심문·조사
> 2. 국가기관 기타 공·사단체에의 조회 및 관계자료의 제출요구

(2) 의결의 주체 ➜ 보안관찰처분심의위원회

> **보안관찰법 제12조【보안관찰처분심의위원회】**⑨ 위원회는 다음 각호의 사안을 심의·의결한다.
> 1. 보안관찰처분 또는 그 기각의 결정
> 2. 면제 또는 그 취소결정
> 3. 보안관찰처분의 취소 또는 기간의 갱신결정
> **보안관찰법 제15조【의결서등】**① 위원회의 의결은 이유를 붙이고 위원장과 출석위원이 기명날인하는 문서로써 행한다.

(3) 결정의 주체 ➜ 법무부장관

> **보안관찰법 제14조【결정】**① 보안관찰처분에 관한 결정은 위원회의 의결을 거쳐 법무부장관이 행한다. [2012 승진(경위)] [2016 경간] [2017 승진(경위)] [2018 경채] [2019 승진(경감)]
> ② 법무부장관은 위원회의 의결과 다른 결정을 할 수 없다. 다만, 보안관찰처분 대상자에 대하여 위원회의 의결보다 유리한 결정을 하는 때에는 그러하지 아니하다. [2021 경간]
> **보안관찰법 제15조【의결서등】**② 법무부장관의 결정은 이유를 붙이고 법무부장관이 기명·날인하는 문서로써 행한다.

(4) 결정에 대한 불복

> **보안관찰법 제23조【행정소송】**이 법에 의한 법무부장관의 결정을 받은 자가 그 결정에 이의가 있을 때에는 행정소송법이 정하는 바에 따라 그 결정이 집행된 날부터 60일 이내에 서울고등법원에 소를 제기할 수 있다. 다만, 제11조의 규정에 의한 면제결정신청에 대한 기각결정을 받은 자가 그 결정에 이의가 있을 때에는 그 결정이 있는 날부터 60일 이내에 서울고등법원에 소를 제기할 수 있다. [2012 채용2차] [2016 경간] [2021 경간]

4. 법무부장관의 면제결정

> **보안관찰법 제11조【보안관찰처분의 면제】** ① 법무부장관은 보안관찰처분대상자 중 다음 각 호의 요건을 갖춘 자에 대하여는 보안관찰처분을 하지 아니하는 결정(이하 "면제결정"이라 한다)을 할 수 있다.
> 1. 준법정신이 확립되어 있을 것
> 2. 일정한 주거와 생업이 있을 것
> 3. 대통령령이 정하는 신원보증이 있을 것 ➡ 2인 이상의 신원보증인의 신원보증서
> ② 법무부장관은 제1항의 요건을 갖춘 보안관찰처분대상자의 신청이 있을 때에는 부득이한 사유가 있는 경우를 제외하고는 3월 내에 보안관찰처분면제 여부를 결정하여야 한다.
> [2012 채용2차] 법무부장관은 준법정신이 확립되어 있는 자, 일정한 주거와 생업이 있는 자, 대통령령으로 정한 신원보증(2인 이상의 신원보증인의 신원보증)이 있는 자에 대하여 보안관찰처분 면제결정을 하여야 한다. (×)
> [2018 실무 3] 법무부장관은 보안관찰처분대상자의 신청이 있을 때에는 부득이한 사유가 있는 경우를 제외하고는 2월 내에 보안관찰처분 면제 여부를 결정하여야 한다. (×)

5. 피보안관찰자의 신고

(1) 최초신고

> **보안관찰법 제18조【신고사항】** ① 보안관찰처분을 받은 자(이하 "피보안관찰자"라 한다)는 보안관찰처분결정고지를 받은 날부터 7일 이내에 다음 각호의 사항을 주거지를 관할하는 지구대 또는 파출소의 장(이하 "지구대·파출소장"이라 한다)을 거쳐 관할경찰서장에게 신고하여야 한다. 제20조 제3항에 해당하는 경우에는 법무부장관이 제공하는 거소를 주거지로 신고하여야 한다. [2017 채용2차]
> 1. 등록기준지, 주거(실제로 생활하는 거처), 성명, 생년월일, 성별, 주민등록번호 / 2. 가족 및 동거인 상황과 교우관계 / 3. 직업, 월수, 본인 및 가족의 재산상황 / 4. 학력, 경력 / 5. 종교 및 가입한 단체 / 6. 직장의 소재지 및 연락처 / 7. 보안관찰처분대상자 신고를 행한 관할경찰서 및 신고일자 / 8. 기타 대통령령이 정하는 사항
> [2017 경간] 보안관찰처분결정고지를 받은 날부터 10일 이내에 지구대장(파출소장)을 거쳐 관할경찰서장에게 피보안관찰자 신고를 하여야 한다. (×)

(2) 정기신고

> **보안관찰법 제18조【신고사항】** ② 피보안관찰자는 보안관찰처분결정고지를 받은 날이 속한 달부터 매 3월이 되는 달의 말일까지 다음 각호의 사항을 지구대·파출소장을 거쳐 관할경찰서장에게 신고하여야 한다. [2017 경간] [2020 승진(경감)]
> 1. 3월간의 주요활동사항 / 2. 통신·회합한 다른 보안관찰처분대상자의 인적사항과 그 일시, 장소 및 내용 / 3. 3월간에 행한 여행에 관한 사항(신고를 마치고 중지한 여행에 관한 사항을 포함한다) / 4. 관할경찰서장이 보안관찰과 관련하여 신고하도록 지시한 사항

(3) 변동사항신고

> **보안관찰법 제18조【신고사항】** ③ 피보안관찰자는 제1항의 신고사항에 변동이 있을 때에는 7일 이내에 지구대 · 파출소장을 거쳐 관할경찰서장에게 신고하여야 한다. 피보안관찰자가 제1항의 신고를 한 후 제20조 제3항에 의하여 거소제공을 받거나 제20조 제5항에 의하여 거소가 변경된 때에는 제공 또는 변경된 거소로 이전한 후 7일 이내에 지구대 · 파출소장을 거쳐 관할경찰서장에게 신고하여야 한다.
> [2017 경간] 최초 신고사항에 대한 변동이 있을 때에는 10일 이내에 지구대장(파출소장)을 거쳐 관할 경찰서장에게 변동사항을 신고하여야 한다. (×)

(4) 여행 등 신고

> **보안관찰법 제18조【신고사항】** ④ 피보안관찰자가 주거지를 이전하거나 국외여행 또는 10일 이상 주거를 이탈하여 여행하고자 할 때에는 미리 거주예정지, 여행예정지 기타 대통령령이 정하는 사항을 지구대 · 파출소장을 거쳐 관할경찰서장에게 신고하여야 한다. 다만, 제20조 제3항에 의하여 거소제공을 받은 자가 주거지를 이전하고자 할 때에는 제20조 제5항에 의하여 거소변경을 신청하여 변경결정된 거소를 거주예정지로 신고하여야 한다. [2020 승진(경감)] [2022 승진(실무종합)]
> ⑤ 관할경찰서장은 제1항 내지 제4항의 규정에 의한 신고를 받은 때에는 신고필증을 교부하여야 한다.
> [2017 채용2차] [2017 경간] [2019 승진(경감) 유사] 주거지를 이전하거나 국외여행 또는 7일 이상 주거를 이탈하여 여행하고자 할 때에는 미리 지구대장(파출소장)을 거쳐 관할경찰서장에게 신고하여야 한다. (×)

6. 보안관찰처분의 집행

(1) 검사의 집행지휘

> **보안관찰법 제17조【보안관찰처분의 집행】** ① 보안관찰처분의 집행은 검사가 지휘한다.
> ② 제1항의 지휘는 결정서등본을 첨부한 서면으로 하여야 한다.
> ③ 검사는 피보안관찰자가 도주하거나 1월 이상 그 소재가 불명한 때에는 보안관찰처분의 집행중지결정을 할 수 있다. 그 사유가 소멸된 때에는 지체 없이 그 결정을 취소하여야 한다. [2017 승진(경위)]
> [2014 채용2차] 보안관찰처분의 집행중지결정은 관할경찰서장이 한다. (×)
> [2012 채용3차] 검사는 피보안관찰자가 도주하거나 15일 이상 그 소재가 불명한 때에는 보안관찰처분의 집행중지결정을 하여야 한다. (×)
> [2016 경간] 검사는 피보안관찰자가 도주하거나 3월 이상 그 소지가 불명한 때에는 보안관찰처분의 집행중지결정을 할 수 있다. 그 사유가 소멸된 때에는 지체 없이 그 결정을 취소하여야 한다. (×)
> [2014 채용1차] 검사는 피보안관찰자가 도주하거나 1월 이상 그 소재가 불명한 때에는 보안관찰처분의 집행중지결정을 할 수 있으며, 그 사유가 소멸된 때에는 7일 이내에 그 결정을 취소하여야 한다. (×)
> [2020 실무 3] 보안관찰처분대상자가 도주하거나 1개월 이상 소재불명인 경우 보안관찰처분의 집행중지결정을 할 수 있다. (×)

(2) 보안관찰처분의 기간

> **보안관찰법 제5조【보안관찰처분의 기간】** ① 보안관찰처분의 기간은 2년으로 한다.
> [2014 실무 3] [2023 채용1차]
> ② 법무부장관은 검사의 청구가 있는 때에는 보안관찰처분심의위원회의 의결을 거쳐 그 기간을 갱신할 수 있다. [2013 채용1차] [2014 채용1차] [2016 경간] [2017 승진(경위)] [2018 경채] [2020 실무 3] [2024 승진]
> [2014 채용2차] [2019 승진(경감)] 보안관찰처분 기간은 2년이며, 그 기간은 갱신할 수 없다. (×)
> [2021 경간] 보안관찰처분의 기간은 2년으로 하며 법무부장관은 검사의 청구가 있는 때에는 보안관찰처분심의위원회의 의결을 거쳐 1회에 한해 그 기간을 갱신할 수 있다. (×)

(3) 보안관찰처분의 내용

1) 지도

보안관찰법 제19조 【지도】 ① 검사 및 사법경찰관리는 피보안관찰자의 재범을 방지하고 건전한 사회복귀를 촉진하기 위하여 다음 각호의 지도를 할 수 있다.
1. 피보안관찰자와 긴밀한 접촉을 가지고 항상 그 행동 및 환경등을 관찰하는 것
2. 피보안관찰자에 대하여 신고사항을 이행함에 적절한 지시를 하는 것
3. 기타 피보안관찰자가 사회의 선량한 일원이 되는데 필요한 조치를 취하는 것
② 검사 및 사법경찰관은 피보안관찰자의 재범방지를 위하여 특히 필요한 경우에는 다음 각호의 조치를 할 수 있다.
1. 보안관찰해당범죄를 범한 자와의 회합·통신을 금지하는 것
2. 집단적인 폭행, 협박, 손괴, 방화등으로 공공의 안녕질서에 직접적인 위협을 가할 것이 명백한 집회 또는 시위장소에의 출입을 금지하는 것
3. 피보안관찰자의 보호 또는 조사를 위하여 특정장소에의 출석을 요구하는 것

2) 보호

보안관찰법 제20조 【보호】 ① 검사 및 사법경찰관리는 피보안관찰자가 자조의 노력을 함에 있어, 그의 개선과 자위를 위하여 필요하다고 인정되는 적절한 보호를 할 수 있다.
② 제1항의 보호의 방법은 다음과 같다.
1. 주거 또는 취업을 알선하는 것
2. 직업훈련의 기회를 제공하는 것
3. 환경을 개선하는 것
4. 기타 본인의 건전한 사회복귀를 위하여 필요한 원조를 하는 것
③ 법무부장관은 보안관찰처분대상자 또는 피보안관찰자중 국내에 가족이 없거나 가족이 있어도 인수를 거절하는 자에 대하여는 대통령령이 정하는 바에 의하여 거소를 제공할 수 있다. [2022 승진(실무종합)]

3) 경고

보안관찰법 제22조 【경고】 검사 및 사법경찰관리는 피보안관찰자가 의무를 위반하였거나 위반할 위험성이 있다고 의심할 상당한 이유가 있는 때에는 그 이행을 촉구하고 형사처벌등 불이익한 처분을 받을 수 있음을 경고할 수 있다.

7. 보안관찰처분심의위원회

(1) 설치 및 구성

> **보안관찰법 제12조【보안관찰처분심의위원회】** ① 보안관찰처분에 관한 사안을 심의·의결하기 위하여 법무부에 보안관찰처분심의위원회(이하 "위원회"라 한다)를 둔다.
> ② 위원회는 위원장 1인과 6인의 위원으로 구성한다. [2012 채용2차]

(2) 위원과 위원장

> **보안관찰법 제12조【보안관찰처분심의위원회】** ③ 위원장은 법무부차관이 되고, 위원은 학식과 덕망이 있는 자로 하되, 그 과반수는 변호사의 자격이 있는 자이어야 한다.
> ④ 위원은 법무부장관의 제청으로 대통령이 임명 또는 위촉한다.
> ⑤ 위촉된 위원의 임기는 2년으로 한다. 다만, 공무원인 위원은 그 직을 면한 때에는 위원의 자격을 상실한다.
> ⑥ 위원중 공무원이 아닌 위원도 이 법 기타 다른 법률의 규정에 의한 벌칙의 적용에 있어서는 공무원으로 본다.
> ⑦ 위원장은 위원회의 회무를 총괄하고 위원회를 대표하며, 위원회의 회의를 소집하고 그 의장이 된다.
> ⑧ 위원장이 사고가 있을 때에는 미리 그가 지정한 위원이 그 직무를 대행한다.
> [2012 채용2차 유사] [2012 채용3차] 보안관찰처분심의위원회의 위원장은 법무부장관이다. (×)
> [2020 승진(경감)] 「보안관찰법」상 보안관찰처분심의위원회는 위원장 1인(법무부장관)과 6인의 위원으로 구성되고, 위원은 법무부장관의 제청으로 대통령이 임명 또는 위촉한다. (×)

(3) 위원회의 심의 및 의결

> **보안관찰법 제12조【보안관찰처분심의위원회】** ⑨ 위원회는 다음 각호의 사안을 심의·의결한다. [2012 채용3차]
> 1. 보안관찰처분 또는 그 기각의 결정
> 2. 면제 또는 그 취소결정
> 3. 보안관찰처분의 취소 또는 기간의 갱신결정
> ⑩ 위원회의 회의는 위원장을 포함한 재적위원 과반수의 출석으로 개의하고 출석위원 과반수의 찬성으로 의결한다.
> ⑪ 위원회의 운영·서무 기타 필요한 사항은 대통령령으로 정한다.

제7장 / 외사경찰

주제 1 외사경찰 개설

01 외사경찰

1. 외사경찰의 의미

외사경찰이란 대한민국의 안전과 사회공공의 안녕 및 질서유지를 목적으로 외국인, 해외 교포 또는 외국과 관련된 기관·단체 등 외사활동대상에 대하여 이들의 동정을 관찰하고 이들과 관련된 범죄를 예방·단속하는 것 등을 주된 임무로 하는 경찰활동을 말한다.

2. 외사경찰의 특징

(1) 외국인 등을 대상으로 하는 경찰활동

외국인, 외국기관·단체 또는 해외교포를 대상으로 한다는 점에서, 일반 내국인이 관련된 범죄의 예방과 단속을 주 업무로 하는 일반 경찰활동과 구별되고, 특히 일반적인 외국인과 달리 특별한 법적 지위를 누리는 외교사절 등의 경우 그 취급에 있어 특별한 주의를 기울일 필요가 있다.

(2) 광범위한 경찰활동

- 외사경찰은 외사정보활동, 외사보안활동은 물론, 외사범죄의 수사, 국제협력활동 등 광범위한 업무를 담당한다.
- 국제형사사법공조 업무, 경찰간 이해증진을 위한 상호교육 파견, 국제회의 참석, 정보기관과의 범죄정보교환 등 국제사회를 무대로 활동이 전개된다.

(3) 전문적인 경찰활동

외사경찰은 외국어는 물론, 국제안보·경제·외교·국제범죄 조직 동향 등 전문적인 지식을 요하는 활동이다.

02 외사경찰활동의 주변환경

1. 국제질서에 관한 사상의 변천

사상	시대	주요내용
이상주의	18세기	• 국가도 국제관계의 이익에 봉사함으로써 국제사회와 자국간 이익을 조화시킬 수 있다. • '최대다수의 최대행복'
자유방임주의	19세기	• 국제질서는 간섭 없이 내버려 둠으로써 오히려 최선의 결과를 가져올 수 있으며, 전 세계적 자유무역이 바람직하다. • '보이지 않는 손'
제국주의	19세기 말	자유무역 기조가 쇠퇴하고 보호무역주의가 지지받았으며, 열강들의 식민지 쟁탈전이 발생하였다.
이데올로기적 패권주의	제1차 세계대전 이후	자유주의 진영와 공산주의 진영의 이데올로기 대립
경제패권주의	1980년 이후	냉전종식과 WTO체제하에서 자국의 경제적 이익을 최우선으로 추구하는 무한경쟁시대

2. 다문화 사회

(1) 다문화 사회의 의미

• '다문화 사회'란 민족이나 인종, 문화적으로 다원화되어 있는 사회로 한 국가나 사회 속에 여러 다른 생활양식이 존재한다는 것을 의미한다.

• 우리나라의 경우 인구감소 · 인건비 상승 · 3D 업종 기피 등으로 실질적인 노동력이 턱없이 부족해지면서 정부에서 추진한 '외국인고용허가제', '방문취업제' 등과 같은 정책에 따라 외국인노동자가 급증하였고, 아울러 국제결혼 역시 우리나라가 다문화 사회로 진입하게 된 주요 원인 중 하나로 평가된다.

(2) 다문화 사회의 접근유형 [2020 채용1차]

자유주의적 다문화주의 (동화주의)	• 다문화주의의 차별을 금지하고 사회참여를 위해 기회의 평등을 보장 • 사회통합을 이룩하기 위해 국가 내부의 문화적 다양성을 허용하고, 소수 인종집단 고유의 문화와 가치를 인정 • 시민생활이나 공적생활에서는 주류사회의 문화, 언어, 사회습관에 따를 것을 요구
조합주의적 다문화주의 (다원주의)	• 자유주의적 다문화주의와 급진적 다문화주의의 절충적 형태로서 다문화주의를 결과의 평등 보장이라는 측면에서 접근 • 문화적 소수자가 현실적으로 문화적 다수자와의 경쟁에서 불리한 위치에 있다는 것을 전제로 하며, 소수집단의 사회참가를 촉진하기 위해서 적극적인 재정적 · 법적 원조 시행 • 다언어방송, 다언어 의사소통, 다언어문서, 다언어 및 다문화 교육 등을 추진하고, 사적 영역에서 소수민족 학교나 공공단체에 대해 지원하기도 함

💡 **안산드레아스?**

• 최근 다문화특구까지 생기면서 다문화 사회 정착에 앞장서고 있는 경기도 안산시의 경우, 일명 '안산드레아스'라고도 불리며 대표적인 외국인 범죄도시의 이미지가 부각되고 있다.

• 다만, 실제 대검찰청 발간 '범죄발생지역'자료(2019)에 따르면, 인구 1만 명당 범죄 건수 및 강력범죄 건수 모두 전국 27위로 비교대상 도시 중 중간정도에 위치하고 있는 것으로 확인된다.

급진적 다문화주의	• 다문화주의를 '차이에 대한 권리'로 해석하며, 다문화주의를 소수자의 문화적 권리와 결부하여 이해 • 소수집단 자결(self-determination)의 원칙을 내세워 문화적 공존을 넘어서는 소수민족 집단만의 공동체 건설을 지향 • 다민족 다문화사회에서 주류사회의 문화, 언어, 규범, 가치, 생활양식을 부정하고 독자적인 생활방식을 추구하는 입장 • 미국의 흑인과 원주민에 의한 격리주의 운동사례, 아프리카 소부족 독립운동사례 등

⊕ 심화 다문화가족지원법

1 목적

> 다문화가족지원법 제1조 【목적】 이 법은 다문화가족 구성원이 안정적인 가족생활을 영위하고 사회구성원으로서의 역할과 책임을 다할 수 있도록 함으로써 이들의 삶의 질 향상과 사회통합에 이바지함을 목적으로 한다.

2 정의

> 다문화가족지원법 제2조 【정의】 이 법에서 사용하는 용어의 뜻은 다음과 같다.
> 1. "다문화가족"이란 다음 각 목의 어느 하나에 해당하는 가족을 말한다. [2020 실무 3]
>   가. 「재한외국인 처우 기본법」 제2조 제3호의 결혼이민자와 「국적법」 제2조부터 제4조까지의 규정에 따라 대한민국 국적을 취득한 자로 이루어진 가족
>   나. 「국적법」 제3조 및 제4조에 따라 대한민국 국적을 취득한 자와 같은 법 제2조부터 제4조까지의 규정에 따라 대한민국 국적을 취득한 자로 이루어진 가족
> 2. "결혼이민자등"이란 다문화가족의 구성원으로서 다음 각 목의 어느 하나에 해당하는 자를 말한다.
>   가. 「재한외국인 처우 기본법」 제2조 제3호의 결혼이민자
>   나. 「국적법」 제4조에 따라 귀화허가를 받은 자
> 3. "아동·청소년"이란 24세 이하인 사람을 말한다. [2020 실무 3]

3 국가와 지방자치단체의 책무

> 다문화가족지원법 제3조 【국가와 지방자치단체의 책무】 ① 국가와 지방자치단체는 다문화가족 구성원이 안정적인 가족생활을 영위하고 경제·사회·문화 등 각 분야에서 사회구성원으로서의 역할과 책임을 다할 수 있도록 필요한 제도와 여건을 조성하고 이를 위한 시책을 수립·시행하여야 한다.
> ② 특별시·광역시·특별자치시·도·특별자치도 및 시·군·구(자치구를 말한다. 이하 같다)에는 다문화가족 지원을 담당할 기구와 공무원을 두어야 한다.
> ③ 국가와 지방자치단체는 이 법에 따른 시책 중 외국인정책 관련 사항에 대하여는 「재한외국인 처우 기본법」 제5조부터 제9조까지의 규정에 따른다.
> [2020 실무 3] 여성가족부장관은 다문화가족 구성원이 안정적인 가족생활을 영위할 수 있도록 필요한 제도와 여건을 조성하고 이를 위한 시책을 수립·시행하여야 한다. (×)

4 다문화가족 지원을 위한 기본계획의 수립

> 다문화가족지원법 제3조의2 【다문화가족 지원을 위한 기본계획의 수립】 ① 여성가족부장관은 다문화가족 지원을 위하여 5년마다 다문화가족정책에 관한 기본계획(이하 "기본계획"이라 한다)을 수립하여야 한다. [2020 실무 3]

01 국적과 외국인

1. 국적과 외국인

(1) 국적의 의미

국적(國籍, Nationality)은 문맥에 따라 어떤 국가의 국민이 되는 요건 또는 어떤 개인이 소속된 국가를 말한다.

🔍 **참고 시민권과 영주권**

① 시민권
- 우리나라·일본·중국·유럽 대륙의 각 국가들은 국적제도를 운영하는데 비해, 미국·캐나다·호주와 같은 국가들은 '시민권'이라는 제도를 운영하고 있다.
- 시민권 제도를 운영하는 국가에서는 시민권자가 현실적으로 그 국가의 국민으로서 각종 권리와 의무의 주체가 되며, 따라서 국적에 관한 법률적 문제에서 시민권과 국적은 같은 개념으로 취급된다. 예 미국 시민권과 한국국적을 함께 갖고 있는 사람은 복수국적자에 해당

② 영주권
- '영주권'이란 국적과 상관없이 외국 정부로부터 부여받은 그 국가에 영주(무기한 체류, 장기 체류)할 수 있는 권리 또는 자격을 말한다.
- 만약 어떤 대한민국 국민이 외국에서 영주권을 취득했다면 이는 그 국가에 외국인으로서 영주할 수 있는 자격을 취득한 것을 의미하며, 그 국가의 국적 또는 시민권을 취득한 것과는 다르다. 따라서 이 경우 대한민국 국민은 여전히 대한민국 국적을 계속 갖게 된다.
- 이와 같이 대한민국 국민으로서 외국의 영주권을 취득하여 외국에서 상주하는 사람들을 재외국민이라고 한다.

---

(2) 외국인의 의미

외국인이란 대한민국의 국민이 아닌 자, 즉 대한민국 국적을 가지지 않은 자를 말한다.

2. 외국인의 대한민국 국적취득 – 귀화

(1) 귀화의 방법

> **국적법 제4조【귀화에 의한 국적 취득】** ① 대한민국 국적을 취득한 사실이 없는 외국인은 법무부장관의 귀화허가를 받아 대한민국 국적을 취득할 수 있다.
> ② 법무부장관은 귀화허가 신청을 받으면 제5조부터 제7조까지의 귀화 요건을 갖추었는지를 심사한 후 그 요건을 갖춘 사람에게만 귀화를 허가한다.
> ③ 제1항에 따라 귀화허가를 받은 사람은 법무부장관 앞에서 국민선서를 하고 귀화증서를 수여받은 때에 대한민국 국적을 취득한다. 다만, 법무부장관은 연령, 신체적·정신적 장애 등으로 국민선서의 의미를 이해할 수 없거나 이해한 것을 표현할 수 없다고 인정되는 사람에게는 국민선서를 면제할 수 있다.

(2) 귀화의 요건 – 일반 · 간이 · 특별

1) 일반귀화

> **국적법 제5조 【일반귀화 요건】** 외국인이 귀화허가를 받기 위해서는 제6조나 제7조에 해당하는 경우 외에는 다음 각 호의 요건을 갖추어야 한다. [2015 채용2차]
> [2017 승진(경위)] [2019 채용2차]
> 1. 5년 이상 계속하여 대한민국에 주소가 있을 것 [2016 경간]
> 1의2. 대한민국에서 영주할 수 있는 체류자격을 가지고 있을 것
> 2. 대한민국의 「민법」상 성년일 것
> 3. 법령을 준수하는 등 법무부령으로 정하는 품행 단정의 요건을 갖출 것
> 4. 자신의 자산이나 기능에 의하거나 생계를 같이하는 가족에 의존하여 생계를 유지할 능력이 있을 것
> 5. 국어능력과 대한민국의 풍습에 대한 이해 등 대한민국 국민으로서의 기본 소양을 갖추고 있을 것
> 6. 귀화를 허가하는 것이 국가안전보장 · 질서유지 또는 공공복리를 해치지 아니한다고 법무부장관이 인정할 것
> [2015 채용2차] [2017 승진(경위)] [2019 채용2차 유사] 3년 이상 계속하여 대한민국에 주소가 있을 것은 일반귀화의 요건 중 하나이다. (×)
> [2019 채용2차] 법령을 준수하는 등 대통령령으로 정하는 품행 단정의 요건을 갖출 것은 일반귀화의 요건 중 하나이다. (×)

2) 간이귀화

> **국적법 제6조 【간이귀화 요건】** ① 다음 각 호의 어느 하나에 해당하는 외국인으로서 대한민국에 3년 이상 계속하여 주소가 있는 사람은 제5조 제1호 및 제1호의2의 요건을 갖추지 아니하여도 귀화허가를 받을 수 있다.
> 1. 부 또는 모가 대한민국의 국민이었던 사람 ➡ 부 또는 모가 대한민국 국민인 사람은 출생과 동시에 대한민국 국적을 취득하거나, 특별귀화의 대상
> 2. 대한민국에서 출생한 사람으로서 부 또는 모가 대한민국에서 출생한 사람
> 3. 대한민국 국민의 양자로서 입양 당시 대한민국의 「민법」상 성년이었던 사람
> ② 배우자가 대한민국의 국민인 외국인으로서 다음 각 호의 어느 하나에 해당하는 사람은 제5조 제1호 및 제1호의2의 요건을 갖추지 아니하여도 귀화허가를 받을 수 있다.
> 1. 그 배우자와 혼인한 상태로 대한민국에 2년 이상 계속하여 주소가 있는 사람
> 2. 그 배우자와 혼인한 후 3년이 지나고 혼인한 상태로 대한민국에 1년 이상 계속하여 주소가 있는 사람 [2017 실무 3]
> 3. 제1호나 제2호의 기간을 채우지 못하였으나, 그 배우자와 혼인한 상태로 대한민국에 주소를 두고 있던 중 그 배우자의 사망이나 실종 또는 그 밖에 자신에게 책임이 없는 사유로 정상적인 혼인 생활을 할 수 없었던 사람으로서 제1호나 제2호의 잔여기간을 채웠고 법무부장관이 상당하다고 인정하는 사람
> 4. 제1호나 제2호의 요건을 충족하지 못하였으나, 그 배우자와의 혼인에 따라 출생한 미성년의 자(子)를 양육하고 있거나 양육하여야 할 사람으로서 제1호나 제2호의 기간을 채웠고 법무부장관이 상당하다고 인정하는 사람

3) 특별귀화

> **국적법 제7조【특별귀화 요건】** ① 다음 각 호의 어느 하나에 해당하는 외국인으로서 대한민국에 주소가 있는 사람은 제5조 제1호 · 제1호의2 · 제2호 또는 제4호의 요건을 갖추지 아니하여도 귀화허가를 받을 수 있다.
> 1. 부 또는 모가 대한민국의 국민인 사람. 다만, 양자로서 대한민국의 「민법」상 성년이 된 후에 입양된 사람은 제외한다.
> 2. 대한민국에 특별한 공로가 있는 사람
> 3. 과학 · 경제 · 문화 · 체육 등 특정 분야에서 매우 우수한 능력을 보유한 사람으로서 대한민국의 국익에 기여할 것으로 인정되는 사람
> ② 제1항 제2호 및 제3호에 해당하는 사람을 정하는 기준 및 절차는 대통령령으로 정한다.

💡 예컨대 최근 연예인 '강남'의 경우 모친이 한국인으로, 2022년 2월 특별귀화절차를 통해 대한민국 국적을 취득하였다.

☑ KEY POINT ｜ 귀화요건 비교

요건	일반귀화	간이귀화		특별귀화
		부모 간이귀화	혼인 간이귀화	
주소요건	5년 이상 주소	3년 이상 주소	• 혼인상태 2년 이상 주소 • 혼인상태 1년 이상 주소 + 혼인 후 3년 경과	면제(주소만 있으면 충족)
	영주 체류자격			
나이요건	성년일 것	필요	필요	면제
성품요건	품행 단정	필요	필요	필요
	기본 소양	필요	필요	필요
능력요건	생계유지	필요	필요	면제

• **부모 간이귀화 특유요건**: ① 부 또는 모가 대한민국 국민이었거나, ② 부 또는 모가 대한민국 출생자로서 본인도 대한민국 출생, ③ 입양 당시 성년인 대한민국 국민의 양자
• **혼인 간이귀화 특유요건**: ① 주소기간 채우지 못했으나 본인 책임 없는 사유로 혼인생활 중단, ② 주소기간 채우지 못했으나 미성년자 양육 필요
• **특별귀화 특유요건**: ① 부 또는 모가 대한민국 국민, ② 특별한 공로, ③ 우수기능보유자

---

02 외국인의 출입국

1. 외국인의 입국

(1) 입국의 원칙

> **출입국관리법 제7조【외국인의 입국】** ① 외국인이 입국할 때에는 유효한 여권과 법무부장관이 발급한 사증을 가지고 있어야 한다.
> ② 다음 각 호의 어느 하나에 해당하는 외국인은 제1항에도 불구하고 사증 없이 입국할 수 있다.
> 1. 재입국허가를 받은 사람 또는 재입국허가가 면제된 사람으로서 그 허가 또는 면제받은 기간이 끝나기 전에 입국하는 사람
> 2. 대한민국과 사증면제협정을 체결한 국가의 국민으로서 그 협정에 따라 면제대상이 되는 사람

💡 **사증과 여권**
• **사증(VISA)**: 대한민국에 외국인이 입국하여 체류할 수 있는 권리를 인정하는 증명으로, 대한민국 입국 후 불법체류나 범죄를 저지를 가능성이 있는 외국인의 입국을 차단하는 장치이다. 따라서 사전에 신분이나 직업, 방문목적을 증빙하는 서류를 제출받아 심사하는 절차를 거치게 된다. ➡ **법무부장관** 발급
• **여권(Passport)**: 여행자의 국적과 신분을 증명하는 국제 신분증이다. ➡ **외교부장관** 발급
• 따라서 **사증 + 여권의 조합**이 갖추어져야만, ① 외국인 A가 대한민국 입국 · 체류자격이 있고, ② 입국을 시도하는 자가 A 본인임이 확인되는 것이므로 입국이 가능하게 되는 것이다.

3. 국제친선, 관광 또는 대한민국의 이익 등을 위하여 입국하는 사람으로서 대통령령으로 정하는 바에 따라 따로 입국허가를 받은 사람
4. 난민여행증명서를 발급받고 출국한 후 그 유효기간이 끝나기 전에 입국하는 사람

③ 법무부장관은 공공질서의 유지나 국가이익에 필요하다고 인정하면 제2항 제2호에 해당하는 사람에 대하여 사증면제협정의 적용을 일시 정지할 수 있다.
④ 대한민국과 수교하지 아니한 국가나 법무부장관이 외교부장관과 협의하여 지정한 국가의 국민은 제1항에도 불구하고 대통령령으로 정하는 바에 따라 재외공관의 장이나 지방출입국·외국인관서의 장이 발급한 외국인입국허가서를 가지고 입국할 수 있다.

[2021 채용1차] 외국인이 입국할 때에는 유효한 여권과 외교부장관이 발급한 사증을 가지고 있어야 한다. (×)
[2020 승진(경위)] 법무부장관이 대한민국의 이익 등을 위하여 입국이 필요하다고 인정하는 외국인은 사증 없이 입국 할 수 있다. (○)

(2) 사증

1) 종류 및 발급권자

출입국관리법 제8조 【사증】 ① 제7조에 따른 사증은 1회만 입국할 수 있는 단수사증과 2회 이상 입국할 수 있는 복수사증으로 구분한다.
② 법무부장관은 사증발급에 관한 권한을 대통령령으로 정하는 바에 따라 재외공관의 장에게 위임할 수 있다. [2014 채용2차]
③ 사증발급에 관한 기준과 절차는 법무부령으로 정한다.

[2017 승진(경감)] 외교부장관은 사증발급에 관한 권한을 대통령령으로 정하는 바에 따라 재외공관의 장에게 위임할 수 있다. (×)

2) 유효기간

법무부령 출입국관리법 시행규칙 제12조 【사증의 유효기간등】 ① 단수사증의 유효기간은 발급일부터 3개월로 한다.
② 복수사증의 유효기간은 발급일부터 다음 각 호의 기간으로 한다.
1. 영 별표 1의2 중 체류자격 1. 외교(A-1)부터 3. 협정(A-3)까지에 해당하는 사람의 복수사증은 3년 이내
1의2. 영 별표 1의2 중 29. 방문취업(H-2)의 체류자격에 해당하는 사람의 복수사증은 5년 이내
2. 복수사증발급협정등에 의하여 발급된 복수사증은 협정상의 기간
3. 상호주의 기타 국가이익등을 고려하여 발급된 복수사증은 법무부장관이 따로 정하는 기간

(3) 여권

1) 의미

여권이란 본국의 정부 또는 권한 있는 국제기구에서 발급한, 소지자의 신분 및 국외에 여행할 수 있음을 본국에서 일방적으로 증명하는 문서를 말한다. ➡ 대한민국 여권은 대한민국 정부(외교부장관)가 발급한, 해외에서 우리나라 국민임을 증명하는 유일한 신분증이다.

2) 발급권자

> **여권법 제3조【발급권자】** 여권은 외교부장관이 발급한다.
> [2012 채용1차] 사증(VISA)의 발급권자는 외교부장관이고, 여권의 발급권자는 법무부장관이다. (×)
>
> **여권법 제21조【사무의 대행 등】** ① 외교부장관은 여권 등의 발급, 재발급과 기재사항변경에 관한 사무의 일부를 대통령령으로 정하는 바에 따라 지방자치단체의 장에게 대행하게 할 수 있다.

3) 종류와 유효기간

> **여권법 제4조【여권의 종류】** ① 여권의 종류는 다음 각 호와 같다.
> 1. 일반여권 / 2. 관용여권 / 3. 외교관여권
> 4. 긴급여권(제1호부터 제3호까지의 규정에 따른 여권을 발급받거나 재발급받을 시간적 여유가 없는 경우로서 여권의 긴급한 발급이 필요하다고 인정되어 발급하는 여권을 말한다)
> ② 여권은 1회에 한정하여 외국여행을 할 수 있는 여권(이하 "단수여권"이라 한다)과 유효기간 만료일까지 횟수에 제한 없이 외국여행을 할 수 있는 여권(이하 "복수여권"이라 한다)으로 구분하며, 여권의 종류별로 다음 각 호의 구분에 따라 발급한다.
> 1. 일반여권 · 관용여권과 외교관여권: 단수여권과 복수여권
> 2. 긴급여권: 단수여권
>
> **여권법 제5조【여권의 유효기간】** ① 제4조에 따른 여권(긴급여권은 제외한다)의 종류별 유효기간은 다음 각 호와 같다.
> 1. 일반여권: 10년 이내 [2017 실무 3]
> 2. 관용여권: 5년 이내 [2017 실무 3]
> 3. 외교관여권: 5년 이내

☑ KEY POINT ┃ 여권의 종류와 유효기간 정리

단 · 복수 여부	종류	내용	유효기간
단수 · 복수여권	일반여권	일반적인 경우 발급되는 여권	10년 이내
	관용여권	공무로 국외에 여행하는 사람 등에 대해 발급하는 여권	5년 이내
	외교관여권	대통령 · 국무총리 · 국회의장 · 대법원장 · 헌법재판소장(모두 전직 포함) 등에 대해 발급하는 여권	5년 이내
단수여권	긴급여권	여권을 (재)발급 받을 시간적 여유가 없는 경우로서 여권의 긴급한 발급이 필요하다고 인정되는 경우 예 친족의 사망 등	1년 이내

[2017 실무 3] [2020 실무 3] 관용여권의 유효기간은 3년으로 한다. (×)

4) 발급거부사유

5) 여권의 휴대 및 제시의무

기소중지
검사가 피의자의 **소재불명** 등의 사유로 수사를 종결할 수 없는 경우 그 사유가 해소될 때까지 하는 결정

수사중지
사법경찰관이 피의자의 **소재불명** 등의 사유로 수사를 종결할 수 없는 경우 그 사유가 해소될 때까지 하는 결정(경찰수사규칙 제98조)

1 의의

- 해외에서 우리 국민에 대한 사건·사고 피해를 예방하고 우리 국민의 안전한 해외 거주·체류 및 방문을 도모하기 위해 외교부에서 2004년부터 시행하고 있는 제도이다.

2 단계별 여행경보 [2021 승진(실무종합)]

단계	구분발령	행동요령
1단계(여행유의) 남색경보	국내 대도시보다 상당히 높은 수준의 위험	신변안전 위험 요인 숙지·대비
2단계(여행자제) 황색경보	국내 대도시보다 매우 높은 수준의 위험	• (여행예정자) 불필요한 여행 자제 • (체류자) 신변안전 특별유의
3단계(출국권고) 적색경보	국민의 생명과 안전을 위협하는 심각한 수준의 위험	• (여행예정자) 여행 취소·연기 • (체류자) 긴요한 용무가 아닌 한 출국
4단계(여행금지) 흑색경보	국민의 생명과 안전을 위협하는 매우 심각한 수준의 위험	• (여행예정자) 여행금지 준수 • (체류자) 즉시 대피·철수

[2012 경간] 외교부에서 발령하는 여행경보는 제1단계 여행유의, 제2단계 여행제한, 제3단계 여행자제, 제4단계 여행금지의 4종이 있다. (×)

(4) 외국인의 입국심사와 입국금지사유

1) 입국심사

출입국관리법 제12조【입국심사】 ① 외국인이 입국하려는 경우에는 입국하는 출입국항에서 대통령령으로 정하는 바에 따라 여권과 입국신고서를 출입국관리공무원에게 제출하여 입국심사를 받아야 한다.

③ 출입국관리공무원은 입국심사를 할 때에 다음 각 호의 요건을 갖추었는지를 심사하여 입국을 허가한다.

1. 여권과 사증이 유효할 것. 다만, 사증은 이 법에서 요구하는 경우만을 말한다.
1의2. 제7조의3 제2항에 따른 사전여행허가서가 유효할 것
2. 입국목적이 체류자격에 맞을 것
3. 체류기간이 법무부령으로 정하는 바에 따라 정하여졌을 것
4. 제11조에 따른 입국의 금지 또는 거부의 대상이 아닐 것

출입국관리법 제12조의2【입국 시 생체정보의 제공 등】 ① 입국하려는 외국인은 제12조에 따라 입국심사를 받을 때 법무부령으로 정하는 방법으로 생체정보를 제공하고 본인임을 확인하는 절차에 응하여야 한다. 다만, 다음 각 호의 어느 하나에 해당하는 사람은 그러하지 아니하다.

1. 17세 미만인 사람
2. 외국정부 또는 국제기구의 업무를 수행하기 위하여 입국하는 사람과 그 동반 가족
3. 외국과의 우호 및 문화교류 증진, 경제활동 촉진 또는 대한민국의 이익 등을 고려하여 생체정보의 제공을 면제하는 것이 필요하다고 대통령령으로 정하는 사람

② 출입국관리공무원은 외국인이 제1항 본문에 따라 생체정보를 제공하지 아니하는 경우에는 그의 입국을 허가하지 아니할 수 있다.

③ 법무부장관은 입국심사에 필요한 경우에는 관계 행정기관이 보유하고 있는 외국인의 생체정보의 제출을 요청할 수 있다. [2020 승진(경위)] [2020 승진(경감)]

▌**생체정보(출입국관리법 제2조 제15호)**
출입국관리법에 따른 업무에서 본인 일치 여부 확인 등에 활용되는 사람의 지문·얼굴·홍채 및 손바닥 정맥 등의 개인정보를 말한다.

2) 입국금지사유

출입국관리법 제11조【입국의 금지 등】① 법무부장관은 다음 각 호의 어느 하나에 해당하는 외국인에 대하여는 입국을 금지할 수 있다. [2017 실무 3]
  1. 감염병환자, 마약류중독자, 그 밖에 공중위생상 위해를 끼칠 염려가 있다고 인정되는 사람 [2017 채용2차]
  2. 「총포·도검·화약류 등의 안전관리에 관한 법률」에서 정하는 총포·도검·화약류 등을 위법하게 가지고 입국하려는 사람
  3. 대한민국의 이익이나 공공의 안전을 해치는 행동을 할 염려가 있다고 인정할 만한 상당한 이유가 있는 사람
  4. 경제질서 또는 사회질서를 해치거나 선량한 풍속을 해치는 행동을 할 염려가 있다고 인정할 만한 상당한 이유가 있는 사람 [2017 채용2차] [2020 실무 3]
  5. 사리 분별력이 없고 국내에서 체류활동을 보조할 사람이 없는 정신장애인, 국내체류비용을 부담할 능력이 없는 사람, 그 밖에 구호가 필요한 사람 [2017 채용2차]
  6. 강제퇴거명령을 받고 출국한 후 5년이 지나지 아니한 사람 [2020 실무 3]
  7. 1910년 8월 29일부터 1945년 8월 15일까지 사이에 다음 각 목의 어느 하나에 해당하는 정부의 지시를 받거나 그 정부와 연계하여 인종, 민족, 종교, 국적, 정치적 견해 등을 이유로 사람을 학살·학대하는 일에 관여한 사람
    가. 일본 정부
    나. 일본 정부와 동맹 관계에 있던 정부
    다. 일본 정부의 우월한 힘이 미치던 정부
  8. 제1호부터 제7호까지의 규정에 준하는 사람으로서 법무부장관이 그 입국이 적당하지 아니하다고 인정하는 사람
② 법무부장관은 입국하려는 외국인의 본국이 제1항 각 호 외의 사유로 국민의 입국을 거부할 때에는 그와 동일한 사유로 그 외국인의 입국을 거부할 수 있다.
[2017 채용2차] 강제퇴거명령을 받고 출국한 후 5년이 지난 사람은 「출입국관리법」상 외국인의 입국금지사유에 해당한다. (×)
[2022 경간] 감염병환자, 마약류중독자, 강제퇴거명령을 받고 출국한 후 5년이 지난 외국인은 입국금지 사항에 해당한다. (×)

(5) 상륙

- **상륙**이란 부득이한 사유로 사증 없이 출입국 공항이나 만에서 출입국관리공무원 등의 상륙허가를 받아 일시 머무는 것을 말한다.
- 상륙도 외국인이 대한민국의 영토 내로 들어온다는 점에서 입국과 유사하나, '입국'은 사증(VISA)이 있어야 하는 데 반해 상륙은 VISA가 요구되지 않는다.

1) 승무원 상륙

출입국관리법 제14조【승무원의 상륙허가】① 출입국관리공무원은 다음 각 호의 어느 하나에 해당하는 외국인승무원에 대하여 선박등의 장 또는 운수업자나 본인이 신청하면 15일의 범위에서 승무원의 상륙을 허가할 수 있다. 다만, 제11조 제1항 각 호(➡ 입국금지사유)의 어느 하나에 해당하는 외국인승무원에 대하여는 그러하지 아니하다.
  1. 승선 중인 선박등이 대한민국의 출입국항에 정박하고 있는 동안 휴양 등의 목적으로 상륙하려는 외국인승무원

2. 대한민국의 출입국항에 입항할 예정이거나 정박 중인 선박등으로 옮겨 타
려는 외국인승무원

[2014 경간] 승무원상륙은 외국인승무원이 입항할 예정이거나 정박 중인 선박 등으로 옮겨 타거나 휴양 등의 목적으로
상륙하는 것으로 10일 범위 내에서 허가할 수 있다. (×)

2) 관광상륙

출입국관리법 제14조의2 【관광상륙허가】 ① 출입국관리공무원은 관광을 목적으
로 대한민국과 외국 해상을 국제적으로 순회하여 운항하는 여객운송선박 중
법무부령으로 정하는 선박에 승선한 외국인승객에 대하여 그 선박의 장 또는
운수업자가 상륙허가를 신청하면 3일의 범위에서 승객의 관광상륙을 허가할
수 있다. 다만, 제11조 제1항 각 호(➡ 입국금지사유)의 어느 하나에 해당하는
외국인승객에 대하여는 그러하지 아니하다.

[2016 채용1차] 출입국관리공무원은 관광을 목적으로 대한민국과 외국 해상을 국제적으로 순회하여 운항하는 여객 운
송선박 중 법무부령으로 정하는 선박에 승선한 외국인승객에 대하여 그 선박의 장 또는 운수업자가 상륙허가를 신청하면
5일의 범위에서 승객의 관광상륙을 허가할 수 있다. (×)

3) 긴급상륙

출입국관리법 제15조 【긴급상륙허가】 ① 출입국관리공무원은 선박등에 타고 있는
외국인(승무원을 포함한다)이 질병이나 그 밖의 사고로 긴급히 상륙할 필요
가 있다고 인정되면 그 선박등의 장이나 운수업자의 신청을 받아 30일의 범
위에서 긴급상륙을 허가할 수 있다. [2016 채용1차]
③ 선박등의 장이나 운수업자는 긴급상륙한 사람의 생활비·치료비·장례비
와 그 밖에 상륙 중에 발생한 모든 비용을 부담하여야 한다.

[2014 경간] 긴급상륙은 조난을 당한 선박 등에 타고 있는 외국인을 긴급히 구조할 필요가 있다고 인정될 때에 상륙하
는 것으로 30일 범위 내에서 허가할 수 있다. (×)

4) 재난상륙

출입국관리법 제16조 【재난상륙허가】 ① 지방출입국·외국인관서의 장은 조난을
당한 선박등에 타고 있는 외국인(승무원을 포함한다)을 긴급히 구조할 필요
가 있다고 인정하면 그 선박등의 장, 운수업자, 「수상에서의 수색·구조 등에
관한 법률」에 따른 구호업무 집행자 또는 그 외국인을 구조한 선박등의 장의
신청에 의하여 30일의 범위에서 재난상륙허가를 할 수 있다. [2016 채용1차]

[2014 채용2차] 지방출입국·외국인관서의 장은 조난을 당한 선박 등에 타고 있는 외국인(승무원을 포함 한다)을 긴급
히 구조할 필요가 있다고 인정하면 그 선박 등의 장, 운수업자, 「수상에서의 수색·구조 등에 관한 법률」에 따른 구호업
무 집행자 또는 그 외국인을 구조한 선박 등의 장의 신청에 의하여 90일의 범위에서 재난 상륙허가를 할 수 있다. (×)

5) 난민임시상륙

출입국관리법 제16조의2 【난민 임시상륙허가】 ① 지방출입국·외국인관서의 장은
선박등에 타고 있는 외국인이 「난민법」 제2조 제1호에 규정된 이유나 그 밖
에 이에 준하는 이유로 그 생명·신체 또는 신체의 자유를 침해받을 공포가
있는 영역에서 도피하여 곧바로 대한민국에 비호를 신청하는 경우 그 외국인
을 상륙시킬 만한 상당한 이유가 있다고 인정되면 법무부장관의 승인을 받아
90일의 범위에서 난민 임시상륙허가를 할 수 있다. 이 경우 법무부장관은 외
교부장관과 협의하여야 한다. [2014 경간] [2016 채용1차]

▌난민임시상륙의 허가절차
- **허가권자**: 지방출입국·외국인관서
  의 장 / 법무부장관 승인 필요
- **승인절차**: 법무부장관이 외교부장
  관과 협의

☑ **KEY POINT | 상륙 정리** [2018 승진(경위)]

종류	관련 상황	기간	허가권자
승무원 상륙	• 외국인승무원의 정박 중 휴양 • 외국인승무원이 다른 선박으로 옮겨타려는 경우	15일	출입국관리공무원
관광상륙	순회운항 여객운송선박의 외국인승객의 단기 관광	3일	출입국관리공무원
긴급상륙	선박 등 타고 있는 외국인(승무원 포함)의 질병 등 사고	30일	출입국관리공무원
재난상륙	조난을 당한 선박등에 타고 있는 외국인(승무원 포함)의 긴급 구조필요	30일	지방출입국 · 외국인관서의 장
난민 임시상륙	공포가 있는 영역에서 도피하여 비호신청하는 외국인	90일	지방출입국 · 외국인관서의 장이 법무부장관 승인 받아 (외교부장관 협의 필요)

[2020 승진(경감)] 재난상륙 · 긴급상륙 · 승무원상륙 허가기간은 각각 30일 이내이며, 난민임시상륙 허가기간은 90일 이내이다. (×)

2. 외국인의 출국

(1) 의의

• 외국인의 출국이란 외국인이 체류 국가의 영역 밖으로 자발적으로 여행하거나 강제로 퇴거당하는 것을 말한다.
• 외국인의 자발적인 출국은 자유이며, 이를 금지할 수 없는 것이 원칙이다.

[2016 승진(경감)] 외국인의 출국은 자유이며 원칙적으로 이를 금지할 수 없다. (○)

(2) 출국의 정지

1) 통상의 출국정지

출입국관리법 제29조 【외국인 출국의 정지】 ① 법무부장관은 제4조 제1항 또는 제2항 각 호의 어느 하나에 해당하는 외국인에 대하여는 출국을 정지할 수 있다.

> ☑ **KEY POINT | 내국인의 출국금지**
>
> ① **일반적 출국금지**
>
> > **출입국관리법 제4조 【출국의 금지】** ① 법무부장관은 다음 각 호의 어느 하나에 해당하는 국민에 대하여는 6개월 이내의 기간을 정하여 출국을 금지할 수 있다. [2017 채용1차] [2020 승진(경감)]
> > 1. 형사재판에 계속 중인 사람 [2015 승진(경감)] [2017 경간] [2019 승진(경위)] [2020 실무 3]
> > 2. 징역형이나 금고형의 집행이 끝나지 아니한 사람 [2015 승진(경감)] [2017 경간] [2017 실무 3] [2017 승진(경위)] [2019 승진(경위)] [2020 실무 3]
> > 3. 대통령령으로 정하는 금액 이상(➜ 벌금 1천만원, 추징금 2천만원)의 벌금이나 추징금을 내지 아니한 사람 [2017 승진(경위)]

4. 대통령령으로 정하는 금액 이상(➡ 국세·관세 5천만원, 지방세 3천만원)의 국세·관세 또는 지방세를 정당한 사유 없이 그 납부기한까지 내지 아니한 사람
5. 「양육비 이행확보 및 지원에 관한 법률」 제21조의4 제1항에 따른 양육비 채무자 중 양육비이행심의위원회의 심의·의결을 거친 사람
6. 그 밖에 제1호부터 제5호까지의 규정에 준하는 사람으로서 대한민국의 이익이나 공공의 안전 또는 경제질서를 해칠 우려가 있어 그 출국이 적당하지 아니하다고 법무부령으로 정하는 사람

[2014 채용2차] 외국인 입·출국 관련하여 형사재판에 계속 중이거나 금고 이상의 형의 선고를 받고 석방된 자는 출국을 정지할 수 있다. (×)

② 수사 관련 출국금지

출입국관리법 제4조【출국의 금지】② 법무부장관은 범죄 수사를 위하여 출국이 적당하지 아니하다고 인정되는 사람에 대하여는 1개월 이내의 기간을 정하여 출국을 금지할 수 있다. 다만, 다음 각 호에 해당하는 사람은 그 호에서 정한 기간으로 한다. [2017 채용1차] [2017 실무 3]
1. 소재를 알 수 없어 기소중지 또는 수사중지(피의자중지로 한정한다)된 사람 또는 도주 등 특별한 사유가 있어 수사진행이 어려운 사람: 3개월 이내
2. 기소중지 또는 수사중지(피의자중지로 한정한다)된 경우로서 체포영장 또는 구속영장이 발부된 사람: 영장 유효기간 이내

[2015 승진(경감) 유사] [2017 실무 3] 법무부장관은 범죄 수사를 위하여 출국이 적당하지 아니하다고 인정되는 사람은 원칙적으로 3개월 이내의 기간을 정하여 출국을 금지할 수 있다. (×)
[2021 채용1차] 법무부장관은 소재를 알 수 없어 기소중지 또는 수사중지(피의자중지로 한정한다)결정이 된 사람 또는 도주 등 특별한 사유가 있어 수사진행이 어려운 사람에 대하여는 6개월 이내의 기간을 정하여 출국을 금지할 수 있다. (×)
[2019 승진(경위)] 법무부장관은 기소중지 또는 수사중지(피의자중지로 한정한다)결정이 된 경우로서 체포영장 또는 구속영장이 발부된 사람에 대하여 영장 유효기간까지 출국을 금지하여야 한다. (×)

③ 출국금지요청

출입국관리법 제4조【출국의 금지】③ 중앙행정기관의 장 및 법무부장관이 정하는 관계 기관의 장은 소관 업무와 관련하여 제1항 또는 제2항 각 호의 어느 하나에 해당하는 사람이 있다고 인정할 때에는 법무부장관에게 출국금지를 요청할 수 있다.

④ 출국금지결정 등에 대한 이의

출입국관리법 제4조의5【출국금지결정 등에 대한 이의신청】① 제4조 제1항 또는 제2항에 따라 출국이 금지되거나 제4조의2 제1항에 따라 출국금지기간이 연장된 사람은 출국금지결정이나 출국금지기간 연장의 통지를 받은 날 또는 그 사실을 안 날부터 10일 이내에 법무부장관에게 출국금지결정이나 출국금지기간 연장결정에 대한 이의를 신청할 수 있다.
② 법무부장관은 제1항에 따른 이의신청을 받으면 그 날부터 15일 이내에 이의신청의 타당성 여부를 결정하여야 한다. 다만, 부득이한 사유가 있으면 15일의 범위에서 한 차례만 그 기간을 연장할 수 있다.
③ 법무부장관은 제1항에 따른 이의신청이 이유 있다고 판단하면 즉시 출국금지를 해제하거나 출국금지기간의 연장을 철회하여야 하고, 그 이의신청이 이유 없다고 판단하면 이를 기각하고 당사자에게 그 사유를 서면에 적어 통보하여야 한다.

[2021 채용1차] 출국이 금지(「출입국관리법」 제4조 제1항 또는 제2항)되거나 출국금지기간이 연장(「출입국관리법」 제4조의2 제1항)된 사람은 출국금지결정이나 출국금지기간 연장의 통지를 받은 날 또는 그 사실을 안 날부터 15일 이내에 법무부장관에게 출국금지결정이나 출국금지기간 연장결정에 대한 이의를 신청할 수 있다. (×)

2) 긴급출국정지

출입국관리법 제29조의2 【외국인 긴급출국정지】 ① 수사기관은 범죄 피의자인 외국인이 제4조의6 제1항에 해당하는 경우에는 제29조 제2항에도 불구하고 출국심사를 하는 출입국관리공무원에게 출국정지를 요청할 수 있다.

② 제1항에 따른 외국인의 출국정지에 관하여는 제4조의6 제2항부터 제6항까지의 규정을 준용한다. 이 경우 "출국금지"는 "출국정지"로, "긴급출국금지"는 "긴급출국정지"로 본다.

> **☑ KEY POINT | 내국인의 긴급출금금지**
>
> **출입국관리법 제4조의6 【긴급출국금지】** ① 수사기관은 범죄 피의자로서 사형·무기 또는 장기 3년 이상의 징역이나 금고에 해당하는 죄를 범하였다고 의심할 만한 상당한 이유가 있고, 다음 각 호의 어느 하나에 해당하는 사유가 있으며, 긴급한 필요가 있는 때에는 제4조 제3항(➡ 법무부장관에 대한 출국금지요청)에도 불구하고 출국심사를 하는 출입국관리공무원에게 출국금지를 요청할 수 있다.
>
> 1. 피의자가 증거를 인멸할 염려가 있는 때
> 2. 피의자가 도망하거나 도망할 우려가 있는 때
>
> ② 제1항에 따른 요청을 받은 출입국관리공무원은 출국심사를 할 때에 출국금지가 요청된 사람을 출국시켜서는 아니 된다.
>
> ③ 수사기관은 제1항에 따라 긴급출국금지를 요청한 때로부터 6시간 이내에 법무부장관에게 긴급출국금지 승인을 요청하여야 한다. 이 경우 검사의 검토의견서 및 범죄사실의 요지, 긴급출국금지의 사유 등을 기재한 긴급출국금지보고서를 첨부하여야 한다. [2018 실무 2]
>
> ④ 법무부장관은 수사기관이 제3항에 따른 긴급출국금지 승인 요청을 하지 아니한 때에는 제1항의 수사기관 요청에 따른 출국금지를 해제하여야 한다. 수사기관이 긴급출국금지 승인을 요청한 때로부터 12시간 이내에 법무부장관으로부터 긴급출국금지 승인을 받지 못한 경우에도 또한 같다. [2018 실무 2] [2021 채용1차]
>
> ⑤ 제4항에 따라 출국금지가 해제된 경우에 수사기관은 동일한 범죄사실에 관하여 다시 긴급출국금지 요청을 할 수 없다.

(3) 강제퇴거

1) 강제퇴거 대상자

① 일반적인 외국인의 경우

출입국관리법 제46조 【강제퇴거의 대상자】 ① 지방출입국·외국인관서의 장은 이 장에 규정된 절차에 따라 다음 각 호의 어느 하나에 해당하는 외국인을 대한민국 밖으로 강제퇴거시킬 수 있다. [2023 승진(실무종합)]

1. 제7조를 위반한 사람 ➡ 유효한 여권과 사증 미소지 등 입국방법위반 [2020 실무 3]
2. 제7조의2를 위반한 외국인 또는 같은 조에 규정된 허위초청 등의 행위로 입국한 외국인
3. 제11조 제1항 각 호의 어느 하나에 해당하는 입국금지 사유가 입국 후에 발견되거나 발생한 사람 [2018 실무 3]
4. 제12조 제1항·제2항 또는 제12조의3을 위반한 사람 ➡ 입국심사 받지 않은 경우 등

5. 제13조 제2항에 따라 지방출입국·외국인관서의 장이 붙인 허가조건을 위반한 사람

6. 제14조 제1항, 제14조의2 제1항, 제15조 제1항, 제16조 제1항 또는 제16조의2 제1항에 따른 허가를 받지 아니하고 상륙한 사람

7. 제14조 제3항(제14조의2 제3항에 따라 준용되는 경우를 포함한다), 제15조 제2항, 제16조 제2항 또는 제16조의2 제2항에 따라 지방출입국·외국인관서의 장 또는 출입국관리공무원이 붙인 허가조건을 위반한 사람

8. 제17조 제1항·제2항, 제18조, 제20조, 제23조, 제24조 또는 제25조를 위반한 사람 ➡ 체류자격 관련 문제 발생한 경우

9. 제21조 제1항 본문을 위반하여 허가를 받지 아니하고 근무처를 변경·추가하거나 같은 조 제2항을 위반하여 외국인을 고용·알선한 사람 [2020 경간]

10. 제22조에 따라 법무부장관이 정한 거소 또는 활동범위의 제한이나 그 밖의 준수사항을 위반한 사람 [2020 경간]

10의2. 제26조(➡ 허위서류 제출금지)를 위반한 외국인

11. 제28조 제1항 및 제2항(➡ 출국심사)을 위반하여 출국하려고 한 사람 [2017 승진(경위)]

12. 제31조에 따른 외국인등록 의무를 위반한 사람

12의2. 제33조의3(➡ 외국인등록증 등의 채무이행 확보수단 제공 등의 금지)을 위반한 외국인 [2020 경간]

13. 금고 이상의 형을 선고받고 석방된 사람 [2017 승진(경위)]

14. 제76조의4 제1항 각 호의 어느 하나에 해당하는 사람 <시행일: 2022.8.18.>

14. 그 밖에 제1호부터 제10호까지, 제10호의2, 제11호, 제12호, 제12호의2 또는 제13호에 준하는 사람으로서 법무부령으로 정하는 사람

[2018 실무 3] 출국심사규정을 위반하여 출국하려 한 외국인은 출국의 정지 대상자이다. (×)
[2018 경간] [2020 경간] 벌금 이상의 형을 선고받고 석방된 사람은 출입국관리법상 외국인의 강제퇴거대상이다. (×)
[2023 승진(실무종합)] 대통령령으로 정하는 금액 이상의 국세·관세 또는 지방세를 정당한 사유 없이 그 납부기한까지 내지 아니한 사람은 강제퇴거 대상자에 해당한다. (×)

② 영주자격을 가진 외국인의 경우

출입국관리법 제46조【강제퇴거의 대상자】 ② 영주자격을 가진 사람은 제1항에도 불구하고 대한민국 밖으로 강제퇴거되지 아니한다. 다만, 다음 각 호의 어느 하나에 해당하는 사람은 그러하지 아니하다.
1. 「형법」 제2편 제1장 내란의 죄 또는 제2장 외환의 죄를 범한 사람
2. 5년 이상의 징역 또는 금고의 형을 선고받고 석방된 사람 중 법무부령으로 정하는 사람
3. 제12조의3 제1항 또는 제2항(➡ 밀항 관련 선박등 제공금지)을 위반하거나 이를 교사 또는 방조한 사람

▎금고형
• 집행이 끝나지 않는 사람: 출국금지 대상
• 선고받고 석방된 사람: 강제퇴거 대상

▎출입국관리법 제76조의4【강제력의 행사】
① 출입국관리공무원의 강제력 행사 가능 사유
1. 자살 또는 자해행위
2. 타인에게 위해
3. 출입국관리공무원 직무집행 방해
4. 기타 타인 안전·질서 현저히 저해

2) 강제퇴거절차

① 출입국관리공무원의 사실조사

> **출입국관리법 제47조【조사】** 출입국관리공무원은 제46조 제1항 각 호의 어느 하나에 해당된다고 의심되는 외국인(이하 "용의자"라 한다)에 대하여는 그 사실을 조사할 수 있다. [2018 경간]

② 보호소 구금

> **출입국관리법 제51조【보호】** ① 출입국관리공무원은 외국인이 제46조 제1항 각 호의 어느 하나에 해당된다고 의심할 만한 상당한 이유가 있고 도주하거나 도주할 염려가 있으면 지방출입국·외국인관서의 장으로부터 보호명령서를 발급받아 그 외국인을 보호할 수 있다. [2018 경간]
>
> **출입국관리법 제52조【보호기간 및 보호장소】** ① 제51조에 따라 보호된 외국인의 강제퇴거 대상자 여부를 심사·결정하기 위한 보호기간은 10일 이내로 한다. 다만, 부득이한 사유가 있으면 지방출입국·외국인관서의 장의 허가를 받아 10일을 초과하지 아니하는 범위에서 한 차례만 연장할 수 있다. [2018 실무 3]

> 어차피 출국시킬 외국인이 임의로 출국하는 것을 막을 이유가 없다고 생각할 수 있으나, 강제퇴거명령을 받고 출국한 자는 보통 5년 이내 범위에서 입국금지조치가 함께 내려진다는 점을 생각해 보면 임의 도피출국을 막을 필요가 있는 것이다.

• 강제퇴거 대상자가 출국 전 임의로 도피하는 것을 방지하기 위한 절차이다.

③ 심사결정 및 강제퇴거명령

> **출입국관리법 제58조【심사결정】** 지방출입국·외국인관서의 장은 출입국관리공무원이 용의자에 대한 조사를 마치면 지체 없이 용의자가 제46조 제1항 각 호의 어느 하나에 해당하는지를 심사하여 결정하여야 한다.
>
> **출입국관리법 제59조【심사 후의 절차】** ① 지방출입국·외국인관서의 장은 심사 결과 용의자가 제46조 제1항 각 호의 어느 하나에 해당하지 아니한다고 인정하면 지체 없이 용의자에게 그 뜻을 알려야 하고, 용의자가 보호되어 있으면 즉시 보호를 해제하여야 한다.
> ② 지방출입국·외국인관서의 장은 심사 결과 용의자가 제46조 제1항 각 호의 어느 하나에 해당한다고 인정되면 강제퇴거명령을 할 수 있다.
> ③ 지방출입국·외국인관서의 장은 제2항에 따라 강제퇴거명령을 하는 때에는 강제퇴거명령서를 용의자에게 발급하여야 한다.

④ 강제퇴거명령서의 집행

> **출입국관리법 제62조【강제퇴거명령서의 집행】** ① 강제퇴거명령서는 출입국관리공무원이 집행한다.
> ② 지방출입국·외국인관서의 장은 사법경찰관리에게 강제퇴거명령서의 집행을 의뢰할 수 있다. [2018 경간] [2023 승진(실무종합)]

⑤ 강제퇴거명령을 받은 사람에 대한 보호

> **출입국관리법 제63조(강제퇴거명령을 받은 사람의 보호 및 보호해제)** ① 지방출입국·외국인관서의 장은 강제퇴거명령을 받은 사람을 여권 미소지 또는 교통편 미확보 등의 사유로 즉시 대한민국 밖으로 송환할 수 없으면 송환할 수 있을 때까지 그를 보호시설에 보호할 수 있다.

> 2023.3.23.자 헌법재판소의 보호 상한기간 제한이 없는 출입국관리법 조항에 대한 헌법불합치결정은, 비록 상한기간이 없더라도 합리적 이유가 있으므로 과잉금지원칙 위반이 아니라고 판시한 헌재 2018.2.22. 2017헌가29 결정을 변경한 것이다.

3) 강제퇴거와 형사절차

> **출입국관리법 제85조【형사절차와의 관계】** ① 지방출입국·외국인관서의 장은 제46조 제1항 각 호의 어느 하나에 해당하는 사람이 형의 집행을 받고 있는 중에도 강제퇴거의 절차를 밟을 수 있다.
>
> ② 제1항의 경우 강제퇴거명령서가 발급되면 그 외국인에 대한 형의 집행이 끝난 후에 강제퇴거명령서를 집행한다. 다만, 그 외국인의 형 집행장소를 관할하는 지방검찰청 검사장의 허가를 받은 경우에는 형의 집행이 끝나기 전이라도 강제퇴거명령서를 집행할 수 있다.

- 출입국관리법은 형 집행을 받고 있는 중 강제퇴거가 가능하다는 규정 외에, 강제퇴거사유가 동시에 형사처분사유가 되는 경우에 대해서는 명시적으로 규정하고 있지는 않다.
- 다만, 강제퇴거는 행정처분의 일종으로서 동일한 사실에 대해 행정처분과 형사처분을 병과하는 것이 이중처벌금지원칙에 위반된다고 볼 수 없다는 것이 판례의 확립된 입장이므로, 외국인의 강제퇴거사유가 동시에 형사처분 사유가 되는 경우 강제퇴거와 형사처분을 병행할 수 있다고 보아야 한다.

[2016 승진(경감)] 외국인의 강제출국은 형벌이 아닌 행정행위의 일종이다. (○)
[2020 승진(경위)] 외국인의 강제퇴거사유가 동시에 형사처분사유가 되는 경우 강제퇴거와 형사처분을 병행할 수 있다. (○)

⚖ **요지판례 ㅣ**

일정한 법규위반 사실이 행정처분의 전제사실이 되는 한편 이와 동시에 형사법규의 위반 사실이 되는 경우에 행정처분과 형벌은 각기 그 권력적 기초, 대상, 목적을 달리하고 있으므로 동일한 행위에 관하여 독립적으로 행정처분이나 형벌을 과하거나 이를 병과할 수 있는 것이다(대판 1986.7.8, 85누1002).

3. 출입국사범에 대한 고발

> **출입국관리법 제101조【고발】** ① 출입국사범에 관한 사건은 지방출입국·외국인관서의 장의 고발이 없으면 공소를 제기할 수 없다.
> ② 출입국관리공무원 외의 수사기관이 제1항에 해당하는 사건을 입건하였을 때에는 지체 없이 관할 지방출입국·외국인관서의 장에게 인계하여야 한다. [2020 승진(경감)] [2022 경간]

03 외국인의 체류자격

1. 체류자격의 의미

> **출입국관리법 제10조【체류자격】** 입국하려는 외국인은 다음 각 호의 어느 하나에 해당하는 체류자격을 가져야 한다.
> 1. 일반체류자격: 이 법에 따라 대한민국에 체류할 수 있는 기간이 제한되는 체류자격
> 2. 영주자격: 대한민국에 영주할 수 있는 체류자격
>
> **출입국관리법 제17조【외국인의 체류 및 활동범위】** ① 외국인은 그 체류자격과 체류기간의 범위에서 대한민국에 체류할 수 있다. [2016 승진(경감)]
> ② 대한민국에 체류하는 외국인은 이 법 또는 다른 법률에서 정하는 경우를 제외하고는 정치활동을 하여서는 아니 된다.
> ③ 법무부장관은 대한민국에 체류하는 외국인이 정치활동을 하였을 때에는 그 외국인에게 서면으로 그 활동의 중지명령이나 그 밖에 필요한 명령을 할 수 있다.

'체류자격'이란 대한민국에 입국하고자 하는 외국인이 갖추어야 할 일정한 자격을 말한다.

2. 체류자격의 종류

(1) 일반체류자격 – 단기·장기

    1) 단기체류자격

> **출입국관리법 제10조의2【일반체류자격】** ① 제10조 제1호에 따른 일반체류자격(이하 "일반체류자격"이라 한다)은 다음 각 호의 구분에 따른다.
> 1. 단기체류자격: 관광, 방문 등의 목적으로 대한민국에 90일 이하의 기간(사증면제협정이나 상호주의에 따라 90일을 초과하는 경우에는 그 기간) 동안 머물 수 있는 체류자격

단기체류자격(제12조 관련)

체류자격(기호)	체류자격에 해당하는 사람 또는 활동범위
1. 사증면제 (B-1)	대한민국과 사증면제협정을 체결한 국가의 국민으로서 그 협정에 따른 활동을 하려는 사람
2. 관광·통과 (B-2)	관광·통과 등의 목적으로 대한민국에 사증 없이 입국하려는 사람
3. 일시취재 (C-1)	일시적인 취재 또는 보도활동을 하려는 사람
4. 단기방문 (C-3)	시장조사, 업무 연락, 상담, 계약 등의 상용(商用)활동과 관광, 통과, 요양, 친지 방문, 친선경기, 각종 행사나 회의 참가 또는 참관, 문화예술, 일반연수, 강습, 종교의식 참석, 학술자료 수집, 그 밖에 이와 유사한 목적으로 90일을 넘지 않는 기간 동안 체류하려는 사람(영리를 목적으로 하는 사람은 제외한다)
5. 단기취업 (C-4)	가. 일시 흥행, 광고·패션 모델, 강의·강연, 연구, 기술지도 등 별표 1의2 중 14. 교수(E-1)부터 20. 특정활동(E-7)까지의 체류자격에 해당하는 분야에 수익을 목적으로 단기간 취업활동을 하려는 사람 나. 각종 용역계약 등에 의하여 기계류 등의 설치·유지·보수, 조선 및 산업설비 제작·감독 등을 목적으로 국내 공공기관·민간단체에 파견되어 단기간 영리활동을 하려는 사람 다. 법무부장관이 관계 중앙행정기관의 장과 협의하여 정하는 농작물 재배·수확(재배·수확과 연계된 원시가공 분야를 포함한다) 및 수산물 원시가공 분야에서 단기간 취업 활동을 하려는 사람으로서 법무부장관이 인정하는 사람

2) 장기체류자격

출입국관리법 제10조의2 【일반체류자격】 ① 제10조 제1호에 따른 일반체류자격(이하 "일반체류자격"이라 한다)은 다음 각 호의 구분에 따른다.

2. **장기체류자격**: 유학, 연수, 투자, 주재, 결혼 등의 목적으로 대한민국에 90일을 초과하여 법무부령으로 정하는 체류기간의 상한 범위에서 거주할 수 있는 체류자격

② 제1항에 따른 단기체류자격 및 장기체류자격의 종류, 체류자격에 해당하는 사람 또는 그 체류자격에 따른 활동범위는 체류목적, 취업활동 가능 여부 등을 고려하여 대통령령으로 정한다.

장기체류자격(제12조 관련)

체류자격(기호)	체류자격에 해당하는 사람 또는 활동범위
외교 (A-1)	대한민국정부가 접수한 외국정부의 외교사절단이나 영사기관의 구성원, 조약 또는 국제관행에 따라 외교사절과 동등한 특권과 면제를 받는 사람과 그 가족 [2018 경간] [2019 채용2차]
공무 (A-2)	대한민국정부가 승인한 외국정부 또는 국제기구의 공무를 수행하는 사람과 그 가족 [2017 실무 3] [2017 승진(경위)] [2018 승진(경감)]
협정 (A-3)	대한민국정부와의 협정에 따라 외국인등록이 면제되거나 면제할 필요가 있다고 인정되는 사람과 그 가족
문화예술 (D-1)	수익을 목적으로 하지 않는 문화 또는 예술 관련 활동을 하려는 사람(대한민국의 전통문화 또는 예술에 대하여 전문적인 연구를 하거나 전문가의 지도를 받으려는 사람을 포함한다)
유학 (D-2)	전문대학 이상의 교육기관 또는 학술연구기관에서 정규과정의 교육을 받거나 특정 연구를 하려는 사람 [2017 승진(경위)] [2018 승진(경감)] [2019 채용2차] [2020 실무 3]
기술연수 (D-3)	법무부장관이 정하는 연수조건을 갖춘 사람으로서 국내의 산업체에서 연수를 받으려는 사람
교수 (E-1)	「고등교육법」 제14조 제1항·제2항 또는 제17조에 따른 자격요건을 갖춘 외국인으로서 전문대학 이상의 교육기관이나 이에 준하는 기관에서 전문 분야의 교육 또는 연구·지도 활동에 종사하려는 사람
회화지도 (E-2)	법무부장관이 정하는 자격요건을 갖춘 외국인으로서 외국어전문학원, 초등학교 이상의 교육기관 및 부설어학연구소, 방송사 및 기업체 부설 어학연수원, 그 밖에 이에 준하는 기관 또는 단체에서 외국어 회화지도에 종사하려는 사람 [2016 채용1차] [2017 승진(경위)] [2018 경간] [2012 경간] E-2 비자는 수익을 목적으로 미술, 음악 등 예술활동과 연예 등 이에 준하는 활동을 할 수 있는 비자이다. (×) [2017 실무 3 유사] [2020 실무 3] (E-2) - 법무부장관이 정하는 자격요건을 갖춘 외국인으로서 외국어전문학원, 국립유치원 이상의 교육기관 및 부설어학연구소, 방송사 및 기업체 부설 어학연수원, 그 밖에 이에 준하는 기관 또는 단체에서 외국어 회화지도에 종사하려는 사람 (×)
연구 (E-3)	대한민국 내 공공기관·민간단체으로부터 초청을 받아 각종 연구소에서 자연과학 분야의 연구, 사회과학·인문학·예체능 분야의 연구 또는 산업상 고도기술의 연구·개발에 종사하려는 사람[교수(E-1) 체류자격에 해당하는 사람은 제외한다]
기술지도 (E-4)	자연과학 분야의 전문지식 또는 산업상 특수한 분야에 속하는 기술을 제공하기 위하여 대한민국 내 공공기관·민간단체로부터 초청을 받아 종사하려는 사람
전문직업 (E-5)	대한민국 법률에 따라 자격이 인정된 외국의 변호사, 공인회계사, 의사, 그 밖에 국가공인 자격이 있는 사람으로서 대한민국 법률에 따라 할 수 있도록 되어 있는 법률, 회계, 의료 등의 전문업무에 종사하려는 사람[교수(E-1) 체류자격에 해당하는 사람은 제외한다]

예술흥행 (E-6)	수익이 따르는 음악, 미술, 문학 등의 예술활동과 수익을 목적으로 하는 연예, 연주, 연극, 운동경기, 광고 · 패션 모델, 그 밖에 이에 준하는 활동을 하려는 사람 [2016 채용1차] [2018 경간] [2018 승진(경감)] [2019 채용2차] [2017 실무 3] 수익이 따르는 음악, 미술, 문학 등의 예술활동과 수익을 목적으로 하는 연예, 연주, 연극, 운동경기, 광고 패션모델, 그 밖에 이에 준하는 활동을 하려는 사람: E-2 (×)
특정활동 (E-7)	대한민국 내의 공공기관 · 민간단체 등과의 계약에 따라 법무부장관이 특별히 지정하는 활동에 종사하려는 사람
계절근로 (E-8)	법무부장관이 관계 중앙행정기관의 장과 협의하여 정하는 농작물 재배 · 수확(재배 · 수확과 연계된 원시가공 분야를 포함한다) 및 수산물 원시가공 분야에서 취업 활동을 하려는 사람으로서 법무부장관이 인정하는 사람
비전문취업 (E-9)	「외국인근로자의 고용 등에 관한 법률」에 따른 국내 취업요건을 갖춘 사람(일정 자격이나 경력 등이 필요한 전문직종에 종사하려는 사람은 제외한다) [2018 경간] [2020 실무 3] [2017 실무 3] 외국인근로자의 고용 등에 관한 법률」에 따른 국내 취업요건을 갖춘 사람(일정 자격이나 경력 등이 필요한 전문 직종에 종사하려는 사람은 제외): E-6 (×) [2017 승진(경위)] (E-9) – 수익이 따르는 음악, 미술, 문학 등의 예술활동과 수익을 목적으로 하는 연예, 연주, 연극, 운동경기, 광고 · 패션 모델, 그 밖에 이에 준하는 활동을 하려는 사람 (×)
재외동포 (F-4)	'재외동포의 출입국과 법적 지위에 관한 법률'상 대한민국의 국적을 보유하였던 자(대한민국정부 수립 전에 국외로 이주한 동포를 포함) 또는 그 직계비속으로서 외국국적을 취득한 자 중 대통령령으로 정하는 자(단순 노무행위 등 법령에서 규정한 취업활동에 종사하려는 사람은 제외) [2019 채용2차]
결혼이민 (F-6)	가. 국민의 배우자 [2018 승진(경감)] 나. 국민과 혼인관계(사실상의 혼인관계를 포함한다)에서 출생한 자녀를 양육하고 있는 부 또는 모로서 법무부장관이 인정하는 사람 [2017 실무 3] 다. 국민인 배우자와 혼인한 상태로 국내에 체류하던 중 그 배우자의 사망이나 실종, 그 밖에 자신에게 책임이 없는 사유로 정상적인 혼인관계를 유지할 수 없는 사람으로서 법무부장관이 인정하는 사람 [2020 실무 3] (F-6) – 국민과 혼인관계(사실상의 혼인관계는 제외)에서 출생한 자녀를 양육하고 있는 부 또는 모로서 법무부장관이 인정하는 사람 (×)
관광취업 (H-1)	대한민국과 "관광취업"에 관한 협정이나 양해각서 등을 체결한 국가의 국민으로서 협정 등의 내용에 따라 관광과 취업활동을 하려는 사람(협정 등의 취지에 반하는 업종이나 국내법에 따라 일정한 자격요건을 갖추어야 하는 직종에 취업하려는 사람은 제외한다)
기타 (G-1)	별표 1, 이 표 중 외교(A-1)부터 방문취업(H-2)까지 또는 별표 1의3의 체류자격에 해당하지 않는 사람으로서 법무부장관이 인정하는 사람

3) 체류자격 외 활동허가·체류자격 변경허가

> **출입국관리법 제20조【체류자격 외 활동】** 대한민국에 체류하는 외국인이 그 체류 자격에 해당하는 활동과 함께 다른 체류자격에 해당하는 활동을 하려면 대통 령령으로 정하는 바에 따라 미리 법무부장관의 체류자격 외 활동허가를 받아 야 한다.
> [2016 승진(경감)] 외국인이 그 체류자격에 해당하는 활동과 함께 다른 체류자격에 해당하는 활동을 하려면 미리 외교 부장관의 체류자격 외 활동허가를 받아야 한다. (×)
> [2020 실무 3] 대한민국에 체류하는 외국인이 그 체류자격에 해당하는 활동과 함께 다른 체류자격에 해당하는 활동을 하려면 다른 체류자격에 해당하는 활동을 한 날로부터 3일 이내에 법무부장관의 체류자격 외 활동허가를 받아야 한다. (×)
>
> **출입국관리법 제24조【체류자격 변경허가】** ① 대한민국에 체류하는 외국인이 그 체류자격과 다른 체류자격에 해당하는 활동을 하려면 대통령령으로 정하는 바에 따라 미리 법무부장관의 체류자격 변경허가를 받아야 한다. [2012 채용1차]
> ② 제31조 제1항 각 호(➡ 주한외국공관·국제기구 직원·가족 등 외국인등록 면제 자)의 어느 하나에 해당하는 사람으로서 그 신분이 변경되어 체류자격을 변경 하려는 사람은 신분이 변경된 날부터 30일 이내에 법무부장관의 체류자격 변 경허가를 받아야 한다.

(2) 영주자격(영주권)

> **출입국관리법 제10조의3【영주자격】** ① 제10조 제2호에 따른 영주자격(이하 "영주자 격"이라 한다)을 가진 외국인은 활동범위 및 체류기간의 제한을 받지 아니한다.
> ② 영주자격을 취득하려는 사람은 대통령령으로 정하는 영주의 자격에 부합한 사람으로서 다음 각 호의 요건을 모두 갖추어야 한다.
> 1. 대한민국의 법령을 준수하는 등 품행이 단정할 것
> 2. 본인 또는 생계를 같이하는 가족의 소득, 재산 등으로 생계를 유지할 능력이 있을 것
> 3. 한국어능력과 한국사회·문화에 대한 이해 등 대한민국에서 계속 살아가는 데 필요한 기본소양을 갖추고 있을 것
> ③ 법무부장관은 제2항 제2호 및 제3호에도 불구하고 대한민국에 특별한 공로가 있는 사람, 과학·경영·교육·문화예술·체육 등 특정 분야에서 탁월한 능력이 있는 사람, 대한민국에 일정금액 이상을 투자한 사람 등 대통령령으로 정하는 사 람에 대해서는 대통령령으로 정하는 바에 따라 제2항 제2호 및 제3호의 요건의 전부 또는 일부를 완화하거나 면제할 수 있다.
> ④ 제2항 각 호에 따른 요건의 기준·범위 등에 필요한 사항은 법무부령으로 정 한다.

영주자격
- 한국에서 안정적으로 거주하며 경제 활동을 하고자 하는 많은 외국인들 이 취득하고자 하는 자격이다.
- 과거에는 다른 비자를 가진 사람도 한국 국적을 신청할 수 있었으나, 현 재는 결혼이주여성(F-6)을 제외하 고는 영주권을 가진 사람만 국적취 득 신청이 가능하다.

04 외국인의 등록

1. 외국인등록의 의의

- 대한민국은 국내에 장기체류 중인 외국인 현황을 파악하고 여러 가지 편의를 제 공하기 위해 외국인등록제도를 실시하고 있으며, 이에 따라 국내에 90일을 초과해 서 체류하는 외국인은 외국인등록을 한 후 외국인등록증을 발급받아야 한다.
- 외국인등록증은 대한민국에서 신분증명서로 사용할 수 있다.

2. 외국인등록 대상자

(1) 90일 초과 체류하려는 외국인

> **출입국관리법 제31조【외국인등록】** ① 외국인이 입국한 날부터 90일을 초과하여 대한민국에 체류하려면 대통령령으로 정하는 바에 따라 입국한 날부터 90일 이내에 그의 체류지를 관할하는 지방출입국·외국인관서의 장에게 외국인등록을 하여야 한다. 다만, 다음 각 호의 어느 하나에 해당하는 외국인의 경우에는 그러하지 아니하다. [2020 실무 3]
> 1. 주한외국공관(대사관과 영사관을 포함한다)과 국제기구의 직원 및 그의 가족
> 2. 대한민국정부와의 협정에 따라 외교관 또는 영사와 유사한 특권 및 면제를 누리는 사람과 그의 가족
> 3. 대한민국정부가 초청한 사람 등으로서 법무부령으로 정하는 사람
> ② 제1항에도 불구하고 같은 항 각 호의 어느 하나에 해당하는 외국인은 본인이 원하는 경우 체류기간 내에 외국인등록을 할 수 있다.
> [2020 승진(경위)] 주한외국공관(대사관과 영사관 포함)과 국제기구의 직원 및 그의 가족은 외국인등록 대상이다. (×)

(2) 체류자격을 받는 자

> **출입국관리법 제31조【외국인등록】** ③ 제23조에 따라 체류자격을 받는 사람으로서 그 날부터 90일을 초과하여 체류하게 되는 사람은 제1항 각 호 외의 부분 본문에도 불구하고 체류자격을 받는 때에 외국인등록을 하여야 한다.

3. 외국인등록증의 발급

> **출입국관리법 제33조【외국인등록증의 발급 등】** ① 제31조에 따라 외국인등록을 받은 지방출입국·외국인관서의 장은 대통령령으로 정하는 바에 따라 그 외국인에게 외국인등록증을 발급하여야 한다. 다만, 그 외국인이 17세 미만인 경우에는 발급하지 아니할 수 있다. [2018 경채]
> ② 제1항 단서에 따라 외국인등록증을 발급받지 아니한 외국인이 17세가 된 때에는 90일 이내에 체류지 관할 지방출입국·외국인관서의 장에게 외국인등록증 발급신청을 하여야 한다. [2018 경채]
> ③ 영주자격을 가진 외국인에게 발급하는 외국인등록증(이하 "영주증"이라 한다)의 유효기간은 10년으로 한다.
> ④ 영주증을 발급받은 사람은 유효기간이 끝나기 전까지 영주증을 재발급받아야 한다.

주제 3 국제경찰공조

01 국제형사사법 공조법

1. 목적, 정의와 기본원칙

(1) 목적

> **국제형사사법 공조법 제1조【목적】** 이 법은 형사사건의 수사 또는 재판과 관련하여 외국의 요청에 따라 실시하는 공조 및 외국에 대하여 요청하는 공조의 범위와 절차 등을 정함으로써 범죄를 진압하고 예방하는 데에 국제적인 협력을 증진함을 목적으로 한다.

(2) 정의

> **국제형사사법 공조법 제2조【정의】** 이 법에서 사용하는 용어의 뜻은 다음과 같다.
> 1. "**공조**"란 대한민국과 외국 간에 형사사건의 수사 또는 재판에 필요한 협조를 제공하거나 제공받는 것을 말한다.
> 2. "**공조조약**"이란 대한민국과 외국 간에 체결된 공조에 관한 조약·협정 등을 말한다.
> 3. "**요청국**"이란 대한민국에 공조를 요청한 국가를 말한다.
> 4. "**공조범죄**"란 공조의 대상이 되어 있는 범죄를 말한다.

(3) 조약우선주의 및 상호주의원칙

> **국제형사사법 공조법 제3조【공조조약과의 관계】** 공조에 관하여 공조조약에 이 법과 다른 규정이 있는 경우에는 그 규정에 따른다. ➡ 조약우선주의!
>
> [2019 채용1차] 우리나라가 외국과 체결한 형사사법 공조조약과 「국제형사사법 공조법」의 규정이 상충되면 공조조약이 우선 적용된다. (○)
>
> **국제형사사법 공조법 제4조【상호주의】** 공조조약이 체결되어 있지 아니한 경우에도 동일하거나 유사한 사항에 관하여 대한민국의 공조요청에 따른다는 요청국의 보증이 있는 경우에는 이 법을 적용한다.

☑ **KEY POINT ┃ 국제형사사법공조의 기본원칙**

쌍방가벌성의 원칙	형사사법 공조의 대상이 되는 범죄는 요청국과 피요청국에서 모두 처벌가능한 범죄이어야 한다는 원칙
상호주의의 원칙	외국이 우리나라에 사법공조를 행하여 주는 만큼, 우리나라도 동일 또는 유사한 범위 내에서 당해 외국의 공조요청에 응한다는 원칙 [2014 승진(경감)]
특정성의 원칙	요청국이 공조에 따라 취득한 증거를 공조요청한 범죄 이외의 범죄에 관한 수사나 재판에 사용하여서는 아니되며, 증인으로 출석시 피요청국을 출발하기 이전의 행위로 인한 구금·소추 등 자유의 제한을 받지 않는다는 의미를 포함하는 원칙 [2014 승진(경감)] [2019 채용1차] [2020 경간] [2020 실무 3]

2. 공조의 범위와 제한

(1) 공조의 범위

> **국제형사사법 공조법 제5조【공조의 범위】** 공조의 범위는 다음 각 호와 같다.
> 1. 사람 또는 물건의 소재에 대한 수사 [2020 실무 3]
> 2. 서류·기록의 제공
> 3. 서류 등의 송달
> 4. 증거 수집, 압수·수색 또는 검증 [2020 실무 3]
> 5. 증거물 등 물건의 인도
> 6. 진술 청취, 그 밖에 요청국에서 증언하게 하거나 수사에 협조하게 하는 조치

(2) 공조의 제한

> **국제형사사법 공조법 제6조【공조의 제한】** 다음 각 호의 어느 하나에 해당하는 경우에는 공조를 하지 아니할 수 있다.
> 1. 대한민국의 주권, 국가안전보장, 안녕질서 또는 미풍양속을 해칠 우려가 있는 경우 [2014 승진(경감)] [2020 실무 3]
> 2. 인종, 국적, 성별, 종교, 사회적 신분 또는 특정 사회단체에 속한다는 사실이나 정치적 견해를 달리한다는 이유로 처벌되거나 형사상 불리한 처분을 받을 우려가 있다고 인정되는 경우
> 3. 공조범죄가 정치적 성격을 지닌 범죄이거나, 공조요청이 정치적 성격을 지닌 다른 범죄에 대한 수사 또는 재판을 할 목적으로 한 것이라고 인정되는 경우
> 4. 공조범죄가 대한민국의 법률에 의하여는 범죄를 구성하지 아니하거나 공소를 제기할 수 없는 범죄인 경우 [2020 경간]
> 5. 이 법에 요청국이 보증하도록 규정되어 있음에도 불구하고 요청국의 보증이 없는 경우
>
> [2019 승진(경감)] 대한민국의 주권, 국가안전보장, 안녕질서 또는 미풍약속을 해칠 우려가 있는 경우 범죄인을 인도하지 않을 수 있다. (×)
> [2019 채용1차] 국제형사사법 공조법상 공조범죄가 대한민국의 법률에 의하여는 범죄를 구성하지 아니하거나 공소를 제기할 수 없는 범죄인 경우 공조를 하지 아니해야 한다. (×)

(3) 공조의 연기

> **국제형사사법 공조법 제7조【공조의 연기】** 대한민국에서 수사가 진행 중이거나 재판에 계속된 범죄에 대하여 외국의 공조요청이 있는 경우에는 그 수사 또는 재판 절차가 끝날 때까지 공조를 연기할 수 있다.
>
> [2014 승진(경감)] [2019 채용1차] 「국제형사사법 공조법」상 대한민국에서 수사가 진행 중이거나 재판에 계속된 범죄에 대하여 외국의 공조요청이 있는 경우에 수사의 진행, 재판의 계속을 이유로 공조를 연기할 수 없다. (×)
> [2020 경간] 「국제형사사법 공조법」상 대한민국에서 수사가 진행 중이거나 재판에 계속된 범죄에 대하여 외국의 공조요청이 있는 경우에는 그 수사 또는 재판 절차가 끝날 때까지 공조를 연기하여야 한다. (×)
> [2021 경간] 대한민국에서 수사가 진행 중이거나 재판에 계속된 범죄에 대하여 외국의 공조요청이 있는 경우에는 즉시 공조해야 한다. (×)
> [2020 실무 3] 외국의 공조요청에 대해 「국제형사사법 공조법」상 공조를 연기할 수 있는 사유는 공조범죄가 정치적 범죄이거나 정치적 목적으로 행해진 경우이다. (×)

3. 공조의 방법

(1) 외국의 요청에 따른 공조

1) 접수 및 자료송부: 외교부장관

> **국제형사사법 공조법 제11조【공조요청의 접수 및 공조 자료의 송부】** 공조요청 접수 및 요청국에 대한 공조 자료의 송부는 외교부장관이 한다. 다만, 긴급한 조치가 필요한 경우나 특별한 사정이 있는 경우에는 법무부장관이 외교부장관의 동의를 받아 이를 할 수 있다.
>
> [2021 경간] 외국의 요청에 따른 수사의 공조절차에서 공조요청 접수 및 요청국에 대한 공조자료의 송부는 법무부장관이 한다. 다만, 긴급한 조치가 필요한 경우나 특별한 사정이 있는 경우에는 외교부장관이 법무부장관의 동의를 받아 이를 할 수 있다. (×)
>
> **국제형사사법 공조법 제14조【외교부장관의 조치】** 외교부장관은 요청국으로부터 형사사건의 수사에 관한 공조요청을 받았을 때에는 공조요청서에 관계 자료 및 의견을 첨부하여 법무부장관에게 송부하여야 한다.

2) 법무부장관의 조치

> **국제형사사법 공조법 제15조【법무부장관의 조치】** ① 공조요청서를 받은 법무부장관은 공조요청에 응하는 것이 타당하다고 인정하는 경우에는 제2항의 경우를 제외하고는 다음 각 호의 어느 하나의 조치를 하여야 한다.
> 1. 공조를 위하여 적절하다고 인정되는 지방검찰청 검사장(이하 "검사장"이라 한다) 또는 고위공직자범죄수사처장에게 관계 자료를 송부하고 공조에 필요한 조치를 하도록 명하거나 요구하는 것
> 2. 제9조 제3항(➡ 수형자가 요청의 당사자)의 경우에는 수형자가 수용되어 있는 교정시설의 장에게 수형자의 이송에 필요한 조치를 명하는 것
>
> ② 법무부장관은 공조요청이 법원이나 검사 또는 고위공직자범죄수사처장이 보관하는 소송서류의 제공에 관한 것일 경우에는 그 서류를 보관하고 있는 법원이나 검사 또는 고위공직자범죄수사처장에게 공조요청서를 송부하여야 한다.
>
> ③ 법무부장관은 이 법 또는 공조조약에 따라 공조할 수 없거나 공조하지 아니하는 것이 타당하다고 인정하는 경우 또는 공조를 연기하려는 경우에는 외교부장관과 협의하여야 한다.

3) 검사장 등의 조치와 검사 등의 처분

> **국제형사사법 공조법 제16조【검사장 등의 조치】** 제15조 제1항 제1호에 따른 명령 또는 요구를 받은 검사장 또는 고위공직자범죄수사처장은 소속 검사에게 공조에 필요한 자료를 수집하거나 그 밖에 필요한 조치를 하도록 명하여야 한다.
>
> **국제형사사법 공조법 제17조【검사 등의 처분】** ① 검사는 공조에 필요한 자료를 수집하기 위하여 관계인의 출석을 요구하여 진술을 들을 수 있고, 감정·통역 또는 번역을 촉탁할 수 있으며, 서류나 그 밖의 물건의 소유자·소지) 또는 보관자에게 그 제출을 요구하거나, 행정기관이나 그 밖의 공사단체에 공조에 필요한 사실을 조회하거나 필요한 사항의 보고를 요구할 수 있다. [2017 실무 3]
>
> ② 검사는 공조에 필요한 경우에는 판사에게 청구하여 발급받은 영장에 의하여 압수·수색 또는 검증을 할 수 있다. [2017 실무 3]

③ 검사는 요청국에 인도하여야 할 증거물 등이 법원에 제출되어 있는 경우에는 법원의 인도허가 결정을 받아야 한다.

④ 검사는 사법경찰관리를 지휘하여 제1항의 수사를 하게 할 수 있고, 사법경찰관은 검사에게 신청하여 검사의 청구로 판사가 발부한 영장에 의하여 제2항에 따른 압수·수색 또는 검증을 할 수 있다. [2017 실무 3]

[2017 실무 3] [2020 경간] 국제형사사법 공조법 상 외국의 요청에 따른 수사의 공조절차에서 검사는 요청국에 인도하여야 할 증거물 등이 법원에 제출되어 있는 경우에는 법무부장관의 인도허가 결정을 받아야 한다. (×)

(2) 외국에 대한 공조

국제형사사법 공조법 제29조【검사 등의 공조요청】검사 또는 고위공직자범죄수사처장은 외국에 수사에 관한 공조요청을 하려면 법무부장관에게 공조요청서를 송부하여야 하고, 사법경찰관은 검사에게 신청하여 법무부장관에게 공조요청서를 송부하여야 한다.

국제형사사법 공조법 제30조【법무부장관의 조치】제29조에 따른 공조요청서를 받은 법무부장관은 외국에 공조요청하는 것이 타당하다고 인정하는 경우에는 그 공조요청서를 외교부장관에게 송부하여야 한다. 다만, 긴급한 조치가 필요한 경우나 특별한 사정이 있는 경우에는 외교부장관의 동의를 받아 공조요청서를 직접 외국에 송부할 수 있다.

국제형사사법 공조법 제31조【외교부장관의 조치】외교부장관은 법무부장관으로부터 제30조에 따른 공조요청서를 받았을 때에는 이를 외국에 송부하여야 한다. 다만, 외교 관계상 공조요청하는 것이 타당하지 아니하다고 인정하는 경우에는 이에 관하여 법무부장관과 협의하여야 한다.

(3) 국제형사경찰기구와의 협력

국제형사사법 공조법 제38조【국제형사경찰기구와의 협력】① 행정안전부장관은 국제형사경찰기구로부터 외국의 형사사건 수사에 대하여 협력을 요청받거나 국제형사경찰기구에 협력을 요청하는 경우에는 다음 각 호의 조치를 취할 수 있다.
[2022 승진(실무종합)]
1. 국제범죄의 정보 및 자료 교환
2. 국제범죄의 동일증명(同一證明) 및 전과 조회
3. 국제범죄에 관한 사실 확인 및 그 조사
② 제1항 각 호를 제외한 협력요청이 이 법에 따른 공조에 관한 것인 경우에는 이 법에 따른다.

[2020 승진(경감)] 법무부장관은 국제형사경찰기구로부터 외국의 형사사건 수사에 대하여 협력을 요청받거나 국제형사경찰기구에 협력을 요청하는 경우 국제범죄의 정보 및 자료교환, 국제범죄의 동일증명 및 전과 조회 등의 조치를 취할 수 있다. (×)

02 범죄인 인도법

1. 목적과 정의, 관할

(1) 목적

> 범죄인 인도법 제1조【목적】이 법은 범죄인 인도에 관하여 그 범위와 절차 등을 정함으로써 범죄 진압 과정에서의 국제적인 협력을 증진함을 목적으로 한다.

(2) 정의

> 범죄인 인도법 제2조【정의】이 법에서 사용하는 용어의 뜻은 다음과 같다.
> 1. "**인도조약**"이란 대한민국과 외국 간에 체결된 범죄인의 인도에 관한 조약·협정 등의 합의를 말한다.
> 2. "**청구국**"이란 범죄인의 인도를 청구한 국가를 말한다.
> 3. "**인도범죄**"란 범죄인의 인도를 청구할 때 그 대상이 되는 범죄를 말한다.
> 4. "**범죄인**"이란 인도범죄에 관하여 청구국에서 수사나 재판을 받고 있는 사람 또는 유죄의 재판을 받은 사람을 말한다.
> 5. "**긴급인도구속**"이란 도망할 염려가 있는 경우 등 긴급하게 범죄인을 체포·구금하여야 할 필요가 있는 경우에 범죄인 인도청구가 뒤따를 것을 전제로 하여 범죄인을 체포·구금하는 것을 말한다.

(3) 관할

> 범죄인 인도법 제3조【범죄인 인도사건의 전속관할】이 법에 규정된 범죄인의 인도심사 및 그 청구와 관련된 사건은 서울고등법원과 서울고등검찰청의 전속관할로 한다. [2016 지능범죄]
> [2012 채용1차] 범죄인 인도심사 및 그 청구와 관련된 사건은 각 관할구역 지방법원과 지방검찰청의 전속관할로 한다. (×)
> [2015 채용3차] 이 법에 규정된 범죄인의 인도심사 및 그 청구와 관련된 사건은 대법원과 대검찰청의 전속관할로 한다. (×)

2. 범죄인 인도의 원칙

(1) 범죄인 인도의 목적

> 범죄인 인도법 제5조【인도에 관한 원칙】대한민국 영역에 있는 범죄인은 이 법에서 정하는 바에 따라 청구국의 인도청구에 의하여 소추, 재판 또는 형의 집행을 위하여 청구국에 인도할 수 있다.

(2) 인도조약 우선의 원칙

> 범죄인 인도법 제3조의2【인도조약과의 관계】범죄인 인도에 관하여 인도조약에 이 법과 다른 규정이 있는 경우에는 그 규정에 따른다. ➔ 조약우선주의! [2012 채용1차]
> [2012 채용2차] [2016 지능범죄] 범죄인 인도법에 관하여 인도조약에 이 법과 다른 규정이 있는 경우 범죄인 인도법을 따른다. (×)

(3) 상호주의의 원칙

> **범죄인 인도법 제4조【상호주의】** 인도조약이 체결되어 있지 아니한 경우에도 범죄인의 인도를 청구하는 국가가 같은 종류 또는 유사한 인도범죄에 대한 대한민국의 범죄인 인도청구에 응한다는 보증을 하는 경우에는 이 법을 적용한다. [2020 채용2차]
> [2021 경간] 국제형사사법 공조와 범죄인 인도과정 모두 상호주의원칙과 조약우선주의를 천명하고 있다. (O)

(4) 최소한의 중요범죄원칙

> **범죄인 인도법 제6조【인도범죄】** 대한민국과 청구국의 법률에 따라 인도범죄가 사형, 무기징역, 무기금고, 장기 1년 이상의 징역 또는 금고에 해당하는 경우에만 범죄인을 인도할 수 있다. [2012 채용1차] [2016 지능범죄] [2017 경간] [2020 승진(경위)] [2021 경간]
> [2018 실무 3] 대한민국과 청구국의 법률에 따라 인도범죄가 사형, 무기징역, 무기금고, 단기 1년 이상의 징역 또는 금고에 해당하는 경우에만 범죄인을 인도할 수 있다. (×)

어느 정도 중요성을 띤 범죄인만 인도하는 원칙으로, 범죄인 인도법 제6조의 '대한민국과 청구국의 법률에 따라'라는 부분은 '쌍방가벌성의 원칙'을, '사형, 무기징역, 무기금고, 장기 1년 이상의 징역 또는 금고'부분은 최소한의 중요범죄원칙을 나타내고 있다고 본다. [2020 채용2차] [2021 승진(실무종합)]

(5) 정치범 불인도의 원칙

> **범죄인 인도법 제8조【정치적 성격을 지닌 범죄 등의 인도거절】** ① 인도범죄가 정치적 성격을 지닌 범죄이거나 그와 관련된 범죄인 경우에는 범죄인을 인도하여서는 아니 된다. 다만, 인도범죄가 다음 각 호의 어느 하나에 해당하는 경우에는 그러하지 아니하다. [2012 채용1차] [2020 채용2차]
> 1. 국가원수 · 정부수반 또는 그 가족의 생명 · 신체를 침해하거나 위협하는 범죄 [2020 승진(경위)]
> 2. 다자간 조약에 따라 대한민국이 범죄인에 대하여 재판권을 행사하거나 범죄인을 인도할 의무를 부담하고 있는 범죄
> 3. 여러 사람의 생명 · 신체를 침해 · 위협하거나 이에 대한 위험을 발생시키는 범죄
> ② 인도청구가 범죄인이 범한 정치적 성격을 지닌 다른 범죄에 대하여 재판을 하거나 그러한 범죄에 대하여 이미 확정된 형을 집행할 목적으로 행하여진 것이라고 인정되는 경우에는 범죄인을 인도하여서는 아니 된다.
> [2017 경간] 「범죄인 인도법」은 정치범 불인도의 원칙에 대하여 명문규정을 두고 있지 않다. (×)
> [2015 경간] 정치범 불인도의 원칙과 관련하여 우리나라는 명문규정이 있으며, 집단살해 · 전쟁범죄는 예외적으로 인도한다. (O)

정치범 자체에 대한 별도의 개념 정의는 두고 있지 않으며, 이와 같이 정치범에 해당하는지 여부에 대한 판단은 전적으로 피청구국의 판단에 따른다. [2012 채용2차]
[2020 실무 3] 우리나라는 정치범 불인도원칙을 명문으로 규정하고 있고, 정치범죄는 국제법상 불확정적인 개념으로 정치범죄의 해당여부는 전적으로 청구국의 판단에 의존한다. (×)

상호주의의 실제

인도조약 체결 당사국 사이에 서로 인도한 범죄인 수를 정확히 밝히고 있지는 않으나, 한국형사정책연구원에 따르면 실제적으로는 '1명을 넘겨주면 1명을 넘겨받는다'는 원칙이 숨어있다고 한다.

정치범 인도의 거절

· 2006년, 베트남 정부가 응우옌흐우짜인씨(미국에 자유베트남정부를 세운 후 내각 수반을 지낸 자)가 폭탄테러 범죄의 배후라는 이유로 송환 요청을 하였으나, 법원은 '폭발물 테러와 베트남 정치질서를 반대하는 정치범 성격이 결합된 것'이라는 이유로 인도를 불허하였다.
· 2013년에도 일본 야스쿠니신사에 불을 지른 중국인 류창 씨에 대해 '자신의 정치적 신념에서 비롯된 일'이라는 이유로 인도가 불허된 바 있다.

(6) 특정성의 원칙 [2021 승진(실무종합)]

> **범죄인 인도법 제10조【인도가 허용된 범죄 외의 범죄에 대한 처벌 금지에 관한 보증】**
> 인도된 범죄인이 다음 각 호의 어느 하나에 해당하는 경우를 제외하고는 인도가 허용된 범죄 외의 범죄로 처벌받지 아니하고 제3국에 인도되지 아니한다는 청구국의 보증이 없는 경우에는 범죄인을 인도하여서는 아니 된다. 예 자금세탁범죄(Money Laundering)으로 인도청구가 되었으나 실제로는 정치범으로 처벌하는 경우 / A국에서 인도청구가 있었으나 실제 A국을 거쳐 B국으로 인도되는 경우
> 1. 인도가 허용된 범죄사실의 범위에서 유죄로 인정될 수 있는 범죄 또는 인도된 후에 범한 범죄로 범죄인을 처벌하는 경우
> 2. 범죄인이 인도된 후 청구국의 영역을 떠났다가 자발적으로 청구국에 재입국한 경우
> 3. 범죄인이 자유롭게 청구국을 떠날 수 있게 된 후 45일 이내에 청구국의 영역을 떠나지 아니한 경우
> 4. 대한민국이 동의하는 경우

(7) 자국민 불인도의 원칙

- 인도의 대상은 원칙적으로 외국인이고, 자국민은 인도의 대상이 되지 않는다는 원칙으로, 우리나라 범죄인 인도법상으로는 임의적 거절사유로 규정되어 있다.
  [2020 채용2차] [2021 승진(실무종합)] 자국민불인도의 원칙은 자국민은 인도하지 않는다는 원칙으로서, 우리나라 「범죄인 인도법」 제9조는 절대적 거절사유로 규정하고 있다. (×)
- 통상 대륙법계 국가에서는 채택하고 있으나, 영미법계 국가는 채택하지 않는 원칙이다. ➡ 보편적 국제원칙이 아님!
  [2015 경간] 자국민 불인도의 원칙이란 범죄인 인도대상이 자국민일 경우 청구국에 인도하지 않는다는 원칙으로 영미법계 국가들은 이 원칙을 채택하고 있다. (×)

(8) 유용성의 원칙

범죄인의 인도는 실제로 처벌하기 위한 것이므로, 인도가 이런 처벌목적에 유용해야 한다는 원칙이다. 예 시효가 완성되었거나 사면을 받은 경우에는 인도할 필요 ×

(9) 군사범 불인도의 원칙

군사범죄 즉, 탈영·항명 등의 범죄자는 인도하지 않는다는 원칙으로, 범죄인 인도법은 이에 대한 명문규정을 두고 있지 않다. [2012 채용2차]
[2015 경간] 군사범 불인도의 원칙이란 군사적 의무관계에 기인하는 범죄자는 인도하지 않는다는 원칙으로, 우리나라는 군사범 불인도의 원칙을 명문으로 규정하고 있다. (×)

(10) 쌍방가벌성의 원칙

- 청구국과 피청구국 쌍방 국가 모두의 법률에 의하여 범죄를 구성하지 않는 경우에는 그 범죄에 대하여 범죄인을 인도하지 않는다는 원칙이다. [2021 승진(실무종합)]
- 범죄인 인도법 제6조의 '대한민국과 청구국의 법률에 따라'라는 부분이 이 원칙을 나타내고 있는 것으로 본다.
  [2018 채용3차] 청구국과 피청구국 쌍방의 법률에 의하여 범죄를 구성하지 않는 경우에는 범죄인을 인도하지 않는다는 것은 쌍방가벌성의 원칙으로, 우리나라 「범죄인 인도법」에 명문규정은 없다. (×)

3. 범죄인 인도법상 인도거절사유

(1) 절대적(필요적) 인도거절사유

> **범죄인 인도법 제7조 【절대적 인도거절 사유】** 다음 각 호의 어느 하나에 해당하는 경우에는 범죄인을 인도하여서는 아니 된다.
> 1. 대한민국 또는 청구국의 법률에 따라 인도범죄에 관한 공소시효 또는 형의 시효가 완성된 경우 [2017 경간] [2018 채용1차]
> 2. 인도범죄에 관하여 대한민국 법원에서 재판이 계속 중이거나 재판이 확정된 경우 [2017 경간] [2024 채용 1차]
> 3. 범죄인이 인도범죄를 범하였다고 의심할 만한 상당한 이유가 없는 경우. 다만, 인도범죄에 관하여 청구국에서 유죄의 재판이 있는 경우는 제외한다.
> 4. 범죄인이 인종, 종교, 국적, 성별, 정치적 신념 또는 특정 사회단체에 속한 것 등을 이유로 처벌되거나 그 밖의 불리한 처분을 받을 염려가 있다고 인정되는 경우 [2016 지능범죄] [2024 채용 1차]
>
> [2015 채용3차] [2018 채용1차] [2019 승진(경감)] 범죄인이 인종, 종교, 국적, 성별, 정치적 신념 또는 특정 사회 단체에 속한 것 등을 이유로 처벌되거나 그 밖의 불리한 처분을 받을 염려가 있다고 인정되는 경우 범죄인을 인도하지 않을 수 있다. (×)

(2) 상대적(임의적) 인도거절사유

> **범죄인 인도법 제9조 【임의적 인도거절 사유】** 다음 각 호의 어느 하나에 해당하는 경우에는 범죄인을 인도하지 아니할 수 있다.
> 1. 범죄인이 대한민국 국민인 경우 [2012 채용2차] [2024 채용 1차]
> 2. 인도범죄의 전부 또는 일부가 대한민국 영역에서 범한 것인 경우 [2015 채용3차] [2024 채용 1차]
> 3. 범죄인의 인도범죄 외의 범죄에 관하여 대한민국 법원에 재판이 계속 중인 경우 또는 범죄인이 형을 선고받고 그 집행이 끝나지 아니하거나 면제되지 아니한 경우 [2018 채용1차]
> 4. 범죄인이 인도범죄에 관하여 제3국(청구국이 아닌 외국을 말한다. 이하 같다)에서 재판을 받고 처벌되었거나 처벌받지 아니하기로 확정된 경우 [2018 채용1차] [2020 실무 3] [2020 승진(경위)]
> 5. 인도범죄의 성격과 범죄인이 처한 환경 등에 비추어 범죄인을 인도하는 것이 비인도적이라고 인정되는 경우 [2018 실무 3]
>
> [2015 채용3차] 범죄인이 대한민국 국민인 경우 범죄인을 인도하여서는 아니 된다. (×)
> [2021 경간] 범죄인이 대한민국 국민이거나 인도범죄에 관하여 대한민국 법원에서 재판이 확정된 경우에는 범죄인을 인도하여서는 아니 된다. (×)
> [2018 채용3차] 인도범죄 외의 범죄에 관하여 대한민국 법원에 재판이 계속 중인 경우 또는 범죄인이 형을 선고받고 그 집행이 끝나지 아니하거나 면제되지 아니한 경우 범죄인을 인도하여서는 아니 된다. (×)
> [2018 실무 3] 범죄인이 인도범죄에 관하여 제3국(청구국이 아닌 외국)에서 재판을 받고 처벌되었거나 처벌받지 아니하기로 확정된 경우는 필요적 인도거절 사유에 해당한다. (×)

💡 **손정우 씨 송환불허 사건**
- 다크웹을 통해 아동 포르노 배포혐의를 받은 손정우 씨의 경우, 미국정부의 범죄인 인도요청이 있었으나 서울고등법원이 2020.7. 인도거절 결정을 내렸다.
- 서울고법은 '더 엄중한 처벌이 가능한 곳으로 보내는 것이 범죄인 인도제도의 취지가 아니'라고 하면서, 제1호 '범죄인이 대한민국 국민인 경우'에 근거하여 불허결정을 하였고, 손정우씨를 대한민국에 남겨두면서 국내 수사를 통해 정보를 얻어 국내에서 관련 범죄를 발본색원하는 계기로 삼는 것이 대한민국 국익에 부합한다고 보았다.

☑ KEY POINT | 인도거절사유 비교 [2013 채용2차] [2014 채용2차] [2015 채용2차] [2017 승진(경위)] [2022 채용1차]

유형	절대적 인도거절사유	상대적 인도거절사유
수사가능성 관련	• 공소시효완성 • 형의 시효완성 • 인도범죄 의심 상당이유 ×	• 대한민국 국민 • 대한민국 영역에서의 범죄
사법기능 관련	• 인도범죄 재판 계속 중 • 인도범죄 재판 확정	• 인도범죄 외 재판 계속 중 • 인도범죄 외 재판 확정, 집행 중 • 인도범죄, 제3국에서 처벌완료
인도적 사유	인종, 종교, 국적, 성별, 정치적 신념 또는 특정 사회단체 소속 이유 불리한 처벌 우려	인도하는 것이 비인도적

4. 범죄인 인도절차

(1) 외교부장관의 인도청구서 송부 ➡ 법무부장관

> **범죄인 인도법 제11조【인도청구를 받은 외교부장관의 조치】** 외교부장관은 청구국으로부터 범죄인의 인도청구를 받았을 때에는 인도청구서와 관련 자료를 법무부장관에게 송부하여야 한다. [2019 승진(경감)]

외교부장관은 인도조약의 존재 여부 · 상호보증 여부 · 인도대상범죄 여부 등을 확인하고 이들을 관련자료로서 인도청구서와 함께 법무부장관에게 송부한다. [2019 승진(경감)]

(2) 법무부장관의 인도심사청구명령 ➡ 서울고검 소속검사

> **범죄인 인도법 제12조【법무부장관의 인도심사청구명령】** ① 법무부장관은 외교부장관으로부터 제11조에 따른 인도청구서 등을 받았을 때에는 이를 서울고등검찰청 검사장에게 송부하고 그 소속 검사로 하여금 서울고등법원(이하 "법원"이라 한다)에 범죄인의 인도허가 여부에 관한 심사(이하 "인도심사"라 한다)를 청구하도록 명하여야 한다. 다만, 인도조약 또는 이 법에 따라 범죄인을 인도할 수 없거나 인도하지 아니하는 것이 타당하다고 인정되는 경우에는 그러하지 아니하다. [2018 실무 3] [2018 채용2차]
> ② 법무부장관은 제1항 단서에 따라 인도심사청구명령을 하지 아니하는 경우에는 그 사실을 외교부장관에게 통지하여야 한다.
> [2019 승진(경감)] 외교부장관은 인도조약 또는 범죄인 인도법에 따라 범죄인을 인도할 수 없거나 인도하지 아니하는 것이 타당하다고 인정되는 경우에는 인도심사청구명령을 하지 아니하고, 그 사실을 법무부장관에게 통지하여야 한다. (×)

(3) 검사의 인도심사청구 ➡ 서울고법

> **범죄인 인도법 제13조【인도심사청구】** ① 검사는 제12조 제1항에 따른 법무부장관의 인도심사청구명령이 있을 때에는 지체 없이 법원에 인도심사를 청구하여야 한다. 다만, 범죄인의 소재를 알 수 없는 경우에는 그러하지 아니하다.
> ② 범죄인이 제20조에 따른 인도구속영장에 의하여 구속되었을 때에는 구속된 날부터 3일 이내에 인도심사를 청구하여야 한다.
> ③ 인도심사의 청구는 관계 자료를 첨부하여 서면으로 하여야 한다.

④ 검사는 인도심사를 청구하였을 때에는 그 청구서의 부본을 범죄인에게 송부하여야 한다.

[2018 채용3차] 범죄인이 「범죄인 인도법」 제20조에 따른 인도구속영장에 의하여 구속되었을 때에는 구속된 때부터 48시간 이내에 인도심사를 청구하여야 한다. (×)

(4) 법원의 심사 및 결정

범죄인 인도법 제14조【법원의 인도심사】① 법원은 제13조에 따른 인도심사의 청구를 받았을 때에는 지체 없이 인도심사를 시작하여야 한다.

② 법원은 범죄인이 인도구속영장에 의하여 구속 중인 경우에는 구속된 날부터 2개월 이내에 인도심사에 관한 결정을 하여야 한다. [2018 채용3차] [2020 실무 3]

[2020 승진(경위)] 법무부장관은 범죄인이 인도구속영장에 의하여 구속 중인 경우에는 구속된 날부터 2개월 이내에 인도심사에 관한 결정을 하여야 한다. (×)

범죄인 인도법 제15조【법원의 결정】① 법원은 인도심사의 청구에 대하여 다음 각 호의 구분에 따라 결정을 하여야 한다.

1. 인도심사의 청구가 적법하지 아니하거나 취소된 경우: 인도심사청구 각하결정
2. 범죄인을 인도할 수 없다고 인정되는 경우: 인도거절 결정
3. 범죄인을 인도할 수 있다고 인정되는 경우: 인도허가 결정

② 제1항에 따른 결정에는 그 이유를 구체적으로 밝혀야 한다.

③ 제1항에 따른 결정은 그 주문을 검사에게 통지함으로써 효력이 발생한다.

(5) 법무부장관의 범죄인 인도명령

범죄인 인도법 제34조【인도에 관한 법무부장관의 명령 등】① 법무부장관은 제15조 제1항 제3호에 따른 인도허가 결정이 있는 경우에는 서울고등검찰청 검사장에게 그 소속 검사로 하여금 범죄인을 인도하도록 명하여야 한다. 다만, 청구국이 인도청구를 철회하였거나 대한민국의 이익 보호를 위하여 범죄인의 인도가 특히 부적당하다고 인정되는 경우에는 그러하지 아니하다.

② 법무부장관은 제1항 단서에 따라 범죄인을 인도하지 아니하는 경우에는 서울고등검찰청 검사장에게 그 소속 검사로 하여금 구속 중인 범죄인을 석방하도록 명함과 동시에 외교부장관에게 그 사실을 통지하여야 한다.

③ 검사는 제2항에 따른 법무부장관의 석방명령이 있을 때에는 지체 없이 범죄인에게 그 내용을 통지하고 그를 석방하여야 한다.

범죄인 인도법 제35조【인도장소와 인도기한】① 법무부장관의 인도명령에 따른 범죄인의 인도는 범죄인이 구속되어 있는 교도소, 구치소 또는 그 밖에 법무부장관이 지정하는 장소에서 한다.

② 인도기한은 인도명령을 한 날부터 30일로 한다.

③ 제2항에도 불구하고 인도명령을 할 당시 범죄인이 구속되어 있지 아니한 경우의 인도기한은 범죄인이 인도집행장에 의하여 구속되었거나 구속의 집행정지 취소에 의하여 다시 구속된 날부터 30일로 한다.

[2020 실무 3] 법무부장관의 인도명령 당시 범죄인이 구속되어 있는 경우 인도기한은 인도명령을 한 날부터 30일로 한다. (○)

03 국제경찰협력기구

1. 국제형사경찰기구(INTERPOL ; International Criminal Police Organization)

(1) 의의

- 인터폴은 세계인권선언 정신을 바탕으로 국제범죄의 예방과 처리를 목적으로 회원국의 국내법이 허용하는 범위 내에서 상호간 필요한 자료와 정보를 교환하고 범인체포 및 인도에 상호 협력하는 정부간 국제기구이다.
- 인터폴은 자체수사권을 가진 국제수사기관이 아니다.
- 대한민국은 1964년 제33차 총회에서 인터폴에 정식 가입하였다.

(2) 연혁

- **1914년 모나코**에서 열린 국제형사경찰회의(International Criminal Police Congress)가 국제경찰협력의 기초가 되었다. ➡ 국제범죄 기록보관소 설립, 범죄인 인도절차의 표준화 등에 대하여 논의 [2012 경간]
- **1923년 비엔나**에서 19개국 경찰기관장이 참석한 가운데 제2차 국제형사경찰회의가 개최되어 국제형사경찰위원회(International Criminal Police Commission)를 창립하였다. ➡ 국제형사경찰기구(인터폴)의 전신 [2020 승진(경감)]

  [2018 채용3차] 1923년 제네바에서 제2차 국제형사경찰회의가 개최되어 국제형사경찰위원회(International Criminal Police Commission)가 창설되었으며 이는 국제형사경찰기구의 전신이라 할 수 있다. (×)
- **1956년 비엔나**에서 제25차 국제형사경찰위원회가 개최되어 국제형사경찰기구(International Criminal Police Organization)가 발족하였고, 당시 사무총국은 프랑스 파리에 두었다.

  [2018 채용3차] 1956년 비엔나에서 제25차 국제형사경찰위원회가 개최되어 국제형사경찰기구가 발족하였고, 당시 사무총국을 리옹에 두었다. (×)

(2) 조직

총회	• General Assembly • 최고 의결기관으로 중요 정책·활동계획·재정업무 관련 중요사항을 의결한다. • 각 회원국 대표로 구성되며, 매년 1회 개최, 일주일간 진행한다.
집행 위원회	• Executive Committee [2017 실무 3] • 제한적 심의기관으로, 총회 결정사항의 이행 여부 확인·총회의제안 준비·제출될 활동계획 및 예산안 승인·사무총국 운영에 대한 감독업무를 수행한다. • 총회에서 선출된 13명의 의원(총재 1, 부총재 3, 집행위원 9)으로 구성된다. • 총재는 4년 임기, 부총재와 집행위원은 3년 임기 [2018 경채] 집행위원회는 국제형사경찰기구의 최고의결기관으로 매년 한 번씩 개최하여 일주일간 진행된다. (×)
사무 총국	• General Secretariat • 상설 행정기관 및 기술기관으로서, 총회 결정사항을 이행하고 범죄정보를 집중관리하며 회원국 및 국제기구와의 연락 협력업무를 수행한다. • 5년 임기 사무총장이 사무총국을 운영하여 조직의 관리 및 예산을 집행한다. • 사무총국 제2국이 연락 및 범죄정보의 배포 등 핵심적 기능을 수행한다. • 프랑스 리옹 소재 [2018 경채]

💡 인터폴이 수사기관?

- 각종 미디어에서 인터폴에 대한 잘못된 묘사로 인터폴이 국제수사관을 두고 국경에 관계 없이 자유로운 **범죄수사를 하는 기관으로 오해**하는 경우가 많다.
- 그러나 인터폴은 국제수사기관이 아니라 회원국간 경찰협력을 도모하는 국제공조수사기구에 불과하다.

💡 김종양 전 인터폴 총재

- 경찰청 외사국장, 경남지방경찰청장, 경기지방경찰청장 등을 역임하였고, 2018.11.21. 제87차 총회에서 인터폴 총재로 선출되어 2021.11.까지 총재직을 수행하였다.
- 한국인 최초로 인터폴 총재로 선출되어 한국경찰의 국제적 위상 제고에 큰 역할을 하였다.

국가중앙사무국	• National Central Bureau(NCB) [2012 경간] [2017 실무 3] • 모든 회원국에 설치된 상설기구로서 회원국간의 각종 공조요구에 대응한다. [2018 경채] • 우리나라 국가중앙사무국: 경찰청 외사국 인터폴국제공조과 국제공조계(인터폴계는 국외도피사범 추적 및 송환, 타국 NCB와 공조수사 진행 등 업무)

[2012 채용1차] 인터폴의 조직 중 모든 회원국에 설치된 상설기구로서 타국으로부터 수신되는 각종 공조요구에 응할 수 있도록 설치된 기구는 사무총국이다. (×)

[2018 채용3차] 국가중앙사무국(National Central Bureau)은 회원국에 설치된 상설 경찰협력부서로 우리나라의 경우 경찰청 외사국 국제협력과 인터폴계에 설치되어 있다. (×)

(3) 운영

• 인터폴은 정치적 · 군사적 · 종교적 · 인종적 성격을 띤 사항에 대해서 어떠한 간섭이나 활동을 하는 것을 엄격히 금지한다. [2014 실무 3] [2018 경채]

[2018 실무 3] 회원국간의 협력의 종류에는 범죄수사 협력, 범죄예방을 위한 협력, 군사적 · 정치적 분야에서의 협력이 있다. (×)

• 인터폴은 영어 · 불어 · 스페인어 · 아랍어를 공용어로 사용한다. [2014 실무 3] [2018 경채]

[2018 실무 3] 인터폴의 공용어는 영어, 독일어, 스페인어, 아랍어이다. (×)

• 인터폴의 운영경비는 회원국의 단위별 분담금에 주로 의존하고 있다.

• 인터폴 회원국간 협력의 기본원칙은 다음과 같다. [2020 승진(경감)]

주권의 존중	회원국은 국내법에 따라 행하는 통상적 업무수행의 범위 내에서 협조한다.
일반법의 집행	일반형법의 집행이라고도 하며, 일반범죄와 관련된 범죄의 예방 및 진압역할을 수행한다. ➡ 정치 · 종교 · 군사 · 인종 관련 사항 일체 관여 · 활동배제
보편성의 원칙	회원국은 지리 · 언어 등 요인에 방해받지 않고 타회원국과 협력할 수 있다.
평등성의 원칙	회원국은 재정분담금의 규모와 관계없이 동일한 혜택과 지원을 받는다. [2020 실무 3]
타기관과의 협력	각 회원국은 국가중앙사무국을 통해 일반범죄의 예방과 진압에 관여하고 있는 타국가기관과도 협력할 수 있다.
업무방법의 융통성	협조방식은 규칙성 · 계속성이 있어야 하나 회원국의 국내실정을 충분히 고려하여 협조의 방식을 변경할 수 있다.

[2012 경간 유사] [2018 실무 3] 회원국간 협력의 기본원칙 중 '보편성'이란 모든 회원간은 재정분담금의 규모와 관계없이 동일한 혜택과 지원을 받을 수 있다는 내용이다. (×)

(4) 인터폴 국제수배

적색수배서 (Red Notice)	• 국제체포수배서 [2014 승진(경위)] [2015 채용1차] [2016 경간] • 국제재판관할 또는 국제법정에 의한 신병 인도가 요구되는 자의 소재 특정 및 체포
청색수배서 (Blue Notice)	• 국제정보조회수배서 [2018 승진(경위)] [2020 실무 3] [2020 승진(경위)] • 범죄 수사에 있어 요주의 인물(유죄판결을 받은 자, 수배자, 피의자, 참고인, 피해자 등 범죄관련자)의 신원 · 전과 및 소재의 확인을 위한 경우

자색(보라색) 수배서 (Purple Notice)	• **범죄수법수배서** [2014 승진(경위)] [2018 승진(경위)] [2020 실무 3] [2020 승진 (경위)] • 새로운 범죄수법 등 범죄자들이 사용하는 범죄수법이나 도 구·은신처에 대한 정보를 사무총국에서 집중관리하며, 각 회원국에 배포하여 수사기관이 범죄예방 수사자료로 활용하 게 한다.
녹색수배서 (Green Notice)	• **상습국제범죄자수배서** [2015 실무 3] [2018 승진(경위)] [2020 승진(경위)] • 상습적으로 범행하였거나 범행할 우려가 있는 국제범죄자의 동향 파악 및 범죄예방을 위해 발행한다.
오렌지수배서 (Orange Notice)	• **무기 등 경고수배서** [2012 채용1차] [2015 채용1차] [2015 실무 3] [2020 실무 3] • 인명 또는 재산에 대한 임박한 위협과 위험이 될 수 있는 사 건·인물·물체(폭발물 등) 과정 경고
황색수배서 (Yellow Notice)	• **국제실종자수배서(가출인수배서)** [2012 채용1차] [2014 승진(경위)] • 실종자의 소재특정 또는 신원불명 인물의 신원확인 목적
흑색수배서 (Black Notice)	• **국제신원미상 사체수배서** [2012 채용1차] [2014 승진(경위)] [2015 채용1 차] [2015 실무 3] • 신원불상 사망자 또는 가명사용 사망자의 신원확인 목적
인터폴 – 유엔 수배서	UN과 INTERPOL이 협력하여 국제 테러범 및 테러단체에 대한 제재를 목적으로 발행한다.

[2012 채용1차] 적색수배서(Red Notice)는 새로운 범죄수법이 발견되었을 경우에 한하여 이를 경고하기 위하여 발행한다. (×)
[2014 승진(경위)] [2016 경간] 청색수배서(Blue Notice) – 상습 국제범죄자의 동향 파악 및 범죄예방을 위해 발행 (×)
[2016 경간] 자주색수배서(Purple Notice) – 폭발물 등 위험물에 대한 경고 목적으로 발행 (×)
[2015 채용1차] 녹색수배서는 가출인의 소재 확인 뜨는 기억상실자 등의 신원을 확인할 목적으로 발행한다. (×)
[2016 경간 유사] [2018 승진(경위)] 황색수배서(Yellow Notice) – 가출인의 소재확인 및 가명사용 사망자의 신원확인을 목적으로 발행 (×)
[2012 경간] 일반형법을 위반하여 구속영장 또는 체포영장이 발부된 범죄인에 대하여 범죄인 인도를 목적으로 하는 경우에 한하여 발행하는 것은 흑색수배서이다. (×)
[2016 경간] [2020 실무 3 유사] [2020 승진(경위) 유사] 흑색수배서(Black Notice) – 가출인의 소재확인 및 심신 상실자의 신원확인 목적으로 발행 (×)

2. 기타 공조기구

(1) 코리안데스크

해외에서의 기업활동과 교민 증가 등으로 재외국민보호를 위해 해외에서 한국인
대상 범죄를 전담 수사하기 위해 설치하는 기구 및 파견되는 경찰공무원(코리안데
스크 담당관)을 말한다.

(2) 유로폴(Europol)

• 유럽 역내 법집행기관들을 지원하기 위해 1992년 설립된 국제기구로, 2010년 유
럽연합(EU) 산하 단체로 개편되었다.
• 유로폴 각 회원국의 분담금은 국가총생산에 따라 계산된다. [2020 실무 3]
• 유로폴 모든 문서의 원본은 각국어이고, 회의용 언어는 영어, 불어 또는 독일어이다.
[2020 실무 3]
• 대한민국은 2021년 12월 비유럽국가 중 10번째로 유로폴에 가입하였다.

💡 **녹색수배서**

• 녹색수배서(Green Notice)의 경우
인터폴 홈페이지상으로는 국제방범
수배서로서 '공공안전에 위협이 되
는 특정 인물이 있는 경우 해당 인물
의 범죄행동(criminal activities)을 경
고'하는 의미라고 명시하고 있다.
• 다만, 해당 파트가 출제된 2020년 승
진시험까지도 녹색수배서를 '상습국
제범죄자 수배서'로 출제하고 있어,
일단 본 기본서는 기출우선원칙에
따라 기술하였으나, 수험생들은 녹
색수배서가 출제되는 경우 주의 깊
게 살펴볼 필요가 있어 보인다.

💡 **코리안데스크**

• 쉽게 말해 필리핀, 베트남 등 현지
경찰 조직으로 파견을 나간 대한민
국 경찰관을 말한다.
• 지난 2021년 9월 필리핀에서 검거된
'1.3조 필리핀 도박왕' 검거작전의 경
우 경찰청 외사국이 콘트롤타워 역
할을 하고, 필리핀 현지 코리안데스
크 경찰관들의 현장 판단에 따라 완
성한 작전이 검거 성공의 요인으로
평가받았다.
• 비슷한 시기에 검거된 국내 최대 성
매매 알선사이트 '밤의 전쟁' 운영자
도 필리핀 코리안데스크의 역할이
핵심적이었다고 평가된다.

(3) 아세아나폴(Aseanapol)

- 말레이시아 · 인도네시아 · 싱가포르 · 필리핀 · 태국 · 미얀마 · 라오스 · 캄보디아 · 베트남 · 브루나이의 10개 아세안 국가로 이루어진 치안총수 협의체이다.
  [2020 실무 3] 아세아나폴 10개 정회원국으로 말레이시아, 인도, 싱가포르, 필리핀, 태국 등이 있다. (×)
- 마약 · 무기밀매, 신용카드 · 여권 위변조, 경제범죄분야 등 논의를 위해 3개의 특별위원회를 두고 있다. [2020 실무 3]
- 대한민국은 회원국은 아니고 일본, 중국, 호주, 러시아 등과 함께 대화국(Dialogue Partner) 자격으로 참여하고 있다.

⊕ 심화 치안한류(K-Police Wave)프로그램

1 치안한류의 의미

치안한류는 대한민국 경찰의 우수한 치안시스템을 외국에 전수하는 것을 말하는 것으로서, 다변화, 국제화 되어가는 범죄에 효과적으로 대응하기 위한 목적을 지니고 있다.

2 추진연혁

- 2015년 4월 외사국에 '치안한류센터'를 개소하여 치안한류 프로젝트의 컨트롤 타워 역할을 담당하게 하였다.
- 2017년 경찰청에 국제협력과를 신설하고, 글로벌 치안협력을 통한 재외국민 보호 · 국격제고 · 치안분야 활성화 지원을 목표로 다양한 형태의 '치안한류'사업을 추진하고 있다.

3 사업내용

- 외국경찰 초청 연수, 경찰교육기관 간 교육협력, 디지털 포렌식 및 폭발물 처리 전수단 파견 등 다양한 사업을 추진하고 있다.
- 한국국제협력단(KOICA ; Korea International Cooperation Agency)과 공공협력 방식으로 '중미 3개국 치안역량 강화사업'과 '필리핀 경찰 수사역량 강화사업'을 진행해 오고 있다.
  [2020 실무 3] 경찰청은 인터폴과 공공협력 방식으로 '중미 3개국 치안역량 강화사업'과 '필리핀 경찰 수사역량 강화사업'을 진행해 왔다. (×)

MEMO

2025 대비 최신개정판

해커스경찰
서정표
경찰학   기본서 | 2권 각론

개정 3판 1쇄 발행 2024년 7월 29일

지은이	서정표 편저
펴낸곳	해커스패스
펴낸이	해커스경찰 출판팀

주소	서울특별시 강남구 강남대로 428 해커스경찰
고객센터	1588-4055
교재 관련 문의	gosi@hackerspass.com
	해커스경찰 사이트(police.Hackers.com) 교재 Q&A 게시판
	카카오톡 플러스 친구 [해커스경찰]
학원 강의 및 동영상강의	police.Hackers.com

ISBN	2권: 979-11-7244-246-0 (14350)
	세트: 979-11-7244-244-6 (14350)
Serial Number	03-01-01

경찰공무원 1위,
해커스경찰 police.Hackers.com

T̶H̶ 해커스 경찰

· 정확한 성적 분석으로 약점 극복이 가능한 **합격예측 온라인 모의고사**(교재 내 응시권 및 해설강의 수강권 수록)
· 해커스 스타강사의 **경찰학 무료 특강**
· 해커스경찰 학원 및 인강(교재 내 인강 할인쿠폰 수록)